LÉXICO
DO NOVO TESTAMENTO
GREGO | PORTUGUÊS

Dados internacionais de Catalogação na Publicação (CIP)
(Câmara Brasileira do Livro, SP, Brasil)

Gingrich, F. Wilbur, 1901-
  Léxico do Novo Testamento : grego, português /
F. Wilbur Gingrich ; revisão Frederick W. Danker ;
tradução Júlio P. T. Zabatiero. — São Paulo :
Vida Nova, 1984.

  Título original: Shorter lexicon of the greek
New Testament.
  Bibliografia.
  ISBN 978-85-275-0085-2

  1. Bíblia. NT. - Dicionários Grego Bíblico -
Português I. Danker, Frederick W.. II. Título.

06-8974   CDD-487.403

Índices para catálogo sistemático:
1. Grego bíblico : Português : Dicionários
    487.403

LÉXICO
DO NOVO TESTAMENTO

GREGO | PORTUGUÊS

F. WILBUR GINGRICH

REVISÃO
FREDERICK W. DANKER

TRADUÇÃO
JÚLIO P. T. ZABATIERO

Publicado com a autorização de *The University of Chicago Press,* Chicago, Illinois, USA.
Copyright © 1983 The University of Chicago
Todos os direitos reservados

Título original:
SHORTER LEXICON OF THE GREEK NEW TESTAMENT
Second Edition, by F. Wilbur Gingrich, Revised
by Frederick W. Danker

Este livro é uma abreviação, com algumas revisões, de
A Greek-English Lexicon of the New Testament and Other Early Christian Literature, segunda edição, 1979, revisado por F. Wilbur Gingrich e Frederick W. Danker.

1ª. Edição: 1984
Reimpressões: 1986, 1991, 1993, 2000, 2001, 2003, 2004, 2005, 2007, 2008, 2009, 2012, 2015, 2019, 2023

Publicado no Brasil com a devida autorização e com todos os direitos reservados por Sociedade Religiosa Edições Vida Nova, Rua Antônio Carlos Tacconi, 63, São Paulo, SP, 04810-020
vidanova.com.br | vidanova@vidanova.com.br

Proibida a reprodução por quaisquer meios (mecânicos, eletrônicos, xerográficos, fotográficos, gravação, estocagem de banco de dados, etc.), a não ser em citações breves, com indicação de fonte.

ISBN 978-85-275-0085-2

Composição
RH Comunicações

Revisão de provas
Grace Helen Rebello dos Santos

Coordenação de produção
Robinson N. Malkomes

Capa
Julio Carvalho

PREFÁCIO À EDIÇÃO EM PORTUGUÊS

Durante os últimos anos, muitos pastores e seminaristas têm sentido a falta de um Léxico do Novo Testamento Grego na língua portuguesa, que fosse mais amplo e oferecesse maior segurança do que qualquer outra fonte até agora existente. Damos graças a Deus pela publicação da tradução do bem conhecido Léxico de F.W. Gingrich e F.W. Danker que vem preencher esta lacuna.

Alguns estudiosos lamentarão as limitações desta versão condensada comparada à famosa obra original preparada por Bauer, Arndt, e Gingrich, publicada em 1957, perfazendo um total de 909 páginas em duas colunas. Todavia, a redução se justifica à luz da facilidade de manuseio e menor custo da presente obra. Para o mundo evangélico, a limitação do escopo deste Léxico às palavras do Novo Testamento não trará uma perda de muito valor uma vez que o principal interesse é ter-se uma fonte de alta autoridade e de fácil consulta.

O alvo deste Léxico é fornecer os significados dos vocábulos gregos sem entrar em discussões de hermenêutica e teologia. Isso pode ser encontrado no Novo Dicionário Internacional de Teologia do Novo Testamento (Edições Vida Nova, 1981-1984).

Estendemos nossa gratidão ao Prof. Júlio Paulo Tavares Zabatiero (tradutor), Robinson Norberto Malkomes (coordenador de produção) e Grace Helen Rebello dos Santos (revisora de provas). Sem a valiosa colaboração destes colegas, teria sido impossível o lançamento desta obra.

A Deus seja toda a glória!

Os Editores.

PREFÁCIO À EDIÇÃO EM INGLÊS

Este livro é uma síntese, com um pouco de revisão, de *A Greek-English Lexicon of the New Testament and Other Early Christian Literature* (primeira edição por W. F. Arndt e F. Wilbur Gingrich, 1957, BAG, segunda edição por F. Wilbur Gingrich e Frederick W. Danker, 1979, BAGD). Essa obra, por sua vez, é uma tradução e adaptação da de Walter Bauer, *Griechisch-Deutsches Wörterbuch zu den Schriften des Neuen Testaments und der übrigen urchristlichen Literatur* (1952).

O professor Gingrich, do Albrigth College, produziu a primeira edição deste Léxico (Shorter Lexicon, 1965). A publicação de BAGD e a revisão do texto grego do Novo Testamento da 26ª edição do *Novum Testamentum Graece* (Nestle-Aland, 1979) e da edição correspondente do *The Greek New Testament*, terceira edição, publicada em 1975 pelas Sociedades Bíblicas Unidas (UBS) ocasionaram uma revisão completa do trabalho do Prof. Gingrich.

O escopo deste livro é limitado às palavras do Novo Testamento, excluindo as obras dos Pais Apostólicos e outras peças da literatura cristã reconhecidas na edição maior do *Lexicon*. Numerosas leituras variantes do texto de Nestle-Aland[26] e da UBS[3] estão incluídas.

Damos ênfase ao sentido básico das palavras, para mais informações o leitor deve consultar o BAGD ou outras obras. Porém, os desafios dos estudiosos e o dilúvio de informações dos papiros e inscrições não se abatem, e o estudioso irá achar aqui informações recentes e mesmo modificações de conclusões expostas no texto sem resumo.

Nesta edição incluímos um grande número de formas flexionadas, o que tornará desnecessário para um iniciante no estudo do Novo Testamento Grego a busca de outras fontes de ajuda analítica.

Outro aspecto novo desta edição é a inclusão de uma série de palavras inglesas derivadas do grego. (Sempre que possível, também as há na edição em português. N.T.) Isto se mostrará valioso de duas maneiras. Primeiro, os estudantes irão se lembrar mais facilmente do significado de palavras gregas se puderem associá-las com termos familiares, ou mesmo incomuns, de sua própria língua. (O reverso também é verdadeiro). Segundo, os termos derivados irão demonstrar, com rapidez, o impacto maciço da cultura grega sobre o vacabulário popular e o técnico do mundo de fala inglesa.

O estudante deverá notar que, quando os derivados fazem parte da própria definição do sentido (p. ex., no verbete καθολικὸς, ἡ, ὸν, católico), eles não são repetidos, dentro dos colchetes, ao fim do verbete. A abreviatu-

ra "Cf." é comumente usada para introduzir um derivado que, embora sua associação com a palavra em discussão possa não ser imediatamente óbvia (por exemplo, *thyme,* de θύω), ou cuja forma seja mediada através de outro idioma (por exemplo, *permanente,* via latim), é, mesmo assim, relacionado com a palavra em discussão, no todo ou parcialmente. Dados etimológicos complicados, de interesse primariamente aos especialistas, são evitados. Um asterisco (*) no fim do verbete indica que todas as ocorrências da palavra no Novo Testamento são citadas. Quando isso não acontece, um grupo representativo de passagens é providenciado.
Ao meu amigo e cooperador, Dr. F. Wilbur Gingrinch, eu, por este meio, expresso apreciação pela oportunidade de participar neste projeto que começou com o trabalho dele e do professor Arndt com o clássico de Bauer.

Frederick W. Danker

ABREVIATURAS

ac.	acusativo	neut.	neutro
adv.	advérbio	nom.	nominativo
alt.	alternativa	opt.	optativo
aor.	aoristo	pass.	passivo
at.	ativo	passim	aqui e acolá
c.	cerca de, por volta de	pf.	perfeito
cap.	capítulo	prep.	preposição
cp.	compare	pres.	presente
dat.	dativo	priv.	privativo
e.g.	exempli gratia, por exemplo	pron.	pronome
		prov.	provavelmente
esp.	especialmente	ptc.	particípio
especif.	especificamente	q.v.	quod vide, o qual veja
exclus.	exclusivamente		
expl.	explanação, explicação	ref.	referência
fig.	figurado (figuradamente)	s.	seguinte
fre.	freqüentemente	sdo.	sentido
gen.	genitivo	sing.	singular
ger.	geralmente	ss.	seguintes
gr.	grego	subj.	subjuntivo
h.	helenístico	subscr.	subscrição, declaração curta no fim de um livro
heb.	hebraico		
i.e.	id est, isto é		
impf.	imperfeito	susbt.	substantivo
impv.	imperativo	s.v.	sub verbo, sob a palavra
ind.	indicativo		
indecl.	indeclinável	trans.	transitivo
inf.	infinitivo	t.t.	termo técnico
inscr.	inscrição, título	tv.	talvez
intrans.	intransitivo	v.	veja
km.	quilômetro	v.l.	varia lectio, leitura variante
lit.	literal (literalmente)		
med.	médio (a)	voc.	vocativo
mqpf.	mais que perfeito	vs.	verso

A

Α, α *alfa*, primeira letra do alfabeto grego. α' como numeral, *um* ou primeiro, em títulos de 1 Co. etc. V. também ἄλφα.

Ἀαρών, ὁ indecl. *Arão*, irmão de Moisés (Êx 4. 14), Lc 1.5; At 7.40; Hb 5.4, 7.11, 9.4.*

Ἀβαδδών, ὁ indecl. (heb. = 'destruição') *Abadon*. Gr. Ἀπολλύων *Destruidor*, o anjo líder no inferno, Ap 9.11.*

ἀβαρής, ές gen. **οὖς** *não sendo pesado, um fardo* 'Eu me guardei de vos ser um fardo' 2 Co 11.9.*

ἀββά (aram.) caso voc. *abba* = (Oh!) *Pai*, um termo especial de intimidade, Mc 14.36; Rm 8.15; Gl 4.6.*

Ἅβελ, ὁ indecl. (heb.) *Abel*, (Gn 4), Mt 23.35; Hb 12.24.

Ἀβιά, ὁ indecl. (heb.) *Abias*—1. filho de Roboão (1 Cr 3.10), Mt 1.7a, b.—2. fundador da classe sacerdotal à qual pertencia Zacarias (1 Cr 24.10), Lc 1.5.*

Ἀβιαθάρ, ὁ indecl. (heb.) *Abiatar*, sarcerdote em Nobe (1 Sm 22.20ss), Mc 2.26*

Ἀβιληνή, ῆς, ἡ *Abilene*, o território ao redor da cidade de Abila noroeste de Damasco, Lc 3.1.*

Ἀβιούδ, ὁ indecl. (heb.) *Abiúde*, Mt 1.13a,b.

Ἀβραάμ, ὁ indecl. (heb.) *Abraão*, ancestral do povo hebreu (Gn 12.1-3), e, num sentido metafórico, pai dos cristãos, Rm 4.1ss.

ἄβυσσος, ου ἡ *profundidade insondável, abismo, mundo subterrâneo:* habitação dos mortos, Rm 10.7; de demônios, Lc 8.31; da besta, Ap 11.7. [abismo]

Ἅγαβος, ου, ὁ *Ágabo*, um profeta cristão At 11.28; 21.10.*

ἀγαγεῖν, ἀγάγετε, ἀγαγών 2 aor. at.: inf., impv., e ptc. de ἄγω

ἀγαθοεργέω (forma contracta de ἀγαθουργέω), *fazer o bem, beneficiar, praticar bondade*, At 14.17; 1 Tm 6.18*

ἀγαθοεργός, όν *aquele que pratica o bem*, usado como subst. Rm 13.3, v.1.*

ἀγαθοποιέω—1. *fazer o bem, ajudar* Lc 6.9; τινά, *para alguém* 6.33.—2. *fazer o que é certo* 1 Pe 2.15, 20.

ἀγαθοποιΐα, ας, ἡ subst. *ação boa ou correta*, 1 Pe 4.19.*

ἀγαθοποιός, όν subst. *pessoa que faz o bem, um bom cidadão*, 1 Pe 2.14.*

ἀγαθός, ή, όν *bom, benéfico*—1. aplicado a pessoas: Deus, *perfeito, completo* Mc 10.18. *Moralmente bom, reto, justo*, de Cristo Jo 7.12, de pessoas Mt 12.35; At 11.24. *Bom, benevolente, benfeitor* At 9.36; 1 Pe 2.18.—2. aplicado a coisas: *fértil* Lc 8.8; *são* Mt 7.17s.; *benéfico, íntegro* 7.11; *útil* Ef 4.29; *próspero, feliz* 1 Pe 3.10; *limpo* 1 Tm 1.5; *firme* Tt 2.10; *confiável* 2 Ts 2.16. *Melhor* Lc 10.42.—3. neut., usado como subst. em sentido moral, *o que é bom, o bem* Rm 2.10. *Bons atos, boas obras*, Jo 5.29. *Bem, lucro* Rm 8.28. *Bens, propriedades* Lc 2.18; 16.25.

ἀγαθουργέω V. ἀγαθοεργέω.

ἀγαθωσύνη, ης, ἡ *bondade, retidão* Rm 15.14; Ef 5.9; 2 Ts 1.11. *Generosidade* Gl 5.22.*

ἀγαλλίασις, εως, ἡ *regozijo, exultação, gozo, grande alegria*. ἔλαιον-εως = *óleo usado para unção em ocasiões festivas* Hb 1.9.

ἀγαλλιάω ger. médio. *regozijar-se, estar cheio de alegria, exultar.* Com o dat. *regozijar-se em* ou *por causa de* Lc 10.21. com 1 Pe 1.8.

ἄγαμος, ου, ὁ e ἡ *homem ou mulher não casados, solteiro* 1 Co 7.8, 11, 32, 34.*

ἀγανακτέω *indignar-se, irar-se, ficar zangado* tv. = expressar desprazer Mc 14.4; Lc 13.14.

ἀγανάκτησις, εως, ἡ *indignação, ira, zanga* 2 Co 7.11.*

ἀγαπάω *amar, ter afeição por, gostar*—1. de pessoas: Deus Jo 3.16; Jesus, Mc 10.21; pessoas humanas 2 Co 12.15. *Amar, querer bem "adorar", mostrar-se solícito,* a mais típica e excelente virtude cristã (mais freqüente e tipicamente cristã do que φιλέω, mas, prov., equivalente a ele em Jo 21.15-17). *Provar* ou *mostrar amor* Jo 13.1; 1 Jo 3.18.—2. do amor a coisas: *amar, ansiar, valorizar, ter em alta estima* Lc 11.43; Jo 12.43; 2 Tm 4.8.

ἀγάπη, ης, ἡ —I. *amor, afeição, estima* a mais sublime virtude cristã 1 Co 13.13; Gl 5.22—1. mútuo entre Deus e Cristo, Jo 15.10; 17.26, de Deus ou Cristo aos homens Rm 5.8, etc. A essência de Deus 1 Jo 4.8, 16.—2. de homens, a Deus ou Cristo, Jo 5.42; ou a outras pessoas 2 Co 8.7. —3. como uma qualidade abstrata Rm 13.10; 1 Co 8.1; 13.1-3 (sendo o sentido determinado mais amplamente pelo contexto da passagem).—II. uma *festa de amor,* uma refeição comunitária da Igreja Primitiva, Jd 12; 2 Pe 2. 13, v.1.

ἀγαπητός, ή, όν *amado, querido:* usado para crianças, amigos e companheiros cristãos. Usado para o Messias, com a conotação de uma escolha especial da parte de Deus Mt 3.17.

Ἀγάρ, ἡ indecl. Hagar (Gn 16), serva da esposa de Abraão. Símbolo da lei mosaica Gl 4.24s.*

ἀγγαρεύω *convocar para o serviço* (originalmente usado para o posto real da Pérsia. Nos tempos romanos para qualquer serviço, civil ou militar), daí, *forçar, obrigar, compelir* Mt 5.41; 27.32; Mc 15.21.*

ἀγγεῖον, ου, τό *frasco, recipiente, vasilha* Mt 25.4; 13.48 v.1.*

ἀγγελία, ας, ἡ *mensagem, notícia* 1 Jo 1.5; ou *mandamento, ordem* 1 Jo 3.11.*

ἀγγέλλω *anunciar, contar* 1 Jo 20.18; 4.51 v.1.*

ἄγγελος, ου, ὁ —1. *mensageiro, enviado* Lc 7.24. —2. *Anjo,* ser sobrenatural que age como: mensageiro Mt 1.20; guardião At 12.15; intermediário Gl 3.19, servo dos santos Hb 1.14; ger. servos de Deus. Também usado para servos de Satanás, anjos maus, demônios Mt 25.41. [angelical, angelologia]

ἄγγος, ους τό *recipiente, cesto* para peixes Mt 13.48.*

ἄγε (pres. impv. de ἄγω, usado como interjeição) *agora, eia, eia agora* Tg 4.13; 5.1*

ἀγέλη, ης, ἡ *vara* de porcos Mt 8.30-32.

ἀγενεαλόγητος, ον *sem genealogia* Hb 7.3.*

ἀγενής, ές, gen. οὖς *ordinário, insignificante, inferior,* lit. *não de nobre nascimento* 1 Co 1.28.*

ἁγιάζω *santificar, consagrar, dedicar, purificar:* de coisas Mt 23.17,19; de pessoas Jo 10.36; 1 Co 7.14; Hb 9.13. οἱ ἡγιασμένοι os cristãos - *santificados, purificados* At 20.23. *Considerar como santo, ter em reverência* 1 Pe 3.15; Mt 6.9.

ἁγιασμός, ές, gen. οὖς *santidade, santificação, consagração* Rm 6.19; 1 Tm 2.15. Outorgada por Deus em (através de) Cristo 1 Co 1.30.

ἅγιος, ία, ον *santo, puro, separado por / para Deus,* moral ou cerimonialmente santo,—1. de coisas: *sagrado, consagrado* 1 Co 3.17. O superlativo ἁγιωτάτη πίστις *fé santíssima* Jd 20. Neut. como subst. τὸ ἅγιον tv. *comida sagrada* Mt 7.6. τὰ ἅγια *templo, santuário* Hb 9.12.—2. de pessoas: de Deus, *separado* (culticamente) *moralmente perfeito, puro, santo* Jo 17.11. De pessoas, ger. *puro, santo, digno de Deus, santos,* Ef 1.4.

ἁγιότης, ητος, ἡ *santidade, pureza, sinceridade* 2 Co 1.12 v.1.; Hb 12.10.*

ἁγιωσύνη, ης. ἡ *santidade, retidão,* Rm 1.4; 2 Co 7.1; 1 Ts 3.13.*

ἀγκάλη, ης, ἡ *braço* Lc 2.28.*

ἄγκιστρον, ου, τό *anzol* Mt 17.27.*

ἄγκυρα, ας, ἡ âncora, lit. At 27.29, 30, 40; fig. Hb 6.19.*

ἄγναφος, ον não lavado, não alvejado de roupas não tratadas pelo tintureiro, "pano novo" Mt 9.16; Mc 2.21.*

ἁγνεία, ας, ἡ pureza, esp. castidade 1 Tm 4.12; 5.2.*

ἁγνίζω limpar, purificar (cerimonialmente) At 21.24, 26; (moralmente) Tg 4.8. ἡγνίσθητι 1 aor. pass. impv. de ἁγνίζω.

ἁγνισμός, οῦ, ὁ purificação (cerimonial) At 21.26.*

ἀγνοέω ignorar, desconhecer, não poder entender Rm 2.4 Com neg. conhecer ("bem sabeis"), ter certeza Rm 1.13; 2 Co 2.11. Não entender Mc 9.32. Pecado por ignorância Hb 5.2. Desconsiderar, não dar atenção 1 Co 14.38.

ἀγνόημα, ατος, τό pecado cometido por (em) ignorância Hb 9.7.*

ἄγνοια, ας, ἡ ignorância, desculpável At 3.17; 17.30; arrogante, voluntária Ef 4.18; 1 Pe 1.14; 2.15 v.1.; 2 Pe 2.13 v.1.*

ἁγνός, ή, όν santo, puro (primeiro cerimonialmente, então, eticamente) Fp 4.8; Tg 3.17. Casto Tt 2.5. Inocente 2 Co 7.11.

ἁγνότης, ητος, ἡ pureza, sinceridade 2 Co 6.6; 11.3.*

ἁγνῶς adv. puramente, sinceramente Fp 1.17.*

ἀγνωσία, ασ, ἡ ignorância, cegueira espiritual 1 Co 15.34; 1 Pe 2.15.*

ἄγνωστος, ον desconhecido At 17.23.* [agnóstico, a priv. + γνῶσις]

ἀγορά ᾶς, ἡ mercado, ágora em Atenas, At 17.17; Mc 7.4.

ἀγοράζω comprar, adquirir, lit. Mt 13.44; fig. 1 Co 6.20.

ἀγοραῖος, ον pertencente ao mercado, usado apenas como subst., vadio, desocupado At. 17.5; ἀγοραῖοι ἄγονται os tribunais estão em sessão At 19.38.*

ἄγρα, ασ ἡ pesca, pescaria Lc 5.4,9.*

ἀγράμματος, ον iliterato, sem estudos At 4.13.*

ἀγραυλέω estar ao ar livre, viver fora da cidade Lc 2.8.*

ἀγρεθω apanhar, pegar, fig. pegar numa armadilha Mc 12.13.*

ἀγριέλαιος, ου, ἡ oliveira silvestre Rm 11.24; tv. como adj. devendo suprir ramo Rm 11.17.*

ἄγριος, ία, ιον selvagem, silvestre, violento Mt 3.4; Mc 1.6, Jd 13.*

'Αγρίππας, α ὁ Agripa, i.e. Herodes Agripa II, irmão de Berenice At 25 e 26 passim. Seu pai, Herodes Agripa I, em At 12.1ss, é chamado apenas de Herodes.

ἀγρός, ου, ο campo, terreno, Mt 6.28; Lc 17.7; Mc 15.21. Pl sítios, fazendas Lc 9.12 [acre, agricultura, agronomia, agrimensura]

ἀγρυπνέω manter-se acordado, fig. estar alerta Mc 13.33 Estar vigilante, vigiar, cuidar de Ef 6.18; Hb 13.17 [Cp. ὕπνοσ]

ἀγρυπνία, ας, ἡ insônia, vigília, noite em claro 2 Co 6.5; 11.27.*

ἄγω —1. guiar, trazer, conduzir Mt 21.7; At 17.15; 20.12; ao julgamento ou punição At 6.12; 9.2. Fig. guiar, orientar, Rm 2.4; Gl 5.18. Com relação ao tempo, gastar Lc 24.21; com relação a sessões de tribunais, reunir, "abrir" At 19.38.—2. ir, sempre usado no subj. para exortações vamos Mc 1.38; Jo 11.7, 15s.—3 em expressões idiomáticas τρίτην ταυτην ἡμέραν já faz três dias Lc 24.21; ἄγε νῦν agora escutem, muito bem! Tg 4.13: 5.1.

ἀγωγή, ῆς, ἡ estilo de vida, conduta, comportamento 2 Tm 3.10.*

ἀγών, ἀγῶνος, ὁ competição, corrida (atlética) fig. Hb 12.1; luta, combate Fp. 1.30. ἐν πολλῷ ἀγῶνι em meio a grande combate, sob muita pressão I Ts 2.2 Cuidado, ansiedade, preocupação Cl 2.1 [agonizante]

ἀγωνία, ας, ἡ agonia, ansiedade Lc 22.44.*

ἀγωνίζομαι competir I Co 9.25; lutar, combater, esforçar-se Jo 18.36; Cl 4.12; I Tm 4.10; fazer o máximo possível. "batalhar", "dar duro" Lc 13.24. [agonizar]

'Αδάμ, ὁ indecl. (heb.) Adão (Gn 1.27ss.) Rm 5.14. ὁ ἔσχατος 'Αδάμ o último Adão: Cristo I Co 15.45.

ἀδάπανος, ον gratuito, sem preço I Co 9.18.*

'Αδδί, ὁ indecl. (heb.) Adi Ι c 3.28.*

ἀδελφή, ῆς, ἡ irmã: lit. Lc 10.39s.; fig. Rm 16.1; 2 Jo 13.

ἀδελφός, οῦ, ὁ irmão: lit. Jo 1.41: fig. Mc 3.35; Fl 1.14. compatriota Rm 9.3: próximo Mt 5.22ss. Pl. irmãos e irmãs, a comunidade cristã Lc 21.16; Ef 6.23.

ἀδελφότης, ητος, ἡ irmandade, comunidade cristã I Pe 2.17; 5.9.*

ἄδηλος, ον, invisível Lc 11.44; incerto I Co 14.8.

ἀδηλότης, ητος, ἡ incerteza, insegurança I Tm 6.17.*

ἀδήλως adv. sem rumo fixo, às cegas, às tontas I Co 9.26.*

ἀδημονέω afligir-se, entristecer-se preocupar-se Mt 26.37; Mc 14.33

ᾅδης, ου, ὁ Hades (heb. Sheol), o mundo subterrâneo como o lugar dos mortos Lc 16.23; personificado em Ap. 20.13s. Algumas versões traduzem por "inferno". Mt 11.23; 16.18; Lc 10.15; At. 2.27, 31; I Co 15.55 (morte); Ap. 1.18; 6.8.*

ἀδιάκριτος, ον sem preconceitos, imparcial Tg 3.17.*

ἀδιάλειπτος, ον incessante, constante Rm 9.2; 2 Tm 1.3.*

ἀδιαλείπτως adv. incessantemente, constantemente Rm 1.9; 1 Ts 1.2.; 2.13; 5.17.*

ἀδιαφθορία, ας, ἡ sinceridade, integridade Tt 2.7 v.1.

ἀδικέω fazer mal Cl 3.25; ὁ ἀδικῶν o malfeitor Ap 22.11 Estar em erro At 25.11. Fazer mal a alguém, causar dano Mt 20.13; At 7.26; Gl 4.12; 2 Pe 2.13. Injuriar, ofender, prejudicar Ap 9.4, 10, 19; se ele lhe causou alguma perda (prejuízo) Fm 18. Agir injustamente, cometer um delito, ser culpável At 25.11

ἀδίκημα, ατος, τό erro, crime, delito At 18.14; 24.20; Ap 18.5.*

ἀδικία, ας, ἡ injustiça Rm 9.14; erro (ironicamente) 2 Co 12.13; impiedade, injustiça, iniqüidade Rm 6.13; I Co 13.6; 1 Jo 5.17. O gen. ἀδικίας injusto Lc 16.8,9 (cf. 11); 18.6.

ἀδικοκρίτης, ου ὁ juiz injusto Tt 1.9 v.1.*

ἄδικος, ον injusto, ímpio Mt 5.45; 1 Co 6.1; 1 Pe 3.18; desonesto Lc 16.10

ἀδίκως adv. injustamente 1 Pe 2.19; 2.23 v.1.*

Ἀδμίν, ὁ indecl. (heb.) Admin Lc 3.33.*

ἀδόκιμος, ον sem valor, reprovado 2 Co 13.5-7; desqualificado 1 Co 9.27; indigno Rm 1.28; inútil Hb 6.8.

ἄδολος, ον puro, sem adulteração, inalterado 1 Pe 2.2.*

Ἀδραμυττηνός, ή, όν de Adramítio,um porto marítimo no noroeste da Ásia Menor, Mar Egeu At 27.2.*

Ἀδρίας, ου ὁ Mar Adriático (o mar entre Creta e Sicília está incluído nele) At 27.27.*

ἁδρότης, ητος, ἡ abundância, prodigalidade, fig. grande soma de dinheiro 2 Co 8.20.*

ἀδυνατέω não ter poder; usado somente num sentido impessoal ἀδυνατέι é impossível Mt 17.20; Lc 1.37.*

ἀδύνατος, ον impotente, fraco: em relação a pessoas At 14.8; Rm 15.1. Impossível (em relação a coisas) Rm 8.3; Hb 6.4, 18.

ᾄδω cantar Ef 5.9; Cl 3.16; Ap. 5.9: 14.3; 15.3.*

ἀεί adv. sempre 2 Co 6.10; 1 Pe 3.15 continuamente, constantemente At 7.51; 2 Co 4.11; de tempos em tempos 2 Pe 1.12

ἀετός, οῦ, ὁ águia Ap 12.14; abutre Lc 17.37.

ἄζυμος, ον sem fermento, asmo; fig. 1 Co 5.7. Como um subst. no plural pães asmos Lc 22.1; fig. 1 Co 5.8. A festa dos pães asmos Mc 14.1, que acontecia logo depois da Páscoa, freqüentemente identificada com ela Lc 22.1,7. [ázimo]

Ἀζώρ, ὁ indecl. Azor Mt 1.13s; Lc 3.23-31 v.1.

Ἄζωτος, ου, ἡ Azoto, a Asdode do A.T. (Is 20.1), uma cidade filistéia na costa sul da Palestina At 8.40.*

ἀηδία, ας, ἡ inimizade Lc 23.12, v.1.*

ἀήρ, ἀέρος, ὁ ar, regiões celestes At 22.23; 1 Co 9.26; Ef. 2.2 [aéreo]

ἀθᾶ v. μαπὰν ἀθᾶ

ἀθανασία, ας ἡ imortalidade 1 Co 15.53s; 1 Tm 6.16.*

ἀθάνατος, ον imortal 1 Tm 1.17, v.1.* [a priv. + θάνατος, morte].

ἀθέμιτος, ον *ilegal* At 10.28; *ilícito, libertinagem, devassidão* 1 Pe 4.3.*

ἄθεος, ον *sem Deus*, i.e., *não pertencentes ao Deus de Israel* Ef. 2.12* [ateu, ateísmo.]

ἄθεσμος, ον *imoral, sem princípios, mau*, 2 Pe 2.7.; 3.17*

ἀθετέω —1. *invalidar, anular, pôr de lado* Mc 7.9; Gl 2.21; *impedir, confundir* 1 Co 1. 19.—2. *rejeitar, ignorar* Lc 10.16; *quebrar um compromisso* Mc 6.26.

ἀέτησις, εως, ἡ, *anulamento*, termo técnico legal Hb 7.18; *remoção* 9.26.*

Ἀθῆναι, ῶν, αἱ *Atenas* At 17.15s.

Ἀθηναῖος, α, ον *ateniense* At 17.21s.*

ἀθλέω *competir* (numa competição atlética) 2 Tm 2.5.* [atlético]

ἄθλησις, εως, ἡ *competição*, fig. *luta*, Hb 10.32.* [atleta]

ἀθροίζω *reunir, juntar* Lc 24.33.*

ἀθυμέω *desanimar, desalentar-se, perder o ânimo* Cl 3.21.* [timorato]

ἀθῷος, ον *inocente* Mt 27.4, 24.*

αἴγειος, εία, ειον (algo) *de cabra* Hb 11.37.*

αἰγιαλός, οῦ, ὁ *praia, costa* Mt 13.2; At 27.39.

Αἰγύπτιος, ία, ιον *egípcio* At 7.24.

Αἴγυπτος, ου, ἡ *Egito* Mt 2.13-15; fig. Ap 11.8.

ἀίδιος, ον *eterno, perene* Rm 1.20; Jd 6.*

αἰδώς, οῦς, ἡ *despretensioso, modesto* 1 Tm 2.9; *reverência, respeito* Hb 12.28 v.1.*

Αἰθίοψ, οπος, ὁ *etíope* At 8.27.*

αἷμα, ατος, τό *sangue.* σὰρξ καὶ αἷμα *um (mero) ser humano* Gl 1.16; *natureza humana* Hb 2.14. Pl. *de descendência física* Jo 1.13. Assassínio Ap 6.10; *sangrento* Mt 27.6. Como um meio de purificação - o sangue de animais Hb 10.4, ou o de Cristo Cl 1.20; 1 Pe 1.19. [hemoglobina]

αἱματεκχυσία, ας, ἡ *derramamento de sangue* Hb 9.22.*

αἱμορρέω *padecer de um fluxo de sangue, hemorragia* Mt 9.20.*

Αἰνέας, ου, ὁ *Enéas* At 9.33s.*

αἴνεσις, εως, ἡ *louvor* Hb 13.15.*

αἰνέω *louvar, exaltar*, Ap 19.5.

αἴνιγμα, ατος, τό lit. *enigma*, então, *imagem indireta, confusa* 1 Co 13.12.*

αἶνος, ου, ὁ *louvor* Mt 21.16; Lc 18.43.*

Αἰνών, ἡ indecl. *Enom*, uma região provavelmente no vale alto do Jordão, Jo 3.23.*

αἴξ, αἰγός, ὁ, ἡ, *cabra* Lc 15.29 v.1.*

αἱρέομαι *escolher* 2 Ts 2.13; *preferir* Fl 1.22; Hb 11.25.*

αἵρεσις, εως, ἡ *seita religiosa* At 5.17; 26.5; tv. *seita cismática* At 24.5, 14; 28.22. *Dissensão, divisão* 1 Co 11.19; Gl 5.20. *Opinião, dogma, doutrina herética* 2 Pe 2.1. [heresia]

αἱρετίζω *escolher, selecionar* Mt 12.18.*

αἱρετικός, ή, όν *faccioso, cismático, causador de divisões* Tt 3.10.* [herético]

αἱρέω no N.T. usado exclusivamente na voz média; v. αἱρέομαι.

αἴρω—1. *levantar, carregar* Mt 16.24; Lc 17.13; Jo 8.59; *manter em suspense, deixar na dúvida* Jo 10.24; *levantar* (âncora) At 27.13; com φωνή *gritar* Lc 17.13. A transição para o significado 2 pode ser vista em Jo 1.29 onde αἴ. significa tanto *levantar* como *remover*.—2.*tirar, remover* Lc 6.29; Jo 2.16; 19.38. *Matar* Jo 19.38 (v. ἄρον); *levar, varrer* (de ondas) Mt 24.39; *conquistar* Jo 11.48; *expulsar* 1 Co 5.2; *cortar fora* Jo 15.2.

αἰσθάνομαι *compreender, entender* Lc 9.45.*

αἴσθησις, εως, ἡ *percepção, compreensão*, "insight" Fp 1.9.*

αἰσθητήριον, ου, τό *sentidos, faculdades, capacidade de discernir* Hb 5.14.*

αἴσθωμαι 2 aor. subj. de αἰσθάνομαι.

αἰσχροκερδής, ές *ambicioso, avarento* 1 Tm 3.8, 3 v.1.; Tt 1.7.*

αἰσχροκερδῶς adv. *ambiciosamente, de modo avaro* 1 Pe 5.2.*

αἰσχρολογία, ας, ἡ *palavra indecente, obscenidade, fala abusiva* Cl 3.8.*

αἰσχρός, ά, όν, *vergonhoso*, 1 Co 11.16; 14.35; Ef 5.12. *Desonesto* Tt 1.11.*

αἰσχρότης, ητος, ἡ *indecência* Ef 5.4.*

αἰσχύνῃ, ης, ἡ vergonha 2 Co 4.2; desgraça, ignomínia, baixeza Fp 3.19; Hb 12.2; Ap 3.18; Lc 14.9. ação vergonhosa Jd 13.*

αἰσχύνομαι exclus. nas vozes med. e pass. no N.T. envergonhar-se, ser envergonhado Lc 16.3; 1 Pe 4.16; 1 Jo 2.28; 2 Co 10.8; Fp 1.20.*

αἰτέω pedir, solicitar, requerer Mt 27.20; At 16.29; 13.28. Com um acusativo duplo pedir algo a alguém Mt 7.9. O significado clássico, demandar, pode encaixar em algumas passagens, e.g. 1 Co 1.22.

αἴτημα, τος, τό petição Fp 4.6; 1 Jo 5.15. Demanda, exigência Lc 23.24.*

αἰτία, ας, ἡ—1.causa, razão Mt 19.3; At 10.21; situação, relação Mt 19.10.—2.termo legal, acusação, fundamento para um caso, queixa Jo 18.38; At 25.18, 27. [etiologia.]

αἰτίαμα, τος, τό (v. αἰτίωμα) At 25.7 v.1.*

αἰτιάομαι acusar Rm 3.9 v.1.*

αἴτιος, ία, ον responsável, culpado (usado somente como subst.): masc. causa, fonte Hb 5.9. Neut. causa At 19.40; culpa, motivo, Lc 23.4, 14; αἰ. θανάτου razão para a pena capital vs. 22.*

αἰτίωμα, τος, τό acusação, queixa, denúncia At 25.7.*

αἰφνίδιος, ον de repente, de surpresa Lc 21.34; 1 Ts 5.3. V. também εὐθέως.

αἰχμαλωσία, ας, ἡ cativeiro Ap 13.10. cativos, prisioneiros de guerra Ef 4.8; Hb 7.1 v.1.*

αἰχμαλωτεύω prender, tomar cativo Ef 4.8; 2 Tm 3.6 v.1.*

αἰχμαλωτίζω capturar na guerra; lit. dispersos como prisioneiros Lc 21.24. fig. prender, subjugar Rm 7.23; 2 Co 10.5, enganar 2 Tm 3.6.*

αἰχμάλωτος, ώτου, ὁ cativo, prisioneiro Lc 4.18.*

αἰών, αἰῶνος, ὁ—1. tempo muito longo, eternidade; no passado, tempos antigos, eras há muito passadas Lc 1.70; ἐκ τοῦ αἰῶνος desde que o mundo começou Jo 9.32. No futuro, εἰς τὸν αἰῶνα por toda a eternidade, para sempre Jo 6.51, 58. εἰς τοὺς αἰ. τῶν αἰώνων para todo o sempre, para sempre Rm 16.27; Hb 13.21.—2. era, idade, século: ὁ αἰών οὗτος; etc. este presente século (era), antes da παρουσία Mt 12.32; 13.22; Lc 16.8 (o povo do mundo). 2 Co 4.4; Gl 1.4, ὁ αἰὼν ὁ ἐρχόμενος, etc. a era por vir, a era futura, após a παρουσία Mc 10.30; Ef 1.21.—3. mundo, universo material 1 Tm 1.17, Hb 1.2.—4. ὁ Ἐὼν (Ἐάω), um poderoso espírito maligno Ef 2.2; tv. Cl 1.26. (v. o artigo Tempo, no NDITNT, vol. 4)

αἰώνιος, ία, ον eterno, perpétuo: sem começo Rm 16.25; sem começo nem fim Rm 16.26; sem fim Mt 25.46; Lc 10.25; Hb 13.20.

ἀκαθαρσία, ας, ἡ impureza, refugo, podridão: lit. Mt 23.27. Imoralidade, más intenções Rm 1.24: Gl 5.19: 1 Ts 2.3. [Cf. καθαίρω.]

ἀκαθάρτης, ητος, ἡ imundícia Ap 17.4 v. 1.*

ἀκάθαρτος, ον impuro, imundo, sujo: cerimonialmente At 10.14, 28; 1 Co 7.14. Moralmente Ef 5.5; acerca de demônios Mc 1.23 (espíritos imundos).

ἀκαιρέομαι não ter tempo, não ter oportunidade Fp 4.10.*

ἀκαίρως adv. fora de época, inoportunamente 2 Tm 4.2.*

ἄκακος, ον inocente, limpo, sem mancha Hb 7.26; inocente, simples Rm 16.18.*

ἄκανθα, ης, ἡ planta espinhosa, espinhos Mt 13.7; 27; 29.

ἀκάνθινος, η, ον feito de espinhos, espinhoso Mc 15.17; Jo 19.5.*

ἄκαρπος, ον infrutífero, inútil, improdutivo: lit. Jd 12; fig. Mc 4.19; 1 Co 14.14; Ef 5.11.

ἀκατάγνωστος, ον irrepreensível, alguém que está acima de críticas Tt 2.8.*

ἀκατακάλυπτος, ον descoberto 1 Co 11.5, 13.*

ἀκατάκριτος, ον uma pessoa que não foi condenada, que não passou por um julgamento legal At 16.37; 22.25.*

ἀκατάλυτος, ον indestrutível, indissolúvel: daí, sem fim Hb 7.16.*

ἀκατάπαστος, ον de significado incerto; tv. insaciável 2 Pe 2.14 v. 1.*

ἀκατάπαυστος, ον incessante, insaciável, c. gen. incapaz de parar de 2 Pe 2.14.*

ἀκαταστασία, ας, ἡ desordem, confusão, distúrbio 2 Co 6.5; desordem, agitação 1 Co 14.33: 2 Co 12.20; Tg 3.16; insurreição, motim; levante Lc 21.9.*

ἀκατάστατος, ον incontrolável, indomável Tg 3.8; instável Tg 1.8.*

ἀκατάσχετος, ον incontrolável Tg 3.8 v.1.*

'Ακελδαμάχ (Aram. : campo de sangue; v. explic. em Mt. 27.8). Aceldama At 1.19.*

ἀκέραιος, ον puro, inocente lit. "sem mistura" Mt 10.16; Rm 16.19; Fp 2.15.*

ἀκηδεμονέω Mc 14.33 v.1. de ἀδημονέω, q.v.

ἀκλινής, ἐς sem vacilação, com firmeza τ. ὁμολογίαν ἁ. κατέχειν Manter firmemente a nossa confissão Hb 10.23.*

ἀκμάζω ficar maduro, tornar-se maduro Ap 14.18.*

ἀκμήν ac. adverbial (de ἀκμή 'o presente momento') ainda, todavia Mt 15.16; Hb 5.13 v.1.*

ἀκοή, ῆς, ἡ—1. audição 1 Co 12.17. O ato de ouvir, escutar, prestar atenção 2 Pe 2.8; ἀκοῇ ἀκούσετε com efeito, vocês ouvirão Mt 13.14. O órgão da audição, o ouvido Mc 7.35; At 17.20.—2. aquilo que é ouvido: relatório, informe; rumor Mt 4.24; 14.1; 24.6. Relatório, pregação, notícia Jo 12.38; Gl 3.2, 5; 1 Ts 2.13.

ἀκολουθέω seguir Mt 21.9; acompanhar Jo 6.2; seguir como discípulo Mc 1.18; 2.14.[acólito, anacoluto]

ἀκουσθεῖσι dat. pl., 1. aor. pass. part. de ἀκούω.

ἀκουστός, ή, όν audível; daí, conhecido At 11.1 v.1.* [acústico].

ἀκούω ouvir; lit. Mt 11.5. Prestar atenção Mt 18.15; entender 1 Co 14.2; Gl 4.21. Aprender de Rm 10.18; pass. ser informado 1 Co 5.1; aprender (um corpo de ensinos) 1 Jo 1.5; 2.7, 24. Termo legal: conceder uma audiência Jo 7.51; At 25.22. [acústica].

ἀκρασία, ας, ἡ falta de domínio próprio, de auto-controle 1 Co 7.5; auto-indulgência, auto-complacência Mt 23.25.*

ἀκρατής, ἐς sem auto-controle, dissoluto 2 Tm 3.3.*

ἄκρατος, ον puro, sem diluição Ap 14.10.* [Um κρατήρ era um vaso onde o vinho e a água eram misturados. Cf. κεράννυμι].

ἀκρίβεια, ας, ἡ exatidão, rigor; κατά ἁ. rigorosa At 22.3.*

ἀκριβέστερον v. ἀκριβῶς.

ἀκριβής, ἐς exato, preciso (ἀκριβέστατος o mais rigoroso) At 26.5.*

ἀκριβόω averiguar, verificar a veracidade de uma informação Mt 2.7, 16.*

ἀκριβῶς adv. acuradamente, cuidadosamente, bom Lc 1.3; Ef 5.15. Comparativamente ἀκριβέστερον mais exatamente, mais exatamente At 18.26; 24.22.

ἀκρίς, ίδος, ἡ locusta, gafanhoto Mt 3.4; Mc 1.6; Ap 9.3,7.*

ἀκροατήριον, ου, τό sala de audiências, auditório At 25.23.*

ἀκροατής, οῦ, ὁ um ouvinte, alguém que ouve, ou presta atenção Rm 2.13; Tg 1.22, 23, 25.*

ἀκροβυστία, ας, ἡ incircuncisão At 11.3; Rm 2.25ss.: de conduta pré-conversão Cl 2.13. Aqueles que não pertencem ao judaísmo, os gentios Rm 4.9; Cl 3.11.

ἀκρογωνιαῖος, α, ον o que jaz no canto. ἁ. λίθος pedra principal ou pedra de esquina Ef 2.20; 1 Pe 2.6.*

ἀκροθίνιον, ου, τό despojos Hb 7.4.*

ἄκρον, ου, τό ponta, extremidade Hb 11.21; ponta Lc 16.24; limite, fim Mt 24.31; Mc 13.27.* [acrobata, ἄκρος + βαίνω].

'Ακύλας, ac. αν, ὁ Áquila, um amigo de Paulo, marido de Priscila At 18.2, 18, 22v.1., 26; Rm 16.3; 1 Co 16.19; 2 Tm 4.19.*

ἀκυρόω invalidar, cancelar Mt 15.6; Mc 7.13; termo legal Gl 3.17.*

ἀκωλύτως adv. sem impedimentos At 28.31.*

ἄκων, ἄκουσα, ἄκον involuntário; usado adverbialmente, involuntariamente 1 Co 9.17.*

ἅλα v. ἅλας.
ἀλάβαστρος, ου, ὁ e ἡ, também ἀλάβαστρον, ου, τό frasco de alabastro Mt 26.7; Mc 14.3; Lc 7.37.*
ἀλαζονεία, ας, ἡ pretensão, arrogância Tg 4.16; orgulho 1 Jo 2.16.*
ἀλαζών, όνος, ὁ orgulhoso, pedante, jactancioso Rm 1.30; 2 Tm 3.2.*
ἀλαλάζω gritar ou chorar fortemente Mc 5.38; fazer barulho 1 Co 13.1.*
ἀλάλητος, ον inexpressável, inexprimível στεναγμοὶ ἀ. gemidos profundos demais para serem expressos com palavras Rm 8.26.*
ἄλαλος, ον incapaz de falar, mudo Mc 7.37; 9.17, 25.*
ἅλας, ατος, τό (v.l. ἅλα Mt 5.13 etc. O clássico ἅλς é representado somente pelo v.l. ἁλί Mc 9.49.) sal: lit. Lc 14.34; fig. Mt 5.13a; Cl 4.6.
ἁλεεῖς, οἱ v. ἁλιεύς.
ἀλείφω ungir Mc 16.1; Lc 7.38, 46; Tg 5.14.*
ἄλειψαι 1 aor., méd. impv. 2 ps. sing. de ἀλείφω.
ἀλεκτοροφωνία, ας, ἡ canto do galo; em gen. de tempo: o período da meia-noite até as três da manhã; a terceira vigília Mc 13.35.*
ἀλέκτωρ, ορος, ὁ galo Mc 14.30; Jo 18.27.
Ἀλεξανδρεύς, έως, ὁ alexandrino At 6.9; 18.24.*
Ἀλεξανδρῖνος, η, ον alexandrino At 6.9 v.l.; 27.6; 28.11.*
Ἀλέξανδρος, ου, ὁ Alexandre: (1) Mc 15.21. (2) At 4.6 (3) At 19.33. (4) 1 Tm 4.14.*
ἄλευρον, ου, τό farinha de trigo Mt 13.33; Lc 13.21.*
ἀλήθεια, ας, ἡ verdade, fidedignidade, confiabilidade, justiça Rm 15.8; 2 Co 7.14; verdade, oposta à falsidade Mc 5.33; Ef 4.25. Verdade como característica da ação divina ou humana Jo 1.17; 3.21; 1 Co 13.6; Ef 4.24. Realidade Fp 1.18; 2 Jo 1. Com ἐν, ἐπί, κατά em realidade, verdadeiramente, certamente Mt 22.16; Mc 12.14; Lc 22.59; Rm 2.2.
ἀληθεύω ser verdadeiro, falar a verdade Gl 4.16; Ef 4.15.*

ἀληθής, ές verdadeiro Jo 19.35; Fp 4.8; 2 Pe 2.22; confiável Jo 5.31s.; Tt 1.13. Sincero, honesto, autêntico Mt 22.16; Jo 3.33; 2 Co 6.8. Real, genuíno At 12.9; 1 Pe 5.12. [Cf. λανθάνω].
ἀληθινός, ή, όν verdadeiro, confiável Hb 10.22; Ap 6.10; verdadeiro, em conformidade com a verdade Jo 4.37; 19.35; Ap 19.9; genuíno, real Lc 16.11; Jo 4.23; 17.3; 1 Ts 1.9; Hb 8.2.
ἀλήθω moer (grãos) Mt 24.41; Lc 17.35.*
ἀληθῶς adv. verdadeiramente, realmente Mt 14.33; Lc 9.27; 1 Jo 2.5. Com função adjetiva = real Jo 1.47; 8.31.
ἁλιεύς, έως, ὁ pescador: lit. Mc 1.16. Fig. ποιήσω ὑμᾶς ἁ. ἀνθρώπων Farei de vocês pescadores de homens Mt 4.19.*
ἁλιεύω pescar Jo 21.3.*
ἁλίζω salgar, devolver o sabor (ao sal) Mt 5.13; Mc 9.49.*
ἀλίσγημα, ατος, τό contaminação (cerimonial) At 15.20.*
ἀλλά conj. adversativa mas, porém (mais forte do que δέ): ocorre mais freqüentemente após uma adv. de negação, como Mt 5.17; Mc 9.37; Ef 1.21. Seguida por οὐ, em forte contraste com uma declaração positiva precedente 1 Co 10.23. Porém, mas Jo 1.31; 8.26; 12.27; Ao invés disso Lc 1.60; 1 Co 6.6; exceto Mc 4.22; 2 Co 1.13. Fortalecendo um imperativo mas, agora Mt 9.18; Mc 9.22. Sozinha ou com καί, γε καί, ou οὐδέ, introduz enfaticamente o que a segue: de fato, o quê! e não somente isto, mas também 2 Co 7.11 (6 vezes), Jo 16.2: 1 Co 3.2. ἀλλὰ elíptica mas, porém (τοῦτο γέγονεν, e.g.) ἵνα! (mas isto aconteceu a fim de) Mc 14.49; Jo 1.8.
ἀλλάσσω mudar, alterar At 6.14; Gl 4.20; trocar Rm 1.23. [Cf. ἄλλος].
ἀλλαχόθεν adv. por outro lugar Jo 10.1.*
ἀλλαχοῦ adv. em outro lugar, em outra direção Mc 1.38.*
ἀλληγορέω falar alegoricamente ou simbolicamente Gl 4.24.* [alegoria].
ἁλληλουϊά (heb.) Louvai ao SENHOR (Javé) Ap 19.1,3,4,6.* Aleluia
ἀλλήλων pron. recíproco; gen. pl. uns aos outros, mutuamente Jo 13.34; Tg 4.11. [paralelo, παρά + ἀλλήλων].

ἀλλογενής, ές, estrangeiro; usado como subst. Lc 17.18.*

ἀλλοιόω mudar Lc 9.29 v.1.*

ἅλλομαι pular, saltar At 3.8; 14.10; de água jorrar Jo 4.14.*

ἄλλος, η, ο outro, diferente Mt 13.5, 24;1 Co 9.27; 15.41; mais, adicional Mt 4.21; 25.20. οἱ ἄλλοι o resto 1 Co 14.29 (os outros). Ligado às palavras de seus próprios casos, como na formulação ἄλλοι ἄλλο λέγουσιν alguns dizem uma coisa, outros dizem outra At 19.32; 21.34. Contrário ao melhor uso clássico, ἄ. invade o domínio de ἕτερος (q.v.) e significa outro de dois Mt 5.39; 12.13; é usado intercambiavelmente com ἕτερος 2 Co 11.4; e provavelmente também Gl 1.7, para o qual v. ἕτερος. [Latim alius; alias].

ἀλλοτριεπίσκοπος, ου, ὁ palavra rara de significado incerto; entre as sugestões há: intrometido, fofoqueiro, infringidor dos direitos alheios 1 Pe 4.15.*

ἀλλότριος, ία, ιον pertencente a outro, estranho, estrangeiro Lc 16.12; At 7.6: 2 Co 10.15; Hb 11.9. Hostil, inimigo Hb 11.34.

ἀλλόφυλος, ον estrangeiro. Como subst. gentio At 10.28; 13.19 v.1.*

ἄλλως adv. de outro modo; τὰ ἄ. ἔχοντα o oposto, o contrário 1 Tm 5.25.*

ἀλοάω debulhar 1 Co 9.9, 10; 1 Tm 5.18.*

ἄλογος, ον irracional, para animais 2 Pe 2.12; Jd 10. Contrário à razão absurdo At 25.27. [ilógico].

ἀλόη, ης, ἡ aloés Jo 19.39.*

ἅλς, ἁλός, ὁ v. ἅλας.

ἁλυκός, ή, όν salgado, uma fonte amarga, salgada Tg 3.12.*

ἄλυπος, ον livre de aflição ou ansiedade Fp 2.28.*

ἅλυσις, εως, ἡ cadeia, grilhões Mc 5.3; At 28.20; geralmente cativeiro aprisionamento Ef 6.20; 2 Tm 1.16.

ἀλυσιτελής, ές sem proveito, que não dá nenhuma vantagem; tv. tristemente Hb 13.17.*

ἄλφα, τό indecl. alfa, primeira letra do alfabeto grego; início ou começo Ap 1.8, 11 v.1.; 21.6; 22.13.*

Ἁλφαῖος, ου, ὁ Alfeu—1. O pai de Levi o coletor de impostos Mc 2.14; Lc 5.27 v.1.—2. O pai de Tiago, um dos doze Mt 10.3; Mc 3.18; Lc 6.15; At 1.13.*

ἅλων, ωνος, ἡ eira, trigo debulhado Mt 3.12; Lc 3.17.*

ἀλώπηξ, εκος, ἡ raposa. Lit. Mt 8.20; Lc 9.58. Fig. Lc 13.32*

ἅλωσις, εως, ἡ prisão, captura 2 Pe 2.12.*

ἅμα adv. ao mesmo tempo, juntamente At 24.26; Rm 3.12; Fm 22. Prep. com dat. junto com Mt 13.29; 1 Ts. 5.10. ἅ. πρωῒ cedo de manhã Mt 20.1.

ἀμαθής, ές ignorante 2 Pe 3.16.*

ἀμαράντινος, η, ον imarcescível, que não murcha 1 Pe 5.4.*

ἀμάραντος, ον permanente, imarcescível 1 Pe 1.4.*

ἁμαρτάνω errar, pecar 1 Co 7.28; contra Deus Lc 15.18; Cristo e os irmãos 1 Co 8.12; si mesmo 6.18; a lei At 25.8. ἁ. ἁμαρτίαν cometer um pecado 1 Jo 5.16.

ἁμάρτημα, τος, τό pecado (lit. o resultado de pecar) Mc 3.28s.

ἁμαρτία, ας, ἡ pecado: um ato pecaminoso Mt 26.28; At 3.19; 1 Co 15.17; 1 Ts 2.16; Tg 2.9; pecaminosidade (estado, condição) Jo 1.29; 9.41; 1 Jo 1.7; às vezes visto por Paulo como um poder invasor Rm 5.12; 6.12-14, 23. σῶμα τῆς ἁ. corpo do pecado (caracterizado, dominado pelo pecado). προσφορὰ περὶ ἁ. = oferta pelo pecado Hb 10.18. [Hamartiologia].

ἁμάρτυρος, ον sem testemunha At 14.17.*

ἁμάρτω 2 aor. subj. at. de ἁμαρτάνω.

ἁμαρτωλός, όν pecador Mc 8.38; Rm 7.13: de alguém não livre do pecado Hb 7.26; de alguém não cuidadoso na observância dos deveres cerimoniais, irreligioso Mt 9.10s.; Lc 15.1s.; de alguém especialmente pecador Lc 7.37; 39 = incrédulos Lc 6.32-34 (cf. Mt 5.47); Gl 2.15.

Ἀμασίας, ου, ὁ (heb.) Amazias Mt 1.8 v.1; Lc 3.23ss. v.1.*

ἄμαχος, ον pacífico, não brigador 1 Tm 3.3; Tt 3.2.*

ἀμάω ceifar, colher Tg 5.4.*

ἀμέθυστος, ου, ἡ ou ὁ ametista, uma pedra preciosa de cor violeta Ap 21.20.*

ἀμείνων, ον comp. de ἀγαθός, q.v.

ἀμελέω descuidar, negligenciar, com gen. 1 Tm 4.14; Hb 2.3; com inf. 2 Pe 1.12

v.1. *Não cumprir* Hb 8.9. *Não dar atenção* Mt 22.5.*

ἄμεμπτος, ον *sem culpa, sem falta, irrepreensível, inatacável* Lc 1.6; Fp 2.15; 3.6; 1 Ts 3.13; Hb 8.7.*

ἀμέμπτως adv. *irrepreensivelmente* 1 Ts 2.10; 5.23.*

ἀμέριμνος, ον *livre de preocupação ou ansiedade* 1 Co 7.32; ἀ. ποιεῖν τινα *ficar longe de dificuldades* Mt 28.14.*

ἀμετάθετος, ον *imutável* Hb 6.18; τὸ ἀ. *imutabilidade* Hb 6.17.*

ἀμετακίνητος, ον *irremovível, firme* 1 Co 15.58.*

ἀμεταμέλητος, ον *sem ter que se lamentar* 2 Co 7.10; *irrevogável* Rm 11.29.*

ἀμετανόητος, ον *impenitente, obstinado* Rm 2.5.*

ἄμετρος, ον *imensurável*, εἰς τὰ ἄ, *além de limites* 2 Co 10.13, 15.*

ἀμήν (heb.) partícula asseverativa *verdadeiramente*, somente em palavras de Jesus Mt 5.18; Mc 3.28; Lc 4.24; Jo 1.51. Fórmula litúrgica *amém : assim seja* 1 Co 14.16; 2 Co 1.20; Gl 6.18; 1 Pe 4.11. ὁ ἀ. título de Jesus, explicado pela cláusula seguinte Ap 3.14.

ἀμήτωρ, ορος *sem mãe* Hb 7.3.*

ἀμίαντος, ον *puro, imaculado* Hb 7.26; 13.4; Tg 1.27; 1 Pe 1.4.*

Ἀμιναδάβ, ὁ (heb.) indecl. *Aminadabe* Mt 1.4; Lc 3.33.*

ἄμμον, ου, τό *areia* Rm 4.18 v.1.*

ἄμμος, ου, ἡ *areia* Mt 7.26; Rm 9.27; Hb 11.12; Ap 12.18; 20.8.*

ἀμνός, οῦ, ὁ *cordeiro,* usado somente com referência a Jesus Jo 1.29, 36; At 8.32; 1 Pe 1.9.*

ἀμοιβή, ῆς, ἡ (adequado) *retorno, recompensa* 1 Tm 5.4.*

ἄμορφος, ον *sem forma* 1 Co 12.2 v.1.* [amorfo].

ἄμπελος, ου, ἡ *vinha, videira* Mc 14.25; fig. Jo 15.1, 4, 5.

ἀμπελουργός, οῦ, ὁ *vinhateiro, agricultor* Lc 13.7.*

ἀμπελών, ῶνος, ὁ *vinha, vinhedo* Mc 12.1s; 1 Co 9.7; tv. *pomar* Lc 13.6.

Ἀμπλιᾶτος, ου, ὁ (v.1. Ἀμπλιᾶς) *Amplíato,* nome comum de escravos Rm 16.8.*

ἀμύνομαι *retaliar;* outra possibilidade é: *ajudar, socorrer* At 7.24.*

ἀμφιάζω *vestir* Lc 12.28.*

ἀμφιβάλλω *lançar* uma rede Mc 1.16.*

ἀμφίβληστρον, ου, τό uma *rede de pesca* circular Mt 4.18; Mc 1.16 v.1.*

ἀμφιέζω forma variante de ἀμφιάζω.

ἀμφιέννυμι *vestir* Mt 6.30; 11.8; Lc 7.25.*

Ἀμφίπολις, εως, ἡ *Anfípolis*, capital do sudeste da Macedônia At 17.1.*

ἄμφοδον, ου, τό *rua* (lit. quarteirão de uma cidade) Mc 11.4; At 19.28 v.1.*

ἀμφότεροι, αι, α *ambos* Lc 6.39; Ef 2.16. *Todos* (mesmo quando houver mais do que dois) At 19.16; 23.8.

ἀμώμητος, ον *sem culpa, inculpável* 2 Pe 3.14; Fp 2.15 v. 1.*

ἄμωμον, ου τό *ámomo,* uma planta indiana Ap 18.13.*

ἄμωμος, ον *sem culpa, perfeito* Hb 9.14; 1 Pe 1.19; *inculpável* Ef 1.4; Fp. 2.15; Ap 14.5.

Ἀμών, ὁ indecl. (heb.) *Amom* Mt 1.10.

Ἀμώς, ὁ indecl. (heb.) *Amós*—1. Lc 3.25.—2. Mt 1.10; Lc 3.23ss, v.l.*

ἄν um advérbio que não pode ser traduzido por uma palavra em português. Denota que a ação do verbo depende de alguma circunstância ou condição; seu efeito sobre o sentido da oração varia conforme a construção do período.—1. Com o indic.—a. imperf. ou aor., para indicar ação repetida no passado, em orações subordinadas adjetivas, e adverbiais temporais: ὅσοι ἂν ἥψαντο αὐτοῦ, ἐσῴζοντο *todos que o tocavam ficavam curados* Mc 6.56; cf. At 2.45; 4.35.—b. Na apódose de condições contrárias-ao-fato (determinadas como irreais), com o imperf. para o presente, e aor. ou mais que perf. para o passado: εἰ ἦν προφήτης, ἐγίνωσκεν ἄν *se ele fosse um profeta, ele (agora) saberia* Lc 7.39. εἰ ἔγνωσαν, οὐκ ἂν ἐσταύρωσαν *se a tivessem conhecido, não teriam crucificado* (o Senhor) 1 Co 2.8. Mais que perf. 1 Jo 2.19. ἐλθών Lc 19.23 e ἐπεί Hb 10.2 são equivalentes a uma prótase.—2. Com o subjuntivo—a. na prótase de orações condicionais relativas ao futuro, do tipo mais vivido ὅς ἂν ἐσθίῃ ... ἔνοχος ἔσται *qualquer que comer será culpado* 1 Co 11.27, ou o tipo mais geral, no presente ἃ ἂν ἐκεῖνος ποιῇ, ταῦτα καὶ ὁ υἱὸς ὁμοίως ποιεῖ *tudo o que Ele faz, o Filho também faz*. Semelhantemente, com orações adverbiais temporais, ὅταν = ὅτε + ἄν *quando (sempre que)* Mt 15.2. ἡνίκα ἄν *toda vez que* 2 Co 3.15. ὡς ἄν *logo que, quando* 1 Co 11.34. ἕως ἄν *até que* Mt 10.11.—b. em orações adverbiais finais, com ὅπως, sem mudança apreciável de sentido, Lc 2.35.—3. Com o optativo: raro e literário no NT. Em uma oração principal εὐξαίμην ἄν *Gostaria muito* (também pode ser traduzida por uma interjeição: Oxalá; Quisera Deus, etc.); em uma pergunta retórica πῶς γὰρ ἂν δυναίμην *Como poderei?* At 8.31; em uma pergunta indireta τί ἂν ποιήσαιεν τῷ Ἰησοῦ *o que poderiam fazer contra Jesus? Lc 6.11.—4.* ἄν no lugar de ἐάν = *se* Jo 5.19a; 13.20; 20.23.

ἀνά prep. com ac., originalmente, 'acima, para cima', etc.—1. Sozinha, em sentido distributivo ἀνὰ δύο *de dois em dois* Lc 10.1; ἀνὰ πεντήκοντα *de cincoenta em cincoenta* Lc 9.14; ἀνὰ δηνάριον *um denário cada um* Mt 20.9s. Como adv. ἀνὰ εἷς ἕκαστος *cada um por sua vez* Ap 21.21.—2. Em combinações, ἀνὰ μέσον com gen. *entre* Mt 13.25; ἀ. μ. τῶν ὁρίων *passando pela região (no meio da)* Mc 7.31; *entre* 1 Co 6.5, com a omissão do segundo membro; *no centro* Ap 7.17. ἀνὰ μέρος *cada um por sua vez* 1 Co 14.27. [*aná*, um termo farmacêutico, significando na mesma proporção, e prefixo de numerosas palavras de derivação grega]

ἀνάβα 2 aor. imperativo at., 2 pes. sing. de ἀναβαίνω.

ἀναβαθμός, οῦ, ὁ *degrau;* pl. *escadaria* (do templo para a Torre Antonia At. 21.35, 40.*

ἀναβαίνω *subir* At 1.13, esp. *para Jerusalém ou ao Templo* Mt 20.17s; Jo 7.14. *escalar, trepar* Lc 19.4. *Vir sobre* (algo ou alguém) Mt 3.16; Mc 4.7; At 21.31. *Ascender* At 2.34; 10.4. ἀ. επὶ τὴν καρδίαν *penetrar na mente (coração)* 1 Co 2.9. ἀ. ἐν τῇ καρδίᾳ *surgir no coração; vir ao coração* Lc 24.38.

ἀναβάλλω *adiar, pospor.* ἀ. αὐτούς *adiou a questão (termo legal)* At 24.22.*

ἀναβέβηκα perf. at. de ἀναβαίνω.

ἀναβήσομαι fut. méd. (defectivo) de ἀναβαίνω.

ἀναβιβάζω *puxar, arrancar fora*, Mt 13.48.*

ἀναβλέπω—1. *olhar para cima, erguer os olhos*, Mt 14.19; Mc 8.24; At 22.13.—2.*recuperar a vista* Mt 11.5; Mc 10.51; At 9.12, 17s. *Receber a visão, tornar-se capaz de ver* Jo 9.11, 15, 18.

ἀνάβλεψις, εως, ἡ *recuperação da visão* Lc 4.18.*

ἀναβοάω *gritar, bradar* Mt 27.46; Mc 15.8 v.l.

ἀναβολή, ῆς, ἡ *adiamento, retardamento* At 25.17.*

ἀνάγαιον, ου, τό *cenáculo, aposento no andar superior* Mc 14.15; Lc 22.12.*

ἀναγγέλλω *reportar* At 14.27; 2 Co 7.7. *Dar a conhecer* At 19.18; *proclamar* Jo 16.13; 1 Pe 1.12; *pregar* At 20.20.

ἀναγεννάω *fazer nascer de novo, causar um novo nascimento* 1 Pe 1.3, 23.*

ἀναγινώσκω *ler* Mc 12.26; Jo 19.20; At 8.28, 30 (o eunuco estava lendo em voz alta para si mesmo); *ler (em voz alta) para o público* Lc 4.16; Cl 4.16; Ap 1.3.

ἀναγκάζω *forçar, obrigar, compelir* At 26.11; Gl 2.3, 14; *convidar insistentemente, obrigar* Mt 14.22.

ἀναγκαῖος, α, ον—*1.necessário, urgente* 1 Co 12.22; Tt 3.14.—*2.íntimo, chegado* At 10.24.

ἀναγκαστῶς adv. *compulsoriamente, obrigatoriamente, forçosamente* 1 Pe 5.2.*

ἀνάγκη, ης, ἡ—1. *necessidade* Hb 7.12; *compulsão, pressão* 2 Co 9.7. ἀ. ἔχω *Eu devo* Lc 14.18. ἀ. com ἐστίν subentendido = *é necessário, deve-se* Hb 9.16, 23.—2. *angústia, crise* Lc 21.23; 1 Co 7.26.

ἀναγνούς, ἀναγνῶναι, ἀναγνωσθῆναι part. 2 aor. at., inf. e 1 aor. inf. pass. de ἀναγινώσκω.

ἀναγνωρίζω pass. *ser reconhecido* At 7.13 v.1.*

ἀνάγνωσις, εως, ἡ *leitura* pública na sinagoga At 13.15; 2 Co 3.14, ou na igreja 1 Tm 4.13.*

ἀνάγω—1. *levar* ou *trazer* Mt 4.1; At 9.39; Rm 10.7. *Apresentar* At 12.4. ἀ. θυσίαν *apresentar um sacrifício* At 7.41.2.méd. ou pass. *navegar, sair ao mar* At 13.13; 18.21.[anagógico].

ἀναδείκνυμι *mostrar claramente* At 1.24; *apontar, indicar* Lc 10.1*

ἀνάδειξις, εως, ἡ *comissionamento, o ato de assumir um cargo ou um ofício, manifestação pública* (de um detentor de ofício profético) Lc 1.80.

ἀναδέχομαι *aceitar, receber* Hb 11.17; *dar as boas vindas* At 28.7.*

ἀναδίδωμι *entregar* At 23.33.*

ἀναζάω *reviver* Rm 14.9 v.1.; Ap 20.5 v.1.; Lc 15.24,32 v.1. *Vir à tona, reviver* Rm 7.9.*

ἀναζητέω *procurar, buscar* Lc 2.44s; At 11.25.*

ἀναζώννυμι *cingir-se, cingir os lombos*, colocar as vestes compridas para dentro do cinto, para facilitar o trabalho ou o caminhar, fig. *arregaçar as mangas* 1 Pe 1.13.*

ἀναζωπυρέω *avivar o fogo, despertar* ou *acender novamente* 2 Tm 1.6.*

ἀναζωσάμενος part. méd. 1 aor. de ἀναζώννυμι.

ἀναθάλλω *crescer de novo, fazer crescer de novo, renovar* Fp 4.10.*

ἀνάθεμα, ατος, τό—1. *alguma coisa consagrada à divindade, uma oferta votiva* Lc 21.5 v.1.—2. O que é consagrado à divindade pode ser abençoado ou amaldiçoado (cf. Js. 6.17; 7.12 LXX como um exemplo do sentido de maldição, que veio a predominar). Assim, no NT, *maldição, maldito, anátema* At 23.14; Rm 9.3; 1 Co 12.3; 16.22; Gl 1.8s.*

ἀναθεματίζω *amaldiçoar, conjurar* At 23.12, 14, 21; *invocar uma maldição* Mc 14.71.*

ἀναθεωρέω *examinar cuidadosamente*, At 17.23; *considerar* Hb 13.7.*

ἀνάθημα, ατος, τό *uma oferta votiva* Lc 21.5.*

ἀναίδεια, ας ἡ *persistência*, lit. *ausência de vergonha*, Lc 11.8.*

ἀναίρεσις, εως, ἡ *assassinato* At 8.1; 13.28 v.1.; 22.20 v.1..*

ἀναιρέω—1. *tirar, abolir* Hb 10.9. *Livrar-se, matar, assassinar* Mt 2.16; At 16.27; 2 Ts 2.8. Pass. *ser condenado à morte* At 26.10.—2.méd. *adotar, recolher* At 7.21

ἀναίτιος, ον *inocente* Mt 12.5, 7; At 16.37 v.1.*

ἀνακαθίζω *sentar* Lc 7.15; At 9.40.*

ἀνακαινίζω *renovar, restaurar* Hb 6.6.*

ἀνακαινόω *renovar* 2 Co 4.16; Cl 3.10.*

ἀνακαίνωσις, εως, ἡ *renovação* Rm 12.2; Tt 3.5.*

ἀνακαλύπτω *descobrir, desvendar* 2 Co 3.14, 18 (v. Êx 34.34).*

ἀνακάμπτω *retornar* Mt 2.12; Lc 10.6; At 18.21; Hb 11.15. *Dar as costas* 2 Pe 2.21 v.1.*

ἀνάκειμαι *reclinar-se, encostar* Mc 5.40 v.1.: à mesa como convidado para o jantar Mt 9.10; Jo 12.2. ὁ ἀνακείμενος *convidado* Lc 22.27.

ἀνακεφαλαιόω *resumir, recapitular* Rm 13.9; *unir, ajuntar* Ef 1.10.*

ἀνακλίνω at. *fazer reclinar* Lc 12.37; *fazer deitar* Lc 2.7. Méd. e pass. *reclinar-se à mesa durante a refeição* Mt 8.11; Mc 6.39.

ἀνακόπτω *obstruir, impedir* Gl 5.7 v.1.*

ἀνακράζω *gritar* Mc 1.23; 6.49; Lc 4.33; 8.28; 23.18.*

ἀνακραυγάζω *gritar* Lc 4.35 v.1.*

ἀνακρίνω—1. *perguntar, examinar* At 11.12 v.1.; 17.11; 1 Co 10.25, 27.—2. *julgar, interrogar, exigir prestação de contas* 1 Co 2.14s; 14.24.—3. termo técnico legal *examinar, investigar* At 12.19; 28.18; *conduzir uma investigação* Lc 23.14.

ἀνάκρισις, εως, ἡ *investigação preliminar, audição* At 25.26.*

ἀνακυλίω *rolar* Mc 16.4 v.1.*

ἀνακύπτω *endireitar-se, estar ereto* Lc 13.11; Jo 8.7, 10; fig. Lc 21.28.*

άναλαμβάνω elevar At 1.11; tomar Ef 6.13, 16; trazer, carregar At 7. 43; 2 Tm 4.11; embarcar At 20.13s.

άναλημφθείς part. pass. 1 aor. de άναλαμβάνω.

άνάλημψις, εως, ή ascensão; talvez morte, partida; lit. retirada Lc 9.51.*

άναλίσκω ou άναλόω consumir Lc 9.54; Gl 5.15; 2 Ts 2.8 v.1.*

άνάλλομαι saltar At 14.10 v.1.*

άναλογία, ας, ή relacionamento correto, proporção κατά τήν ά. de acordo com; conforme; ou em proporção à Rm 12.6.* [analogia].

άναλογίζομαι considerar, pensar Hb 12.3.*

άναλοΐ 3 pes. sing. aor. opt. de άναλίσκω.

άναλος, ον sem sal, sem gosto Mc 9.50.*

άναλόω veja άναλίσκω.

άνάλυσις, εως, ή partida, i.e., morte, lit. 'dissolução' 2 Tm 4.6.*[análise].

άναλύω soltar, desunir At 16.26 v.1. Retornar Lc 12.36; partir = morrer Fp 1.23.*

άναλῶσαι, άναλώσει inf. 1 aor. at. e 3 pes. sing. fut. ind. at. de άναλίσκω (άναλόω).

άναμάρτητος, ον sem pecado Jo 8.7.*

άναμένω esperar 1 Ts 1.10.*

άναμιμνήσκω relembrar τινά τι alguém de alguma coisa 1 Co 4.17; cf. 2 Tm 1.6. Méd. e pass. lembrar, relembrar Mc 11.21; 14.72; At 16.35 v.1.; 2 Co 7.15; Hb 10.32.*

άνάμνησις, εως, ή recordação Hb 10.3; lembrança, memória Lc 22.19; 1 Co 11.24s.*

άναμνήσω 1 pes. sing. fut. ind. de άναμιμνήσκω.

άνανεόομαι ser renovado Ef 4.23.*

άνανήφω voltar à sobriedade 2 Tm 2.26.*

'Ανανίας, ου ό (heb. Ananias)—1. Um membro da igreja de Jerusalém, marido de Safira At 5.1.—2. Um cristão de Damasco que ajudou a Paulo At 9.10; 22.12.—3. Um sumo sacerdote judeu (c. 47 - 59 d.C.) At 23.2; 24.1.

άναντίρρητος, ον inegável, que não pode ser contraditado At 19.36.*

άναντιρρήτως adv. sem levantar qualquer objeção At 10.29.

άνάξιος, ον incompetente, indigno 1 Co 6.2.*

άναξίως adv. de maneira descuidada ou indigna 1 Co 11.27, 29 v.1.*

άναπαήσομαι 2 fut. ind. pass. de άναπαύω.

άνάπαυσις, εως, ή—1. parada, descanso άνάπαυσιν ούκ έχουσιν λέγοντες dizendo, sem cessar Ap 4.8; cf. 14.11. Descanso Mt 11.29.—2. Um lugar de descanso Mt 12.43; Lc 11.24.*

άναπαύω at. fazer descansar, dar (a alguém) descanso, parada com ac. Mt 11.28; 1 Co 16.18; Fm 20. Pass. ser refrescado, ser recreado 2 Co 7.13; Fm 7. Méd. descansar, relaxar Mt 26.45; Mc 6.31; Lc 12.19; ficar quieto Ap 6.11; repousar 1 Pe 4.14.

άναπείθω induzir, incitar, lit. 'persuadir erradamente' At 18.13.*

άνάπειρος, ον Gr. helenístico para άνάπηρος, q.v.

άναπέμπω enviar a alguém em uma posição superior Lc 23.7; At 25.21; 27.1 v.1. Mandar de volta Lc 23.11, 15; Fm 12.*

άνάπεσε, αναπεσεΐν imper. at. e inf. do 2 aor. de άναπίπτω.

άναπηδάω pular, levantar Mc 10.50.*

άνάπηρος, ον coxo, aleijado, um aleijado Lc 14.13,21.*

άναπίπτω reclinar-se esp. à mesa, tomar seu lugar para comer Mc 6.40; Lc 11.37; Jo 13.12. Recostar-se Jo 13.25.

άναπληρόω completar, encher a medida de 1 Ts 2.16. Suprir 1 Co 16.17; Fp 2.30. Ocupar um lugar, 1 Co 14.16. Cumprir, desempenhar Mt 13.14; Gl 6.2.*

άναπολόγητος, ον sem desculpa Rm 1.20; 2.1.*

άναπράσσω demandar, exigir pagamento Lc 19.23 v.1.*

άναπτύσσω desenrolar, abrir um livro em forma de rolo Lc 4.17.*

άνάπτω acender, colocar fogo Lc 12.49; Tg 3.5; At 28.2 v.1.*

άναρίθμητος, ον inumerável Hb 11.12.*

άνασείω incitar, acender Mc 15.11: Lc 23.5.*

ἀνασκευάζω confundir, transtornar At 15.24.*

ἀνασπάω recolher, retornar At 11.10; tirar, sacar Lc 14.5.*

ἀνάστα, ἀναστάς, imper. at. e part. do 2 aor. de ἀνίστημι.

ἀνάστασις, εως ἡ levante, levantar Lc 2.34. Ressurreição dos mortos Mt 22.31; Lc 20.35; Jo 11.24; At 1.22; Rm 6.5; 1 Co 15.12; Ap 20.5s.

ἀναστατόω agitar, perturbar. provocar tumultos At 17.6; 21.38; Gl 5.12.*

ἀνασταυρόω crucificar de novo Hb 6.6.*

ἀναστενάζω suspirar profundamente Mc 8.12.*

ἀνάστηθι, ἀναστῆναι, ἀναστήσας, ἀναστήσω impv. at. 2 aor.; inf. at. 2 aor.; part. at. 1 aor. e 1 pes. sing. fut. ind. at. de ἀνίστημι.

ἀναστρέφω—1. virar Jo 2.15 v.1.—2. retornar, voltar At 5.22; 15.16.—3. méd. e pass. viver aqui e ali, permanecer, viver em um lugar Mt 17.22 v.1. Assim, conduzir-se ou comportar-se, viver, agir, sempre com um colorido moral ou religioso 2 Co 1.12; 1 Tm 3.15; Hb 13.18; 2 Pe 2.18.

ἀναστροφή, ῆς, ἡ modo de vida, estilo de vida, conduta, comportamento Gl 1.13; Tg 3.13; 1 Pe 2.12.

ἀναστῶ 1 pes. sing. 2 aor. at. subj. de ἀνίστημι.

ἀνασῴζω salvar Hb 10.14 v.1.*

ἀναστάσσομαι compilar, redatar, lit. 'colocar na ordem certa' Lc 1.1.*

ἀνατεθραμμένος part. perf. pass. de ἀνατρέφω.

ἀνατείλας part. 1 aor. at. de ἀνατέλλω

ἀνατέλλω—1. fazer sair Mt 5.45.—2. sair (o sol) Mt 13.6; Mc 16.2; 2 Pe 1.19; aurora Mt 4.16. Vir Lc 12.54. Proceder, descender Hb 7.14.

ἀνατέταλκα perf. ind. at. ἀνατέλλω.

ἀνατίθημι méd. expor, apresentar (um assunto a alguém para consideração) At 25.14; Gl 2.2.*

ἀνατολή, ῆς, ἡ—1. saída de uma estrela; ἐν τῇ ἀνατολῇ em sua saída, quando ela surgiu Mt 2.2.—2. sair do sol, Leste,

Oriente Mt 2.1; 8.11; Ap 7.2; 21.13. Fig. ἀ. ἐξ ὕψους a aurora do céu (do alto) i. e. o Messias Lc 1.78. [Anatólia].

ἀνατολικός, ή, όν oriental At 19.1 v.1.*

ἀνατρέπω virar lit. Jo 2.15; fig. transtornar, arruinar 2 Tm 2.18; Tt 1.11.*

ἀνατρέφω educar, cuidar, criar Lc 4.16 v. 1.; At 7.20, 21; 22.3.*

ἀναφαίνω fazer aparecer, ἀναφάναντες τὴν κύπρον chegamos à vista de Chipre, avistar At 21.3. Pass. aparecer Lc 19.11.*

ἀναφάναντες part. at. do 1 aor. de ἀναφαίνω.

ἀναφέρω—1. tomar, levar Mc 9.2.—2. oferecer (como) um sacrifício Hb 7.27; 1 Pe 2.5.—3. carregar, assumir Hb 9.28 (cf. Is 53.12).

ἀναφωνέω gritar, exclamar Lc 1.42.*

ἀναχθείς part. pass. 1 aor. de ἀνάγω.

ἀνάχυσις, εως, ἡ correr desenfreadamente, lit. 'derramar' 1 Pe 4.14.*

ἀναχωρέω fugir Mt 2.13. Retirar-se, procurar refúgio Mt 2.14; Jo 6.15; At 23.19. Retornar, voltar Mt 2.12.

ἀνάψας part. at. 1 aor. de ἀνάπτω.

ἀνάψυξις, εως, ἡ alívio, descanso, refrigério espiritual At 3.20.*

ἀναψύχω reviver, renovar 2 Tm 1.16; ser renovado Rm 15.32 v.1.*

ἀνδραποδιστής, οῦ, ὁ sequestrador, traficante de escravos 1 Tm 1.10.*

Ἀνδρέας, ου, ὁ André, um dos doze Mc 3.18; 13.3; Jo 1.40, 44.

ἀνδρίζομαι agir corajosamente, portar-se varonilmente 1 Co 16.13.*

Ἀνδρόνικος, ου, ὁ Andrônico Rm 16.7.*

ἀνδροφόνος, ου ὁ assassino 1 Tm 1.9.*

ἀνεβαλόμην 1 pes. sing. 2 aor. ind. méd de ἀναβάλλω.

ἀνέβην 2 aor. ind. at. de ἀναβαίνω.

ἀνεγκλησία, αν, ἡ inculpável Fp 3.14 v. 1.*

ἀνέγκλητος, ον inculpável, irreprovável 1 Co 1.8; Cl 1.22; 1 Tm 3.10; Tt 1.6s.*

ἀνέγνων 2 aor. ind. at. de ἀναγινώσκω.

ἀνέδειξα 1 aor. ind. at. de ἀναδείκνυμι.

ἀνεζωσάμην 1 aor. ind. méd. de ἀναζώννυμι.

ἀνέθαλον—ἀνήμερος 23

ἀνέθαλον 2 aor. ind. at. de ἀναθάλλω.
ἀνεθέμην 2 aor. ind. méd. de ἀνατίθημι.
ἀνέθην 1 aor. ind. pass. de ἀνίημι.
ἀνεθρεψάμην 1 aor. ind. méd. de ἀνατρέφω.
ἀνεῖλα, ἀνεῖλον 2 aor. ind. at. de ἀναιρέω.
ἀνείς part at. 2 aor. de ἀνίημι.
ἀνειχόμην imperf. méd. de ἀνέχω.
ἀνεκδιήγητος, ον indescritível 2 Co 9.15.*
ἀνεκλάλητος, ον inefável, inexpressável 1 Pe 1.8.*
ἀνέκλειπτος, ον inesgotável, inexaurível Lc 12.33.*
ἀνεκρίθην 1 pes. sing. 1 aor. pass. de ἀνακρίνω.
ἀνεκτός, όν suportável, tolerável; comp. ἀνεκτότερος mais tolerável Mt 10.15; 11.22, 24; Lc 10.12, 14.*
ἀνέλαβον 1 pes. sing. 2 aor. ind. at. de ἀναλαμβάνω.
ἀνελεήμων, ον inclemente, sem piedade Rm 1.31; Tt 1.9 v.1.*
ἀνελεῖν, ἀνέλω, ἀνέλοι inf. subj. 2 aor.; 1 pes. sing. e 3 pes. sing. opt. de ἀναιρέω.
ἀνέλεος, ον sem misericórdia Tg 2.13.*
ἀνελήμφθην 1 pes. sing. 1 aor. ind. pass. de ἀναλαμβάνω.
ἀνεμίζω pass. ser movido pelo vento Tg 1.6.*
ἀνεμνήσθην 1 pes. sing. 1 aor. ind. pass. de ἀναμιμνήσκω.
ἄνεμος, ου, ὁ vento Mt 11.7; 14.30; At 27.14; as quatro direções, ou pontos cardeais Mc 13.27; fig. Ef 4.14. [anemômetro]
ἀνένδεκτος, ον impossível Lc 17.1.*
ἀνενέγκαι, ἀνενεγκεῖν inf. 1 aor. at. e inf. 2 aor. at. de ἀναφέρω.
ἀνέντες part. 2 aor. at. de ἀνίημι.
ἀνεξεραύνητος, ον insondável, inescrutável Rm 11.33.*
ἀνεξίκακος, ον suportando o mau sem ressentimento, paciente 2 Tm 2.24.*
ἀνεξιχνίαστος, ον inescrutável, misterioso Rm 11.33. Que não pode ser investigado, inexaurível Ef 3.8; lit. 'cujo curso não pode ser traçado.'*

ἀνέξομαι fut. ind. méd. de ἀνέχομαι.
ἀνεπαίσχυντος, ον que não tem de que se envergonhar 2 Tm 2.15.*
ἀνέπεσα, ἀνέπεσον 1 aor. ind. at. e 2 aor. ind. at. de ἀναπίπτω.
ἀνεπίλημπτος, ον irrepreensível, inatacável (reputação) 1 Tm 3.2; 5.7; 6.14.*
ἀνέπτυξα 1 aor. ind. at. de ἀναπτύσσω.
ἀνέρχομαι subir Jo 6.3; Gl 1.17, 18.*
ἀνέσεισα 1 aor. ind. at. de ἀνασείω.
ἄνεσις, εως, ἡ descanso, relaxamento 2 Co 2.13; 7.5; 8.13; 2 Ts 1.7. Liberdade, alívio At 24.23.*
ἀνέστην 2 aor. ind. at. de ἀνίστημι.
ἀνέσχομην 2 aor. ind. méd. de ἀνέχομαι.
ἀνέστησα 1 aor. ind. at. de ἀνίστημι.
ἀνετάζω examinar alguém, conceder uma audiência a alguém At 22.24, 29.*
ἀνέτειλα 1 aor. ind. at. de ἀνατέλλω.
ἄνευ prep. com gen. sem Mc 13.2 v.1.; 1 Pe 3.1; 4.9. Sem o conhecimento e consentimento de Mt 10.29.*
ἀνεύθετος, ον pobre, incômodo, impróprio At 27.12.*
ἀνευρίσκω achar após procura Lc 2.16; At 21.4.*
ἀνέχομαι colocar com, suportar Mt 17.17; 1 Co 4.12; 2 Co 11.1. Ouvir ou prestar atenção Hb 13.22. Aceitar At 18.14.
ἀνεψιός, οῦ, ὁ primo Cl 4.10.*
ἀνέῳγα, ἀνέῳγμαι, ἀνέῳξα, ἀνεῴχθην 2 perf. ind. at.; 2 perf. ind. pass. 1 aor. ind. at. e 1 aor. ind. pass. de ἀνοίγω.
ἀνήγαγον 2 aor. ind. at. de ἀνάγω.
ἀνήγγειλα, ἀνηγγέλην 1 aor. ind. at. e 2 aor. ind. pass. de ἀναγγέλλω.
ἄνηθον, ου, τό endro Mt 23.23; Lc 11.42 v.1.*
ἀνῆκα 1 aor. ind. at. de ἀνίημι.
ἀνήκω ser apropriado ou encaixar (impessoal) Ef 5.4; Cl 3.18. τὸ ἀνῆκον o que é apropriado, o dever Fm 8.*
ἀνῆλθον 2 aor. ind. at. de ἀνέρχομαι.
ἀνηλώθην, ἀνήλωσα 1 aor. ind. pass. e 1 aor. ind. at. de ἀναλίσκω.
ἀνήμερος, ον selvagem, brutal 2 Tm 3.3.*

ἀνήνεγκον 2 aor. ind. at. de ἀναφέρω.

ἀνήρ, ἀνδρός, ὁ homem, normalmente um adulto (1 Co 13.11), varão (At 8.3, 12). Sentidos especializados: marido Mc 10.2, 12; noivo Ap 21.2; em conversas: senhor At 27.10, 21, 25; ἄνδρες αδελφοί irmãos At 15.7, 13. Pleonasticamente ἀνὴρ ἁμαρτωλός = simplesmente pecador Lc 5.8. Raramente pessoa = ἄνθρωπος, v. Lc 11.31; Tg 1.12; cf. At 17.34. [André, andrógino].

ἀνῃρέθην 1 aor. ind. pass. de ἀναιρέω.

ἀνήφθην 1 aor. ind. pass. de ἀνάπτω.

ἀνήχθην 1 aor. ind. pass. de ἀνάγω.

ἀνθέξομαι fut. ind. méd. de ἀντέχομαι.

ἀνθέστηκα perf. ind. at. de ἀνθιστημι.

ἀνθίστημι colocar-se contra, opor-se, resistir Lc 21.15; Rm 13.2; Gl 2.11; Tg 4.7; permanecer firme Ef 6.13. [antitético, antítese].

ἀνθομολογέομαι louvor, agradecimento Lc 2.38.*

ἄνθος, ους, τό flor; ἀ. χόρτου flor selvagem Tg 1.10; cf. 11; 1 Pe 1.24.*[antologia].

ἀνθρακιά, ᾶς, ἡ braseiro Jo 18.18; 21.9.* [antracita].

ἄνθραξ, ακος, ὁ brasas; ἄνθρακες πυρός brasas de fogo Rm 12.20 (cf. Pv 25.22).*

ἀνθρωπάρεσκος, ον como subst. alguém que tenta agradar as pessoas sacrificando princípios, bajulador Ef 6.6; Cl 3.22.*

ἀνθρώπινος, η, ον humano At 17.25; 1 Co 2.13; Tg 3.17. Uma tentação normal para as pessoas i.e., tolerável 1 Co 10.13. Falar em termos humanos Rm 6.19. Comumente aceito 1 Tm 1.15 v.1.; 3.1 v.1.

ἀνθρωποκτόνος, ου, ὁ assassino Jo 8.44; 1 Jo 3.15.*

ἄνθρωπος, ου ὁ ser humano, pessoa; pl. povo Mt 5.13, 16; Mc 10.27; Jo 10.33 (um mero mortal); 1 Co 1.25; 2 Co 3.2; Fp 2.7; humanidade em geral Mc 2.27. Em conversas, com uma conotação de familiaridade, amigo Lc 5.20; de impaciência Lc 22.58, 60; de contenda Mc 14.71; Jo 5.12. Indefinido = τίς alguém Jo 4.29; 1 Co 4.1; com. adv. negação ninguém Jo 5.7; 7.46. Qualquer um Rm 14.20. Restrito a pessoas adultas, varão, homem, marido Mt 19.5, 10; 1 Co 7.1. Filho Mt 10.35. Pode ser omitido em traduções, em combinações como ἄ. φάγος = simplesmente um glutão Lc 7.34; cf. Mt 18.23; At 21.39. κατὰ ἄ. de forma humana, humanamente 1 Co 9.8; meramente para agradar as pessoas Gl 1.11. [antropologia].

ἀνθύπατος, ου, ὁ procônsul, governador de uma província senatorial no Império Romano At 13.7; 18.12.

ἀνιείς, ἀνιέντες part. masc. sing. e pl. pres. at. de ἀνίημι.

ἀνίημι—1. desprender, soltar At 16.26; 27.40.—2. abandonar, desertar Hb 13.5.—3. deixar, parar de Ef 6.9.*

ἀνίλεως, neut. ων, gen. ω sem misericórdia Tg 2.13 v.1. de ἀνέλεος.*

ἄνιπτος, ον não lavado, i.e. não lavado de acordo com os ritos da lei, cerimonialmente impuro, imundo Mt 15.20; Mc 7.2, 5 v.1.*

ἀνίστημι—1. levantar, endireitar At 9.41. Dos mortos, levantar, trazer à vida Jo 6.39s; At 2.24; 13.34. Fazer aparecer, ser gerado Mt 22.24; At 3.22.—2. levantar, subir Mt 26.62; Lc 11.7s; Mc 9.10, 31; 1 Ts 4.16. Abreviado para Levante e vá Mc 14.60; Lc 4.38. Aparecer, vir Mt 12.41; Hb 7.11, 15. Enfraquecido para colocar, dispôr, deixar preparado Mc 2.14; Lc 1.39; At 8.26; 10.20.

Ἄννα, ας, ἡ Ana Lc 2.36.*

Ἄννας, α, ὁ Anás, sumo sacerdote 6-15 d.C., sogro de Caifás Lc 3.2: Jo 18.13,24; At 4.6.*

ἀνόητος, ον tolo, insensato Lc 24.15; Gl 3.1; 1 Tm 6.9.

ἄνοια, ας, ἡ tolice 2 Tm 3.9; fúria Lc 6.11.*

ἀνοίγω—1. abrir Mt 3.16; Jo 9.10; At 5.19; 14.27; Ap 5.9.—2. abrir-se, estar aberto Jo 1.51; 1 Co 16.9. στόμα ἡμῶν ἀνέῳγεν nossa boca está aberta, i.e., falamos livremente 2 Co 6.11.

ἀνοικοδομέω reedificar At 15.16; Jd 20. v.1.*

ἄνοιξις, εως, ἡ o ato a de abrir ἐν ἀ. τοῦ στόματος μου quando eu abrir a minha boca Ef 6.19.*

ἀνοίσω fut. de ἀναφέρω.

ἀνοιχθήσομαι fut. pass. de ἀνοίγω.

ἀνομία, ας, ἡ *ilegalidade, transgressão, pecado* como um estado mental Rm 6.19a; 1 Jo 3.4. *Um ato ilegal* Mt 13.41; Rm 6.19b; Hb 10.17.

ἄνομος, ον *simplesmente sem lei* 1 Co 9.21a; *ilegal, ímpio, criminoso* Lc 22.37; At 2.23; 1 Tm 1.9. ἄ. θεοῦ *rejeitando a lei de Deus* 1 Co 9.21c. ὁ ἄ. = o *Anticristo* 2 Ts 2.8.

ἀνόμως *sem a lei* Rm 2.12.

ἀνόνητος, ον *inútil* 1 Tm 6.9 v.1.*

ἀνορθόω *reedificar, restaurar,* lit. endireitar de novo At 15.16. De uma mulher encurvada Lc 13.13; *fortalecer* Hb 12.12.*

ἀνόσιος, ον *ímpio* 1 Tm 1.9; 2 Tm 3.2.*

ἀνοχή, ῆς ἡ *clemência, tolerância, paciência* Rm 2.4; 3.26.*

ἀνταγονίζομαι *lutar* Hb 12.4.*

ἀντάλλαγμα, ατος, τό aquilo que é dado em *troca,* algo *equivalente* Mt 16.26; Mc 8.37.* [ἀντι + ἀλλάσσω]

ἀνταναπληρόω *encher, preencher, completar,* Cl 1.24.*

ἀνταποδίδωμι *devolver, pagar, restituir* Lc 14.14; Rm 12.9; 1 Ts 3.9.

ἀνταποδοθήσομαι fut. ind. pass. de ἀνταποδίδωμι.

ἀνταπόδομα, ατος, τό *retribuição* Rm 11.9; *restituição* Lc 14.12.*

ἀνταπόδοσις, εως, ἡ *remuneração, recompensa* Cl 3.24.*

ἀνταποδοῦναι, ἀνταποδώσω inf. at. 2 aor. e 1 pes. sing. fut. ind. at. de ἀνταποδίδωμι.

ἀνταποκρίνομαι *responder, replicar* Lc 14.6; Rm 9.20.*

ἀντεῖπον somente no 2 aor. *falar contra, contradizer,* Lc 21.15: *dizer em réplica, replicar* At 4.14.*

ἀντέχω no NT somente na méd. *ser fiel a; dedicar-se, apegar-se* Mt 6.24; Lc 16.13. *Interessar-se por; prestar atenção a* Tt 1.9; *ajudar* 1 Ts 5.14.*

ἀντί prep. com gen., originalmente com significado local, *oposto*—1. *ao invés de, no lugar de* Mt 2.22; Lc 11.11; Tg 4.15.—2. *Pois, porque, diante de* Mt 5.38; Rm 12.17; 1 Co 11.15; *após* ou *sobre* Jo 1.16.—3. *por, a favor de* Mt 17.27; 20.28. ἀνθ' ὧν *porque, por causa* Lc 1.20; 2 Ts 2.10; *portanto* Lc 12.3; cf Ef 5.31. *(Em troca) de; por* Hb 12.16. [anti- como prefixo em numerosas palavras].

ἀντιβάλλω *colocar-se diante de, trocar* ἀ. λόγους *discutir* Lc 24.17.*

ἀντιδιατίθημι méd. *opor-se, ser oposto, resistir* 2 Tm 2.25.*

ἀντίδικος, ου, ὁ *inimigo, oponente,* ou na *corte,* ou em geral Mt 5.25; Lc 12.58; 18.3; 1 Pe 5.8.*

ἀντίθεσις, εως, ἡ *oposição, objeção, contradição* 1 Tm 6.20. ÷ [antítese, antitético].

ἀντικαθίστημι *opor-se, resistir* Hb 12.4.*

ἀντικαλέω *convidar,* como resposta, *retribuir* Lc 14.12.*

ἀντίκειμαι *opor-se* Gl 5.17; Tm 1.10; ὁ ἀντικείμενος *o oponente, adversário* Fp 1.28; cf. Lc 13.17; 21.15; 1 Co 16.9; 2 Ts 2.4; 1 Tm 5.14.*

ἄντικρυς adv. [funciona como uma prep. com gen] *defronte, em frente a* At 20.15.*

ἀντιλαμβάνω méd. *auxiliar, ajudar* Lc 1.54; At 20.35. *Participar, devotar-se a,* ou, talvez, *desfrutar, beneficiar-se* 1 Tm 6.2.*

ἀντιλέγω *falar contra, contradizer* At 13.45; 28.19, 22; Tt 1.9; 2.9; *negar* Lc 20.27. *Opor-se, ser obstinado* Lc 2.34; Jo 19.12; Rm 10.21.*

ἀντίλημψις, εως, ἡ *ajuda,* pl. *atos úteis, socorro, auxílio, beneficência* 1 Co 12.28.*

ἀντιλογία, ας, ἡ *contradição, disputa* Hb 6.16; 7.7. *Hostilidade, rebelião* Hb 12.3; Jd 11.*

ἀντιλοιδορέω *injuriar, amaldiçoar* em retorno 1 Pe 2.23.*

ἀντίλυτρον, ου, τό *resgate, preço pago para libertar um escravo* 1 Tm 2.6.*

ἀντιμετρέω *medir, em retribuição* Lc 6.38.*

ἀντιμισθία, ας, ἡ *troca, correspondência* τὴν αὐτὴν ἀ. πλατύνθητε *dilatai vossos corações da mesma forma, retribuir os mesmos sentimentos recebidos* 2 Co 6.13. *Penalidade* Rm 1.27.*

'Αντιόχεια, ας, ἡ—1. *Antioquia* na Síria, no Rio Orontes At 11.19-26; 13.1; Gl

2.11.—2. Antioquia na Pisídia, Ásia Menor At 13.14; 2 Tm 3.11.

Ἀντιοχεύς, έως, ὁ antioqueno, uma pessoa de Antioquia da Síria At 6.5.*

ἀντιπαρέρχομαι ir para o outro lado Lc 10.31s.*

Ἀντιπᾶς, ᾶ, ὁ Antipas Ap 2.13.*

Ἀντιπατρίς, ίδος, ἡ Antipátride, uma cidade na Judéia At 23.31.*

ἀντιπέρα adv. defronte Lc 8.26.*

ἀντιπίπτω resistir, combater At 7.51.*

ἀντιστῆναι 2 aor. at. inf. de ἀνθίστημι.

ἀντιστρατεύομαι combater, guerrear Rm 7.23.*

ἀντιτάσσω méd. opor-se, oferecer resistência At 18.6; Rm 13.2; Tg 4.6; 5.6; 1 Pe 5.5.*

ἀντίτυπος, ον servir como contraparte a, correspondente a, antítipo 1 Pe 3.21. Cópia, representação Hb 9.24.*

ἀντίχριστος, ου, ὁ o Anticristo 1 Jo 2.18, 22; 4.3; pl 1 Jo 2. 18.*

ἀντλέω tirar água Jo 2.8, 9; 4.7, 15.*

ἄντλημα, ατος, τὸ balde Jo 4.11.*

ἀντοφθαλμέω olhar diretamente, encarar At 27.15; 6.10 (11) v.l.*

ἄνυδρος, ον seco, sem água Mt 12.43; Lc 11.24; 2 Pe 2.17; νεφέλαι ἄ. nuvens que não dão chuva Jd 12.*

ἀνυπόκριτος, ον genuíno, sincero, lit. sem hipocrisia ou insinceridade Rm 12.9; 1 Tm 1.5; Tg 3.17.

ἀνυπότακτος, ον insubordinado, independente Hb 2.8. Indisciplinado, desobediente, rebelde 1 Tm 1.9; Tt 1.6, 10.*

ἄνω adv. do alto, de cima, acima Jo 8.23; At 2.19; Gl 4.26; Cl 3.1s; ἕως ἄνω até a borda Jo 2.7. Para cima Jo 11.41; Fp 3.14; Hb 12.15.*

ἀνῶ subj. at. 2 aor. de ἀνίημι.

ἄνωθεν adv.—1. de cima, esp. céu Mc 15.38; Jo 19.23; Tg 3.15—2. desde o início Lc 1.3; por um longo tempo At 26.5.—3. de novo, outra vez Gl 4.9. Em Jo 3.3,7 ἄ recebe, propositalmente, um significado duplo: do alto, de novo.

ἀνωτερικός, ή, όν do alto, interior At 19.1.*

ἀνώτερος, έρα, ον neut. como adv. mais alto, i.e. um lugar melhor Lc 14.10; acima, anteriormente Hb 10.8.*

ἀνωφελής, ές inútil; τὸ ἀ. inutilidade Hb 7.18; inútil, prejudicial Tt 3.9.*

ἀξίνη, ης, ἡ machado Mt 3.10; Lc 3.9; 13.7 v.l.*

ἄξιος, ία, ον digno Mt 10.37; 1 Tm 1.15; 4.9; Hb 11.38; digno de ser comparado Rm 8.18; merecedora Lc 12.48; 23.15; At 25.11, 25; Rm 1.32; apropriado Lc 15.19; suficientemente bom Jo 1.27. Impess. ἄξιόν ἐστι próprio, conveniente 1 Co 16.4. [axioma].

ἀξιόω considerar digno Lc 7.7; Hb 10.29; fazer digno 2 Ts 1.11. Considerar apropriado, assim, pedir, desejar, requisitar At 15.38; 28.22.

ἀξίως adv. de modo digno, dignamente Rm 16.2; Fp 1.27; Cl 1.10.

ἀόρατος, ον invisível, que não pode ser visto Rm 1.20; Cl 1.15s; Hb 11.27.

Ἀουλία forma alternativa de Ἰουλία Júlia Rm 16.15.

ἀπαγγείλοι 3 pes. sing. 1 aor. opt. at. de ἀπαγγέλω.

ἀπαγγέλλω reportar, anunciar, contar Mt 11.4; Mc 6.30; Lc 7.18; At 12.14; proclamar Mt 12.18; confessar 1 Co 14.25.

ἀπαγγελῶ 1 pes. sing. fut. ind. at. de ἀπαγγέλω.

ἀπάγχω méd. enforcar-se Mt 27.5.*

ἀπάγω—1. levar Lc 13.15. Como um termo legal arrastar, levar à presença de Mt 26.57; Mc 14.53; At 23.17. Prender, levar Mc 14.44; Lc 23.26; At 12.19.— Pass. ser desviado, enganado 1 Co 12.2.—2. conduzir Mt 7.13s.

ἀπαίδευτος, ον estúpido, lit. sem educação 2 Tm 2.23.*

ἀπαίρω pass. ser tomado Mc 2.20 (=Mt 9.15; Lc 5.35).*

ἀπαιτέω pedir, requisitar Lc 6.30; a vida, considerada como um empréstimo Lc 12.20.*

ἀπαλγέω tornar-se insensível, perder a sensibilidade Ef 4.19.*

ἀπαλλάσσω libertar, soltar Hb 2.15. Ser libertado, ser curado At 5.15 v.1.; levar ao juízo Lc 12.58; deixar, partir At 19.12.*

ἀπαλλοτριόω pass. ser alienado, separado Ef 2.12; 4.18; Cl 1.21.*

ἀπαλός, ή, όν terno Mt 24.32; Lc 13.28.*

ἀπαντάω encontr̃·· Mc 14.13; Lc 17.12*

ἀπάντησις, εως, ἡ o ato de encontrar alguém, εἰς ἀπάντησιν encontrar Mt 25.6; 27.32 v.1.: At 28.15; 1 Ts 4.17.*

ἅπαξ adv. uma vez 2 Co 11.25; Hb 9.27. ἔτι ἅ. uma vez mais = pela última vez Hb 12.26s. ἅ. καὶ δὶς mais que uma vez, repetidamente Fp 4.16; 1 Ts 2.18. De uma vez por todas, de uma vez para sempre Hb 10.2; 1 Pe 3.18; Jd 3,5.

ἀπαράβατος, ον permanente, imutável Hb 7.24.*

ἀπαρασκεύαστος, ον despreparado 2 Co 9.4.*

ἀπαρθῇ, ἀπαρθῶ formas do subj. pass. do 1 aor. de ἀπαίρω.

ἀπαρνέομαι negar, repudiar, deserdar Mc 14.30s, 72; Lc 12.9.

ἀπαρτί adv. exatamente, certamente, emenda conjectural para ἀπ' ἄρτι Ap 14.13.*

ἀπάρτι v. ἀπ' ἄρτι s.v. ἄρτι.

ἀπαρτισμός, οῦ, ὁ conclusão, encerramento Lc 14.28.*

ἀπαρχή; ῆς, ἡ primícias, os primeiros frutos de qualquer colheita, consagrados antes dos outros poderem ser usados Rm 11.16 (cf. Nm 15. 18-21). Fig. Rm 16.5; 1 Co 15.20; Ap 14.4; antegozo Rm 8.23 (o significado certidão de nascimento, ou carteira de identidade também se adapta ao contexto).

ἅπας, ασα, αν usado no Gr. ático no lugar de πᾶς após consoantes; essa distinção não é mantida sempre no NT. todos, cada, todo, inteiro Mt 24.39; Mc 8.25; Lc 8.37; 23.1; At 4.31; 16.3, 28; Tg 3.2.

ἀπασπάζομαι despedir-se At 21.6; 20.1 v.1.*

ἀπατάω enganar, iludir Ef 5.6; 1 Tm 2.14; Tg 1.26.*

ἀπάτη, ης, ἡ—1. engano Cl 2.8; 2 Ts 2.10; Hb 3.13; ἐπιθυμία τ. ἀπάτης desejo enganoso Ef 4.22. Em Mt 13.22; Mc 4.19 ἡ ἀ. τοῦ πλούτου pode significar a sedução proveniente das riquezas, ou (v. 2 abaixo) prazer.—2. prazer, agradável 2 Pe 2.13; talvez Mt 13.22; Mc 4.19 (v. 1 acima) e, possivelmente, Hb 3.13.*

ἀπάτωρ, gen. ορος sem pai, órfão de pai Hb 7.3.*

ἀπαύγασμα, ατος, τό radiância, refulgência, pass. reflexo; Hb 1.3.*

ἀπαφρίζω lançar fora como uma bolha Jd 13 v.1.*

ἀπαχθῆναι inf. pass. 1 aor. de ἀπάγω.

ἀπέβαλον 2 aor. ind. at. de ἀποβάλλω.

ἀπέβην 2 aor. ind at. de ἀποβαίνω.

ἀπέδειξα 1 aor. ind. at. de ἀποδείκνυμι.

ἀπέδετο forma helenística de ἀπέδοτο 3 pes. sing. 2 aor. ind. méd. de ἀποδίδωμι.

ἀπεδίδουν impf. ind. at. de ἀποδίδωμι.

ἀπεδόμην 2 aor. ind. méd. de ἀποδίδωμι.

ἀπέθανον 2 aor. ind. at. de ἀποθνήσκω.

ἀπεθέμην 2 aor. ind. méd. de ἀποτίθημι.

ἀπεῖδον 2 aor. ind. at. de ἀφοράω.

ἀπείθεια, ας, ἡ desobediência, incredulidade Rm 11.30, 32; Hb 4.6, 11. υἱοὶ ἀ. filhos desobedientes, hebraísmo, povo desobediente Ef 2.2; 5.6; Cl 3.6 v.1.*

ἀπειθέω desobedecer, ser desobediente ou desleal Rm 10.21; 11.30s; Hb 3.18; 11.31. O significado deixar de crer, reijeitar (o evangelho) é provável em passagens tais como Jo 3.36; At 14.2; Rm 15.31.

ἀπειθής, ές desobediente At 26.19; Rm 1.30; Tt 1.16.

ἀπειλέω ameaçar At 4.17; 1 Pe 2.23.*

ἀπειλή, ῆς, ἡ ameaça At 4.17 v.1., 29; 9.1; Ef 6.9.*

I. ἄπειμι (εἰμί) estar longe, estar ausente 1 Co 5.3; 2 Co 13.2, 10; Fp 1.27.

II. ἄπειμι (εἶμι) ir, vir At 17.10.*

ἀπειπάμην méd. de ἀπεῖπον.

ἀπεῖπον rejeitar 2 Co 4.2.*

ἀπείραστος, ον que não pode ser tentado κακῶν pelo mal Tg 1.13.*

ἄπειρος, ον inexperiente, que não compreende Hb 5.13.*

ἀπεκαλύφθην 1 aor. ind. pass. de ἀποκαλύπτω.

ἀπεκατεστάθην, ἀπεκατέστην 1 aor. ind. pass. e 1 aor. ind. at. de ἀποκαθίστημι.
ἀπεκδέχομαι esperar, anelar Rm 8.19, 23, 25; Fp 3.20; Hb 9.28.
ἀπεκδύομαι despojar, desarmar fig. Cl. 3.9; Cl 2.15.*
ἀπέκδυσις, εως, ἡ remoção, despojamento Cl 2.11.*
ἀπεκρίθην 1 aor. ind. pass. de αποκρίνομαι.
ἀπεκτάνθην 1 aor. ind. pass. de ἀποκτείνω.
ἀπέλαβον 2 aor. ind. at. de ἀπολαμβάνω.
ἀπελαύνω expulsar At 18.16.*
ἀπελεγμός, οῦ, ὁ descrédito At 19.27.*
ἀπελεύθερος, ου, ὁ homem livre, liberto fig. 1 Co 7.22.*
ἀπελεύσομαι, ἀπεληλύθειν, ἀπελθών fut. ind. méd., mais que perf. ind. at. e part. 2 aor. at. de ἀπέρχομαι.
ἀπέλιπον 2 aor. ind. at. de ἀπολείπω.
Ἀπελλῆς, οῦ, ὁ Apeles Rm 16.10.*
ἀπελπίζω perder a esperança, desesperar Ef. 4.19 v.1. Em Lc 6.35 μηδὲν ἀπελπίζοντες = sem esperar nada em troca; cf. v. 34.*
ἀπέναντι adv. defronte Mt 27.61; Mc 12.41 v.1.; pelo contrário Mt 27.24; At 3.16; Rm 3.18;contra, de modo contrário a At 17.7.*
ἀπενεγκεῖν, ἀπενεχθῆναι inf. 2 aor. at. e inf. 1 aor. pass. de ἀποφέρω.
ἀπέπεσα 2 aor. ind. at. de ἀποπίπτω.
ἀπέπλευσα 1 aor. ind. at. de ἀποπλέω
ἀπεπνίγην 2 aor. ind. pass. de ἀποπνίγω.
ἀπέραντος, ον sem fim, interminável 1 Tm 1.4.*
ἀπερισπάστως adv. sem distração, talvez, sem reserva alguma 1 Co 7.35.*
απερίτμητος, ον incircunciso, fig. = obstinado At 7.51.*
ἀπέρχομαι sair, ir, partir Mt 8.21, 33; 19.22; Mc 1.35; 5.17; Rm 15.28; deixar, desaparecer, abandonar Mc 1.42; ir-se, passar Ap 21.1, 4, ir e espalhar-se (fama) Mt 4.24. ἀ. ὀπίσω seguir Mc 1.20; ir à procura de Jd 7; ἀ. εἰς τὰ ὀπίσω voltar atrás Jo 6.66; 18.6.
ἀπεστάλην, ἀπέσταλκα, ἀπέστειλα 2 aor. ind. pass.; 1 perf. ind. at. e 1 aor. ind. at. de ἀποστέλλω.
ἀπέστην, ἀπέστησα 2 aor. ind. at. e 1 aor. ind. at. de ἀφίστημι.
ἀπεστράφην 2 aor. ind. pass. de ἀποστρέφω.
ἀπέχω—1. receber (uma quantia) e dar o recibo (termo comercial) Mt 6.2, 5, 16; Lc 6.24; Fp 4.18. Recuperar Fm 15. Entre as possibilidades para ἀπέχει, na difícil passagem de Mc 14.41, estão: é suficiente, e, tomando Judas como sujeito e 'seu dinheiro' como o obj., ele o recebeu.—2. estar distante lit. Mt 14.24; Lc 7.6; 15.20; 24.13; fig. Mt 15.8.—3. méd. evitar, abster-se, guardar-se de At 15.20, 29; 1 Ts 4.3; 1 Tm 4.3; 1 Pe 2.11.
ἀπηγγέλην, ἀπήγγειλα 2 aor. ind. pass. e 1 aor. ind. at. de ἀπαγγέλλω.
ἀπήγαγον 2 aor. ind. at. de ἀπάγω.
ἀπήγξατο 1 aor. ind. méd. de ἀπάγχομαυ.
ἀπῄεσαν impf. ind. at. de ἄπειμι (εἶμι).
ἀπήλασα impf. ind. at. de ἀπελαύνω.
ἀπήλγηκα perf. ind. at. de ἀπαλγέω.
ἀπῆλθα, απῆλθον 2 aor. ind. at. de ἀπέρχομαι.
ἀπηλλάχθαι perf. pass. inf. de ἀπαλλάσσω.
ἀπήνεγκα 1 aor. ind. at. de ἀποφέρω.
ἀπήρθη 1 aor. ind. pass. de ἀπαίρω.
ἀπίδω 2 aor. at. subj. de ἀφοράω.
ἀπιστέω—1. descrer, recusar-se a crer Lc 24.11, 41; At 28.24; 1 Pe 2.7.—2. ser infiel Rm 3.3; 2 Tm 2.13.
ἀπιστία, ας, ἡ—1. infidelidade Rm 3.3.2. falta de fé. incredulidade Mc 6.6; 9.24; Rm 11.20; 1 Tm 1.13. καρδία ἀπιστίας um coração incrédulo Hb 3.12.
ἄπιστος, ον—1. incrível, inacreditável At 26.8.—2. infiel, incrédulo Mc 9.19; Jo 20.27; 1 Co 6.6; 7.12-15; 14.23s; Ap 21.8.
ἁπλότης, ητος, ἡ, simplicidade, sinceridade, franqueza Ef 6.5; Cl 3.22; 2 Co 1.12 v.1. ἁ. εἰς Χριστόν devoção sincera a Cristo 2 Co 11.3. Preocupação sincera de pessoas que dão liberalmente, i.e., sem reservas, sem esperar nada em troca Rm 12.8; 2 Co 8.2; 9.11, 13.*

ἁπλοῦς, ῆ, οῦν lit. 'simples, sincero,' então, *aberto, honesto* Mt 6.22; Lc 11.34.— Superlativo ἁπλούστατοσ *totalmente inocente, sem culpa,* Mt 10.16 v.1.*

ἁπλῶς adv. *sem reservas, generosamente* Tg 1.5.*

ἀπό prep. com gen. *de, a partir de, para fora de,* (separação, partida, origem) Mt 17.25s; Mc 5.17; 8.11; Lc 1.52; 16.18; 22.71; At 2.5; 1 Ts 1.8. *Por causa de, proveniente de, com* (causa, modo) Lc 21.26; 22.45; Jo 21.6; At 11.19. *Com* (meios) Lc 15.16 v.1.; *por* (agencia) direta At 2.22; indireta Tg 1.13. Usado como substituto do gen. partitivo de, algo de Mt 27.21; Mc 7.28; Jo 21.10; para o gen. de material Mt 3.4—ἀ. τῶν καρπῶν *pelo fruto* Mt 7.16, 20. ἀφ' ἧς *ou* οὗ *desde que, quando* Lc 7.45; 13.25; 24.21. ἀ. ἐτῶν δώδεκα *durante doze anos* Lc 8.43. ἀ. μιᾶς *à uma, indistintamente* Lc 14.18. ἀ. στάδιων δεκαπέντε *(por) quinze estádios* Jo 11.18. ἀνάθεμα ἀ. Χριστοῦ *separado de Cristo por uma maldição* Rm 9.3. ἀ. μέρους *em parte* Rm 11.25. A expressão incomum ἀπὸ ὁ ὤν κ.τ.λ. Ap 1.4, pode ser devida à reverência do autor pelo nome divino; que ele deixa indeclinado. Essa é uma das muitas peculiaridades gramaticais do livro do Apocalipse.

ἀποβαίνω *desembarcar* Lc 5.2; Jo 21.9. *Resultar* Lc 21.13; Fp 1.19.*

ἀποβάλλω *arrojar* Mc 10.50; *perder, lançar fora* Hb 10.35.*

ἀποβήσομαι fut. ind. méd. de ἀποβαίνω.

ἀποβλέπω *olhar, prestar atenção* Hb 11.26.*

ἀπόβλητος, ον *rejeitado* (como sendo impuro) 1 Tm 4.4.*

ἀποβολή, ἧς, ἡ *rejeição* Rm 11.15; *perda* At 27.22.*

ἀπογενόμενος part. 2 aor. méd. de ἀπογίνομαι

ἀπογίνομαι *morrer,* fig. 1 Pe 2.24.*

ἀπογραφή, ἧς, ἡ *censo, registro* Lc 2.2; At 5.37.*

ἀπογράφω *registrar, gravar* Lc 2.1, 3, 5; Hb 12.23.*

ἀποδεδειγμένος part. perf. pass. de ἀποδείκνυμι.

ἀποδείκνυμι *exibir, expôr* 1 Co 4.9; *provar* At 25.7; *proclamar* 2 Ts 2.4; *recomendar, atestar* At 2.22.*

ἀπόδειξις, εως, ἡ *prova* ἀ. πνεύματος *a prova que consiste na posse do Espírito* 1 Co 2.4.*

ἀποδεκατεύω *dízimo, dizimar* Lc 18.12.

ἀποδεκατόω—1. *dizimar* Mt 23.23; Lc 11.42.—2. *Coletar um dízimo de* Hb 7.5.*

ἀπόδεκτος, ον *agradável* 1 Tm 2.3; 5.4.*

ἀποδέχομαι—1. *dar boas vindas, receber favoravelmente* Lc 8.40; 9.11; At 18.27; 21.17; 28.30. *Aceitar* At 2.41.—2. *reconhecer, louvar, elogiar* At 24.3.*

ἀποδημέω *viajar* Mt 25.14s; Lc 20.9; *estar fora, ausentar-se* 2 Co 5.6 v.1.

ἀποδιδοῦν part. neutr. pres. at. de ἀποδίδωμι Ap 22.2.

ἀποδίδωμι—1. *dar, entregar* Mt 27.58; Lc 16.2; At 4.33; *pagar* Mt 20.8; Mc 12.17; *cumprir, guardar* 1 Co 7.3; *guardar, cumprir* Mt 5.33; *dar fruto* Ap 22.2—2. *devolver, retribuir* Lc 9.42; 12.59; 19.8. *Recompensar* Mt 6.4, 6, 18; Rm 2.6; 12.17; Ap 18.6.—3. méd. *vender* At 5.8; 7.9; Hb 12.16. [apódose].

ἀποδιορίζω *dividir, separar* οἱ ἀποδιορίζοντες *aqueles que causam divisão* Jd 19.*

ἀποδοθῆναι inf. pass. 1 aor. de ἀποδίδωμι.

ἀποδοκιμάζω *rejeitar* (após escrutínio), *declarar inútil* Mt 21.42; Lc 9.22; Hb 12.17.

ἀπόδος, ἀποδοῦναι, ἀποδούς impv. at., inf. e part. 2 aor. de ἀποδίδωμι.

ἀποδοχή, ἧς, ἡ *aceitação, aprovação* 1 Tm 1.15; 4.9.* [Cf. δέχομαι]

ἀποθανεῖσθε, ἀποθάνῃ, ἀποθανεῖν 2 pes. pl. fut. ind. méd., 3 pes. sing. 2 aor. subj. at. e inf. at. 2 aor. de ἀποθνήσκω.

ἀποθέμενος, ἀποθέσθαι, ἀπόθεσθε part. 2 aor. méd., inf. méd. e 2 pes. pl. impv. méd. 2 aor. de ἀποτίθημι.

ἀπόθεσις, εως, ἡ *remoção, despojamento, deixar* 1 Pe 3.21; 2 Pe 1.14 (eufemismo para morte).* [Cf. τίθημι].

ἀποθήκη, ης, ἡ *celeiro,* Mt 3.12; Lc 12.18. [Cf. τίθημι.]

ἀποθησαυρίζω *depositar, guardar, estocar* 1 Tm 6.19.*

ἀποθλίβω *apertar* Lc 8.45.*

ἀποθνήσκω *morrer*—**1.** lit., *a morte física* Mt 8.32; 9.24; Rm 14.8; Hb 10.28; Ap 14.13.—**2.** fig. *ser libertado* Rm 6.2; Gl 2.19; Cl 2.20. *A morte, pela fé, com Cristo* Rm 6.8. *Perder a verdadeira vida, a eterna* Rm 7.10; Ap 3.2; *freqüentemente em* Jo: 6.50, 58; 8.21, 24; 11.26.—**3.** *estar a ponto de morrer, enfrentar a morte, ser mortal* 1 Co 15.31; 2 Co 6.9; Hb 7.8.

ἀποθῶμαι 2 aor. subj. méd. de ἀποτίθημι.

ἀποίσω fut. ind. at. de ἀποφέρω.

ἀποκαθιστάνω e ἀποκαθίστημι *restaurar, retabelecer* Mc 9.12; At 1.6. *Curar* Mc 3.5; 2 aor. at. *ser curado* Mc 8.25. *Restituir* Hb 13.19. [Cf. ἀποκατάστασις.]

ἀποκαλύπτω *revelar, expor* Mt 10.26; Lc 17.30; Rm 1.17; 1 Co 3.13; Gl 1.16; 1 Pe 5.1.

ἀποκάλυψις, εως, ἡ *revelação; exposição* Lc 2.32; Rm 8.19; Gl 1.12; 2.2; Ef 3.3; 1 Pe 1.7, 13. [apocalipse]

ἀποκαραδοκία, ας, ἡ *desejo veemente, anseio, expectativa intensa* Rm 8.19; Fp 1.20.*

ἀποκαταλλάσσω *reconciliar* Ef 2.16; Cl 1.20, 22.*

ἀποκατάστασις, εως, ἡ *restauração* At 3.21.* [Cf ἀποκαθιστάνω].

ἀποκαταστήσω fut. ind. at. de ἀποκαθίστημι.

ἀποκατηλλάγην 2 aor. ind. pass. de ἀποκαταλλάσσω.

ἀπόκειμαι *ser guardado, separado* lit. Lc 19.20. Fig. Cl 1.5; *Ser reservado* 2 Tm 4.8. Impess. ἀπόκειταί τινι *é reservado* ou *certo para alguém, é destinado para* Hb 9.27.*

ἀποκεφαλίζω *decapitar, decepar* Mc 6.16, 27.

ἀποκλείω *fechar* Lc 13.25.*

ἀποκόπτω *cortar fora, separar* Mc 9.43, 45; Jo 18.10, 26; At 27.32. *Castrar, fazer de alguém um eunuco* Gl 5.12.*

ἀπόκριμα, ατος, τό *relatório oficial, decisão, sentença* 2 Co 1.9.*

ἀποκρίνομαι *responder, replicar* Mt 3.15; 8.8; Mc 7.28; 9.6; Lc 4.4; 23.9; Jo 1.21; 3.5. Com εἰπεῖν e λέγειν forma um hebraísmo = *continuar* Mt 22.1; 26.25 ou *começar, dizer* Mc 9.5; Jo 5.19; At 5.8, ou pode deixar de ser traduzido Mt 16.16; Mc 7.28; Lc 23.3.

ἀπόκρισις, εως, ἡ *resposta* Lc 2.47; 20.26; Jo 1.22; 19.9.*

ἀποκρύπτω *esconder, ocultar* Lc 10.21; 1 Co 2.7; Ef 3.9; Cl 1.26.*

ἀπόκρυφος, ον *oculto, secreto* Mc 4.22; Lc 8.17; Cl 2.3.* [apócrifo].

ἀποκτείνω ou ἀποκτέννω *matar* Mt 14.5; Lc 11.47; Jo 8.22; 16.2; *privar (alguém) da vida espiritual* Mt 10.28; 2 Co 3.6. Fig. Ef 2.16.

ἀποκυέω *gerar, dar à luz, fazer nascer* Tg 1.15, 18.*

ἀποκυλίω *remover, rolar, rodar* Mt 28.2; Mc 16.3, 4; Lc 24.2.*

ἀπολαλέω *falar livremente* At 18.25 v.l.*

ἀπολαμβάνω *receber* Gl 4.5. Como um termo 'comercial' Lc 16.25; 23.41; Rm 1.27. *Receber de volta, recobrar, recuperar* Lc 6.34; 15.27. *Colocar de lado* Mc 7.33. *Dar boas vindas* 3 Jo 8 v.l.

ἀπόλαυσις, εως, ἡ *gozo, deleite* 1 Tm 6.17; Hb 11.25.*

ἀπολείπω *deixar para trás* 2 Tm 4.13, 20; Tt 1.5; *desertar* Jd 6. *Restar* Hb 4.9; 10.26; impes. *estar reservado* Hb 4.6.*

ἀπολεῖται, ἀπολέσαι, ἀπολέσῃ fut. ind. méd. e inf. 1 aor. at. e subj. de ἀπόλλυμι.

ἀπολείχω *lamber* Lc 16.21 v.l.*

ἀπολήμψομαι fut. ind. méd. de ἀπολαμβάνω.

ἀπολιμπάνω Uma forma eólica e helenística derivada de ἀπολείπω 1 Pe 2.12 v.l. de ὑπολιμπάνω, q.v.

ἀπολιπών part. 2 aor. at. de ἀπολείπω.

ἀπόλλυμι—**1.** at. *destruir, arruinar, matar* Mt 2.13; Rm 14.15; 1 Co 1.19. *Perder* Mt 10.39, 42; 2 Jo 8.—**2.** méd. e pass. *ser perdido, perecer, morrer, ser arruinado* Mt 8.25; 9.17; 26.52; Lc 15.24; Jo 11.50; Tg 1.11; *passar* Hb 1.11. [Apoliom].

Ἀπολλύων, ονος, ὁ *Apoliom, o Destruidor* (v. Ἀβαδδών) Ap 9.11.*

Ἀπολλωνία, ας, ἡ *Apolônia*, uma cidade na Macedônia At 17.1.*

Ἀπολλῶς, ῶ, ὁ (forma abreviada de Ἀπολλώνιος, que é uma v.l. em At 18.24) *Apolo* At 18.24; 19.1; 1 Co 1.12; 3.4-6, 22; 4.6; 16.12; Tt 3.13.*

ἀπολογέομαι *falar em auto-defesa, defender-se* Lc 21.14; At 19.33; 24.10; Rm 2.15; 2 Co 12.19. περί τινος *contra algo* At 26.2. [apologética].

ἀπολογία, ας, ἡ *defesa* At 25.16; Fp 1.7, 16; 2 Tm 4.16; 1 Pe 3.15; *responder, replicar* 1 Co 9.3. [apologia].

ἀπολοῦμαι fut. ind. méd. de ἀπόλλυμι.

ἀπολούω méd. *lavar-se* 1 Co 6.11; *lavar* At 22.16.*

ἀπολύτρωσις, εως, ἡ *libertação* Hb 11.35. Fig. *redenção* (lit. comprar de volta), *libertação, resgate, soltura, livramento* Lc 21.28; Rm 3.24; 8.23; Ef 1.7; Hb 9.15.

ἀπολύω—1.*libertar, perdoar, livrar* Mt 18.27; 27.15-26; Lc 6.37; 13.12.—2.*deixar ir, despachar* Mt 15.23, 32, 39; Mc 8.9; At 4.23. Eufemismo para *deixar morrer* Lc 2.29. *Divorciar* Mc 10.2, 4, 11s.—3.méd. *ir-se* At 28.25. Em Hb 13.23 Timóteo fora *liberto*, ou *enviado*.

ἀπολῶ, ἀπολωλός fut. ind. at. e part. 2 perf. at. de ἀπόλλυμι.

ἀπομάσσω méd. *sacudir, despojar* (em protesto) Lc 10.11.*

ἀπομένω *ficar atrás* Lc 2.43 v.l.*

ἀπονέμω *mostrar, pagar, assinar* 1 Pe 3.7.*

ἀπονίπτω *lavar* (méd. lavar-se) Mt 27.24.*

ἀποπέμπω *enviar* Jo 17.3 v.l.*

ἀποπίπτω *cair* At 9.18.*

ἀποπλανάω *enganar* Mc 13.22; pass. *desviar-se* 1 Tm 6.10.*

ἀποπλέω *zarpar, navegar* At 13.4; 14.26; 20.15; 27.1.*

ἀποπλύνω *lavar* Lc 5.2 V.l.*

ἀποπνίγω *sufocar* Mt 13.7 v.l.; Lc 8.7. Pass.*afogar-se* Lc 8.33.*

ἀπορέω *não entender, estar em dúvida* Lc 24.4; Jo 13.22; At 25.20; 2 Co 4.8. πολλὰ ἠπόρει *ele estava muito perplexo* Mc 6.20. ἐν ὑμῖν *por vossa causa* Gl 4.20.*

ἀπορία, ας, ἡ *perplexidade, desespero* Lc 21.25.*

ἀπο(ρ)ρίπτω *lançar-se, atirar-se* (ao mar) At 27.43.*

ἀπορφανίζω *deixar alguém órfão*, fig. 1 Ts 2.17.*

ἀποσκευάζω *empacotar, fazer as malas* At 21.15 v.l.*

ἀποσκίασμα, ατος, τό *sombra* Tg 1.17.*

ἀποσπάω—1.lit. *puxar, desembainhar* Mt 26.51.—2.fig. *atrair* At 20.30. Pass. *separar-se* At 21.1; *partir* Lc 22.41.*

ἀποσταλῶ, ἀποσταλείς subj. pass. e part. do 2 aor. de ἀποστέλλω.

ἀποστάς part. at. 2 aor. de ἀφίστημι.

ἀποστασία, ας, ἡ *rebelião, abandono, apostasia* At 21.21; 2 Ts 2.3.*

ἀποστάσιον, ου, τό *divórcio* Mt 5.31; 19.7; Mc 10.4.*

ἀποστάτης, ου, ὁ *desertor, apóstata* Tg 2.11 v.l.*

ἀποστεγάζω *destelhar* ἀ. τ. στέγην *remover o teto* Mc 2.4.*

ἀποστεῖλαι, ἀποστείλω, ἀπόστειλον inf. at., subj. e impv. do 1 aor. de ἀποστέλλω.*

ἀποστέλλω *enviar, despachar* Mt 13.41; 14.35; Mc 8.26; 12.2, 13; Lc 1.19, 26; Jo 3.28; At 5.21; 1 Co 1.17; esp. para uma missão divina Mt 10.5; Mc 9.37; Jo 3.17, 34; At 3.20. *Colocar, meter* Mc 4.29. *ἀποστείλας, ἀνεῖλεν mandar matar* Mt 2.16; semelhantemente Mc 6.17; Jo 11.3; At 7.14; Ap 1.1.

ἀποστελῶ fut. ind. at. de ἀποστέλλω.

ἀποστερέω *roubar, furtar, defraudar* Mc 10.19; 1 Co 6.7s; Tg 5.4. *Privar* 1 Co 7.5; 1 Tm 6.5.*

ἀποστῇ, ἀποστῆναι, ἀποστητε 3 pes. sing. 2 aor. subj. at., inf. at. 2 aor. e 2 pes. pl. impv. aor. de ἀφίστημι.

ἀποστήσομαι fut. ind. méd. de ἀφίστημι.

ἀποστολή, ῆς, ἡ *apostolado, ofício de um apóstolo* At 1.25; Rm 1.5; 1 Co 9.2; Gl 2.8.*

ἀπόστολος, ου, ὁ—1.*delegado, enviado, mensageiro* Lc 11.49; Jo 13.16; 2 Co 8.23; Ef 3.5; Fp 2.25; Hb 3.1; Ap 2.2; 18.20—2.*apóstolo*, a pessoa que detém a posição de serviço mais responsável nas comunidades cristãs (1 Co 12.28s), esp. os 12 discípulos originais de Jesus (Mt 10.2; At 1.26; Ap 21.14), mas, também outros líderes proeminentes, sem ser dos Doze, At. 14.14; Rm 1.1; 16.17; Gl 1.19.

ἀποστοματίζω interrogar, pressionar com perguntas Lc 11.53.*

ἀποστρέφω—1.voltar-se 2 Tm 4.4; remover Rm 11.26; enganar Lc 23.14; retornar Mt 26.52.—2.méd. e pass. voltar de, rejeitar, repudiar Mt 5.42; Tt 1.14; Hb 12.25; desertar 2 Tm 1.15.*

ἀποστυγέω odiar, aborrecer Rm 12.9.*

ἀποσυνάγωγος, ον expulso da sinagoga ἀ. ποιεῖν excomungado Jo 16.2. ἀ. γενέσθαι ser excomungado Jo 9.22; 12.42.*

ἀποτάσσω dizer adeus (a), despedir-se Mc 6.46; Lc 9.61; 2 Co 2.13. Fig. Renunciar Lc 14.33.

ἀποτελέω completar, amadurecer Lc 13.32. Fig.; no pass. ser amadurecido, ser plenamente formado Tg 1.15.*

ἀποτίθημι méd. tirar lit. tirar e colocar abaixo At 7.58; fig. colocar de lado, deixar, abandonar Rm 13.12; Hb 12.1. Colocar na prisão Mt 14.3.

ἀποτινάσσω sacudir Lc 9.5; At 28.5.*

ἀποτίνω compensar, pagar pelo prejuízo Fm 19.*

ἀποτολμάω ser corajoso, portar-se corajosamente Rm 10.20.*

ἀποτομία, ας, ἡ severidade Rm 11.22.*

ἀποτόμως adv. severamente, rigorosamente 2 Co 13.10; Tt 1.13.*

ἀποτρέπω evitar, separar-se 2 Tm 3.5.*

ἀπουσία, ας, ἡ ausência Fp 2.12.*

ἀποφέρω levar, carregar Lc 16.22; At 19.12; 1 Co 16.3; Ap 17.3; 21.10; levar a alguém Mc 15.1.*

ἀποφεύγω escapar, fugir 2 Pe 1.4; 2.18, 20.*

ἀποφθέγγομαι falar, declarar At 26.25; com referência à inspiração At 2.4, 14.*

ἀποφορτίζομαι descarregar At 21.3.*

ἀπόχρησις, εως, ἡ consumir, usar, manusear Cl 2.22.

ἀποχωρέω ir, com ἀπό deixar, desertar At 13.13; partir Mt 7.23; Lc 20.20 v.l.; retirar-se Lc 9.39.*

ἀποχωρίζω separar Mt 19.6 v.l. Pass. ser separado At 15.39; remover Ap 6.14.*

ἀποψύχω parar de respirar, assim, desmaiar ou morrer Lc 21.26.*

Ἀππίου φόρον Appii Forum, o Fórum de Ápio, um mercado urbano no vale do Ápio, distante 43 milhas romanas de Roma, At 28.15.*

ἀπρόσιτος, ον inatingível, inabordável 1 Tm 6.16.*

ἀπρόσκοπος, ον sem mancha, sem culpa Fp 1.10; limpo At 24.16; não ofensivo 1 Co 10.32.*

ἀπροσωπολήμπτως adv. imparcialmente 1 Pe 1.17.*

ἄπταιστος, ον sem falta, livre de tropeço Jd 24.*

ἅπτω—1.iluminar, acender Lc 18.16; At 28.2.—2.méd.tocar, pegar 2 Co 6.17; Cl 2.21 (talvez = comer); subir Jo 20.17; de relações sexuais 1 Co 7.1. Tocar, para bênção ou cura Mt 9.21, 29; 17.7; Mc 10.13; Lc 7.14; 22.51. Ferir, injuriar é provável em 1 Jo 5.18.

Ἀπφία, ας, ἡ Áfia, uma mulher cristã, provavelmente a esposa de Filemon, de Colossos Fm 2.

ἀπωθέω méd.puxar de lado, rechaçar lit. At 7.27. Fig. rejeitar, repudiar At 7.39; 13.46; Rm 11.1s; 1 Tm 1.19.*

ἀπώλεια, ας, ἡ destruição, ruína, aniquilação At 8.20; esp. usado para a ruína eterna dos ímpios Mt 7.13; Fp 1.28; Hb 10.39; 2 Pe 3.7; Ap 17.8, 11. Desperdício Mc 14.4.

ἀπώλεσε, ἀπώλετω 1 aor. at. e 2. aor. ind. méd. de ἀπόλλυμι.

ἀπωσάμην 1 aor. ind. méd. de ἀπωθέω.

Ἄρ v. Ἀρμαγεδδών.

ἀρά, ᾶς, ἡ maldição Rm 3.14.*

ἄρα partícula inferencial, conjunção algumas vezes usada juntamente com γε e οὖν: portanto, então, assim, conseqüentemente, dessa forma, logo, como resultado Mt 7.20; 18.1; Lc 1.66; Rm 5.18; 7.21; 8.1; 1 Co 15.14; Gl 6.10; Hb 12.8. Depois de επεί Agora, porém, 1 Co 5.10;

depois de εἰ se, por outro lado 1 Co 15.15. Em questões indiretas εἰ ἆ. se (talvez) Mc 11.13; At 8.22. Em uma pergunta τίς ἆ. quem, pois, é Mt 24.45; Mc 4.41.

ἆρα partícula interrogativa, indicadora de impaciência ou ansiedade. Usada apenas para introduzir perguntas diretas, usualmente não se pode traduzi-la, como Lc 18.8; At 8.30; cf. ἆ Χριστὸς ἁμαρτίας διάκονος; é Cristo, então, um servo do pecado? Gl 2.17.*

Ἀραβία, ας, ἡ Arábia; em Gl 1.17 provavelmente o reino nabateu ao sul de Damasco; em 4.25 a península do Sinai.*

Ἄραβοι em At 2.11 v.1. pode ter sido uma formação errada a partir do gen. pl. de Ἀράβων.*

ἄραι, ἄρας, ἄρατε inf. at.; part. e impv. do 1 aor. de αἴρω.

Ἀράμ, ὁ indecl. Arão Mt 1.3s; Lc 3.33 v.1.*

ἄραφος, ον sem costura, inconsútil Jo 19.23.*

Ἄραψ, βος, ὁ um árabe At 2.11.*

ἀργέω estar inativo, desocupado, ocioso 2 Pe 2.3.*

ἀργός, ή, όν ocioso, desempregado Mt 20.3, 6; ocioso, preguiçoso 1 Tm 5.13; Tt 1.12; inútil Tg 2.20; 2 Pe 1.8; descuidado Mt 12.36.*

ἀργύριον, ου, τό prata, sempre com relação a moedas, exceto 1 Co 3.12 v.1. Geralmente usado para moedas de prata At 3.6; 7.16. Para moedas de prata específicas, shekel de prata (cerca de 4 dracmas) Mt 26.15; dracmas de prata At 19.19. De dinheiro em geral Mt 25.18, 27; Lc 9.3. Suborno Mt 28.15.

ἀργυροκόπος, ου, ὁ ourives, artífice em prata At 19.24.

ἄργυρος, ου, ὁ prata, como um material em geral At 17.29; 1 Co 3.12; Tg 5.3; Ap 18.12. Como dinheiro Mt 10.9.*

ἀργυροῦς, ᾶ οῦν (feito) de prata At 19.24; Tm 2.20; Ap 9.20.*

ἀρεῖ 3 pes. sing. do fut. ind. at. de αἴρω.

Ἄρειος πάγος, ὁ o Areópago ou Colina dos Ares (Ares, o deus grego da guerra = deus romano Marte, daí a antiga colina de 'Marte'), a noroeste da Acrópole em Atenas, At 17.19. 22. O concílio que se reunia ali desde tempos antigos também era conhecido como Areópago; nos tempos romanos ele supervisionava a educação e palestrantes que visitavam a cidade. Não é improvável que Paulo foi levado lá por essa razão.*

Ἀρεοπαγίτης, ου, ὁ Areopagita, membro, do concílio do Areópago At 17.34.*

ἀρέσαι, ἀρέσει inf. at. 1 aor. e fut. ind. de ἀρέσκω.

ἀρεσκεία, ας, ἡ (também acentuada ἀρέσκεια) desejo de agradar Cl 1.10.*

ἀρέσκω—1. esforçar-se para agradar, acomodar-se, quase = servir c. dat. Rm 15.2; 1 Co 10.33; Gl 1.10.—2. agradar, ser agradável Mc 6.22; At 6.5; Rm 8.8; 1 Co 7.32s.

ἀρεστός, ή, όν agradável, desejável Jo 8.29; At 6.2; 12.3; 1 Jo 3.22.*

Ἀρέτας, α, ὁ Aretas 2 Co 11.32, o rei Aretas IV da Arábia Nabatéia, de 9 a.C. até 40 d.C.*

ἀρετή, ῆς, ἡ excelência moral, virtude Fp 4.8; 2 Pe 1.5; para 1 Pe 2.9 louvor ou manifestação do poder divino são ambos possíveis; a segunda alternativa é preferível para 2 Pe 1.3.*

ἄρῃ 1 aor. at. subj. de αἴρω.

Ἀρηί forma alternativa de Ἀρωί.

ἀρήν, ἀρνός, ὁ cordeiro Lc 10.3.*

ἀρθῆναι, ἀρθῇ, ἄρθητι inf. pass., subj. e impv. 1 aor., e ἀρθήσομαι, fut. ind. pass. de αἴρω.

ἀριθμέω contar Mt 10.30; Lc 12.7; Ap 7.9.* [aritmética].

ἀριθμός, οῦ, ὁ número, total Lc 22.3; At 4.4; 16.5; Ap 13:17s.

Ἀριμαθαία, ας, ἡ Arimatéia, uma cidade na Judéia Mt 27.57; Mc 15.43; Lc 23.51; Jo 19.38.*

Ἀρίσταρχος, ου, ὁ Aristarco de Tessalônica At 19.29; 20.4; 27.2; Cl 4.10; Fm 24.*

ἀριστάω sair do jejum, tomar o café da manhã Jo 21.12, 15; alimentar-se, jantar Lc 11.37; 15.29 v.1.*

ἀριστερός, ά, όν esquerda Mt 6.3; ἐξ ἀ. à esquerda Mc 10.37; Lc 23.33 ὅπλα ἀ. ar-

mas usadas pela mão esquerda, i.e. *para defesa* 2 Co 6.7.*

'Αριστόβουλος, ου, ὁ *Aristóbulo* οἱ ἐκ τῶν 'Αριστοβούλου *os que pertencem a (casa de) A.* Rm 16.10.*

ἄριστον, ου, τό *café da manhã* Lc 14.12; *almoço* Mt 22.4; *refeição (genérica)* Lc 11.38; 14.15 v.1.*

ἀρκετός, ή, όν *suficiente, capaz* Mt 6.34; 10.25; 1 Pe 4.3.*

ἀρκέω at. *ser suficiente, ser o bastante* Mt 25.9; Jo 6.7; 14.8; 2 Co 12.9. Pass. com dat. *estar satisfeito* ou *contente* Lc 3.14; 1 Tm 6.8; Hb 13.5; 3 Jo 10.*

ἄρκος, ου, ὁ ἡ *urso* Ap 13.2.*

ἅρμα, ατος, τό *carro, carroça, charrete*, para viagem At 8.28s, 38; para uso militar Ap 9.9.*

ʽΑρμαγεδ(δ)ών indecl. *Armagedom*, nome simbólico de um lugar, algumas vezes identificado com Megido e Jerusalém Ap 16.16.*

'Αρμίν forma alternativa de 'Αδμίν.

ἁρμόζω *juntar* ou *dar em casamento, noivar* 2 Co 11.2.*

ἁρμός, ου, ὁ *junta (do corpo)* Hb 4.12.*

ἄρνας ac. pl. de ἀρήν.

ἀρνέομαι—1. *negar* Lc 8.45; Jo 1.20; 2 Tm 3.5; 1 Jo 2.22. ἀ. ἑαυτόν *negar a si mesmo, renunciar* Lc 9.23, mas *ser infiel a si mesmo* 2 Tm 2.13.—2. *repudiar, desonrar* Mt 10.33; 1 Tm 5.8; 2 Tm 2.12; Tt 1.16.—3. *recusar* Hb 11.24.

'Αρνί, ὁ indecl. *Arni* Lc 3.33.*

ἀρνίον, ου τό *cordeiro, carneiro* fig. Jo 21.15; Ap 5.6, 8, 12s.

ἀρνῶν gen. pl. de ἀρήν.

ἄρον impv. 1 aor. de αἴρω. ἆρον, ἆρον *fora, fora* Jo 19.15.

ἀροτριάω *arar* Lc 17.7; 1 Co 9.10.*

ἄροτρον, ου, τό *arado* Lc 9.62.*

ἁρπαγείς part. 2 aor. pass. de ἁρπάζω.

ἁρπαγή, ῆς, ἡ *espoliação, roubo* Hb 10.34; *rapina, violência* Mt 23.25; Lc 11.39.*

ἁρπαγμός, οῦ, ὁ prov. = ἅρπαγμα *algo a ser conseguido*, ou *grandemente desejado, prêmio, algo a que se aferrar* Fp 2.6.*

ἁρπάζω *roubar, carregar, apanhar, arrebatar* Mt 12.29; Jo 10.12, 28s; Jd 23; *arrebatar* Mt 13.19. Do Espírito Santo ou outro agente divino, *arrebatar, tomar, levar* At 8.39; 1 Co 12.2, 4, Ap 12.5. Talvez *apanhar* ou *tomar para si* Mt 11.12.

ἅρπαξ, αγος *avarento* Mt 7.15. Como subst. *ladrão, estelionatário* Lc 18.11; 1 Co 5.10s; 6.10; Tt 1.9 v.1.*

ἀρραβών, ῶνος, ὁ (semitismo) *primeiro pagamento, sinal, depósito, penhor* fig. 2 Co 1.22; 5.5; Ef 1.14.*

ἄρραφος v. ἄραφος.

ἄρρην v. ἄρσην.

ἄρρητος, ον *sagrado demais para ser falado* 2 Co 12.4.*

ἀρρωστέω *estar mal, doente* Mt 14.14 v.1.*

ἄρρωστος, ον *doente, mal* Mt 14.14; 1 Co 11.30.

ἀρσενοκοίτης, ου, ὁ *homossexual, sodomita, pederasta* 1 Co 6.9; 1 Tm 1.10.*

ἄρσην, εν gen. ενος *macho, varão* Mt 19.4; Mc 10.6; Lc 2.23; Rm 1.27; Gl 3.28; Ap 12.5, 13.*

'Αρτεμᾶς, ᾶ, ὁ *Ártemas* Tt 3.12.*

῎Αρτεμις, ιδος, ἡ *Ártemis, uma deusa grega (Diana, no Panteão romano)* At 19.24, 27s, 34s.*

ἀρτέμων. ωνος, ὁ *vela*, prov. *vela da proa* At 27.40.*

ἄρτι adv. *agora, já, imediatamente.* Para o passado recente Mt 9.18; Ap 12.10; ou o presente imediato, *já, de vez imediatamente* Mt 26.53; Jo 13.37. No gr. helenístico o sentido é ampliado para referir-se ao presente em geral, *agora, no presente, presentemente* Jo 9.19, 25; 1 Co 13.12; 1 Pe 1.6, 8; como um adj. 1 Co 4.11 ἀπ' ἄρτι *de agora em diante* Jo 13.19; Ap 14.13 (v. ἀπαρτί). ἕως ἄρτι *até agora* Mt 11.12; Jo 2. 10; 1 Co 4.13.

ἀρτιγέννητος, ον *recém-nascido* 1 Pe 2.2.*

ἄρτιος, ία, ον *completo, capaz, proficiente* 2 Tm 3.17.*

ἄρτος, ου, ὁ *pão* Mt 26.26; Mc 6.38, 44, 52; Lc 9.3; Hb 9.2. *Comida, em geral* Mc 3.20; Lc 15.17; 2 Ts 3.8, 15. Fig Jo 6 passim.

ἀρτύω *salgar, temperar* lit. Mc 9.50; Lc 14.34; fig. Cl 4.6.*

Άρφαξάδ, ό indecl. *Arfaxade* Lc 3.36.*

άρχάγγελος, ου, ό *arcanjo* 1 Ts 4.16; Jd 9.*

άρχαϊος, αία, αϊον *antigo, velho, primeiro* Lc 9.8, 19; At 15.7, 21; 2 Pe 2.5; Ap 12.9; 20.2; *de longa duração,* At 21.16. οί ά. *o povo dos tempos antigos* Mt 5.21, 27 v.1., 33. τά ά. *o que é velho* 2 Co 5.17.* [arcaico].

'Αρχέλαος, ου, ό *Arquelau,* filho de Herodes I, etnarca da Judéia, Samaria e Iduméia depois da morte de seu pai, de 4 a.C. até 6 d.C., quando foi deposto pelo imperador Augusto Mt 2.22.*

άρχή, ής, ή—1. *início, origem, princípio* Mt 19.4; 24.8; Mc 1.1, 13.8; Lc 1.2; Jo 1.1; 15.27; At 11.15. άρχήν λαμβάνειν *começar* Hb 2.3. στοιχεϊα τής ά. *princípios elementares* Hb 5.12. ό τής ά. τοϋ Χ. λόγος *ensino cristão elementar* Hb 6.1. ά. τής ύποστάσεως *convicção original* Hb 3.14. ά. τών σημείων *primeiro sinal* Jo 2.11. τήν άρχήν = δλως *exatamente* Jo 8.25. Fig. Cl 1.18. *Primeira causa* Ap 3.14. *ponta* At 10.11. —**2.** *líder, autoridade, oficial, príncipe* Lc 12.11; 20.20; Tt 3.1. Usado para anjos e demônios Rm 8.38; 1 Co 15.24; Cl 2.10, 15—**3.** *Reino, domínio, esfera de influência* Jd 6. [Usado como prefixo (arqui) e sufixo (arquia) de muitas palavras]

άρχηγός, οϋ, ό *líder, governador, príncipe* ou *originador, fundador.* O primeiro grupo é mais provável para At 5.31; para At 3.15 qualquer um é provável. O segundo grupo é mais provável para Hb 2.10; 12.2, mas o autor podia ter alguma coisa semelhante a *exemplo* em sua mente.*

άρχιερατικός, όν *sumo-sacerdotal.* έκ γένους. *da família sumo-sacerdotal* At 4.6.*

άρχιερεύς, έως, ό *sumo sacerdote,* cabeça da religião judaica e presidente do Sinédrio Mc 14.60s, 63; Jo 18.19, 22, 24. O pl. denota membros do Sinédrio que pertenciam às famílias sumo-sacerdotais Mt 2.4; Lc 23.13; At 4.23. Cristo é o nosso Sumo-Sacerdote Hb 2.17; 4.14.

άρχιληστής, οϋ, ό *chefe do bando (de ladrões)* Jo 18.40 v.1.*

άρχιποίμην, ενος, ό *sumo pastor* 1 Pe 5.14.*

"Αρχιππος, ου, ό *Arquipo* Cl 4.17; Fm 2.*

άρχισυνάγωγος, ου, ό *líder* ou *presidente de uma sinagoga* um leigo cujo dever era cuidar das providências materiais para os cultos Mc 5.22; Lc 13.14; At 13.15.

άρχιτέκτων, ονος, ό *construtor principal* 1 Co 3.10.* [arquiteto].

άρχιτελώνης, ου, ό *principal coletor de impostos* Lc 19.2.*

άρχιτρίκλινος, ου, ό *garçom chefe,* 'maitre'; no contexto de Jo 2.8s, provavelmente o chefe da festa.*

άρχοστασία, τά = άρχαιρεσία *eleição de magistrados.* O termo em 1 Co 3.3. v.1., parece ser resultado de uma glosa ao termo político έρις.

άρχω. —1. at. *dominar* com gen. Mc 10.42; Rm 15.12. —**2.** méd. *começar* Mt 4.17; Lc 15.14; 24.27; At 8.35; 10.37, e, talvez, 1.1. Algumas vezes ά. é usado com um inf. e funciona como uma perífrase para o imperf. do verb acompanhante, como em Mt 26.37; Lc 7.15, 24, 38.

άρχων, οντος, ό *líder, senhor, príncipe* Mt 20.25; At 4.26; Ap 1.5. Para *autoridade, oficiais* em geral, tanto judeus Mt 9.18; Lc 8.41; 14.1, 18.18; Jo 3.1; At 3.17, como gentios At 16.19. Para espíritos malignos Mt 9.34; 12.24; Lc 11.15; Jo 12.31; 14.30; Ef 2.2. Os άρχοντες de 1 Co 2.6, 8 podem ser ou poderes demoníacos ou governadores humanos. *Juiz* Lc 12.58.

άρωμα, ατος, τό pl. *especiarias, óleos aromáticos* Mc 16.1; Lc 23.56; 24.1; Jo 19.40.*

'Ασά forma alternativa de 'Ασάφ.

άσάλευτος, ον *firme, irremovível, imóvel* At 27.41; *que não se abala,* Hb 12.28.*

'Ασάφ, ό indecl. *Asafe* ou *Asa* Mt 1.7s; Lc 3.23ss. v.1.*

άσβεστος, ον *inextinguível, inapagável* Mt 3.12; Mc 9.43, 45 v.1.; Lc 3.17.* [asbestos].

άσέβεια, ας, ή *impiedade* Rm 1.18; 11.26; 2 Tm 2.16; Tt 2.12; Jd 15,18.*

άσεβέω *agir impiamente* 2 Pe 2.6; Jd 15.*

άσεβής, ές *ímpio* 2 Pe 3.7; Jd 15. Quase sempre como subst. ό ά. *o ímpio* Rm 5.6; 1 Tm 1.9; 1 Pe 4.18.

ἀσέλγεια, ας, ἡ *licensiosidade, sensualidade, libertinagem* Mc 7.22; Rm 13.13; 2 Pe 2.2, 7, 18. *Insolência* Jd 4.

ἄσημος, ον *obscuro, insignificante* At 21.39.*

'Ασήρ, ὁ indecl. *Aser* Lc 3.26; Ap 7.6 (v. Gn 30.13.).*

ἀσθένεια, ας, ἡ *fraqueza* 1 Co 15.43; 2 Co 11.30; Hb 5.2; 11.34. *Doença, enfermidade* Mt 8.17; Lc 5.15; Jo 5.5; At 28.9; Gl 4.13. Fig. *timidez* Rm 6.19; 1 Co 2.3.

ἀσθενέω *ser fraco. Fisicamente estar doente* Mt 10.8; 25.39; Jo 11.1ss; At 9.37; Fp 2.26s. Genericamente Rm 8.3; 2 Co 12.10; 13.3. Fig. Rm 4.19; 14.1s; 2 Co 11.29. *Economicamente estar necessitado* At 20.35.

ἀσθένημα, ατος, τό *fraqueza* Rm 15.1.*

ἀσθενής, ές *fraco*. Fisicamente *doente* Lc 10.9; At 4.9; 1 Co 11.30. Genericamente *fraco* Mc 14.38; 1 Pe 3.7; = inexpressivo 2 Co 10.10. Fig. Rm 5.6; 1 Co 1.25, 27; 4.10; 9.22; Hb 7.18.

'Ασία, ας, ἡ *Ásia,* uma província romana na Ásia Menor ocidental At 2.9; 19.10, 22, 26s; Rm 16.5; 2 Co 1.8.

'Ασιανός, οῦ, ὁ *asiático* At 20.4.*

'Ασιάρχης, ου, ὁ *Asiarca*, um homem rico e influente, talvez ligado ao culto imperial At 19.31.*

ἀσιτία, ας, ἡ *falta de apetite;* πολλῆς ἀ. ὑπαρχούσης *visto que ninguém queria comer* At 27.21.*

ἄσιτος, ον *sem comer* At 27.33.*

ἀσκέω *fazer o melhor, praticar* At 24.16.* [asceta]

ἀσκός, οῦ, ὁ *odre* Mc 2.22.

ἀσμένως adv. *alegremente* At 2.41 v.1.; 21.17.*

ἄσοφος, ον *ignorante, tolo, não sábio* Ef 5.15.*

ἀσπάζομαι *saudar, cumprimentar* Mc 9.15; Lc 1.40; *despedir-se* At 20.1; *aclamar, saudar* Mc 15.18; *saudar respeitosamente* At 25.13; *gostar, querer bem* Mt 5.47 Imperativo com ac. *saudações a alguém; dê lembranças minhas* Rm 16.3, 5ss; Fm 23; Hb 13.24; 3 Jo 15.

ἀσπασμός, οῦ, ὁ *saudação, cumprimento* Mt 23.7; Lc 1.29; 11.43; 1 Co 16.21.

ἄσπιλος, ον *sem mancha, limpo* lit. 1 Pe 1.19; fig. 1 Tm 6.14; Tg 1.27; 2 Pe 3.14.*

ἀσπίς, ίδος, ἡ *áspide*, cobra egípcia Rm 3.13.*

ἄσπονδος, ον *irreconciliável* 2 Tm 3.3; Rm 1.31 v.1.*

'Ασσά forma alternativa de 'Ασά.

ἀσσάριον, ου, τό *asse* uma moeda romana de cobre, valendo cerca de 1/16 denários Mt 10.29; Lc 12.6.*

'Ασσάρων, ωνος forma variante de Σαρών At 9.35 v.1.*

ἆσσον adv. (comparativo de ἄγχι) *mais perto* At 27.13.

Ἆσσος, ου, ἡ *Assos,* um porto marítimo a nordeste na Ásia Menor At 20.13s.*

ἀστατέω *não ter morada fixa, perambular, um vagabundo* 1 Co 4.11.*

ἀστεῖος, α, ον *bonito, bem informado* Hb 11.23. Em At 7.20 α. pode significar *aceitável, agradável.* Porém, se τῷ θεῷ for tomado como um superlativo, o significado pode ser *uma criança maravilhosamente linda.*

ἀστήρ, έρος, ὁ *estrela* Mt 2.2; Ap 1.16; 9.1. Talvez *meteoro* Jd 13. [asterisco, astral]

ἀστήρικτος, ον *instável, fraco* 2 Pe 2.14; 3.16.*

ἄστοργος, ον *sem afeição, frio, duro* Rm 1.31; 2 Tm 3.3.*

ἀστοχέω *errar o alvo* περὶ τὴν πίστιν *com respeito a fé* 1 Tm 6.21; cf. 2 Tm 2.18. *Desviar-se* 1 Tm 1.6.*

ἀστραπή, ῆς, ἡ *relâmpago* Mt 24.27; Ap 4.5; *luz, raio* Lc 11.36.

ἀστράπτω *resplandecer, brilhar* Lc 17.24; 24.4.*

ἄστρον, ου, τό *estrela, constelação* At 7.43; 27.20; Hb 11.12; Lc 21.25.* [astro, prefixo para várias palavras]

'Ασύγκριτος, ου, ὁ *Asíncrito* Rm 16.14.*

ἀσύμφωνος, ον *desarmonioso;* fig. *em desacordo* At 28.25.*

ἀσύνετος, ον *tolo, insensato* Mc 7.18; Rm 1.21, 31.

ἀσύνθετος, ον *infiel, indigno,* talvez *irresponsável* Rm 1.31.*

'Ασύνκριτος—αὔξω 37

'Ασύνκριτος ν. Ἀσύγκριτος.

ἀσφάλεια, ας, ἡ segurança At 5.23; 1 Ts 5.3. Fig. certeza, verdade Lc 1.4.*

ἀσφαλής, ές certo, seguro, firme Fp 3.1; Hb 6.19; definido At 25.26. τὸ ἀ. a certeza, a verdade At 21.34; 22.30.*

ἀσφαλίζω méd. sujeitar, prender At 16.24. Assegurar Mt 27.64-66. Guardar At 16.30 v.1.*

ἀσφαλῶς adv. seguramente At 16.23; sob guarda Mc 14.44; fora de dúvidas At 2.36.*

ἀσχημονέω comportar-se vergonhosamente, desonrosamente, indecentemente 1 Co 7.36; 13.5. Para esta última passagem, sentir que outrém precisa ser envergonhado é provável.*

ἀσχημοσύνη, ης, ἡ ato indecente, vergonhoso Rm 1.27; vergonha = partes íntimas Ap 16.15.*

ἀσχήμων, ον vergonhoso, menos apresentável τὰ ἀ. as partes íntimas 1 Co 12.23.*

ἀσωτία, ας, ἡ libertinagem, vida desenfreada Ef 5.18; Tt 1.6; 1 Pe 4.4.*

ἀσώτως adv. dissolutamente Lc 15.13.*

ἀτακτέω ser preguiçoso, estar ocioso lit. 'estar fora de ordem' 2 Ts 3.7.*

ἄτακτος, ον preguiçoso, vadio, vagabundo lit. 'desordenadamente' 1 Ts 5.14.*

ἀτάκτως adv. preguiçosamente, irresponsavelmente 2 Ts 3.6, 11.*

ἄτεκνος, ον sem filhos Lc 20.28s.*

ἀτενίζω olhar atentamente, fixar os olhos em Lc 4.20; At 7.55; 13.9; 2 Co 3.7, 13.

ἄτερ prep. com gen. sem, aparte de Lc 22.6, 35.*

ἀτιμάζω desonrar, tratar vergonhosamente, insultar Mc 12.4; Lc 20.11; Jo 8.49; At 5.41; Rm 2.23; Tg 2.6; degradar Rm 1.24.*

ἀτιμάω = ἀτιμάζω Mc 12.4 v.1.*

ἀτιμία, ας, ἡ desonra, desgraça, vergonha 1 Co 11.14; 15.43; 2 Co 6.8. πάθη ἀτιμίας paixões vergonhosas Rm 1.26. εἰς ἀ. para (uso) desonra(oso) Rm 9.21; 2 Tm 2.20. κατὰ ἀ. λέγω para minha vergonha eu devo confessar 2 Co 11.21.*

ἄτιμος, ον sem honra, desonrado, desprezado 1 Co 4.10; 12.23. οὐκ ἄ. εἰ μή honrado em todos os lugares, exceto Mt 13.57; Mc 6.4.*

ἀτιμόω = ἀτιμάζω Pass. ser ultrajado Mc 12.4 v.1.*

ἀτμίς, ίδος, ἡ vapor, neblina At 2.19; Tg 4.14.*

ἄτομος, ον lit. 'indivisível'. ἐν ἀ. em um momento 1 Co 15.52.*

ἄτοπος, ον fora de lugar. Impróprio, errado, mau Lc 23.41; At 25.5; 2 Ts 3.2. Incomum, surpreendente At 28.6.*

'Αττάλεια, ας, ἡ Atalia, o porto marítimo de Perge, na Panfília At 14.25.*

αὐγάζω v. 2 Co 4.4; talvez iluminar.*

αὐγή, ῆς, ἡ aurora, amanhecer, lit. 'luz' At 20.11.*

αὔγουστος, ου, ὁ Augusto (Lat. = reverenciado) um título dado a Otaviano, o primeiro imperador romano (31 a. C.-14 d.C.) em 27 a.C.; Lc 2.1.*

αὐθάδης, ες orgulhoso, arrogante, presunçoso Tt 1.7; 2 Pe 2.10.*

αὐθαίρετος, ον expontaneamente, de livre iniciativa 2 Co 8.3, 17.*

αὐθεντέω ter autoridade total, dominar 1 Tm 2.12.*

αὐλέω tocar flauta Mt 11.17; Lc 7.32; 1 Co 14.7.*

αὐλή, ῆς, ἡ pátio Mc 14.54; Jo 18.15; aprisco para rebanho Jo 10.1, 16; casa ou fazenda Lc 11.21; (externo) átrio Ap 11.2; palácio Mt 26.3.

αὐλητής, οῦ, ὁ tocador de flauta, flautista Mt 9.23; Ap 18.22.*

αὐλίζομαι passar a noite Mt 21.17; Lc 21.37; passar algum tempo também é possível para a passagem em Lc.*

αὐλός, οῦ, ὁ flauta 1 Co 14.7.*

αὐξάνω e αὔξω—1. crescer, fazer crescer, aumentar 1 Co 3.6s; 2 Co 9.10. —2. crescer, aumentar Mc 4.8; Lc 13.19; Jo 3.30; At 6.7; 2 Co 10.15; Cl 1.6,10.

αὔξησις, εως, ἡ crescimento, aumento Ef 4.16; Cl 2.19.*

αὐξήσω fut. ind. at. de αὐξάνω.

αὔξω. ver αὐξάνω.

αὔριον adv. amanhã At 23.20; Tg 4.13. Com o artigo e ἡμέρα a ser suprido ἡ αὔ o dia seguinte Mt 6.34b; Lc 10.35. Logo, em pouco tempo Lc 12.28; 1 Co 15.32.

αὐστηρός, ά, όν severo, rígido, austero, no bom ou mau sentidos Lc 19.21s.*

αὐτάρκεια, ας, ἡ suficiência 2 Co 9.8; contentamento, auto-suficiência 1 Tm 6.6.* [autarquia]

αὐτάρκης, ες contente, auto-suficiente Fp 4.11.*

αὐτοκατάκριτος, ον auto-condenado Tt 3.11.*

αὐτόματος, η, ον por si mesmo, automática - alguma coisa que acontece sem causa visível Mc 4.28; At 12.10.*

αὐτόπτης, ου, ὁ testemunha visual Lc 1.2.

αὐτός, αὐτή, αὐτό—1. mesmo intensivo, destaca a palavra a qual serve de adjunto, enfatizando e contrastando. αὐτὸς Ἰησοῦς Jesus mesmo, o próprio Jesus Lc 24.15. Cf. Mc. 12.36s; Lc 24.36; At 24.25; 1 Co 11.13; Hb 13.5. αὐ ἐγώ apenas eu 2 Co 12.13. De mim mesmo, voluntariamente Jo 2.25; 16.27; confiar em si mesmo Rm 7.25. καὶ αὐτός própria Rm 8.21; Hb 11.11. αὐ. τὰ ἔργα os próprios atos Jo 5.36; cf. Mt 3.4; Lc 13.1. αὐτὸ τοῦτο isto mesmo, exatamente isto 2 Co 7.11. Acusativo adverbial τοῦτο αὐ. por esta razão 2 Co 2.3; cf. 2 Pe 1.5. Como um pronome pessoal enfático Mt 5.4ss.—2. Nos casos oblíquos, como pron. pessoal da 3a. pessoa, especialmente no gen., usado como um pronome possessivo dele, dela, seu Mt 4.23; 8.1; Mc 1.10; Lc 2.22; Jo 15.2; 1 Co 8.12; Ap 2.7; 17. Usada pleonasticamente com pronomes relativos ἥν οὐδεὶς δύναται κλεῖσαι αὐτήν a qual ninguém pode fechar (-la) Ap 3.8; cf. Mc 1.7; Jo 6.39; At 15.17.—3. Precedido pelo artigo, o mesmo, a mesma Mt 5.46: 26.44: Lc 6.33; Rm 2.1; Ef 6.9. τὸ αὐ. λέγειν concordar 1 Co 1.10. τὸ αὐτό, como adv. da mesma forma Mt 27.44. ἐπὶ τὸ αὐτό no mesmo lugar, juntos Mt 22.34; 1 Co 11.20; no total At 2.47. κατὰ τὸ αὐτό juntamente, ao mesmo tempo, no mesmo lugar At 14.1. [autocrata]

αὐτοῦ adv. aqui Mt 26.36. Lá At 18.19.

αὐτόφωρος, ον no próprio ato (apanhado) na expressão ἐπ' αὐτοφώρῳ Jo 8.4.*

αὐτόχειρ, ρος com a própria mão, com as próprias mãos At 27.19.*

αὐχέω jactar-se Tg 3.5.*

αὐχμηρός, ά, όν escuro, obscuro 2 Pe 1.19.*

ἀφαιρέω tirar, remover, roubar Lc 1.25; 10.42; Rm 11.27; Hb 10.4; Ap 22.19; cortar Mc 14.47.

ἀφανής, ές invisível, oculto Hb 4.13.*

ἀφανίζω fazer desaparecer, destruir Mt 6.19s; tornar invisível, desfigurar Mt 6.16. Pass. desaparecer Tg 4.14; perecer At 13.41.*

ἀφανισμός, οῦ, ὁ desaparição, destruição Hb 8.13.*

ἄφαντος, ον invisível Lc 24.31.*

ἀφεδρών, ῶνος, ὁ latrina Mt 15.17; Mc 7.19.*

ἀφέθην, ἀφεθήσομαι 1 aor. ind. pass. e fut. ind. pass. de ἀφίημι.

ἀφειδία, ας, ἡ severo, duro, (tratamento) Cl 2.23.*

ἀφεῖλον, ἀφελεῖν 2 aor. ind. at. e inf. de ἀφαιρέω.

ἀφεῖναι, ἀφείς part. e inf. do 2 aor. at. de ἀφίημι.

ἀφελότης, ητος, ἡ simplicidade At 2.46.*

ἀφελπίζω ver ἀπελπίζω.

ἀφελῶ, ἀφέλωμαι 2 fut. ind. at. e 2 aor. subj. méd. de ἀφαιρέω.

ἄφες 2 aor. impv. at. de ἀφίημι.

ἄφεσις, έσεως, ἡ libertação Lc 4.18. Perdão, cancelamento de uma obrigação, punição ou culpa, daí, perdão de pecados Mc 1.4; 3.29; Lc 3.3; At 10.43; Ef 1.7.

ἀφέωνται perf. ind. pass. de ἀφίημι.

ἀφή, ῆς, ἡ ligamento Ef 4.16; Cl 2.19.*

ἀφῆκα, ἀφήσω 1 aor. ind. at. e fut. ind. at. de ἀφίημι.

ἀφθαρσία, ας, ἡ incorruptibilidade, imortalidade Rm 2.7; 1 Co 15.42, 50, 53s; 2 Tm 1.10. ἐν ἀ. em imortalidade ou para sempre Ef 6.24.

ἄφθαρτος, ον imperecível, incorruptível,

άφθονία—άχρηστος 39

imortal Rm 1.23; 1 Co 9.25; 15.52; 1 Pe 1.4; *qualidade imperecível* 1 Pe 3.4.

άφθονία, ας, ή *liberdade de inveja* Tt 2.7 v.1.*

άφθορία, ας, ή *pureza, integridade, honestidade* Tt 2.7.*

άφίδω 2 aor. subj. at. de άφοράω.

άφιέναι inf. pres. at. de άφίημι.

άφίημι—1. *deixar ir, enviar* Mc 4.36; *desistir* Mt 27.50; *declarar* Mc 15.37; *divorciar* 1 Co 7.11ss. *Cancelar, perdoar* Mt 18.27, 32; *remir, perdoar* pecados, etc. Mt 6.12, 14s; Mc 3.28; Lc 12.10; Rm 4.7; 1 Jo 1.9; 2.12. —2. *deixar* Mt 4.11; 19.27; Mc 13.34; Lc 10.30; *abandonar* Mc 14.50. Deixar alguém *ter* alguma coisa Mt 5.40; *dar paz* Jo 14.27. Fig. *desistir, abandonar* Rm 1.27; Hb 6.1; Ap 2.4; *negligenciar* Mt 23.23. — 3. *deixar, deixar ir, permitir, tolerar* Mc 5.19; At 5.38; Ap 2.20; 11.9. Deixar alguém *fazer* algo Jo 11.48. Os imperativos άφες, άφετε são usados com o subj., esp. na primeira pessoa άφες έκβάλω τό κάρφος *deixe-me tirar o argueiro* Mt 7.4; άφες ίδωμεν *vamos ver* Mt 27.49; também com ίνα e a terceira pessoa άφες αύτήν, ίνα τηρήση αύτό *deixa-a, para* (o dia da preparação) *o guardou* Jo 12.7.

άφικνέομαι *conhecida* Rm 16.19.*

άφιλάγαθος, ον *não amar o bem* 2 Tm 3.3.*

άφιλάργυρος, ον *não amante do dinheiro, não avarento* 1 Tm 3.3; Hb 13.5.*

άφιξις, εως, ή *partida* At 20.29.*

άφίστημι — 1. (1 aor. at.) *fazer revoltar, enganar* At 5.37. — 2. (1 aor. méd., 2 aor., perf. e mais-que-perf. at.) *ir embora, afastar-se* Lc 2.37; 13.27; At 12.10; άπό τινος *desertar alguém* At 15.38. *Cair, apostatar* Lc 8.13; Hb 3.12. *Retirar-se* Lc 4.13; 2 Co 12.8; *abster-se* 2 Tm 2.19.

άφνω adv. *repentinamente* At 2.2; 16.26; *imediatamente* At 28.6.*

άφόβως adv. *sem medo* Lc 1.74; Fp 1.14; *sem causa para ter medo* ou, talvez, *sem causar medo* 1 Co 16.10; *corajosamente* Jd 12.*

άφομοιόω *fazer parecido* ou *semelhante* Hb 7.3.*

άφοράω *olhar, fixar os olhos* Hb 12.2; v. Fp 2.23.*

άφορίζω *separar, tirar de lado, excluir* Mt 13.49; 25.32; Lc 6.22; At 19.9; 2 Co 6.17; Gl 2.12. *Apontar, eleger* At 13.2; Rm 1.1; Gl 1.15.*

άφοριώ fut. de άφορίζω. forma ática.

άφορμή, ής, ή *ocasião, oportunidade* Rm 7.8, 11; 2 Co 11.12; 1 Tm 5.14.

άφρίζω *espumar pela boca* Mc 9.18, 20.*

άφρός, ού, ό *espuma, saliva* Lc 9.39.*

άφροσύνη, ης, ή *tolice, falta de juízo* Mc 7.22; 2 Co 11.1, 17, 21.*

άφρων, ον, gen, ονος *tolo, ignorante* Lc 11.40; 2 Co 11.16, 19; 1 Pe 2.15.

άφυπνόω *cair no sono* Lc 8.23.*

άφυστερέω *reter* Tg 5.4 v.1.*

άφώμεν 2 aor. subj. at. de άφίημι.

άφωνος, ον *silencioso* At 8.32. *Mudo, incapaz de falar* 1 Co 12.2; 2 Pe 2.16; *incapaz de transmitir significado* 1 Co 14.10.*

Άχάζ, ό indecl. *Acaz* Mt 1.9, v. 2 Rs 16.1ss.*

Άχαΐα, ας, ή *Acaia*, uma província romana criada em 146 a.C., que incluía as partes mais importantes da Grécia, i.e., Bocotia, Ática e o Peloponeso At 18.12, 27; Rm 15.26; 2 Co 1.1.

Άχαικός, οΰ, ό *Acaico* 1 Co 16.17, 15 v.1.*

άχάριστος, ον *ingrato, mal agradecido* Lc 6.35; 2 Tm 3.2.*

Άχάς v.1. para Άχάζ.

άχειροποίητος, ον *não feito por mão* (humana), *não de* (mera) *origem humana* Mc 14.58; 2 Co 5.1; Cl 2.11.*

Άχελδαμάχ v. Άκελδαμάχ.

άχθήναι, άχθήσεσθαι 1 aor. pass. inf. e 1 fut. inf. pass. de άγω.

Άχίμ, ό indecl. *Aquim* Mt 1.14.*

άχλύς, ύος, ή *perda temporária de visão, escuridão* At 13.11.*

άχρεΐος, ον *inútil, indigno* Mt 25.30; *miserável* Lc 17.10.*

άχρειόω pass., fig. *tornar-se depravado, sem valor* Rm 3.12.*

άχρηστος, ον *inútil, sem valor* Fm 11.*

ἄχρι, ἄχρις—1. adv. até, até que Mt 24.38; Lc 4.13; Rm 1.13; Gl 4.2; dentro At 20.6; antes Rm 5.13; até aquela altura At 22.22; Hb 4.12; para, para dentro At 22.4; Ap 2.10.—2. durante o tempo que Hb 3.13.

ἄχυρον, ου, τό palha Mt 3.12; Lc 3.17.*

ἅψας part. 1 aor. at. de ἅπτω.

ἀψευδής, ές livre de todo engano, confiável Tt 1.2.*

ἀψίνθιον, ου, τό e ἄψινθος, ου, ἡ absinto Ap 8.11a; amargo Ap 8.11b.*

ἄψυχος, ον inanimado, sem vida 1 Co 14.7.*

B

B como numeral = dois, segundo, nos títulos de cartas.

Βάαλ, ὁ indecl. Baal, palavra hebraica para 'senhor' Rm 11.4.*

Βαβυλών, ῶνος, ἡ Babilônia lit. Mt 1.11s; fig. poder mundano Ap 14.8; 18.10, 21. Em 1 Pe 5.13 pode ser uma palavra código para o povo de Deus na dispersão. Alguns interpretam-na como Roma.

βαθέως genitivo de βαθύς.

βαθμός, ὁ passo; fig. posição, reputação 1 Tm 3.13.*

βάθος, ους, τό profundidade, profundezas lit. Mt 13.5; Lc 5.4; fig. Rm 8.39; 11.33; κατὰ βάθους profunda pobreza 2 Co 8.2.

βαθύνω afundar, descer ao fundo Lc 6.48.*

βαθύς, εῖα, ύ profundo, fundo lit. Jo 4.11; fig. At 20.9; At 2.24. ὄρθρου βαθέως cedo de manhã Lc 24.1.*

βάϊον, ου, τό ramos de palmeira (palavra copta) Jo 12.13.*

Βαλαάμ, ὁ indecl. Balaão 2 Pe 2.15; Jd 11; Ap 2.14; v. Nm 22-24.*

Βαλάκ, ὁ indecl. Balaque Ap 2.14; v. Nm 22.2ss. Βαλααк Jd 11 v.1.*

βαλλάντιον, ου, τό sacola de dinheiro, bolsa Lc 10.4; 12.33; 22.35s.*

βάλλω—1. lançar Mt 3.10; 5.29s; 13.48; Ap 2.10; 6.13; semear, espalhar Mc 4.26; lançar, jogar Mc 15.24. Fig. jogar fora 1 Jo 4.18. Pass. deitar, jazer Mt 9.2; Lc 16.20—2. colocar, depositar, trazer Mt 10.34; Mc 7.33; Lc 13.8; Jo 13.2; Ap 2.14; derramar Mt 9.17; Jo 13.5; Ap 12.15s; jogar Ap 14.19; depositar Mt 25.27.—3. desencadear, soprar At 27.14. [balística]

βαλῶ fut. ind. at. de βάλλω.

βαπτίζω mergulhar, imergir—1. lavagens rituais judaicas, méd. e pass. lavar as mãos Mc 7.4; Lc 11.38.—2. batizar, batismo de João Batista e batismo cristão Mt 3.11, 13s, 16; 28.19; Mc 6.14, 24; Jo 4.1s; At 2.38, 41; 8.12s, 36, 38; 1 Co 1.14-17; 15.29.—3. fig. Mt 3.11; 1 Co 10.2; 12.13. Martírio Mc 10.38s.

βάπτισμα, ατος, τό batismo Mt 3.7; Mc 1.4; At 18.25; Rm 6.4; Ef 4.5; 1 Pe 3.21. βαπτίζεσθαι βάπτισμα efetuar um batismo Lc 7.29. Fig. do martírio Mc 10.38s.

βαπτισμός, οῦ, ὁ ablução, lavagem cerimonial Mc 7.4, 8 v.1.; Hb 6.2; 9.10; batismo Cl 2.12.*

βαπτιστής, οῦ, ὁ Batista, sempre como sobrenome de João Mt 3.1; 11.11s; Mc 6.25; Lc 9.29.

βάπτω molhar, embeber Lc 16.24; Jo 13.26; Ap 19.13; para a última passagem *salpicar* também é possível.*

βαρ aramaico = *filho* Mt 16.17 v.1.*

Βαραββᾶς, ᾶ, ὁ Barrabás Mt 27.16s; Lc 23.18; Jo 18.40.

Βαράκ, ὁ indecl. *Baraque* Hb 11.32; V. Jz 4s.*

Βαραχίας, ου, ὁ Baraquias Mt 23.35.

βάρβαρος, ον quem fala uma língua estrangeira, ininteligível, adj. ou subst. 1 Co 14.11. Como subst. *uma pessoa que não é grega, um estrangeiro, bárbaro* At 28.2, 4; Rm 1.14; Cl 3.11.*

βαρέω pesar, sobrecarregar, pass., fig. ser sobrecarregado, ser vencido, render-se Lc 9.32; 21.34; 2 Co 1.8; 1 Tm 5.16.

βαρέως adv. de βαρύς; *com dificuldade,* ἀκούειν *ser difícil para ouvir* Mt 13.15; At 28.27.*

Βαρθολομαῖος, ου, ὁ *Bartolomeu,* um dos doze apóstolos Mt 10.3; Mc 3.18; Lc 6.14; At 1.13. Freqüentemente identificado com Natanael.*

Βαριησοῦς, οῦ, ὁ *Barjesus,* um falso profeta At 13.6.*

Βαριωνᾶ ou **Βαριωνᾶς, ᾶ, ὁ** *Bar Jonas* Mt 16.17.*

Βαρναβᾶς, ᾶ, ὁ *Barnabé* apóstolo, companheiro de Paulo durante algum tempo, At 4.36; 9.27; 11.22, 30; 12.25; caps. 13-15 passim; 1 Co 9.6; Gl 2.1, 9, 13; Cl 4.10.*

βάρος, ους, τό *peso, carga* fig. Mt 20.12; At 15.28; Gl 6.2; Ap 2.24; *plenitude* 2 Co 4.17; *importância* ἐν β. εἶναι *insistir na própria importância* 1 Ts 2.7.* [barômetro]

Βαρσαββᾶς, ᾶ, ὁ *Barsabás,* nome de dois homens diferentes At 1.23; 15.22.*

Βαρτιμαῖος, ου, ὁ *Bartimeu* Mc 10.46.*

βαρύνω pesar, afligir, oprimir At 3.14 v.1.; 28.27 v.1.; 2 Co 5.4 v.1.*

Βαρύς, εῖα, ύ *pesado,* fig. Mt 23.4; *difícil, opressivo* 1 Jo 5.3; *severo* 2 Co 10.10; *importante* Mt 23.23; At 25.7; *selvagem, feroz* At 20.29.* [barítono]

βαρύτιμος, ον *muito caro, muito precioso* Mt 26.7.*

βασανίζω *torturar, atormentar* Mt 8.6, 29; 2 Pe 2.8; Ap 12.2; 14.10; *pressionar* Mt 14.24.

βασανισμός, οῦ, ὁ *tortura, tormento* Ap 9.5; 14.11; 18.7, 10, 15.*

βασανιστής, οῦ, ὁ *torturador, carcereiro, verdugo* Mt 18.34.*

βάσανος, ου, ὁ *tortura, tormento* Lc 16.23, 28; *dor profunda* Mt 4.24.*

βασιλεία, ας, ἡ—1. *reinado, domínio real, governo, reino* Lc 19.12, 15; 1 Co 15.24; Hb 1.8; Ap 1.6; 17.12.—2. *reino,* território governado por um rei Mt 4.8; Mc 6.23; Lc 21.10.—3. *reino de Deus* ou *dos céus* (têm o mesmo significado) *soberania* Mt 3.2; 5.3, 10, 19s; Mc 4.11; Lc 8.1; Jo 3.3, 5; At 28.23, 31; Rm 14.17; 1 Co 4.20; Gl 5.21. Tem aspectos presentes Mt 12.28; Lc 11.20 e futuros Mt 3.2; Lc 21.31.

βασίλειος, ον *real* 1 Pe 2.9. τὰ β. *o palácio(s) real* Lc 7.25.*

βασιλεύς, έως, ὁ *rei* lit. Mt 2.1; 17.25; Mc 6.14; Jo 6.15; At 12.1; 2 Co 11.32; Hb 7.1s; Ap 1.5. O imperador romano 1 Tm 2.2; 1 Pe 2.13, 17. Deus ou Cristo Mt 2.2; Jo 1.49; 1 Tm 1.17; Ap 17.14. [Basílio]

Βασιλεύω *ser rei, reinar* Mt 2.22; Lc 19.14, 27; Ap 5.10. Fig. Rm 5.14. Deus e Cristo Ap 11.15. No aoristo (ingressivo) *tornar-se rei* Ap 11.17; 19.6.

βασιλικός, ή, όν, *real* At 12.20s; Tg 2.8; *oficial real* Jo 4.46, 49.* [basílica]

βασιλίσκος, ου, ὁ *reizinho* v.1. em Jo 4.46 e 49.*

βασίλισσα, ης, ἡ *rainha* Mt 12.42; Lc 11.31; At 8.27; Ap 18.7.*

βάσις, εως, ἡ *pé* (humano) At 3.7.*

βασκαίνω *fascinar, enfeitiçar* Gl 3.1.*

βαστάζω—1. *pegar* Jo 10.31.—2. *levar, carregar* lit. Lc 11.27; 22.10; Jo 19.17; fig. Mt 20.12; Jo 16.12; Gl 6.2; *suportar pacientemente* Rm 15.1; Ap 2.3. β. κρίμα *suportar o julgamento, cumprir a pena* Gl 5.10.—3. *remover, tirar* Mt 3.11; 8.17; *roubar* Jo 12.6.

βάτος, ου, ὁ e **ἡ** sarça Lc 6.44; At 7.30, 35. **ἐπὶ τ. β.** na passagem sobre a sarça Mc 12.26; Lc 20.37.*

βάτοσ, ου, ὁ bato uma medida hebraica para líquidos = entre 30 e 34 litros Lc 16.6.*

βάτραχος, ου, ὁ rā Ap 16.13.* [batráquio]

βατταλογέω repetir palavras sem sentido Mt 6.7; Lc 11.2 v.1.*

βδέλυγμα, ατος, τό abominação, coisa detestável, esp. idolatria Lc 16.15; Ap 17.4s; 21.27. **β τῆς ἐρημώσεως** a abominação da desolação, a coisa detestável que causa desolação Mt 24.15; Mc 13.14.*

βδελυκτός, ή, όν, abominável, detestável Tt 1.16.*

βδελύσσομαι aborrecer, detestar Rm 2.22; part. perf. pass **ἐβδελυγμένος** abominável Ap 21.8.*

βέβαιος, α ον firme, forte, seguro lit. Hb 6.19. Fig. firme, confiável, certo Rm 4.16; 2 Co 1.7; Hb 2.2; 3.14; 2 Pe 1.10, 19; válido Hb 9.17.*

βεβαιόω confirmar, estabelecer 1 Co 1.6, 8; Cl 2.7. Cumprir Rm 15.8; fortalecer 2 Co 1.21; garantir Hb 2.3.

βεβαίωσις, εως, ἡ confirmação Fp 1.7; confirmação, garantia Hb 6.16.*

βεβαμμένος part. perf. pass. de **βάπτω**.

βέβηλος, ον profano, mundano, ímpio 1 Tm 1.9; 4.7; 6.20; 2 Tm 2.16; irreligioso Hb 12.16.*

βεβηλόω profanar Mt 12.5; At 24.6.*

βέβληκα, βέβλημαι perf. ind. at. e perf. ind. pass. de **βάλλω**.

βέβρωκα perf. ind. at. de **βιβρώσκω**.

Βεελζεβούλ, ὁ indecl., com formas variantes **Βεελζεβούβ** e **Βεεζεβούλ** Belzebu, i.e. Satanás Mt 10.25; 12.24, 27; Mc 3.22; Lc 11.15, 18s.*

Βελιάρ, ὁ indecl., com a v.1. **Βελιάλ** Belial, i.e. Satanás ou o Anticristo 2 Co 6.15.*

βελόνη, ης, ἡ agulha Lc 18.25.*

βέλος, ους, τό flecha Ef 6.16.*

βελτίων, ον melhor; neut. como adv. muito bem 2 Tm 1.18; At 10.28 v.1.*

Βενιαμ(ε)ίν, ὁ indecl. Benjamim At 13.21; Rm 11.1; Fp 3.5; Ap 7.8.*

Βερνίκη, ης, ἡ Berenice, irmã e companheira de Herodes Agripa II At 25.13, 23; 26.30.*

Βέροια, ας, ἡ Beréia, uma cidade na Macedônia At 17.10, 13.*

Βεροιαῖος, α, ον bereano At 20.4.*

Βέρος, ου, ὁ Beros At 20.4 v.1.*

Βεωορσόρ forma alternativa de **Βεώρ** 2 Pe 2.15 v.1.

Βεώρ, ὁ indecl. Beor no lugar de **Βοσόρ** 2 Pe 2.15 v.1.*

Βηθαβαρά, ἡ Betabara v.1. de **Βηθανία** Jo 1.28.*

Βηθανία, ας, ἡ Betânia—1. uma aldeia no Monte das Oliveiras, cerca de 3 kms. de Jerusalém Mt 21.17; 26.6; Mc 11.11s; Lc 24.50; Jo 12.1.—2. um local no lado leste do Jordão, onde João batizava Jo 1.28.

Βηθεσδά, ἡ indecl. Betesda, um poço em Jerusalém Jo 5.2 v.1.*

Βηθζαθά, ἡ indecl. Betezatá Jo 5.2.*

Βηθλέεμ, ἡ indecl. Belém, uma cidade na Judéia, cerca de 7 kms. ao sul de Jerusalém Mt 2.1, 5s; 8, 16; Lc 2.4, 15; Jo 7.42.*

Βηθσαιδά(ν), ἡ indecl. Betsaida, o nome de uma cidade (talvez duas) perto do Mar da Galiléia Mt 11.21; Mc 6.45; 8.22; Lc 9.10; 10.13; Jo 1.44; 12.21. Também v.1. de **Βηθζαθά** Jo 5.2.*

Βηθφαγή, ἡ indecl. Betfagé, um local no Monte das Oliveiras Mt 21.1; Mc 11.1; Lc 19.29.*

βῆμα, ατος, τό—1. passo, **οὐδὲ β. ποδός** nem mesmo lugar para um pé At 7.5.—**2.** tribunal, assento judicial Mt 27.19; Jo 19.13; At 18.12, 16s; 25.6, 10, 17; Rm 14.10; 2 Co 5.10; plataforma do orador At 12.21, 23 v.1.*

Βηρεύς, εως, ὁ Bereus Rm 16.15 v.1.*

βήρυλλος, ου, ὁ, ἡ berilo, uma pedra semipreciosa de cor verde-mar Ap 21.20.*

βία, ας, ἡ força, violência At 21.35; 27.41; uso da força At 5:26; cf. 24.7 v.1.*

βιάζω méd. forçar passagem, entrar forçosamente Lc 16.16; pass., provavelmente ser entrado pela força, sofrer violência (há outras possibilidades) Mt 11.12.*

βίαιος, α ον violento, forte At 2.2*
βιαστής, οῦ, ὁ um homem violento, impetuoso Mt 11.12.*
βιβλαρίδιον, ου, τό livrinho Ap 10.2, 9s, vs.8 v.l.*
βιβλιδάριον, ου, τό v.1. para βιβλαρίδιοω nas passagens acima.
βιβλίον, ου, τό livro, rolo Lc 4.17; Jo 20.30; Gl 3.10; 2 Tm 4.13; Ap 5.1ss; 6.14; 13.8. β. ἀποστασίου certificado de divócio Mc 10.4. [biblio-, prefixo em várias palavras]
βίβλος, ου, ἡ livro, rolo, esp. livro sagrado Mt 1.1; Mc 12.26; Lc 3.4; At 7.42; 19.19; Fp 4.3; Ap 3.5. [Bíblia]
βιβρώσκω comer Jo 6.13.*
Βιθυνία, ας, ἡ Bitínia, uma província romana no norte da Ásia Menor At 16.7; 1 Pe 1.1.*
βίος, ου, ὁ—1. vida, vida diária Lc 8.14; 1 Tm 2.2; 2 Tm 2.4; 1 Pe 4.3 v.1.—2. bens, propriedades Mc 12.44; Lc 8.43; 15.12, 30; 21.4. β. τοῦ κόσμου bens materiais 1 Jo 3.17. ἀλαζονεία τοῦ β. orgulho pelas posses 1 Jo 2.16.* [biologia]
βιόω viver 1 Pe 4.2.*
βίωσις, εως, ἡ modo de vida At 26.4.*
βιωτικός, ή, όν comum, ordinário, pertencente à vida (diária) Lc 21.34; 1 Co 6.3, 4.*
βλαβερός, ά, όν prejudicial 1 Tm 6.9.*
βλάπτω injuriar, prejudicar Mc 16.18; Lc 4.35.*
βλαστάνω, βλαστάω germinar, brotar, produzir Tg 5.18. espigar, florescer Mt 13.26; Mc 4.27; Hb 9.4.*
βλάστος, ου, ὁ Blasto At 12.20.*
βλασφημέω com relação a seres humanos, revidar, difamar, caluniar Rm 3.8; 1 Co 10.30; Tt 3.2. Com relação a seres divinos, falar irreverentemente de, blasfemar Mt 9.3; 27.39; Mc 3.29; At 19.37; Rm 2.24; 14.16; 2 Pe 2.10.
βλασφημία, ας, ἡ linguagem abusiva, calúnia, blasfêmia Mt 12.31; 26.65; Jo 10.33; Ef 4.31; Ap 13.5s; um julgamento ofensivo Jd 9.
βλάσφημος, ον mentiroso, caluniador, blasfemo At 6.11; 2 Tm 3.2 β. κρίσιν φέρειν pronunciar um juízo difamador 2 Pe 2.11. Usada como subst. em 1 Tm 1.13.
βλέμμα, ατος, τό olhada, o que se vê 2 Pe 2.8*
βλέπω ver, olhar—1.ser capaz de ver Jo 9.7, 15, 25; At 9.9; Rm 11.8; Ap 3.18.—2.ver, olhar Mt 5.28; 7.3; Mc 5.31; Lc 9.62; 10.23s; At 9.8s; Rm 8.24s; Ap 1.11s; βλέπων βλέπω ver de olhos abertos Mt 13.14. βλέπων οὐ βλέπει vendo, não vejam Lc 8.10.—3.vigiar, estar alerta, atento Mc 13.9; Fp 3.2; tomar cuidado, ver Mt 24.4; Gl 5.15; perceber Mt 14.30; descobrir, achar Rm 7.23; Hb 3.19.
βληθήσομαι fut. ind. pass. de βάλλω.
βλητέος, α, ον adj. verbal de βάλλω deve ser colocado Lc 5.38; Mc 2.22 v.l.*
Βοανηργές Boanerges Mc 3.17.*
βοάω clamar, gritar Mt 3.3; Mc 1.5.34; Lc 18.7; Jo 1.23; At 8.7.
Bόες, ὁ indecl. Boaz Mt 1.5; cf Rt 4.21.*
βοή, ῆς, ἡ grito, clamor Tg 5.4.*
βοήθεια, ας, ἡ ajuda Hb 4.16; termo náutico suporte, talvez na forma de cabos At 27.17.*
βοηθέω ajudar, vir ao auxílio de Mt 15.25; Mc 9.22, 24; At 16.9; 21.28; 2 Co 6.2; Hb 2.18; Ap 12.16.*
βοηθός, όν útil, auxiliador, ajudador Hb 13.6.*
βόθρος, ου, ὁ cisterna Mt 15.14 v.l.*
βόθυνος, ου, ὁ buraco Mt 15.14; 12.11; Lc 6.39.*
βολή, ῆς, ἡ tiro, lançamento Lc 22.41.*
βολίζω lançar sondas At 27.28.*
βολίς, ίδος, ἡ flecha, dardo Hb 12.20 v.l.*
Βόος, ὁ indecl. Boaz Lc 3.32.*
βόρβορος, ου, ὁ lamaçal 2 Pe 2.22.*
βορρᾶς, ᾶ, ὁ norte, ἀπὸ β. ao norte Ap 21.13, mas do norte Lc 13.29.*
βόσκω at. alimentar, apascentar Mc 5.14; Jo 21.15, 17. Pass. pastar Mc 5.11.
Βοσόρ, ὁ indecl. Bosor 2 Pe 2.15.*
βοτάνη, ης, ἡ vegetação Hb 6.7.* [botânica]
βότρυς, υος, ὁ cacho de uvas Ap 14.18.*
βουλευτής, οῦ, ὁ membro de um concílio, neste caso, o Sinédrio Mc 15.43; Lc 23.50.*

βουλεύω méd. deliberar, considerar Lc 14.31. Decidir, planejar At 27.39; 15.37 v.l.; 2 Co 1.17; plano Jo 11.53; 12.10; At 5.33 v.l.*

βουλή, ῆς, ἡ plano, propósito Lc 7.30; Ef 1.11; resolução, decisão At 2.23; 5.38; 20.27; 27.12, 42; Hb 6.17; motivo 1 Co 4.5.

βούλημα, ατος, τό intenção, vontade At 27.43; Rm 9.19; 1 Pe 4.3.*

βούλομαι querer, desejar, estar disposto Mt 1.19; 11.27; Lc 22.42; At 5.28; 25.20, 22; 1 Co 12.11; 1 Tm 6.9; Fm 13. βουληθείς conforme a sua vontade Tg 1.18. βούλεσθε ἀπολύσω soltarei? devo soltar? Jo 18.39.

βουνός, οῦ ὁ monte, colina Lc 3.5; 23.30.*

βοῦς, βοός, ὁ boi Lc 14.5, 19; Jo 2.14s; 1 Co 9.9.

βραβεῖον, ου, τό prêmio em uma corrida 1 Co 9.24; da vida ressurreta Fp 3.14.*

βραβεύω arbitrar Cl 3.15.*

βραδύνω hesitar, adiar 1 Tm 3.15; retardar 2 Pe 3.9.*

βραδυπλοέω navegar vagarosamente At 27.7.*

βραδύς, εῖα, ύ devagar Lc 24.25; Tg 1.19.*

βραδύτης, ητος, ἡ tardia, lenta 2 Pe 3.9.*

βραχίων, ονος, ὁ braço fig. Lc 1.51; Jo 12.38; At 13.17.*

βραχύς, εῖα, ύ pequena, curta: de distância At 27.28; tempo Lc 22.58; At 5.34; Hb 2.7, 9; de quantidade Jo 6.7. διὰ β. em poucas palavras Hb 13.22; 1 Pe 5.12 v.l.

βρέφος, ους, τό bebê, criança Lc 1.41, 44; 2.12, 16; 18.15; At 7.19; 2 Tm 3.15; fig. 1 Pe 2.2.*

βρέχω chover, regar Lc 7.38, 44; Ap 11.6. Enviar chuva, fazer chover Mt 5.45; Lc 17.29; Tg 5.17.*

βριμάομαι indignar-se Jo 11.33 v.l. Ver εμβριμάομαι.

βροντή, ῆς, ἡ trovão Mc 3.17; Jo 12.29; Ap 6.1; 10.3s.

βροχή, ῆς, ἡ chuva Mt 7.25, 27.*

βρόχος, ου, ὁ laço, restrição 1 Co 7.35.*

βρυγμός, οῦ, ὁ grunhido, ranger de dentes Mt 8.12; 25.30; Lc 13.28.

βρύχω grunhir, ranger os dentes At 7.54.*

βρύω fluir, emanar Tg 3.11.*

βρῶμα, ατος, τό comida, alimento sólido lit. Lc 3.11; Rm 14.15; 1 Co 6.13; Hb 9.10; 13.9; fig. Jo 4.34; 1 Co 3.2.

βρώσιμος, ον comestível Lc 24.41.*

βρῶσις, εως, ἡ—1.alimentação Rm 14.17; 1 Co 8.4. Como um termo geral para consumo, β. pode significar corrosão, ou inseto destrutivo, ou uma praga Mt 6.19s.
—2.comida lit. Hb 12.16; fig. Jo 6.27, 55.

βυθίζω afundar, submergir Lc 5.7; 1 Tm 6.9.*

βυθός, οῦ, ὁ alto mar, profundeza 2 Co 11.25.*

βυρσεύς, έως, ὁ curtidor At 9.43; 10.6, 32.*

βύσσινος, η, ον feito de linho fino Ap 18.12, 16; 19.8, 14.*

βύσσος, ου, ἡ linho fino Lc 16.19; Ap 18.12 v.l.*

βωμός, οῦ, ὁ altar At 17.23.*

Γ

γ como numeral = *três, terceiro.*

Γαββαθᾶ indecl. *Gabatá* Jo 19.13.*

Γαβριήλ, ὁ indecl. *Gabriel* Lc 1.19, 26.*

γάγγραινα, ης, ἡ *gangrena, câncer* fig. 2 Tm 2.17.*

Γάδ, ὁ indecl. *Gade* Ap 7.5 (Gn 30.11).*

Γαδαρηνός, ή, όν *de Gadara,* uma cidade na Transjordânia; ὁ Γ. *o gadareno* Mt 8.28; Mc 5.1 v.l.; Lc 8.26 v.l., 37 v.l.*

Γάζα, ης, ἡ *Gaza* uma cidade no sudoeste da Palestina At 8.26.*

γάζα, ης, ἡ (palavra persa) *o (real) tesouro* At 8.27.*

γαζοφυλακεῖον ou **γαζοφυλάκιον, ου, τό** *tesouro* Jo 8.20; *gazofilácio; urna para receber ofertas* Mc 12.41, 43; Lc 21.1.*

Γάιος, ου, ὁ *Gaio*—1. Rm 16.23; 1 Co 1.14.—2. At 19.29.—3. At 20.4.—4. 3 Jo 1.*

γάλα, γάλακτος, τό *leite* lit. 1 Co 9.7. Fig. 1 Co 3.2; Hb 5.12s; 1 Pe 2.2.* [galáxia]

Γαλάτης, ου, ὁ *um gálata* Gl 3.1.*

Γαλατία, ας, ἡ *Galácia,* um distrito na Ásia Menor habitado pelos gálatas celtas 1 Co 16.1; Gl 1.2; 2 Tm 4.10 (onde pode ser Gáulio); 1 Pe 1.1.*

Γαλατικός, ή, όν *gálata* At 16.6; 18.23.*

γαλήνη, ης, ἡ *calmaria* Mt 8.26; Mc 4.39; Lc 8.24.*

Γαλιλαία, ας, ἡ *Galiléia* a parte norte da Palestina Mt 4.18; Mc 1.9, 14; 28; Lc 5.17; Jo 2.1, 11; At 9.31.

Γαλιλαῖος, α, ον *galileu* Mt 26.69; Mc 14.70; Lc 13.1s; Jo 4.45; At 5.37.

Γαλλία, ας, ἡ *Gália* v.l. em 2 Tm 4.10, no lugar de Γαλατία.*

Γαλλίων, ωνος, ὁ *Gálio,* procônsul da Acaia (51-52 d.C.) At 18.12, 14, 17.*

Γαμαλιήλ, ὁ indecl. *Gamaliel,* i.e. Rabi Gamaliel, o Ancião, um renomado mestre da lei At 5.34; 22.3.*

γαμέω *casar, contrair núpcias,* usado tanto para homens como para mulheres Mt 5.32; 19.10; Mc 10.12; 12.25; Lc 16.18; 1 Co 7.9s, 28, 34. Pass. *casar-se, estar casado* 1 Co 7.39. [gameta, termos biológicos relacionados com a sexualidade.]

γαμίζω *dar em casamento* Mt 24.38; Mc 12.25. Este pode ser o sentido em 1 Co 7.38, mas é mais provável que γ., nesse verso, = γαμέω e signifique simplesmente casar. Pass. *ser dada em casamento, casada* Mt 22.30; Mc 12.25; Lc 17.27; 20.35.*

γαμίσκω *dar em casamento* Mt 24.38 v.l. Pass. *ser dada em casamento* Mc 12.25 v.l.; Lc 20.34; 35 v.l.*

γάμος, ου, ὁ *festa de casamento;* γ. ποιεῖν *dar uma festa de casamento* Mt 22.2 cf. versos 3, 4, 9; Jo 2.1s. ἔνδυμα γ. *roupas de casamento* Mt 22.11s. *Banquete de casamento* Ap 19.7, 9; *banquete* Lc 12.36, *sala das núpcias* Mt 22.10, *Casamento* Hb 13.4.

γάρ conjunção usada para expressar causa, inferência, continuação, ou explicação; nunca é a primeira palavra numa oração.—1. causa ou razão: *pois* Mt 2.2; 3.2s; Mc 1.22; Jo 2.25; At 2.25; 1 Co 11.5. καὶ γάρ *pois* Mc 10.45; Jo 4.23; 1 Co 5.7; mas *pois também, e por isso* Mt 8.9; Lc 6.32s; 2 Co 2.10. γὰρ καί *pois também, pois precisamente* 2 Co 2.9. Em perguntas γάρ não precisa ser traduzida, como em 1 Pe 2.20, ou pode ser prefixada por *Que* como em 1 Co 11.22 ou *por que* em Mt 27.23.—2. explicativa *pois* Mt 12.40, 50; Mc 7.3; Rm 7.2; Hb 3.4.—3. inferencial *certamente, de qualquer modo, assim, portanto* Hb 12.3; Tg 1.7; 1 Pe 4.15. οὐ γάρ *não, de fato* At 16.37.—4. continuação ou conexão *de fa-*

to, mas, e Rm 2.25; 5.7; 1 Co 10.1; Gl 1.11.

γαστήρ, τρός, ἡ estômago—1. fig. glutão Tt 1.12.—2. ventre Lc 1.31 ἐν γαστρὶ ἔχειν estar grávida Mt 1.18, 23; 1 Ts 5.3; Ap 12.2. [gastrite]

Γαύδη forma alternativa de Καῖδα (Κλαῦδα).

γέ partícula enfática, enclítica ainda que, pelo menos Lc 11.8; 18.5. Mesmo assim, por certo Rm 8.32. εἴ γε se de fato, assim como, se é que 2 Co 5.3; Gl 3.4; Ef 3.2. εἰ δὲ μή γε de outra forma Mt 6.1; 9.17; 2 Co 11.16. μενοῦνγε pelo contrário Rm 9.20. μήτι γε, para não dizer, quanto mais 1 Co 6.3. Freqüentemente γε pode deixar de ser traduzida.

γεγένημαι perf. ind. méd. de γίνομαι.

γέγονα, γεγόνει formas do perf. at. ind. de γίνομαι.

γέγραπται, γέγραφα 3 ps. sing. perf. ind. pass. e 1 pes. sing. perf. ind. at. de γράφω.

Γεδεών, ὁ indecl. Gideão Hb 11.32 (Jz 6-8).*

γέεννα, ης, ἡ Geena, Vale do Hinom, uma ravina ao sul de Jerusalém. Fig. um lugar de fogo para a punição dos ímpios, inferno Mt 5.22; 29s; 23.15; Mc 9.45, 47; Tg 3.6.

Γεθσημανί indecl. Getsêmani (e), um olival no Monte das Oliveiras Mt 26.36; Mc 14.32.*

γείτων, ονος, ὁ e ἡ próximo, vizinho Lc 14.12; 15.6, 9; Jo 9.8.*

γελάω sorrir, rir Lc 6.21, 25.*

γέλως, ωτος, ὁ riso Tg 4.9.*

γεμίζω encher Mc 4.37; 15.36; Jo 2.7; Ap 8.5.

γέμω estar cheio Mt 23.25, 27; Lc 11.39; Rm 3.14; Ap 15.7; 17.3, 4.

γενεά, ᾶς, ἡ clã, raça, gênero Lc 16.8. Geração, contemporâneos Mt 12.41s; 17.17; Mc 9.19; 13.30; Lc 21.32; Hb 3.10. Era, período de tempo Mt 1.17; Lc 1.48, 50; Cl 1.26. Talvez família ou origem At 8.33.

γενεαλογέω descender pass. Hb 7.6.*

γενεαλογία genealogia, linhagem 1 Tm 1.4; Tt 3.9.*

γενέθλια, ίων, τά aniversário ou festa de aniversário Mc 6.21 v.l.*

γενέσθαι 2 aor. inf. méd. de γίνομαι.

γενέσια, ίων, τά festa de aniversário Mt 14.6; Mc 6.21.*

γένεσις, εως, ἡ nascimento Mt 1.18; Lc 1.14. Em Mt 1.1 γ. pode significar origem ou descendência, e a expressão βίβλος γενέσεως pode significar genealogia como em Gn 5.1. πρόσωπον γ. face natural Tg. 1.23. τροχός τῆς γ. curso da vida Tg 3.6.* [Gênesis]

γενετή, ῆς, ἡ nascimento Jo 9.1.* [genética]

γενηθήτω 3 pes. sing. impv. pass. de γίνομαι.

γένημα, ατος, τό produto, fruto Mt 26.29; Mc 14.25; Lc 12.18 v.l.; 22.18; fig. 2 Co 9.10.*

γενήσομαι fut. ind. méd de γίνομαι.

γεννάω—1. ser ou tornar-se pai de alguém, gerar lit. Mt 1.2ss, 20; Jo 8.41; 9.34; At 7.8, 29. Fig. Jo 1.13; 1 Co 4.15; Fm 10; 1 Jo 2.29.—2. para mulheres: dar à luz Lc 1.13, 35, 57; At 2.8; 22.28.—3. fig. causar, produzir 2 Tm 2.23.

γέννημα, ατος, τό aquilo que é produzido, gerado de criaturas vivas, descendência, semente Mt 3.7; 12.34; 23.33; Lc 3.7.*

Γεννησαρέτ, ἡ indecl. Genesaré, a planície ao sul de Cafarnaum Mt 14.34; Mc 6.53; também o lago adjacente à planície Lc 5.1 (chamado Mar da Galiléia em Mc 1.16.).*

γέννησις, εως, ἡ nascimento v.l. em Mt 1.18; Lc 1.14 e Jo 5.18.*

γεννητός, ή, όν nascido γ. γυναικῶν toda a humanidade Mt 11.11; Lc 7.28.*

γένοιτο 3 pes. sing. 2 aor. opt. méd. de γίνομαι.

γένος, ους, τό raça, linhagem—1. descendentes At 4.6. τοῦ γὰρ καὶ γένος ἐσμέν νός, também, descendemos dele 17.28. Família 7.13.—2. nação, povo Mc 7.26; At 7.19; Gl 1.14; 1 Pe 2.9.—3. classe, gênero Mt 13.47; 1 Co 12.10.

Γερασηνός, ή, όν de Gerasa, geraseno, uma cidade na Peréia, a leste do Jordão, cer-

Γεργεσηνός—γλώσσα 47

ca de 55 kms. sudoeste do Lago Genesaré. ὁ Γ. *o geraseno* Mt 8.28 v.l.; Mc 5.1; Lc 8.26, 37.*

Γεργεσηνός, ή, όν *de Gergesa* uma cidade na costa oriental do mar da Galiléia. ὁ Γ. *o gergeseno* v.l. em Mt 8.28; Mc 5.1. e Lc 8.26, 37.*

γερουσία, ας, ἡ *concílio de anciãos,* em At 5.21 o Sinédrio de Jerusalém.

γέρων, οντος, ὁ *homem velho* Jo 3.4.* [gerontologia]

γεύομαι *provar, experimentar, desfrutar* Lc 14.24; Jo 2.9; At 20.11; Cl 2.21; *comer* At 10.10. Fig. *chegar a conhecer, experimentar* Mc 9,1; Jo 8.52; Hb 2.9; 1 Pe 2.3; *obter* Hb 6.4.

γεωργέω *cultivar* Hb 6.7.*

γεώργιον, οῦ, τό terra cultivada, campo fig. 1 Co 3.9.*

γεωργός, οῦ, ὁ *lavrador* 2 Tm 2.6; Tg 5.7. *Arrendatário, dono de vinha* Mt 21.33ss, 38, 40s; Jo 15.1.

γῆ, γῆς, ἡ *solo, terra, chão* Mt 5.18; 10.29; 13.5, 8, 23; Mc 8.6; Lc 6.49; 13.7; Jo 12.24; Cl 1.16; Hb 6.7; 2 Pe 3.13. *Terra (seca)* Mc 4.1; 6.47; Jo 6.21; At 27.39, 43s; *terra, região, país* Mt 2.6; Mc 15.33; At 7.3, 6, 36. A *terra* desabitada Lc 21.35; At 1.8; como o *local de povos, humanidade* Mt 5.13; Lc 18.8; Rm 9.28; Ap 14.3. [geo-, prefixo em numerosas palavras]

γήμας, γήμω part. 1 aor. at. e subj. 1 aor de γαμέω.

γῆρας, ως ou **ους,** dat. **γήρει** ou **γήρα, τό** *velhice* Lc 1.36.*

γηράσκω *envelhecer* Jo 21.18; Hb 8.13.*

γίνομαι passível de muitas traduções em diferentes contextos, das quais as seguintes são típicas:—**1.** *ser gerado* ou *produzido* Mt. 21.19; Jo 8.58; Rm 1.3; 1 Co 15.37; com ênfase sobre a fragilidade da vida humana Gl 4.4. *Erguer-se, ocorrer, acontecer, vir* Mt 8.26; Mc 4.37; Lc 4.42; 23.19, 44; Jo 6.17; At 6.1; 11.19; 27.27; 1 Tm 6.4; Ap 8.5, 7.—**2.** *ser feito* ou *criado* Mc 6.10; 11.20s; Lc 14.22; Jo 1.3; At 19.26; 1 Co 9.15: Hb 11.3; *ser estabelecido* Mc 2.27.—**3.** *acontecer, tomar lugar, dar-se* Mt 1.22; 18.31; Lc 1.38; 8.34;

Jo 10.22; At 7.40; 28.9. Várias expressões idiomáticas: γέγονε ἐμοί τι *alguma coisa me aconteceu* = *Eu tenho* ou *eu recebi alguma coisa* Mt 18.12; Mc 4.11; Lc 14.12; 1 Co 4.5. μὴ γένοιτο *de modo nenhum, jamais!* Lc 20.16; Rm 3.4, 6, 31; Gl 2.17. καὶ ἐγένετο e ἐγένετο δέ, com ou sem καί na seqüência, usualmente é considerado supérfluo e não se traduz, algumas versões antigas traduziam-na por *e aconteceu que* (e expressões semelhantes) Mt 7.28; 9.10; Lc 2.1, 6, 46; 8.1, 22.—**4.** *tornar-se, ser* Mt 5.45; 24.32; Mc 1.17; 6.14; Lc 6.16; Jo 1.12, 14; 1 Co 13.11; Gl 3.13; Cl 1.23; Hb 5.5. *Vir, ir* Mc. 1.11 Lc 1.44; At 13.32; 20.16; 21.35; Gl 3.14.—**5.** *ser* = εἰμί (de modo geral) Mt 10.16; Mc 4.19; Lc 6.36; 17.26, 28; Jo 15.8; At 22.17; Gl 4.4; 1 Ts 2.8; Hb 11.6. Com o dat. de uma pessoa, *pertencer* Rm 7.3s. *Aparecer* Mc 1.4; Jo 1.6.

γινώσκω—1. *saber, conhecer, vir a conhecer* Mt 13.11; Lc 12.47s; Jo 8.32; 14.7; At 1.7; 19.35; 1 Co 3.20; 13.9, 12; 2 Co 5.16; 1 Jo 4.2, 6; *estar impressionado (por alguma coisa)* Mt 25.24. O impv. γινώσκετε *estejam certos, vocês podem ter certeza* Mt 24.33, 43; Jo 15.18.—**2.** *aprender (de), descobrir* Mt 9.30; Mc 6.38; 15.45; Lc 24.18; Jo 4.1; At 17.20; 21.34.—**3.** *compreender, entender* Mc 4.13; Jo 8.43; 10.6; At 8.30; 21.37; 1 Co 2.8, 11, 14; *ter a lei na ponta da língua* Rm 7.1.—**4.** *perceber, notar, reparar, entender* Mc 5.29; 7.24; Lc 8.46; Jo 6.15; At 23.6.—**5.** *reconhecer, creditar* Mt 7.23; Jo 1.10; *escolher* 1 Co 8.3; Gl 4.9.—**6.** usado eufemisticamente para relações sexuais *conhecer* Mt 1.25; Lc 1.34.

γλεῦκος, ους, τό *mosto, vinho novo doce* At 2.13.* [glucose]

γλυκύς, εῖα, ύ *doce* Tg 3.11s; Ap 10.9s.*

γλῶσσα, ης, ἡ *língua*—**1.** lit. como o órgão da fala, do paladar Mc 7.33; 35; Lc 16.24; 1 Co 14.9; Tg 1.26; Ap 16.10.—**2.** *língua idioma* At 2.11; Fp 2.11; Ap 5.9. As expressões γλῶσσαι, γένη γλωσσῶν, ἐν γ. λαλεῖν, etc., referem-se à fala extática daqueles acometidos de forte emoção em um contexto cúltico. A última expressão é usualmente traduzida por *falar em línguas.* At 19.6; 1 Co 12.10; 13.1,

8; 14 passim. [*glosso-* prefixo de várias palavras.]

γλωσσόκομον, ου, τό *caixa* ou *bolsa de dinheiro* Jo 12.6; 13.29.*

γναφεύς, έως, ὁ *branqueador, pessoa que alveja (roupas)* Mc 9.3.*

γνήσιος, ία, ον *verdadeiro,* lit. 'legítimo' Fp 4.3; 1 Tm 1.2; Tt 1.4. τὸ γ. *genuinidade, sinceridade* 2 Co 8.8.*

γνησίως adv. *sinceramente, genuinamente* Fp 2.20.*

γνοῖ 2 aor. subj. at. de γινώσκω, forma helenística.

γνούς, γνόντος part. at. 2 aor. de γινώσκω.

γνόφος, ου, ὁ *trevas* Hb 12.18.*

γνῷ 2 aor. subj. at. de γινώσκω.

γνῶθι, γνῶναι impv. e inf. 2 aor. at. de γινώσκω

γνώμη, ης, ἡ—1. *propósito, intenção, mente* 1 Co 1.10; Ap 17.13; *decisão, resolução* At 20.3; Ap 17.17.—2. *opinião, julgamento* 1 Co 7.25, 40; 2 Co 8.10; At 4.18 v.l.—3. *conhecimento prévio, consentimento* Fm 14.* [Gnômico]

γνωρίζω *dar a conhecer, tornar conhecido, revelar* Lc 2.15; Jo 15.15; At 7.13 v.l.; Rm 9.22s; Ef 6.19, 21; Fp 4.6; *conhecer* Fp 1.22.

γνώριμος, ον *acostumado com, conhecido (a)* Jo 18.16 v.l.*

γνωσθήσομαι fut. ind. pass. de γινώσκω.

γνῶσις, εως, ἡ *conhecimento* Lc 1.77; 11.52; Rm 11.33; 1 Co 8.7, 7, 11; 12.8; 2 Co 6.6; 10.5; 2 Pe 1.5s; 3.18; *conhecimento pessoal de alguém* c. gen. Fp 3.8. *Conhecimento* herético de sectários 1 Tm 6.20. [*gnóstico*]

γνώσομαι fut. méd. (depoente) de γινώσκω.

γνώστης, ου, ὁ *conhecedor, perito, alguém acostumado (com algo ou alguém),* c. gen. At 26.3.*

γνωστός, ή, όν *conhecido* At 2.14; 4.10; 9.42; 19.17. Como substantivo, *conhecido, amigo, íntimo* Jo 18.15s; Lc 2.44. τό γ. *aquilo que pode ser conhecido* Rm 1.19.

γογγύζω *murmurar, criticar, reclamar* Mt 20.11; Lc 5.30; Jo 6.41, 43, 61; 1 Co 10.10; *falar secretamente, fofocar* Jo 7.32.*

γογγυσμός, οῦ, ὁ *murmuração, queixa, desagrado, desprazer* At 6.1; Fp 2.14; 1 Pe 4.9: *fala secreta, murmúrio* Jo 7.12.*

γογγυστής, οῦ, ὁ *murmurador, queixoso* Jd 16.*

γόης, ητος, ὁ *impostor, enganador* lit. 'feiticeiro' 2 Tm 3.13.*

Γολγοθᾶ, ἡ ac. Γολγοθᾶν *Gólgota,* aram., traduz-se por 'lugar da caveira' Mt 27.33; Mc 15.22; Jo 19.17.*

Γόμορρα, ων, τά e ας, ἡ *Gomorra* (Gn 19.24ss.) Mt 10.15; Mc 6.11 v.l.; Rm 9.29; 2 Pe 2.6; Jd 7.*

γόμος, ου, ὁ *carga, carregamento* At 21.3; Ap 18.11s.*

γονεύς, έως, ὁ ocorre somente no pl. no N.T. οἱ γονεῖς, έων *pais* (pai e mãe) Mc 13.12; Jo 9.2s; 2 Co 12.14. [Cf. *gônada.*]

γόνυ, γόνατος, τό *joelho* Lc 5.8; Ef 3.14; Hb 6.12. τιθέναι τὰ γ. *ajoelhar-se* Mc 15.19; Lc 22.41; At 9.40. [Cf. *genuflexão,* via latim.]

γονυπετέω *ajoelhar-se, cair de joelhos* Mt 17.14; 27.29; Mc 1.40; 10.17.*

γράμμα, ατος, τό—1. *letra* do alfabeto 2 Co 3.7; Gl 6.11. γράμματα οἴδεν *ele conhece as Escrituras* Jo 7.15. τὰ γράμματα *conhecimento elevado, 'as muitas letras'* At 26.24.—2. *documento, peça de escrita* na forma de uma *carta, epístola* At 28.21; uma *nota promissória* Lc 16.6s. *Livro* Jo 5.47. ἱερὰ γ. *as Escrituras Sagradas* do A.T. 2 Tm 3.15. Letra a forma correta da Lei mosaica Rm 2.27, 29; 7.6; 2 Co 3.6.* [*gramática*]

γραμματεύς, έως, ὁ—1.*secretário, escrivão* um alto oficial em Éfeso At 19.35.—2. *um perito na Lei, um erudito versado na Lei, escriba* judeu Mt 2.4; 23.2, 13ss; Mc 2.16; Lc 9.22; At 6.12; 1 Co 1.20. Usado também para os peritos cristãos correspondentes Mt 13.52; 23.34.

γραπτός, ή, όν *escrito* Rm 2.15.*

γραφή, ῆς, ἡ *escrito, escritura.* No N.T. sempre se refere à *Escritura Sagrada* i.é. o A.T. Mt 21.42; Mc 14.49; Lc 24.27; Jo 20.9; At 8.32; 1 Co 15.3s; Gl 3.8, mas incluindo as cartas de Paulo 2 Pe 3.16. *Pas-*

sagens individuais *das Escrituras* Lc 4.21; At 8.35; Tg 2.8. *[grafia]*

γράφω *escrever* Mt 4.4, 6s, 10; Jo 19.22; At 1.20; Rm 15.15; 1 Co 7.1; 3 Jo 13. *Escriturar, registrar*, Jo 20.30; Ap 1.11, 19. *Compor, escrever* Mc 10.4; Jo 21.25b; 2 Pe 3.1. *Cobrir com escritos* Ap 5.1. *escrever acerca de* Jo 1.45. *[grafite]*

γραώδης, ες *característica de mulheres idosas* γ. μῦθοι *conversas de velhas* 1 Tm 4.7.*

γρηγορέω *estar ou manter-se desperto, vigilante* Mt 24.43; Mc 13.34; 14.37; Lc 12.37. Fig. *estar alerta, vigilante* Mt 26.41; Mc 14.38; At 20.31; 1 Co 16.13; Ap 16.15; *estar vivo* 1 Ts 5.10. *[Gregório]*

γυμνάζω *exercitar-se, treinar* fig. 1 Tm 4.7; Hb 5.14; 12.11; 2 Pe 2.14.*

γυμνασία, ας, ἡ *treinamento* 1 Tm 4.8.*

γυμνητεύω v.l. de γυμνιτεύω.

γυμνιτεύω *vestir-se pobremente, estar vestido em andrajos* 1 Co 4.11.*

γυμνός, ή, όν—1.*nu, despido, descoberto* Mc 14.52; At 19.16; Ap 16.15. τὸ γ. ο *corpo despido, nu* Mc 14.51.—2.*sem roupa* Jo 21.7.—3.*pobremente vestido* Mt 25.36; Tg 2.15.—4.*descoberto, simples* 1 Co 15.37; 2 Co 5.3; Hb 4.13.

γυμνότης, ητος, ἡ *nudez* Ap 3.18.*nudez, carência de roupa* Rm 8.35; 2 Co 11.27.*

γυναικάριον, ου, τό *fraca, mulher vulnerável* lit. 'mulher pequena' 2 Tm 3.6.*

γυναικεῖος, α, ον *feminino* σκεῦος γ. *esposa* 1 Pe 3.7.* *[ginecologia]*

γυνή, αικός, ἡ *mulher*—1.referindo-se a qualquer mulher adulta Mt 9.20; Lc 1.42; At 5.14; 1 Co 11 passim; 14.34s. O voc. γύναι Mt 15.28; Lc 22.57; Jo 2.4 não é desrespeitoso, era a maneira usual de expressar-se na Palestina dos tempos de Jesus. Talvez fosse melhor não traduzir, a não ser que seja achada uma expressão culturalmente equivalente, talvez *senhora, senhorita.—*2.*esposa* Mt 5.28, 31s; Lc 1.5, 13, 18, 24; 1 Co 7.2ss; Cl 3.18s.

Γώγ, ὁ indecl. *Gogue* Ap 20.8 (Ez 38 e 39).*

γωνία, ας, ἡ *esquina, angular* Mt 6.5; Ap 7.1.κεφαλὴ γωνίας *pedra de esquina, pedra angular* Mc 12.10; At 4.11; 1 Pe 2.7.

Δ

Δαβίδ ver Δαυίδ.

δαιμονίζομαι *estar endemoninhado, possesso* κακῶς δαιμονίζεται *é cruelmente atormentado por um demônio* Mt 15.22. O part. ὁ δαιμονιζόμενος *o endemoninhado* Mt 9.32; Mc 1.32; Jo 10.21.

δαιμόνιον, ου, τό—1.*uma deidade, divindade* At 17.18.—2.*demônio, espírito maligno* Mt 11.18; Mc 1.34, 39; Lc 9.49; Jo 7.20; 1 Co 10.20s; 1 Tm 4.1; Tg 2.19; Ap 16.14; 18.2.

δαιμονιώδης, ες *demoníaco, diabólico* Tg 3.15.*

δαίμων, ονος, ὁ *demônio, espírito maligno* Mt 8.31; Mc 5.12 v.l.; Ap 18.2 v.l.

δάκνω *morder* fig. Gl 5.15.*

δάκρυον, ου, τό *lágrima* Lc 7.38, 44; At 20.19; 2 Co 2.4; 2 Tm 1.4; Hb 5.7; Ap 21.4. [Cf.*lacrimal.*]

δακρύω *chorar* Jo 11.35.*

δακτύλιος, ου, ὁ *anel* Lc 15.22.*

δάκτυλος, ου, ὁ *dedo* Mt 23.4; Mc 7.33; Lc 11.20; 16.24; Jo 20.25. *[dáctilo,* datilografia]

Δαλμανουθά, ἡ indecl. *Dalmanuta* um lugar de posição incerta, perto do Mar da Galiléia Mc 8.10.*

Δαλματία, ας, ἡ *Dalmácia*, uma província romana no Adriático, ao sul da Itália 2 Tm 4.10.*

δαμάζω *subjugar* lit. Mc 5.4; *domar, controlar* Tg 3.7, 8.*

δάμαλις, εως, ἡ *bezerra, novilha* Hb 9.13.*

Δάμαρις, ιδος, ἡ *Damaris* At 17.34.*

Δαμασκηνός, ή, όν *proveniente de Damasco, damasceno* οἱ Δ. *os damascenos* 2 Co 11.32.*

Δαμασκός, οῦ, ἡ *Damasco*, capital da Síria At 9.2s; 22.5s; 2 Co 11.32; Gl 1.17.

Δάν, ὁ indecl. *Dã* Ap 7.5 v.l. (Gn 30.6).*

δαν(ε)ίζω at. *emprestar (dinheiro)* Lc 6.34s. Méd. *tomar emprestado (dinheiro)* Mt 5.42.*

δάν(ε)ιον, ου, τό *empréstimo* Mt 18.27.*

δαν(ε)ιστής, οῦ, ὁ *prestamista, alguém que empresta dinheiro* Lc 7.41.*

Δανιήλ, ὁ indecl. *Daniel* Mt 24.15; Mc 13.14 v.l. (Dn 1.6s).*

δαπανάω *gastar livremente* Mc 5.26; At 21.24; 2 Co 12.15; *desperdiçar* Lc 15.14; Tg 4.3.*

δαπάνη, ης, ἡ *custo, gastos* Lc 14.28.*

δαρήσομαι 2 fut. pass. de δέρω.

Δαυίδ, ὁ indecl. *Davi* Mt 1.6; 9.27; Lc 20.42, 44; At 2.29; Rm 1.3; Ap 3.7.

δέ *conjunção adversativa, pospositiva; também é usada aditivamente e* Mt 1.2ss; *mas* Mt 6.1; 1 Co 2.15. Indicando apenas transição, *ora, então* Mc 5.11; Lc 3.21; 1 Co 16.12; *isto é* Rm 3.22; 1 Co 10.11; Fp 2.8. Após um adv. de negação, *pelo contrário, mas* Lc 10.20; At 12.9, 14; Ef 4.15; Hb 4.13, 15. δὲ καὶ *e também, mas também* Mt 18.17; Mc 14.31; Jo 2.2; At 22.28; 1 Co 15.15. καὶ ... δέ *e também, mas também, pois também* Mt 16.18; Jo 6.51; At 22.29; 2 Tm 3.12. Para μέν ... δέ veja μέν. δέ pode, freqüentemente, ser omitida na tradução.

δέδεκται perf. ind. méd. de δέχομαι.

δέδεμαι, δεδεκώς perf. ind. pass. e part.

perf. at. de δέω.

δέδομαι, δεδώκει perf. ind. pass. e mais que perfeito ind. at. de δίδωμι, sem aumento.

δέῃ 3 pes. sing. pres. subj. at. de δεῖ.

δεηθείς, δεήθητι part. pass. 1 aor. e impv. de δέομαι.

δέησις, εως, ἡ *petição, súplica, oração* Lc 1.13; Rm 10.1; Ef 6.18; 1 Tm 2.1; 1 Pe 3.12.

δεθῆναι inf. pass. 1 aor. de δέω.

δεῖ verbo impessoal *é necessário, deve-se, tem-se que* Mt 17.10; Mc 14.31; Lc 2.49; At 9.6; 1 Co 11.19; *deveria, devia* Mt 18.33; Lc 18.1; At 5.29; 2 Tm 2.6, 24. **δέον** part. neutro *o que alguém deve(ria) fazer* = δεῖ At 19.36; εἰ δέον *ainda que necessário* 1 Pe 1.6. Ο imperf. ἔδει *tinha de* Lc 15.32; Jo 4.4; *deveria, teria de* Mt 18.33; At 27.21; 2 Co 2.3.[Cf. *deontologia*, a ética baseada no dever.]

δεῖγμα, ατος, τό *exemplo* Jd 7.*

δειγματίζω *expor, desgraçar, infamar* Mt 1.19; Cl 2.15.

δείκνυμι, δεικνύω *mostrar, apontar, indicar, tornar conhecido* Mt 8.4; Lc 22.12; Jo 14.8s; 1 Co 12.31; Hb 8.5; Ap 1.1. *Explicar, explanar, provar* Mt 16.21; At 10.28; Tg 2.18.

δειλία, ας, ἡ *covardia, timidez* 2 Tm 1.7.*

δειλιάω *ser covarde, tímido* Jo 14.27.*

δειλινός, ή, όν *à tarde* τὸ δειλινόν *lá pela tardinha, chegando a tarde* At 3.1 v.l.*

δειλός, ή, όν *tímido, covarde* Mt 8.26; Mc 4.40; Ap 21.8.*

δεῖνα, ὁ, ἡ, τό *um certo homem, alguém, fulano*, diz-se de alguém que não se pode ou não se quer mencionar o nome Mt 26.18.*

δεινός, ή, όν *terrível, temível*, usado como subst. *aflição* no fim de Mc, no manuscrito Freer 8.*

δεινῶς adv. *terrivelmente* Mt 8.6. δ. ἐνέχειν *agir de maneira muito hostil* Lc 11.53.*

δεῖξον, δείξω impv. 1 aor. at. e fut. ind. at. de δείκνυμι.

δειπνέω *comer, jantar* Mt 20.28 v.l.; Lc 17.8; 22.20; 1 Co 11.25; Ap 3.20.*

δειπνοκλήτωρ, ορος, ὁ convidado de um banquete Mt 20.28 v.l.*

δεῖπνον, ου, τό jantar, ceia, a refeição principal do dia, feita no fim da tarde Lc 14.12; Jo 21.20; 1 Co 11.20s; (formal) jantar, banquete Mt 23.6; Lc 14.17, 24; Jo 12.2; 13.2; Ap 19.9, 17.

δεῖπνος, ου, ὁ v.l. de δεῖπνον Lc 14.16; Ap 19.9, 17.*

δείρας part. 1 aor. at. de δέρω.

δεισιδαιμονία, ας, ἡ religião At 25.19.*

δεισιδαίμων, ον, gen, ονος religioso, no grau comparativo δεισιδαιμονεστέρους ὑμᾶς θεωρῶ Eu vejo que vocês são um povo muito religioso At 17.22.*

δειχθείς part. 1 aor. pass. de δείκνυμι.

δέκα indecl. dez Mt 20.24; Mc 10.41; Lc 17.12; Ap 12.3. [deca-, um prefixo em numerosas palavras.]

δεκαδύο indecl. doze At 19.7 v.l.; 24.11 v.l.

δεκαέξ indecl. dezesseis Ap 13.18 v.l.*

δεκαοκτώ indecl. dezoito Lc 13.4, 11.

δεκαπέντε indecl. quinze Jo 11.18; At 27.5 v.l., 28; Gl 1.18 (ἡμ. δεκ. significa duas semanas).*

Δεκάπολις, εως, ἡ Decápolis, uma liga que consistia originalmente de dez cidades gregas, quase todas ao sudeste do Mar da Galiléia Mt 4.25; Mc 5.20; 7.31.*

δεκατέσσαρες, ων quatorze Mt 1.17; 2 Co 12.2: Gl 2.1.*

δέκατος, η, ον décimo Jo 1.39; Ap 11.13; 21.20; dízimo Hb 7.2, 4, 8s;*

δεκατόω coletar ou receber dízimos com ac. Hb 7.6; pass. pagar dízimos 7.9.*

δεκτός, ή, όν aceitável Fp 4.18; bem-vindo Lc 4.24; At 10.35; favorável Lc 4.19; 2 Co 6.2.*

δελεάζω seduzir, induzir, atrapalhar, fazer cair Tg 1.14; 2 Pe 2.14, 18.*

δένδρον, ου, τό árvore Mt 7.17ss; Mc 8.24; Lc 13.19; Ap 7.1, 3. [dendrologia]

δεξιοβόλος uma palavra de significado incerto, achada somente como v.l. de δεξιολάβος em At 23.23.*

δεξιολάβος, ου, ὁ uma palavra extremamente rara, de significado incerto; soldado, vigia, vaqueiro estão entre os signi ficados possíveis At 23.23.*

δεξιός, ά όν direita Mt 5.30; At 3.7; Ap 10.2. τὰ δ. o lado direito Mc 16.5. ἡ δ. a mão direita Mt 6.3; Ap 1.17, 20; δ. διδόναι dar a mão direita, como sinal de mútua confiança Gl. 2.9. ἐκ δ. do lado direito Mt 20.21, 23. ὅπλα δ. armas para ataque (e.g. espadas) 2 Co 6.7. [dextro]

δέομαι pedir, orar, suplicar Mt 9.38; Lc 8.38; At 8.24; 10.2; 2 Co 8.4; 10.2. δέομαι σου rogo-te, como em Gl 4.12, pode algumas vezes = por favor Lc 8.28; At 21.39.

δέον ver δεῖ.

δέος, ους, τό temor, reverência Hb 12.28.*

Δεβραῖος, α, ον de Derbe At 20.4.*

Δέρβη, ης, ἡ Derbe, uma cidade na Licaônia, na província romana da Galácia At 14.6, 20; 16.1.*

δέρμα, ατος, τό pele Hb 11.37.* [dermatologia]

δερμάτινος, η, ον (feito de) couro Mt 3.4; Mc 1.6.*

δέρρις, εως, ἡ pele Mc 1.6 v.l.*

δέρω bater, golpear Mc 12.3, 5; Lc 22.63; Jo 18.23; At 22.19; 1 Co 9.26; 2 Co 11.20. δαρήσεται πολλάς receberá muitos açoites Lc 12.47 cf. vs. 48.

δεσμεύω amarrar, prender Mt 23.4; Lc 8.29; At 22.4.*

δεσμέω v.l. de δεσμεύω, com o mesmo significado Lc 8.29.*

δέσμη, ης, ἡ fardo, molho Mt 13.30.*

δέσμιος, ου, ὁ prisioneiro Mc 15.6; At 16.25, 27; Fm 1, 9; Ef 4.1.

δεσμός, οῦ, ὁ vínculo, cadeia, algemas, de um defeito físico Mc 7.35; Lc 13.16. Lit. pl. Lc 8.9; At 26.29, 31; Hb 11.36. Prisão, detenção Fp 1.7, 13s; 2 Tm 2.9; Fm 10, 13.

δεσμοφύλαξ, ακος, ὁ carcereiro, guarda da prisão At 16.23, 27, 36.*

δεσμωτήριον, ου, τό prisão, cadeia, cela Mt 11.2; At 5.21. 23; 16.26.*

δεσμώτης, ου, ὁ prisioneiro At 27.1, 42.*

δεσπότης, ου, ὁ vocativo δέσποτα senhor, mestre, dono 1 Tm 6.1s; 2 Tm 2.21; 1 Pe 2.18. Deus Lc 2.29; Ap 6.10; Cristo Jd 4. [déspota]

δεῦρο adv. de lugar *aqui, para cá* Mc 10.21; Jo 11.43; At 7.3, 34; Ap 17.1. De tempo até agora ἄχρι τοῦ, δ. *até agora* Rm 1.13.

δεῦτε adv. (serve como pl. de δεῦρο) *Venha! Venha cá!* Mt 11.28; 25.34; 28.6; Mc 1.17; 6.31; Jo 21.12.

δευτεραῖος, ία, ον *no segundo dia* At 28.13.*

δευτερόπρωτος, ον uma palavra de sentido dúbio (literalmente 'segundo-primeiro') e genuinidade, achada somente como v.l. em Lc 6.1.*

δεύτερος, α, ον *segundo* Mt 22.26; Lc 12.38; 19.18; Jo 4.54; At 12.10; 1 Co 15.47; 2 Co 1.15; Hb 8.7; Ap 2.11. Neutro como adv. *(pela) segunda vez* Mt 26.42; Jo 3.4; 21.16; 2 Co 13.2; Jd 5; *em segundo* 1 Co 12.28. [*deutero-*, prefixo de várias palavras.]

δέχομαι *tomar, receber, pegar* Mt 18.5; Lc 16.4, 6s; 22.17; At 7.59; 22.5; 2 Co 7.15; 11.4; Fp 4.18. *Recepcionar* Mc 6.11; Jo 4.45; Cl 4.10. *Aceitar, aprovar* Mt 11.14; Mc 10.15; Lc 8.13; 2 Co 6.1; 8.17. *Tolerar, agüentar* 2 Co 11.16.

δέω *prender, atar* lit. Mt 13.30; Jo 19. 40; *arresto e prisão* Mc 6.17; At 9.2, 14, 21; 21.11; Cl 4.3. Fig. Lc 13.16; At 20.22; Rm 7.2; 1 Co 7.27. *Perdoar, ligar* Mt 16.19; 18.18. [Cf. *diadema*, διά + δέω.]

δή partícula enfática, pospositiva, *de fato* Mt 13.23; *ora, então, portanto* Lc 2.15; At 6.3 v.l.; 13.2; 15.36; 1 Co 6.20.*

δηλαυγῶς *muito claramente* Mt 8.25 v.l.*

δῆλος, η, ον *claro, evidente, simples* ἡ λαλιά σου δῆλόν σε ποιεῖ *a tua fala te denuncia* Mt 26.73. Com ἐστίν subentendido 1 Co 15.27; Gl 3.11; 1 Tm 6.7 v.l.*

δηλόω *tornar claro, mostrar, revelar* 1 Co 3.13; Hb 9.8; 2 Pe 1.14; *dar informações* 1 Co 1.11; *indicar* Hb 12.27.

Δημᾶς, ᾶ, ὁ *Demas* Cl 4.14; 2 Tm 4.10; Fm 24.*

δημηγορέω *discursar publicamente* At 12.21.*

Δημήτριος, ου, ὁ *Demétrio*—1. um cristão 3 Jo 12.—2. um ourives em Éfeso At 19.24, 38.*

δημιουργός, οῦ ὁ *artesão, construtor, Criador* Hb 11.10.* [*demiurgo*]

δῆμος, ου, ὁ *povo, população, turba, multidão* At 12.22; 17.5; talvez *assembléia popular* 19.30, 33.* [*demo-*, prefixo de várias palavras]

δημόσιος, ία, ιον *público* At 5.18. δημοσίᾳ *publicamente* At 16.37; 18. 28; 20.20.*

δηνάριον, ου, τό (latim) *denário* uma moeda de prata romana, era o salário normal de um dia de trabalho Mt 20.2, 9s, 13; Mc 6.37; Lc 10.35; Jo 12.5; Ap 6.6.

δήποτε adv. com o relativo οἵῳ *qualquer que seja, de qualquer modo* Tg 5.4 v.l.*

δηποτοῦν ver οἷος.

δήπου 1 aor. subj. at. de δέω.

Δία, Διός ac. e gen. de Ζεύς.

διά prep. com gen. e ac. *através*—A. com gen.—I. de lugar *através, por* Mt 12.43; Lc 5.19; 6.1; Jo 10.1s; At 9.25; 20.3; Rm 15.28; 1 Co 3.15; *por toda parte* 2 Co 8.18; *fora de* Mt 4.4.—II. de tempo—1. para denotar duração *através, durante, por* Lc 5.5; At 23.31; Hb 2.15. διὰ παντός, *sempre, continuumente, constantemente* Mc 5.5; At 10.2; 2 Ts 3.16; Hb 9.6. *Durante* At 5.19.—2. para denotar um intervalo *depois* Mc 2.1; At 24.17; Gl 2.1.—III. de meio, instrumento, agência, *por meio de, através, por, por intermédio de, com*—1. meio, instrumento, modo At 1.16; 15.27; 20.28; 1 Co 16.3; 1 Pe 1.7; 2 Jo 12; *em* Lc 8.4.—2. de circunstâncias *com* Rm 2.27; 8.25; 14.20; 2 Co 2.4; *em um estado de* Rm 4.11.—3. de causa *por causa de, por meio de, através* Rm 3.20; 7.5; 1 Co 1.21; 4.15; Gl 2.16; 5.6.—4. de pessoas *através (a agência de), por* Mt 2.15; At 11.28; Rm 1.5; 1 Co 1.9; Gl 1.1; 3.19; Hb 2.2; *na presença de* 2 Tm 2.2; *representado por* Rm 2.16.—B. com ac.—I. de lugar *através* Lc 17.11.—II. para indicar razão *por causa de, por amor a* Mt 10.22; Mc 2.27; Lc 23.25; At 21.34. *por* Mt 27.18; Jo 7.13; Fp 1.15. διὰ τί *por quê?* Mc 2.18; Lc 5.30; Jo 7.45; 1 Co 6.7. [*dia-*, um prefixo em numerosas palavras.]

διαβαίνω *ir através de, cruzar, atravessar* Lc 16.26; At 16.9; Hb 11.9.* [Cf. *diábase, diabete*]

διαβάλλω *acusar* Lc 16.1.*

διαβάς part. at. 2 aor. de διαβαίνω.

διαβεβαιόομαι *falar confiantemente, assegurar, insistir* 1 Tm 1.7; Tt 3.8.*

διαβλέπω *olhar intencionalmente, abrir os olhos* Mc 8.25: *ver claramente* Mt 7.5; Lc 6.42.*

διάβολος, ον *caluniador, difamador* 1 Tm 3.11; 2 Tm 3.3; Tt 2.3. *Como um subst.* ὁ δ. *o caluniador, especificamente o Diabo* Mt 4.1, 5, 8, 11; Jo 13.2; At 13.10; Ef 4.27; 1 Tm 3.7; 1 Pe 5.8 *[diabólico.]*

διαγγέλλω *proclamar, pregar, anunciar* Lc 9.60; Rm 9.17; Mc 5.19 v.l. *Dar notícias* At 21.26.*

διαγγελῶ 2 aor. subj. pass. de διαγγέλλω.

διαγίνομαι *passar (de tempo)* Mc 16.1; At 25.13; 27.9.*

διαγινώσκω *decidir, determinar* At 24.22. ἀκριβέστερον δ. *determinar após investigação criteriosa* 23.15.*

διαγνωρίζω *dar um relatório exato* Lc 2.17 v.l.*

διάγνωσις, εως, ἡ *decisão legal*, termo técnico At 25.21. *[diagnóstico]*

διαγογγύζω *criticar, murmurar* Lc 15.2; 19.7.*

διαγρηγορέω *despertar totalmente*, talvez *permanecer acordado* Lc 9.32.*

διάγω *viver, gastar (a vida)* 1 Tm 2.2; Tt 3.3; Lc 7.25 v.l.*

διαδέχομαι *receber em troca, como herança* At 7.45.*

διάδημα, ατος, τό *diadema, coroa* comumente usada por governantes Ap 12.3; 13.1; 19.12.*

διαδίδωμι *distribuir, dar* Lc 11.22; 18.22; Jo 6.11; At 4.35; Ap 17.13 v.l.*

διάδος imperativo 2 aor. at. de διαδίδωμι.

διάδοχος, ου, ὁ *sucessor* At 24.27.*

διαζώννυμι *atar-se* δ. ἑαυτόν *atar (um cinto) ao redor de si mesmo* Jo 13.4, cf. 5; *colocar* 21.7.*

διαθήκη, ης, ἡ—1. *última vontade e testamento* Gl 3.15; Hb 9.16s; Gl 3.17 aproxima-se do sentido 2.—**2.** em um sentido transferido, com ênfase no caráter vinculador, *aliança*, somente no sentido de uma *declaração da vontade (de Deus)* ou *decreto*, no qual o próprio Deus estabelece as condições, não é um acor do entre iguais. *Aliança, pacto, contrato* Lc 22.20; 1 Co 11.25; 2 Co 3.6, 14; Gl 4.24; Hb 8.8; 9.4, 15; *declaração de vontade* Lc 1.72; At 3.25; Rm 11.27; *ordenança* At 7.8; *decreto, certificado* Rm 9.4; Ef 2.12.

διαθήσομαι fut. ind. méd. de διατίθημι.

διαίρεσις, εως, ἡ *variedade, diversidade, diferença, porção* 1 Co 12.4, 5, 6.*

διαιρέω *dividir, distribuir, alocar* Lc 15.12; 1 Co 12.11.*

διακαθαίρω *limpar (o trigo)* διακαθᾶραι 1 aor. inf. at. Lc 3.17.*

διακαθαρίζω *limpar* somente no fut. ind. at. διακαθαριεῖ Mt 3.12; Lc 3.17 v.l.*

διακατελέγχομαι *refutar (totalmente)* com dat. At 18.28.*

διακελεύω *ordenar* com dat. Jo 8.5. v.l.*

διακονέω com dat. de pessoa.—**1.** *servir à mesa* Lc 12.37; 22.26s; Jo 12.2.—**2.** *servir*, geralmente, lit. e fig. Mt 4.11; Mc 10.45; At 19.22; 2 Tm 1.18; 1 Pe 1.12; *auxiliar* Mt 27.55. *Cuidar* At 6.2; 2 Co 3.3. *Ajudar, apoiar* Mt 25.44; Lc 8.3; Hb 6.10.—**3.** *servir como diácono* 1 Tm 3.10, 13.

διακονία, ας, ἡ *serviço* At 6.4; 2 Co 11.8; Ef 4.12; Hb 1.14; Ap 2.19; especificamente doméstico Lc 10.40. *Serviço, ofício, ministério* At 1.17; 20.24; Rm 12.7; 1 Co 12.5; 2 Co 5.18. *Auxílio, apoio, distribuição* At 6.1; 11.29; δ. τῆς λειτουργίας *contribuição generosa* 2 Co 9.12.

διάκονος, ου, ὁ, ἡ—1. *servo* Mt 20.26; 22.13; Mc 9.35; especificamente *garçom* Jo 2.5, 9. *Agente* Rm 13.4; Gl 2.17.—**2.** *auxiliar* pessoa que presta serviço como cristão.—**a**. a serviço de Deus, Cristo ou a outro cristão 2 Co 6.4; 11.23; Ef 6.21; Cl 1.23, 25; 1 Tm 4.6.—**b**. em caráter oficial ou semi-oficial Rm 16.1; Fp 1.1; 1 Tm 3.8, 12. O termo técnico posterior 'diácono(isa)' deriva desse uso *[diaconato]*

διακόσιοι, αι, α *duzentos* Mc 6.37; Jo 6.7; 21.8; At 23.23s.*

διακούω como termo técnico legal com gen. *ouvir* At 23.35.*

διακρίνω—1. at.—**a**. *fazer distinção, dife-*

renciar At 11.12; 15.9; *singularizar, conceder superioridade* 1 Co 4.7.—b. *julgar* 14.29; *julgar corretamente* Mt 16.3; *reconhecer* 1 Co 11.29; *decidir* 6.5.—2. méd e aor. pass.—a. *disputar, contender* At 11.2; Jd 9.—b. *duvidar, vacilar* Mt 21.21; Rm 4.20; Tg 1.6; Jd 22; *hesitar* At 10.20.

διάκρισις, εως, ἡ—1. *distinção, diferenciação* 1 Co 12.10; Hb 5.14.—2. *discussão* Rm 14.1; At 4.32 v.l.*

διακωλύω *impedir* imperf. *ele tentava impedir* Mt 3.14.*

διαλαλέω *discutir* Lc 1.65; 6.11.*

διαλέγομαι—1. *discutir, conduzir uma discussão* Mc 9.34; At 19.8s; 20.7; 24.12.—2. *falar, pregar* 18.4; Hb 12.5.

διαλείπω *parar, cessar* Lc 7.45.*

διάλεκτος, ου, ἡ *idioma* At 2.6, 8; 21.40; 26.14. *[dialeto]*

διαλιμπάνω forma de διαλείπω *parar, cessar* At 8.24 v.l. e 17.13 v.l.*

διαλλάγηθι imperativo 2 aor. pass. de διαλλάσσομαι.

διαλάσσομαι *tornar-se reconciliado* Mt 5.24.*

διαλογίζομαι *considerar, ponderar, raciocinar, discutir, arguir* Mt 16.7s; Mc 2.6, 8; 8.16s; 11.31; Lc 1.29; 20.14.

διαλογισμός, οῦ, ὁ—1. *pensamento, opinião, raciocínio* Mc 7.21; Lc 2.35; 6.8; Rm 1.21; 14.1. κριταὶ δ. πονηρῶν talvez *juízes que tomam decisões corruptamente* Tg 2.4.—2. *duvidar, disputar, argumentar* Lc 9.46; 24.38; Fp 2.14. *[diálogo, dialogismo.]*

διαλύω *dispersar, espalhar* At 5.36; 27.41 v.l.* [diálise]

διαμαρτύρομαι—1. *acusar, advertir* com dat. de pessoa Lc 16.28; 1 Tm 5.21; 2 Tm 2.14; 4.1.—2. *testificar (de), testemunhar (a)* solenemente At 8.25; 20.21, 24; 28.23; 1 Ts 4.6; Hb 2.6.

διαμάχομαι *contender duramente* At 23.9.*

διαμένω *permanecer (continuamente)* Lc 1.22; Gl 2.5; 2 Pe 3.4; *continuar* Hb 1.11. δ. μετά *permanecido durante* Lc 22.28.*

διαμερίζω *dividir, distribuir* Mc 15.24; Lc 11.17s; 22.17; At 2.3, 45.

διαμερισμός, οῦ, ὁ *dissensão, desunião* Lc 12.51.*

διαμένω somente no pass. *ser espalhado, de um relatório*; lit. 'ser distribuído' At 4.17.*

διανεύω *acenar, falar por acenos* Lc 1.22.*

διανόημα, ατος, τό *pensamento* Lc 11.17; 3.16 v.l.*

διάνοια, ας, ἡ *mente, entendimento, inteligência* Mc 12.30; Ef 4.18; Hb 8.10; 'insight' 1 Jo 5.20; *disposição, pensamento* Lc 1.51; 2 Pe 3.1; *atitude* Cl 1.21; *sentido, impulso* Ef 2.3. *[dianoético]*

διανοίγω *abrir* Mc 7.34; Lc 2.23; 24.31, 45; At 7.56; 16.14. *Explicar, interpretar* Lc 24.32; At 17.3.*

διανυκτερεύω *gastar toda a noite* Lc 6.12.*

διανύω *completar,* talvez *continuar* At 21.7.*

διαπαντός = διὰ παντός; ver διά. *[diapasão]*

διαπαρατριβή, ῆς, ἡ *irritação mútua ou constante* 1 Tm 6.5.*

διαπεράω *cruzar, atravessar* Mt 9.1; 14.34; Mc 5.21; 6.53; Lc 16.26; At 21.2.*

διαπλέω *navegar* At 27.5.*

διαπονέομαι *estar (muito) preocupado, ressentido* At 4.2; 16.18; Mc 14.4 v.l.*

διαπορεύομαι *ir, caminhar, passar através de* Mc 2.23 v.l.; Lc 6.1; 13.22; At 16.4; Rm 15.24; *passar por* Lc 18.36.*

διαπορέω *estar muito perplexo, perguntar-se* Lc 9.7; At 2.12; 5.24; 10.17; Lc 24.4 v.l.*

διαπραγματεύομαι *lucrar, ganhar* Lc 19.15.*

διαπρίω lit. 'perceber'; fig. pass. *ser enfurecido* At 5.33; 7.54.*

διαρθρόω *tornar capaz de emitir sons* Lc 1.64 v.l.*

διαρπάζω *saquear, roubar, pisar* Mt 12.29; Mc 3.27.*

δια(ρ)ρήγνυμι e διαρήσσω *rasgar, romper* Mt 26.65; Mc 14.63; Lc 5.6; At 14.14; *quebrar* Lc 8.29.*

διασαφέω *explicar* Mt 13.36; *relatar, contar em detalhes* 18.31, At 10.25 v.l.*

διασείω—δίγαμος 55

διασείω *extrair dinheiro pela força*, lit. 'sacudir violentamente' Lc 3.14.*

διασκορπίζω *espalhar, dispersar* Mc 14.27; Jo 11.52; At 5.37; *desperdiçar* Lc 15.13.

διασπαρείς part. 2 aor. pass. de διασπείρω.

διασπάω *cortar* Mc 5.4; At 23.10.*

διασπείρω *espalhar, dispersar* At 8.1, 4; 11.19.*

διασπορά, ᾶς, ἡ *dispersão, diáspora* dos judeus Jo 7.35; de cristãos Tg 1.1; 1 Pe 1.1.*

διαστάς part. 2 aor. at. de διΐστημι.

διαστέλλω méd. *ordenar, comandar* Mc 5.43; 7.36; At 15.24; pass. τὸ διαστελλόμενον *o mandamento* Hb 12.20.

διάστημα, ατος, τό *intervalo* At 5.7.*

διαστήσας part. at. 1 aor. de διΐστημι.

διαστολή, ῆς, ἡ *diferença, distinção* Rm 3.22; 10.12; 1 Co 14.7.* [*diástole*, relativo ao coração]

διαστρέφω *entortar* fig. At 13.10. διεστραμμένος *pervertido, depravado* Mt 17.17; Lc 9.41; At 20.30; Fp 2.15. *Enganar* Lc 23.2; *separar, desviar* At 13.8.*

διασῴζω *trazer em segurança* At 23.24; 27.44; 1 Pe 3.20; *salvar, resgatar* At 27.43; 28.1, 4; *curar* Mt 14.36; Lc 7.3.*

διαταγείς part. pass. 2 aor. de διατάσσω.

διαταγή, ῆς, ἡ *ordenança, direcionamento* Rm 13.2. εἰς (= ἐν) διαταγὰς ἀγγέλων *pelas direções de anjos*, i.e. Deus orientou anjos para transmitirem a Lei At 7.53.*

διάταγμα, ατος, τό *edito, comando* Hb 11.23.*

διαταράσσω *confundir, tornar perplexo* Lc 1.29.

διατάσσω *ordenar, dirigir, comandar* no at. e méd. Mt 11.1; Lc 3.13; At 18.2; 24.23; 1 Co 7.19; 9.14; 11.34; *determinar* At 20.13. διαταγεὶς δἰ ἀγγέλων *ordenado por meio de anjos* Gl 3.19.

διαταχθείς part. 1 aor. pass. de διατάσσω.

διατελέω *continuar, permanecer* At 27.33.*

διατέταγμαι, διατεταχέναι perf. ind. pass. e inf. perf. at. de διατάσσω.

διατηρέω *guardar, preservar* At 15.29; *entesourar* Lc 2.51.*

διατί = διὰ τί; ver διά.

διατίθημι somente méd. διατίθεμαι *decretar, ordenar* At 3.25; Hb 10.16; διαθήκην δ. *fazer um decreto* 8.10. *Assignar, conferir* Lc 22.29. *Fazer um testamento* ὁ διαθέμενος *o testador* Hb 9.16s.*

διατρίβω *gastar* tempo, etc, At 14.3, 28; 16.12; 20.6; 25.6, 14. *Ficar, permanecer* Jo 3.22; At 12.19; 15.35.* [*diatribe*]

διατροφή, ῆς, ἡ pl. *alimento, sustento* 1 Tm 6.8.*

διαυγάζω *brilhar através* 2 Co 4.4 v.l. *Alvorecer, irromper* 2 Pe 1.19.*

διαυγής, ές *transparente* Ap 21.21.*

διαφανής, ές *transparente, diáfano* Ap 21.21. v.l.*

διαφέρω—1. *carregar* (através de algum lugar) Mc 11.16; *espalhar, divulgar* At 13.49; pass. *impelidos* (de um navio) 27.27.—2. *diferir, ser diferente de* com gen. 1 Co 15.41; Gl 4.1. *Ser mais digno, ser superior* com gen. Mt 6.26; 10.31; 12.12; Lc 12.7, 24. τὰ διαφέροντα *as coisas que realmente importam* Rm 2.18; Fp 1.10. Impess. *fazer diferença, importar* Gl 2.6.*

διαφεύγω *escapar* At 27.42.*

διαφημίζω *tornar conhecido pela palavra, espalhar as notícias acerca de* alguém Mt 9.31. *Disseminar, divulgar* Mc 1.45; Mt 28.15.*

διαφθείρω *destruir, derrubar* Lc 12.33; 2 Co 4.16; Ap 8.9; 11.18a. *Arruinar* (moralmente) 1 Tm 6.5; Ap 11.18b; 19.2 v.l.*

διαφθορά, ᾶς, ἡ *destruição, corrupção* At 2.27, 31; 13.34ss.*

διάφορος, ον *diferente* Rm 12.6; Hb 9.10; *excelente, supremo* 1.4; 8.6.*

διαφυλάσσω *guardar, proteger* Lc 4.10.*

διαχειρίζω méd. *impor violentamente as mãos, matar, assassinar* At 5.30; 26.21.*

διαχλευάζω *burlar-se, ridicularizar* At 2.13.*

διαχωρίζω *separar* pass. *ser separado, partir, ir embora* Lc 9.33.*

διγαμία, ας, ἡ *segundo casamento* Tt 1.9 v.l.*

δίγαμος, ον *casado pela segunda vez* Tt 1.9 v.l.*

διδακτικός, ή, όν apto no ensino 1 Tm 3.2; 2 Tm 2.24.* [didático]

διδακτός, ή, όν ensinado, instruído δ. θεοῦ ensinado por Deus Jo 6.45; ensinado, impartido 1 Co 2.13.*

διδασκαλία, ας, ή o ato de ensino, instrução Rm 12.7; 15.4; 2 Tm 3.16. Num sentido passivo = aquilo que é ensinado, instrução, doutrina Mc 7.7; Cl 2.22; 1 Tm 1.10; 4.6; 2 Tm 3.10; Tt 1.9.

διδάσκαλος, ου, ὁ mestre, professor Rm 2.20; Hb 5.12. Como um termo de honra e respeito Mt 8.19; Mc 10.17; Lc 9.38; Jo 3.10. Professores na igreja cristã At 13.1; 1 Co 12.28s; Tg 3.1.

διδάσκω ensinar Mc 1.21; At 15.35; 1 Co 11.14; Cl 3.16; Ap 2.14. ὑμᾶς διδάξει πάντα ele vos instruirá em todas as coisas Jo 14.26.

διδαχή, ῆς, ἡ ensino como uma atividade, instrução Mc 4.2; 1 Co 14.6; 2 Tm 4.2. Em um sentido passivo = o que é ensinado, ensino, instrução Mt 16.12; Mc 1.27; Jo 7.16s; Rm 16.17; Ap 2.14s, 24. Os aspectos at. e pass. podem ser denotados em Mt 7.28; Mc 11.18; Lc 4.32.

διδόασιν, διδόναι, δίδου, διδούς 3 pes. pl. pres. ind., inf. pres. at., 2 pes. sing. imperativo at. e part. pres. at. de δίδωμι.

δίδραχμον, ου, τὸ um dracma duplo, didracma uma moeda de prata grega quase igual a metade de um xequel Mt 17.24.*

Δίδυμος, ου, ὁ Dídimo; o nome significa gêmeo Jo 11.16; 20.24; 21.2.*

διδῶ forma de δίδωμι Eu dou Ap 3.9.*

δίδωμι dar Mt 4.9; 7.6, 11; Lc 17.18; Jo 9.24; At 20.35; Ap 4.9. O contexto freqüentemente permite variações na tradução, e.g. trazer Lc 2.24; conceder Mt 13.11; causar At 2.19; 1 Co 9.12; colocar Lc 15.22; 2 Co 6.3; Ap 17.17; infligir 2 Ts 1.8; permitir At 2.27; Mc 10.37; brotar Tg 5.18; produzir 1 Co 14.7s; confiar a Mt 25.15; Jo 6.37, 39; pagar Mc 12.14; apontar At 13.20; Ef 1.22; entregar, sacrificar Mc 10.45; Lc 22.19. λόγον δ. prestar contas Rm 14.12. δὸς ἐργασίαν esforçar-se, 'dar duro' Lc 12.58. ἔδωκαν κλήρους lançar sortes At 1.26.

διέβην 2 aor. ind. at. de διαβαίνω.

διεγείρω levantar, despertar lit. Mc 4.39; Lc 8.24; fig. Jo 6.18; 2 Pe 1.13.

διεγερθείς part. pass. 1 aor. de διεγείρω.

διεδίδετο, διέδωκα 3 pes. sing. imperf. pass. e 1 aor. ind. at. de διαδίδωμι.

διέζωσα, διεζωσάμην, διεζωσμένος 1 aor. ind. at., 1 aor. ind. méd. e part. perf. pass. de διαζώννυμι.

διεῖλον 2 aor. ind. at. de διαιρέω.

διεκρίθην 1 aor. ind. pass. de διακρίνω.

διελεύσομαι, διεληλυθώς, διελθεῖν fut. ind. méd., part. perf. at. e inf. 2 aor. at. de διέρχομαι.

διελέχθην 1 aor. ind. pass. de διαλέγομαι.

διέλιπον 2 aor. ind. at. de διαλείπω.

διενέγκω aor. subj. at. de διαφέρω.

διενεμήθην 1 aor. ind. pass. de διανέμω.

διενθυμέομαι ponderar, refletir At 10.19.*

διεξέρχομαι ajuntar At 28.3 v.l.*

διέξοδος, ου, ἡ δ. τῶν ὁδῶν o lugar onde uma estrada deixa a cidade, tal passagem Mt 22.9.*

διέπλευσα 1 aor. ind. at. de διαπλέω.

διερμηνεία, ας, ἡ explicação, interpretação, tradução 1 Co 12.10 v.l.*

διερμηνευτής, οῦ, ὁ intérprete, tradutor 1 Co 14.28.*

διερμηνεύω traduzir At 9.36. Explicar, interpretar Lc 24.27; At 18.6 v.l. Explicar, interpretar ou traduzir 1 Co 12.30; 14.5, 13, 27.*

διέ(ρ)ρηξα 1 aor. ind. at. de δια(ρ)ρήγνυμι.

διέρχομαι—1. ir através, passar Mt 12.43; Mc 10.25; At 13.6; 1 Co 10.1; Hb 4.14; ferir Lc 2.35. Passar por At 20.25; ir de lugar para lugar 8.4; espalhar Lc 5.15. Passar At 12.10.—2. simplesmente ir, vir Lc 2.15; Jo 4.15; At 9.38; Rm 5.12.

διερωτάω descobrir por meio de inquérito At 10.17.*

διεσπάρην 2 aor. ind. pass. de διασπείρω.

διεστείλατο 1 aor. ind. méd. de διαστέλλω.

διέστη 2 aor. ind. at. de διΐστημι.

διεστραμμένος part. perf. pass. de διαστρέφω.

διεσώθην 1 aor. ind. pass. de διασῴζω.

διεταράχθην 1 aor. ind. pass. de διαταράσσω.

διετής, ές dois anos de idade Mt 2.16.*

διετία, ας, ή um período de dois anos At 24.27; 28.30. Cf. Mt 2.16 v.l.*

διεφθάρη, διέφθαρμαι 2 aor. ind. pass. e perf. ind. pass. de διαφθείρω.

διήγειρα 1 aor. ind. at. de διεγείρω.

διηγέομαι contar, relatar, descrever Mc 9.9; Lc 9.10; At 8.33; 12.17; Hb 11.32.

διήγησις, εως, ή narrativa, relatório Lc 1.1.*

διηγοῦ imperativo pres. méd de διηγέομαι.

διῆλθον 2 aor. ind. at. de διέρχομαι.

διηνεκής, ές contínuo εἰς τὸ δ. para sempre Hb 7.3; 10.14; por todo o tempo 10.12; continuamente 10.1.*

διηνοίχθην 1 aor. ind. pass. de διανοίγω.

διθάλασσος, ον cercado pelo mar de ambos aos lados; τόπος δ. At 27.41 pode ser um banco de areia, ou recife que produz contra-correntes.*

διϊκνέομαι ferir, penetrar Hb 4.12.*

διΐστημι—1. (2 aor.) ir embora, partir Lc 24.51; passar 22.59.—2. (1 aor.) dirigir com τὴν ναῦν suprido βραχὺ διαστήσαντες após terem navegado uma pequena distância At 27.28.*

διϊστορέω examinar cuidadosamente At 17.23 v.l.*

διϊσχυρίζομαι insistir, manter com firmeza Lc 22.59; At 12.15; 15.2 v.l.*

δικάζω julgar, condenar Lc 6.37 v.l.*

δικαιοκρισία, ας, ή julgamento honesto ou justo Rm 2.5; 2 Ts 1.5 v.l.*

δίκαιος, αία, ον aplicado aos cidadãos-modelo no mundo greco-romano. Reto, justo, correto, honesto Mt 10.41; 13.43; Mc 6.20; Rm 1.17; 5.7; Hb 12.23; 1 Jo 3.7; guardador da lei 1 Tm 1.9; honesto, bom, direito Mt 1.19. De Deus e Cristo justo, reto, equânime Jo 17.25; At 7.52; 2 Tm 4.8; de Jesus justo, inocente Lc 23.47; cf. Mt 23.35 e 27.24 v.l. τὸ δίκαιον (o que é) direito ou honesto Mt 20.4; Lc 12.57; At 4.19; Cl 4.1; δίκαιον ἡγοῦμαι considere um dever 2 Pe 1.13.

δικαιοσύνη, ης, ἡ justiça, retidão Mt 5.6; At 24.25; Rm 9.30; Fp 3.6; Tt 3.5; reque-rimento religioso Mt 3.15; Misericórdia, caridade Mt 6.1; 2 Co 9.9s. Justiça, eqüidade At 17.31; Hb 11.33. Em Paulo a frase δ. θεοῦ e suas variações, refere-se ao modo equânime de Deus tratar com a humanidade, em graça Rm 1.17; 3.21s, 26; 5.17 e o sentido aproxima-se de salvação. δ. chega perto do significado Cristianismo Mt 5.10; Hb 5.13; 1 Pe 2.24; 3.14. ποιεῖν δ. fazer o que é direito 1 Jo 2.29; Ap 22.11.

δικαιόω—1. justificar, vindicar, tratar como justo, inocentar Mt 11.19; Lc 10.29; 16.15 δ. τὸν θεόν reconhecer a justiça de Deus 7.29. Deus prova ser justo Rm 3.4; também Cristo 1 Tm 3.16.—2. pass. com referência às pessoas ser inocentado, ser pronunciado e tratado como justo, na linguagem teológica, ser justificado = receber o dom divino de δικαιοσύνη Mt 12:37; At 13.39; Rm 2.13; 5.1, 9; Gl 2.16s; Tt 3.7; Tg 2.21. 24s. At. da atividade de Deus Rm 3.26, 30; Gl 3.8; para essas e outras passagens, tornar justo é possível. Libertar ou purificar at. e pass. At 13.38s; Rm 6.7; 1 Co 6.11.

δικαίωμα, ατος, τό—1. regulamento, requerimento, mandamento Lc 1.6; Rm 1.32; 2.26; 8.4; Hb 9.1, 10.—2. ato justo Rm 5.18; Ap 15.4; 19.8. Em Rm 5.16 d. = δικαίωσις absolvição.*

δικαίως adv. justamente, retamente, honestamente Lc 23.41; 1 Ts 2.10; Tt 2.12; 1 Pe 2.3; como se deve 1 Co 15.34.*

δικαίωσις, εως, ή justificação, vindicação, absolvição Rm 4.25. δ. ζωῆς absolvição que traz vida 5.18.*

δικαστής, οῦ, ὁ juiz At 7.27, 35; Lc 12.14 v.l.*

δίκη, ης, ή penalidade, punição 2 Ts 1.9; Jd 7; At 25.15 v.l. Justiça, personificada como uma deusa At 28.4.*

δίκτυον, ου, τό rede Mc 1.18s; Jo 21.6, 8, 11.

δίλογος, ον insincero, língua fendida 1 Tm 3.8.*

διό conjunção inferencial (= δι' ὅ) portanto, por isso, por esta razão Mt 27.8; Lc 7.7; At 27.25, 34; Rm 15.22; 2 Co 5.9.

διοδεύω ir ou viajar através At 17.1. Passar por Lc 8.1.*

Διονύσιος, ου, ὁ Dionísio At 17.34.*

διόπερ conjunção inferencial (= δι' ὅπερ) *portanto, por esta razão* 1 Co 8.13; 10.14; 14.13 v.l.*

διοπετής, ές *caído do céu* τὸ δ. a imagem (de Ártemis = Diana) *caída do céu* At 19.35.*

διόρθωμα, ατος, τό *reforma* At 24.2.*

διόρθωσις, εως, ἡ *reforma, melhoramento, nova ordem* Hb 9.10.*

διορύσσω *furar a parede, entrar à força* Mt 6.19s; 24.43; Lc 12.39.*

Διός gen. de Ζεύς.

Διόσκουροι, ων οἱ (= Διός κοῦροι, 'filhos de Zeus') *os Dióscoros*, Castor e Pólux, gêmeos filhos de Zeus e Leda, deidade padroeira dos navegadores, usada como símbolos nos navios At 28.11.*

διότι (= δι' ὅτι) conjunção *porque* Lc 2.7; 1 Co 15.9; Hb 11.5. *Portanto* At 13.35; 20.26. *Pois* Lc 1.13; Rm 1.19, 21; 1 Pe 1.16, 24. *Que* = ὅτι talvez Rm 8.21 v.l.

Διοτρέφης, ους, ὁ *Diótrefes* 3 Jo 9.*

διπλοῦς, ῆ, οῦν *duplo, dobrado* 1 Tm 5.17; Ap 18.6. Comparativo διπλότερος, neut. como adv. *duas vezes mais* Mt 23.15.*

διπλόω *dobrar* δ. τὰ διπλᾶ *retribuir em dobro* Ap 18.6.* *[diploma]*

δίς adv. *duas vezes* Mc 14.30, 72; Lc 18.12; Jd 12. ἅπαξ καὶ *uma e outra vez* = *várias vezes* Fp 4.16; 1 Ts 2.18.*

δισμυριάς, άδος, ἡ *uma dupla miríade* = 20.000 Ap 9.16.*

διστάζω *duvidar, desconfiar* Mt 14.31; 28.17.*

δίστομος, ον *de dois gumes* Hb 4.12; Ap 1.16; 2.12; 19.15 v.l.*

δισχίλιοι, αι, α *dois mil* Mc 5.13.*

διϋλίζω *filtrar* Mt 23.24.*

διχάζω *causar uma separação* δ. ἄνθρωπον κατὰ τ. πατρός *virar um homem contra seu pai* Mt 10.35.*

διχοστασία, ας, ἡ *divisão, dissensão* Rm 16.17; Gl 5.20; 1 Co 3.3 v.l.*

διχοτομέω *cortar em dois*, embora no contexto de Mt 24.51 e Lc 12.46 *punir com extrema severidade* seja um significado provável.* *[dicotomia]*

διψάω *ter sede*—1. lit. *ter sede, sofrer de sede* Mt 25.35, 37; Jo 4.13, 15; 1 Co 4.11.—2. fig. *ter sede da água da vida* Jo 4.14; 7.37; *ter sede* ou *ansiar por alguma coisa* Mt 5.6.

δίψος, ους, τό *sede* 2 Co 11.27.*

δίψυχος, ον *irresoluto, duvidoso, hesitante* lit. 'mente-dupla' Tg 1.8; 4.8.*

διωγμός, οῦ, ὁ *perseguição* (somente por motivos religiosos) Mc 4.27; At 8.1; 13.50; Rm 8.35; 2 Tm 3.11.

διώκτης, ου, ὁ *perseguidor* 1 Tm 1.13.*

διώκω—1. *perseguir* Mt 5.11s, 44; Lc 21.12; Jo 5.16; 1 Co 4.12; Gl 5.11; 2 Tm 3.12.—2. *correr atrás, seguir, perseguir* lit. Lc 17.23. Fig. *perseguir, esforçar-se por, buscar, lutar* Rm 9.30s; 14.19; 1 Co 14.1; 2 Tm 2.22. *Avançar, prosseguir* Fp 3.12, 14.--3. *perseguir, afugentar* Mt 23.34.

δόγμα, ατος, τό *decreto, mandamento* Lc 2.1; At 16.4; 17.7; *ordenança* Ef 2.15; *requisito, ordenança* Cl 2.14.*

δογματίζω *decretar* pass. *submeter a regras e regulamentos* Cl 2.20.* *[dogmatismo]*

δοθείς, δοθήσομαι, δοῖ part. 1 aor. pass., fut. ind. pass. e 3 pes. sing. 2 aor. subj. at. de δίδωμι.

δοκέω—1. *pensar, crer, supor, considerar* Mt 3.9; Lc 24.37; 1 Co 3.18; Hb 10.29; Tg 4.5; *pretender, estar disposto* 1 Co 11.16.—2. *parecer* Lc 10.36; At 17.18; 1 Co 12.22; Hb 12.11 ἐδόξα ἐμαυτῷ *eu estava convencido* At 26.9. *Ser influente, ter uma reputação, ser reconhecido* Mc 10.42; Gl 2.2, 6, 9.—3. impes. com dat. *parece* (-me,...), daí, *eu penso, eu creio* (etc) Mt 17.25; Jo 11.56. κατὰ τὸ δοκοῦν αὐτοῖς *como bem lhes parecia* Hb 12.10. De decisões individuais *parece-me melhor, eu resolvo* ou *decido* Lc 1.3; como um t.t. em procedimentos formais coletivos e freqüente em decretos helenísticos *resolver* At 15.22, 25, 28. *[docetismo]*

δοκιμάζω—1. *colocar em prova, testar, examinar* Lc 14.19; 1 Co 11.28; Gl 6.4; 1 Ts 5.21; 1 Tm 3.10; *tentar aprender* Ef 5.10; *descobrir* Rm 12.2—2 *provar, por meio de testes*, 1 Pe 1.7. *Aceitar como provado, aprovar* 1 Co 16.3; 2 Co 8.8, 22; *recusar* Rm 1.28. Para Rm 2.18 e Fp

δοκιμασία—Δρούσιλλα 59

1.10, descobrir e aprovar são, ambos, possíveis.

δοκιμασία, ας, ή teste, exame πειράζειν έν δ. colocar à prova Hb 3.9.*

δοκιμή, ῆς, ἡ lit. 'a qualidade de ser aprovado,' daí, caráter Rm 5.4; 2 Co 2.9; 9.13; Fp 2.22; teste, provação 2 Co 8.2; prova 13.3.*

δοκίμιον, ου, τό teste Tg 1.3; genuinidade 1 Pe 1.7.*

δόκιμος, ον aprovado, genuíno 2 Co 10.18; 13.7; 2 Tm 2.15; Tg 1.12; testado e verdadeiro Rm 16.10; 1 Co 11.19; respeitado, estimado Rm 14.18.*

δοκός, οῦ, ἡ tronco, viga Mt 7.3ss; Lc 6.41s.*

δόλιος, ία, ον desonesto, enganador, fraudulento 2 Co 11.13.*

δολιόω enganar, defraudar Rm 3.13.*

δόλος, ου, ἡ engano, fraude, Mc 7.22; 14.1; Jo 1.47; 2 Co 12.16.* [dolo]

δολόω falsificar, adulterar 2 Co 4.2; 1 Co 5.6 v.l.*

δόμα, ατός, τό dom, presente Mt 7.11; Lc 11.13; Ef 4.8; Fp 4.17.*

δόξα, ης, ἡ—1. brilho, radiância, esplendor Lc 9.31s; At 22.11; 1 Co 15.40s. Glória, majestade atribuídas a Deus e seres celestiais At 7.2; Rm 1.23; 1 Co 2.8; Fp 3.21; Cl 1.11; Hb 1.3; Tg 2.1; Ap 15.8; com conotação de poder Rm 6.4. Reflexo 1 Co 11.7. Magnificência, esplendor de reis, etc. Mt 4.8; 6.29; Ap 21.24, 26.—**2.** fama, honra, prestígio Jo 5.41, 44; 8.54; 12.43; Rm 3.23; 1 Ts 2.6, 20. Louvor como uma exaltação da reputação Lc 2.14; At 12.23; Rm 11.36; 1 Co 10.31; Fp 2.11; Ap 19.7.—**3.** sercs angelicais gloriosos Jd 8; 2 Pe 2.10; majestades, pessoas ilustres também são possíveis nessas passagens. [doxologia]

δοξάζω—1. louvar, honrar, magnificar Mt 5.16; 6.2; Lc 5.25s; At 11.18; Rm 11.13; 1 Co 12.26; 1 Pe 4.16.—**2.** vestir com esplendor, glorificar Jo 8.54; 13.31s; 17.1, 4; 21.19; 2 Co 3.10; 1 Pe 1.8, da vida após a morte Jo 12.16, 23; At 3.13; Rm 8.30.

Δορκάς, άδος, ή Dorcas nome de mulher cujo significado é gazela At 9.36, 39.*

δός imperativo 2 aor. de δίδωμι.

δόσις, εως, ἡ dom, presente Tg 1.17. O ato de dar Mt 6.1 v.l. δ. καὶ λῆμψις dar e receber, débito e crédito Fp 4.15.*

δότης, ου, ὁ doador 2 Co 9.7.*

Δουβέριος At 20.4 v.l., ver s.v. Δερβαῖος.

δουλαγωγέω escravizar, sujeitar fig. 1 Co 9.27.*

δουλεία, ας, ἡ escravidão, sujeição fig. Rm 8.15, 21; Gl 4.24; 5.1; Hb 2.15.*

δουλεύω ser escravo, estar sujeito a lit. Jo 8.33; At 7.7; Gl 4.25; fig. Rm 7.6. Com dat. servir a alguém como escravo, servo Mt 6.24; Lc 15.29; 16.13; Rm 14.18; Gl 5.13; Ef 6.7; ser um escravo fig. Rm 6.6; 7.25.

δούλη, ης, ἡ escrava, serva, empregada Lc 1.38, 48; At 2.18.*

δοῦλος, η, ον escravo, servil Rm 6.19.*

δοῦλος, ου, ὁ escravo lit. Lc 7.2s; Jo 8.35; 1 Co 7.21ss; Gl 4.1, 7; Fp 2.7; Cl 3.11, 22. Fig. Mt 20.27; Rm 6.16s, 20; 2 Co 4.5. Escravo de Deus ou de Cristo, com ênfase na sua reivindicação exclusiva Lc 2.29; At 4.29; Rm 1.1; Gl 1.10; Tg 1.1; Ap 2.20. Dos oficiais do rei, ministro Mt 18.23, 26ss.

δουλόω escravizar, sujeitar lit. At 7.6; 2 Pe 2.19. Fig. Rm 6.18, 22; 1 Co 7.15; 9.19; Gl 4.3; Tt 2.3.*

δοῦναι, δούς inf. at. 2 aor. e part. de δίδωμι.

δοχή, ῆς, ἡ recepção, banquete Lc 5.29; 14.13.*

δράκων, οντος, ὁ dragão, serpente como um termo para o Diabo Ap 12.3s, 7, 9; 20.2.

δραμεῖν, δραμών inf. at. e part. do 2 aor. de τρέχω.

δράσσομαι surpreender, pegar (numa armadilha) 1 Co 3.19.*

δραχμή, ῆς, ἡ dracma uma moeda de prata grega Lc 15.8s.*

δρέπανον, ου, τό foice Mc 4.29; Ap 14.14-19.*

δρόμος, ου, ὁ curso, carreira, corrida fig. 2 Tm 4.7; At 13.25; 20:24.* [-dromo, sufixo em várias palavras]

Δρούσιλλα, ης, ἡ Drusila, filha de Herodes Agripa I, esposa de Félix, o procurador At 24.24, 27 v.l.*

δυναίμην pres. opt. méd. de δύναμαι.

δύναμαι *Eu posso, sou capaz* Mt 6.24; Mc 3.23; Lc 9.40; At 4.20; 26.32. δ. tem quase o mesmo significado de *gostar, suportar* Jo 6.60. *Ser capaz de fazer* alguma coisa Mc 9.22; Lc 12.26; 2 Co 13.8.

δύναμις, εως, ή *poder, força, fortaleza, energia* Mt 14.2; 22.29; At 1.8; Rm 1.4, Cl 1.11; 2 Tm 3.5; Hb 7.16; 2 Pe 1.3. δ. = *Deus* Mc 14.62. *Habilidade, capacidade* Mt 25.15; 2 Co 1.8; *significado* 1 Co 14.11. Sentidos especializados *ato poderoso, milagre* Mt 11.20s; Mc 6.5; 2 Co 12.12; Hb 2.4. *Força* num sentido militar Mc 13.25; Lc 21.26. *Poder* como um ser divino ou anjo At 8.10; Rm 8.38; 1 Co 15.24. *[dinâmico]*

δυναμόω *fortalecer* Cl 1.11; Hb 11.34; Ef 6.10 v.l.*

δυνάστης, ου, ό *líder, soberano* Lc 1.52; 1 Tm 6.15. *Oficial da corte* At 8.27.* *[dinastia]*

δυνατέω *ser forte,* 2 Co 13.3; ser capaz, ter força suficiente Rm 14.4; 2 Co 9.8.*

δυνατός, ή, όν *poderoso, forte, capaz* Lc 1.49; At 25.5; Rm 4.21; 2 Co 10.4; 13.9; Tg 3.2. Neutro δυνατόν *possível* Mt 19.26; Gl 4.15. τὸ δ. = ἡ δύναμις Rm 9.22.

δύνῃ 2 pes. sing. pres. ind. méd. de δύναμαι.

δύνω *descer, pôr* do sol Mc 1.32; Lc 4.40.*

δύο gen. e ac. δύο, dat. δυσί *dois* εἰς δύο *em dois* Mc 15.38. ἀνὰ δ. *de dois em dois* Lc 9.3; 10.1; Jo 2.6. κατὰ δ. *dois por vez* 1 Co 14.27. δύο δύο *dois a dois* Mc 6.7.

δυσβάστακτος, ον *difícil de suportar* Lc 11.46; Mt 23.4 v.l.*

δυσεντέριον, ου, τό *disenteria* At 28.8.*

δυσερμήνευτος, ον *difícil de explicar* Hb 5.11.*

δυσί ver δύο

δύσις, εως, ή *oeste* lit. 'pôr' do sol término curto de Marcos.*

δύσκολος, ον, *duro, difícil* Mc 10.24.*

δυσκόλως adv. *duramente, com dificuldade* Mt 19.23; Mc 10.23; Lc 18.24.*

δυσμή, ῆς ή *oeste* lit. 'pôr' do sol Mt 8.11; Lc 13.29. ἀπὸ δ. *no oeste* Ap 21.13 ἐπὶ δυσμῶν *no oeste* Lc 12.54.ἕως δ. *para o oeste* Mt 24.27.*

δυσνόητος, ον *difícil de entender* 2 Pe 3.16.*

δυσφημέω *difamar, caluniar* 1 Co 4.13.*

δυσφημία, ας, ή *má reputação, calúnia, insulto* 2 Co 6.8.*

δύω 2 aor. subj. at. de δύνω.

δῷ, δώσῃ 3 pes. sing. 2 aor. subj. at. e 3 pes. sing. 1 aor. subj. at. de δίδωμι.

δώδεκα indecl. *doze* Mt 10.1s, 5; Mc 5.25, 42; 1 Co 15.5. *[dodecaedro]*

δωδέκατος, η, ον *décimo segundo* Ap 21.20.*

δωδεκάφυλον, ου, τό *as doze tribos* At 26.7.*

δῷη 3 pes. sing. 2 aor. opt. de δίδωμι.

δώῃ 3 pes. sing. 2 aor. subj. at. de δίδωμι.

δῶμα, ατος, τό *teto, telhado* Mt 10.27; Mc 13.15; Lc 5.19; 17.31; At 10.9.

δωρεά, ᾶς, ή *dom, dádiva, presente* Jo 4.10; At 8.20; Rm 5.15, 17; Hb 6.4.

δωρεάν ac. de δωρεά usado como adv.—1. *como um dom, sem pagamento, grátis* Mt 10.8; Rm 3.24; 2 Co 11.7; 2 Ts 3.8; Ap 21.6; 22.17.—2. *desnecessário, sem razão* Jo 15.25.—3. *em vão, sem propósito* Gl 2.21.*

δωρέομαι *dar, presentear* Mc 15.45; 2 Pe 1.3s.*

δώρημα, ατος, τό *presente, dom* Rm 5.16; Tg 1.17.*

δῶρον, ου, τό *dom, presente* Mt 2.11; Ef 2.8; Ap 11.10. *Oferta, dom* sacrificial Mt 5.23s; Mc 7.11; Hb 5.1; 11.4. τὰ δῶρα *caixa das ofertas* Lc 21.4. *[Doroteia]*

δωροφορία, ας, ή *trazer uma oferta* Rm 15.31 v.l.*

δώσω fut. ind. at. de δίδωμι.

E

ε como numeral = *cinco, quinto* At 19.9 v.l.*

ἔα exclamação denotando supresa ou desprazer *oh!, hum!* Mc 1.24 v.l.: Lc 4.34, parece possível haver alguma conexão com ἔα, imperativo de ἐάω *não incomode!* em ambas as passagens.*

ἐάν conjunção *se:* na condição genérica no presente, com prep. ou subj. aor., e presente na apódose (oração principal) Mt 8.2; Mc 3.24; Lc 6.33; Jo 5.31; 1 Co 8.8. Numa condição futura mais vívida com pres. ou aor. subj. e futuro na apódose Mt 6.14; 9.21; Mc 8.3; Lc 4.7; Jo 15.10. Com o indic.: fut. Lc 19.40; At 8.31; pres. 1 Ts 3.8. Às vezes, ἐάν aproximase bastante de ὅταν, *sempre que, quando* Jo 12.32; 1 Jo 2.28. ἐὰν καί *mesmo se* Gl 6.1. ἐὰν δὲ καί *mas se* 1 Co 7. 11. ἐὰν μή se não, a menos que Mt 10.13; Mc 3.27; Jo 4.48; Rm 10.15. ἐάν freqüentemente é usada no lugar de ἄν, com palavras relativas Mt 5.19, 32; 8.19; 1 Co 16.6; Ap 11.6.

ἐάνπερ conj. *se de fato* Hb 6.3.

ἐάσω, ἔᾱτε fut. ind. at. e 2 pes. pl. imperativo de ἐῶ (ἐάω).

ἑαυτοῦ, ἧς, οὗ pl. ἑαυτῶν—**1.** pronome reflexivo: da terceira pessoa *ele mesmo, ela mesma, isso mesmo, eles mesmos* Mt 18.4; 27.42; Mc 5.5; Jo 19.24. γίνεσθαι ἐν ἑ. ou εἰς ἑ ἔρχεσθαι *chegar aos sentidos de alguém* Lc 15.17; At 12.11. ἀφ' ἑαυτοῦ *por si mesmo* Jo 15.4.— Da primeira e segunda pessoas do plural *nós mesmos, vós mesmos* Mt 23.31; 1 Co 11.31; talvez para a segunda pessoa do sing. Jo 18.34 v.l.—**2.** pronome recíproco = ἀλλήλων *um ao outro, cada um* Mc 10.26; Jo 12.19; Ef 4.32; Cl 3.13, 16; 1 Ts 5.13.—**3.** pronome possessivo = αὐτοῦ, etc. *dele, dela, deles, seu, sua, suas, seus* Mt 8.22; 21.8; Lc 9.60; 11.21; 12.36.

ἐάω *deixar, permitir* Mt 24.43; At 14.16; 23.32; 1 Co 10.13. *Vamos, deixar, partir* At 5.38 v.l; Ap 2.20 v.l; *partir* At 27.40 *Pare!* Lc 22.51.

ἔβαλον 2 aor. ind. at. de βάλλω.

ἑβδομήκοντα indecl. *setenta* Lc 10.1, 17; At 7.14 com πέντε 23.23.*

ἑβδομηκοντάκις indecl. *setenta vezes* εβ. ἑπτά pode ser uma abreviação de ἑβ. ἑπτάκις *setenta vezes sete*, mas é mais provável *setenta e sete vezes* (como em Gn 4.24) Mt 18.22.*

ἕβδομος, η, ον *sétimo* Jo 4.52; Hb 4.4; Jd 14; Ap 8.1.

ἐβεβλήκει, ἐβέβλητο mais que perf. at. e pass. de βάλλω.

Ἔβερ, ὁ indecl. *Éber* Lc 3.35.*

ἐβλάστησα, ἐβλήθην 1 aor. ind. at. e 1 aor. ind. pass. de βάλλω.

Ἑβραϊκός, ή, όν *hebreu* Lc 23.38 v.l.*

Ἑβραῖος, ου, ὁ *hebreu* 2 Co 11.22; Fp 3.5; uma pessoa que fala aramaico At 6.1.*

Ἑβραΐς, ΐδος, ἡ *hebraico* (idioma), i.e. a linguagem falada naquela época na Palestina At 21.40; 22.2; 26.14.*

Ἑβραϊστί adv. *em hebraico* ou *aramaico* Jo 5.2; 19.13, 17, 20; 20.16; Ap 9.11; 16.16.*

ἐγγέγραμμαι perf. ind. pass. de ἐγγράφω.

ἐγγίζω *chegar perto, aproximar-se* Mt 21.1; 26.45; Mc 1.15; Lc 7.12; 10.9; 18.35; At 9.3; Rm 13.12; Hb 7.19; *chegar próximo a* Fp 2.30.

ἐγγράφω *escrever, registrar* lit. Lc 10.20; fig. 2 Co 3.2s.*

ἔγγυος, ον como subst. ὁ. ἔ. *fiador, garantidor* Hb 7.22.*

ἐγγύς adv. seguido pelo gen. ou dat. *próximo, perto, junto a* Mt 26.18; Lc 19.11; Jo 3.23; 19.42; At 9.38; Rm 10.8; Ef 2.13, 17; Fp 4.5.

ἐγγύτερον grau comparativo de ἐγγύς.
ἐγεγόνει mais que perfeito ind. at. de γίνομαι.
ἐγείρω—1. acordar, despertar Mt 8.25. Levantar, ajudar a levantar Mt 12.11; Mc 1.31; At 3.7. Levantar os mortos Mt 10.8; Jo 12.1, 9, 17; 1 Co 15.15ss; Gl 1.1. Suscitar, dar existência Mt 3.9; At 13.22; causar Fp 1.17. Pass. acordado, despertado Mt 1.24; Rm 13.11 Ser levantado, levantar Lc 9.7; 11.8; Jo 2.22; 1 Co 15.12. Aparecer Mt 11.11; Mc 13.22; Jo 7.52.—2. No imperativo, venha! Levante! Mc 2.9, 11; 14.42; Lc 5.23s; Jo 5.8; Ef 5.14; Ap 11.1.
ἐγενήθην, ἐγενόμην 1 aor. ind. pass. e 2 aor. ind. méd. de γίνομαι
ἐγερθήσομαι fut. ind. pass de ἐγείρω.
ἔγερσις, εως, ἡ ressurreição Mt 27.53.*
ἐγερῶ, ἐγήγερμαι fut. ind. at. e perf. ind. pass. de ἐγείρω.
ἔγημα 1 aor. ind. at. de γαμέω.
ἐγκάθετος, ον ficar na espera, como subst. espião Lc 20.20.*
ἐγκαίνια, ίων, τά o festival da Rededicação Jo 10.22, conhecido como Hanucá e a Festa das Luzes, começando em 25 de Quislev (mais ou menos novembro-dezembro), para comemorar a rededicação do templo por Judas Macabeu em 165 a.C.*
ἐγκαινίζω lit. 'renovar'; inaugurar, dedicar Hb 9.18; abrir 10.20.*
ἐγκακέω tornar-se cansado, exausto, esgotado; desesperar-se, desanimar-se Lc 18.1; 2 Co 4.1, 16; Gl 6.9; Ef 3.13; 2 Ts 3.13.*
ἐγκαλέω acusar, prestar acusações contra, algumas vezes com o dat. At 19.38; 23.28; Rm 8.33.
ἐγκαταλείπω—1. deixar atrás Rm 9.29; deixar, deixar permanecer At 2.27, 31.—2. abandonar, desertar, renunciar Mt 27.46; Mc 15.34; 2 Co 4.9; 2 Tm 4.10, 16; Hb 10.25; 13.5.*
ἐγκατέλειπας, ἐγκατέλιπας formas alternativas da 2 pes. sing. do aor (Mc 15.34) e ἐγκατέλιπον 2 aor. ind. at. de ἐγκαταλείπω.
ἐγκατοικέω viver, habitar (entre) 2 Pe 2.8.*

ἐγκαυχάομαι orgulhar-se, jactar-se 2 Ts 1.4.*
ἐγκεντρίζω enxertar Rm 11.17, 19, 23s.*
ἐγκλείω encerrar, prender Lc 3.20 v.l.* [Cf. enclave.]
ἔγκλημα, ατος, τό acusação, denúncia At 23.29; 25.16; 23.24 v.l.*
ἐγκομβόομαι vestir-se fig. 1 Pe 5.5.*
ἐγκοπή, ῆς, ἡ impedimento 1 Co 9.12.*
ἐγκόπτω impedir, obstruir Gl 5.7; 1 Ts 2.18; 1 Pe 3.7; frustar, impedir Rm 15.22; deter, cansar At 24.4*
ἐγκράτεια, ας, ἡ auto-controle At 24.25; Gl 5.23; 2 Pe 1.6.*
ἐγκρατεύομαι controlar-se, exercer auto-controle 1 Co 7.9; 9.25.*
ἐγκρατής, ές em pleno controle de si mesmo, disciplinado Tt 1.8.*
ἐγκρίνω classificar alguém em um grupo específico 2 Co 10.12.*
ἐγκρύπτω colocar, lit. esconder Mt 13.13; Lc 13.21 v.l.*
ἔγκυος, ον grávida Lc 2.5.*
ἔγνωκα, ἔγνων, ἐγνώσθην, ἔγνωσμαι perf. at., 2 aor. at., 1 aor. ind. pass. e perf. ind. méd. e pass. de γινώσκω.
ἐγχρίω vestir Ap 3.18.*
ἐγώ gen. ἐμοῦ (μου), dat. ἐμοί (μοι), ac. ἐμέ(με); pl. ἡμεῖς, ἡμῶν, ἡμῖν, ἡμᾶς. Eu; seu uso freqüentemente serve para enfatizar a primeira pessoa de um verbo Mt 5.22, 28; Lc 21.8; Jo 10.7-14; algumas vezes não parece transmitir nenhuma ênfase Mc 12.26; Jo 10.34. O singular e o plural são usados algumas vezes sem distinção 1 Co 1.23; 4.10. ἐγώ sozinho = Eu (quero) ou sim Mt 21.29 v.l. A expressão τί ἐμοὶ καὶ σοί; pode ser traduzida que tenho eu a ver com você? que temos em comum? deixe-me a sós! Não importa! Não é da sua conta! Mc 5.7; Lc 8.28; Jo 2.4; cf. Mt 8.29; Mc 1.24; Lc 4.34. [ego, egoísmo.]
ἐδάρην 2 aor. ind. pass. de δέρω.
ἐδαφίζω arrasar, destruir totalmente, somente no fut. ind. at., na 3 pessoa do plural ἐδαφιοῦσιν Lc 19.44.*
ἔδαφος, ους, τό chão At 22.7.*

ἐδεδώκειν—εἶδον 63

ἐδεδώκειν, ἐδίδοσαν, ἐδίδου 3 pessoa do pl. mais que perf. ind. at., e 3 pessoa sing. impf. at. de δίδωμι.

ἐδεήθην 1 aor. ind. pass. de δέομαι.

ἔδειξα 1 aor. ind. at. de δείκνυμι.

ἔδειρα 1 aor. ind. at. de δέρω.

ἔδησα 1 aor. ind. at. de δέω.

ἐδιδάχθην 1 aor. ind. pass. de διδάσκω.

ἐδόθην 1 aor. ind. pass. de δίδωμι.

ἐδολιοῦσαν 3 pes. pl. imperf. de δολιόω.

ἔδοξα 1 aor. ind. at. de δοκέω.

ἑδραῖος, (αία), αῖον *firme, inabalável, constante* 1 Co 7.37; 15.58; Cl 1.23.*

ἑδραίωμα, ατος, τό *fundamento*, talvez *coluna, sustentáculo* 1 Tm 3.15.*

ἔδραμον 2 aor. ind. at. de τρέχω.

ἔδυν 2 aor. ind. at. de δύνω.

ἐδυνάμην imperf. méd. de δύναμαι.

ἔδωκα] aor. ind. at. de δίδωμι.

Ἐζεκίας, ου, ὁ *Ezequias* Mt 1.9; Lc 3.23ss v.l.*

ἔζην imperf. at. de ζάω.

ἐθελοθρησκία, ας, ἡ *religião autofabricada*, talvez pretensão à religião, Cl 2.23.*

ἐθέλω forma clássica de θέλω; não ocorre no N.T.

ἐθέμην, ἔθηκα 2 aor. ind. méd. e 1 aor. ind. at. de τίθημι.

ἐθίζω *acostumar* τό εἰθισμένον *o costume* Lc 2.27.*

ἐθνάρχης, ου, ὁ *etnarca*, i.e. cabeça de um grupo ou minoria étnica 2 Co 11.32.*

ἐθνικός, ή, όν *Gentio, não judeu;* no N.T. usado somente como subst. ὁ ἐθνικός, *o gentio*, em contraste com o judeu Mt 5.47; 6.7; 18.17; 3 Jo 7.* *[étnico]*

ἐθνικῶς adv. *como um não judeu, como o resto do mundo* Gl 2.14.*

ἔθνος, ους, τό—1. *nação, povo* Mt 24.14; Lc 12.30; At 8.9; 10.22; 13.19.—2. τὰ ἔθνη *Gentios, não judeus*, contrastados com os judeus Mt 6.32; 10.18; 14.5; Rm 3.29. *Gentios* que são cristãos Rm 16.4; Gl 2.12; Ef 3.1. *[etnologia]*

ἔθος, ους, τό, *hábito, costume, uso* Lc 22.39; Jo 19.40; At 25.16; Hb 10.25. *Costume, lei* Lc 1.9; At. 6.14; 21.21; 28.17. *[ética]*

ἔθου 2 pes. sing. 2 aor. ind. méd. de τίθημι.

ἔθρεψα 1 aor. ind. at. de τρέφω.

ἔθω o pres. obsoleto do qual é formado εἴωθα.

εἰ—1. conjunção condicional *se*: com o ind. em condições gerais Mt 4.3; 26.33, 42; Lc 16.11s; Rm 2.17 ou em condições determinadas como não cumpridas (contrária-ao-fato) (ver ἄν) Mt 11.21; Lc 7.39; Jo 9.33. Com o subjuntivo Ap. 11.5. Com o optativo numa condição futura menos vívida (seria, iria) At 24.19; 1 Pe 3.14, 17; εἰ τύχοι *pode ser, por exemplo, talvez* 1 Co 14.10; 15.37. *Se = visto que, desde que, uma vez que* Mt 6.30; Jo 7.23; Rm 6.8. Após verbos de emoção que Mc 15.44a: At 26.23; 1 Jo 3.13. Em fortes afirmações, com a apódose omitida, εἰ tem um efeito negativo (hebraísmo) εἰ δοθήσεται ...σημεῖον *se um sinal fosse dado* (alguma coisa temível seria o resultado), daí, *certamente não será dado um sinal* Mc 8.12; cf. Hb 4.3,5.—2. pron. interrogativo: com questões diretas, εἰ não precisa ser traduzido Mt 12.10; Lc 13.23; At 1.6. Em questões indiretas *se* Mt 26.63; Mc 3.2: At 17.11.—3. com outras partículas εἰ δὲ μή *se não, de outra forma* Mc 2.21s; Jo 14.2; Ap 2.5,16. εἰ καί *mesmo que, muito embora* Lc 11.8; 1 Co 7.21. εἰ μή *senão, exceto* Mt 5.13; 11.27; Rm 7.7; Gl 1.19 ou *mas* Mt 12.4; Gl 1.7. εἰ πως *se talvez, se de alguma forma* At 27.12; Rm 1.10.

εἰ μήν, mais corretamente εἶ μήν *certamente* Hb 6.14.*

εἶα, εἶασα 3 pes. sing. imperf. at. e 1 pes. sing. 1 aor. ind. at. de ἐάς.

εἰδέα, ας, ἡ *aparência*, talvez *aspecto, face* Mt 28.3. V. ἰδέα. + *[idéia]*

εἰδέναι perf. ind. at. de οἶδα.

εἰδήσω fut. ind. at. de οἶδα Hb 8.11.

εἶδον usado como 2 aor. de ὁράω; as formas helenísticas εἶδα, etc. são freqüentemente achadas no N.T. ver.—1. lit. *ver, perceber* Mt 2.2; 9s; 3.7; Mc 5.14; Jo 1.46; At 10.17; Gl 6.11. *Olhar* Mc 8.33; Lc 14.18 ἰδὼν εἶδον *Certamente eu vi, com meus próprios olhos* At 7.34. —2. não—

εἶδος—εἰρήνη

lit. e fig. *sentir, tornar-se consciente de* Mt 27.54. *Notar* Mt 9.2; Rm 11.22. *Considerar, deliberar* At 15.6; 1 Jo 3.1. *Ver* = *experimentar* Lc 2.26; Jo 3.3; 1 Pe 3.10. *Visitar* 1 Co 16.7; *tentar ver, procurar ver* Lc 9.9; Rm 1.11.

εἶδος, ους, τό *forma, aparência externa* Lc 3.22; 9.29; Jo 5.37. *Gênero tipo* 1 Ts 5.22. *Vista, visão* 2 Co 5.7.*

εἰδυῖα, εἰδῶ part. fem. perf. e perf. subj. at. de οἶδα.

εἰδωλεῖον, ου, τό *templo de um ídolo* 1 Co 8.10.*

εἰδωλόθυτος, ον somente como subst. τὸ εἰδωλόθυτον *comida oferecida a um ídolo* At 15.29; 21.25; 1 Co 8.1, 4, 7, 10; 10.19, 28 v.l.; Ap 2.14, 20.*

εἰδωλολάτρης, ου, ὁ *idólatra* 1 Co 5.10s; 6.9; 10.7; Ef 5.5; Ap 21.8; 22.15.*

εἰδωλολατρία, ας, ἡ *idolatria* 1 Co 10.14; Gl 5.20; Cl 3.5; 1 Pe 4.3.*

εἴδωλον, ου, τό *ídolo* como uma imagem At 7.41; 1 Co 12.2; Ap 9.20. *Ídolo* como um falso deus At 15.20; Rm 2.22; 1 Co 8.4, 7; 10.19; 2 Co 6.16; 1 Ts 1.9; 1 Jo 5.21.*

εἰδώς, υἶα, ός part. perf. at. de οἶδα.

εἰθισμένος part. perf. pass. de ἐθίζω.

εἰκῇ adv. *sem causa* Cl 2.18; Mt 5.22 v.l. *Em vão, futilmente* Gl 3.4; 4.11. *Sem propósito* Rm 13.4; 1 Co 15.2.*

εἴκοσι *vinte* Lc 14.31; At 27.28. [*icosaedro*].

εἴκω *ceder, entregar-se* Gl 2.5.*

εἰκών, όνος, ἡ *imagem, semelhança* Mc 12.16; 1 Co 11.7; 15.49; Ap 13.14s. *Forma, aparência* Rm 1.23; 8.29; Cl 3.10; Hb 10.1. [*ícone*]

εἴλατο 3 pes. sing. 2 aor. ind. méd. de αἰρέομαι.

εἴληφα, εἴλημμαι perf. ind. at. e pass. de λαμβάνω.

εἰλικρίνεια, ας, ἡ *sinceridade, pureza de motivos* 1 Co 5.8; 2 Co 1.12; 2.17.*

εἰλικρινής, ές gen. οὖς *puro, sincero honesto* Fp 1.10; 2 Pe 3.1.*

εἶλκον, εἵλκυσα imperf. e 1 aor. ind. at. de ἕλκω.

εἰλκωμένος part. perf. pass. de ἑλκόω.

εἰλόμην 2 aor. ind. méd. de αἱρέω.

εἰμί part. ὤν, οὖσα, ὄν; inf. εἶναι *ser* Mt 11.29; 12.11; Mc 3.11; Lc 16.1, 19; Jo 3.1. *Existir* Rm 4.17; Hb 11.6. *Estar presente* Mc 8.1. *Viver* Mt 23.30; *permanecer, residir* 2.13. *Acontecer* 24.3. *Significar* 9.13; 13.38; 27.46; 1 Co 3.7; 10.19. *Pertencer,* com gen. 1.12; 3.4; com ἐκ ou ἐξ Lc 22.3; Cl 4.9. *Há, houve, etc.* Lc 16.1, 19; 1 Co 8.5; 12.4ss. Impes. *é possível* 1 Co 11.20; Hb 9.5. Em explanações ou interrogações, esp. com τοῦτο ou τί, *significa* Mt 26.26; 27.46; Lc 18.36. Com dat. *ter* Lc 1.7. Com um particípio como uma perífrase para uma forma verbal simples Mc 1.22; 2.18; 4.38; Lc 1.20; 5.10, 17; 2 Co 9.12. ὁ ἦν, onde ἦν substitui o part. passado *aquele que era* Ap 1.4, 8. ἡ οὖσα ἐκκλησία *a igreja lá* At 13.1. Seguido por εἰς *tornar-se* Mc 10.8; At 8.23; 2 Co 6.18; *servir* (como alguma coisa) 1 Co 14.22; Tg 5.3. Há obviamente muitas outras traduções possíveis de εἰμί em vários contextos.

εἶμι no gr. ático é usado como futuro de ἔρχομαι = *Eu irei* Jo 7.34 v.l.

εἵνεκεν prep. com gen. (v. ἕνεκα) *a fim de, por causa de* Lc 4.18; 2 Co 3.10.*

εἶξα 1 aor. ind. at. de εἴκω.

εἶπα uma forma de εἶπον com terminações do 1 aor.

εἶπερ *se de fato, visto que* Rm 3.30; 8.9, 17.

εἶπον usado como 2 aor. de λέγω: *dizer, falar* Mt 2.8; 28.7; Mc 12.12; Lc 8.4; 19.11; Jo 1.15; 12.27. *Ordenou* Mc 5.43; *contar* 8.7; *chamar* Jo 10.35; *prenunciar* Mt 28.6; Jo 14.28. v. Também εἴρω.

εἴπως v. εἰ.

εἰργασάμην, εἰργασμένος 1 aor. ind. méd. e part. méd. e pass. de ἐργάζομαι.

εἴρηκα, εἴρημαι perf. at. e ind. pass. de εἴρω, q.v.

εἰρηνεύω *viver em paz, manter a paz* Mc 9.50; Rm 12.18; 2 Co 13.11; 1 Ts 5.13.*

εἰρήνη, ης, ἡ *paz*—1. *paz, harmonia, tranqüilidade* Mt 10.34; Lc 11.21; At 9.31; 24.2; Rm 3.17; 14.19; 1 Co 14.33; Tg 3.18.—2. *paz,* esp. no sentido hebraico = *bem-estar, saúde,* comumente no contexto do relacionamento de pessoas com εἰρηνικός—εἰσπορεύομαι 65

Deus Mc 5.34; Rm 1.7; 1 Co 1.3; 16.11; 1 Ts 1.1; Tg 2.16.—3. *paz em um sentido especificamente cristão, conotando salvação messiânica* Lc 2.14; Jo 16.33; Rm 5.1; Ef 6.15; Fp 4.7. [*Irene*]

εἰρηνικός, ή, όν *pacífico* Hb 12.11; Tg 3.17.* [irênico]

εἰρηνοποιέω *fazer a paz* Cl 1.20.*

εἰρηνοποιός, όν *fazendo a paz,* como subst. ὁ εἰ. *o que faz a paz* Mt 5.9*

εἴρω *dizer, falar.* O pres. deste verbo é servido por λέγω e φημί, o aor. por εἶπον. Fut. ἐρῶ Mt 7.4; 21.3; Mc 11.29; Lc 12.10; 17.21; Rm 4.1 *(concluir);* 1 Co 15.35; Fp 4.4; Ap 17.7. Aor. ἐρρέθη Mt 5.38; Rm 9.26; Ap 6.11. Perf. εἴρηκα, εἴρημαι Lc 4.12; Jo 6.65; At 13.40; Hb 1.13; Ap 19.3; *chamar* Jo 15.15. [Cf. *oratória, verbal.*]

εἰς prep. com ac.—1. *de lugar em* Mt 26.18; Lc 2.15; Jo 1.9; At 17.10; 2 Ts 2.4; *para* Mc 7.31; 13.14; Jo 8.26; *para cima* Lc 9.16. *Em, sobre* Mt 5.39; Lc 14.10. *Entre* Mc 4.7; Lc 10.36. εἰς freqüentemente é usada onde poderíamos esperar ἐν *em* Mc 10.10; 13.9; Lc 11.7; Jo 1.18; At 8.40; 21.13; Hb 11.9.—2. *de tempo até, até que* Mc 13.13; 2 Tm 1.12. *Pois, em, no(a)* Mt 6.34; Lc 1.20; At 13.42; Fp 2.16; Hb 7.3.—3. geralmente *para* Mt 6.13; Jo 13.1; Rm 1.26; 5.8; 2 Co 11.13s; Hb 2.10. *Com referência a* At 2.25. *Em resposta a* Mt 12.41. *Contra* Lc 15.18, 21. *pois,* e Mt 5.13; Lc 5.4b; 9.13; 1 Co 16.1; Ap 22.2. *como* At 10.4; *servindo como* Lc 2.32. *De* 1 Pe 1.11. *Por,* depois de um verbo de juramento e compromisso Mt 5.35; *por* ou *com* no sentido instrumental At 7.53. εἰς τριάκοντα *trinta vezes* Mc 4.8. εἰς τοῦτο *por esta razão* ou *propósito* Jo 18.37; At 9.21. εἰς τό com inf. *de modo que* (resultado) Rm 1.20; 2 Ts 2.10s mas *a fim de* (propósito) Mt 20.19; Mc 14.55. Deve ser omitida na tradução ἐγένετο εἰς δένδρον Lc 13.19.

εἷς, μία, ἕν gen. ἑνός, μιᾶς, ἑνός numeral *um* Mt 5.41; 19.5; Mc 8.14; At 21.7; Rm 5.12; 12.5. Para ênfase *um e o mesmo* Lc 12.52; Rm 3.30; 1 Co 12.11; *somente um, (um)solteiro* Mt 23.15; Mc 12.6; 10.21; Rm 3.10; 1 Tm 3.2, *de quem é casado apenas uma vez; sozinho* Mc 2.7. Equi-

valente ao indefinido τις *alguém, qualquer um* Mt 18.24; Lc 24.18; com τις *um certo (alguém), fulano* Mc 14.47; Jo 11.49; equivalente ao artigo indefinido *um, uma* Mt 8.19; Mc 12.42; Ap 8.13. Equivalente a πρῶτος *primeiro* Mt 28.1; 1 Co 16.2; Tt 3.10. (ὁ) εἷς... (ὁ) εἷς *um... o outro* Mt 20.21; Jo 20.12; Gl 4.22. εἷς τὸν ἕνα *um ao outro* 1 Ts 5.11. καθ' ἕνα *um por um* 1 Co 14.31. εἷς κατὰ εἷς (o segundo εἷς é um nominativo indeclinado) *um após o outro* Mc 14.19; Jo 8.9. [*heno-,* prefixo, cf. *henoteísmo.*]

εἰσάγω *trazer* ou *levar* Lc 2.27; 14.21; Jo 18.16; At 9.8; 21.28s, 37; Hb 1.6.

εἰσακούω *ouvir, prestar atenção*—1. acerca de pessoas *obedecer, seguir* 1 Co 14.21.—2. acerca de Deus: sua atenção à oração Mt 6.7; Lc 1.13; At 10.31; Hb 5.7.*

εἰσδέχομαι *tomar, receber, dar boas-vindas* 2 Co 6.17.*

εἰσδραμοῦσα part. at. fem. do 2 aor. de εἰστρέχω.

εἴσειμι *ir (para, a)* At 3.3; 21.18, 26; Hb 9.6.*

εἰσελεύσομαι, εἰσελήλυθα fut. ind. méd. e perf. ind. at. de εἰσέρχομαι.

εἰσενέγκειν inf. at. do 2 aor. de εἰσφέρω.

εἰσέρχομαι *vir (para), ir (para), entrar* Mt 19.24; Mc 1.21; 5.12; 11.11; 15.43; Lc 17.7; Jo 18.1; Rm 5.12; *penetrar* Hb 6.19. Fig. *vir* (para) = *compartilhar de, desfrutar* Mt 5.20; 18.8s; 26.41; Jo 4.38; Hb 3.11, 18.

εἰσήγαγον 2 aor. ind. at. de εἰσάγω.

εἰσῄει 3 pes. sing. imperf. ind. at. de εἴσειμι.

εἰσήνεγκον 2 aor. ind. at. de εἰσφέρω.

εἰσίασι 3 pes. pl. pres. ind. at. de εἴσειμι.

εἰσκαλέομαι *convidar (para)* At 10.23.*

εἴσοδος, ου, ἡ *entrada, acesso* 1 Ts 1.9 com conotação de recepção; 2.1; Hb 10.19; 2 Pe 1.11; *vindo* At 13.24.*

εἰσπηδάω *entrar correndo, entrar de sopetão* At 16.29; 14.14 v.l.*

εἰσπορεύομαι *ir (para), vir (para), entrar* Mt 15.17; Mc 1 21; 4.19; 5.40; Lc 19.30; At 8.3.

εἰστήκει 3 pes. sing. mais que perf. at. de ἵστημι.

εἰστρέχω correr At 12.14.*

εἰσφέρω levar, trazer Mt 6.13; Lc 5.18s; 11.4; At 17.20; 1 Tm 6.7; Hb 13.11; introduzir, conduzir Lc 12.11.*

εἶτα adv. então, próximo Mc 4.17; Jo 13.5; 1 Co 15.7, 24; 1 Tm 2.13; além disto Hb 12.9.

εἴτε = εἰ + τε; εἴτε ... εἴτε se ... se; ou ... ou Rm 12.6-8; 1 Co 3.22; 12.26; 2 Co 1.6; 1 Ts 5.10.

εἶτεν forma jônica-helenística de εἶτα Mc 4.28 v.l.*

εἶχαν, εἶχον, εἴχοσαν três formas da 3 pes. pl. imperf. at. de ἔχω.

εἴωθα perf. de um pres. obsoleto ἔθω estar acostumado Mt 27.15; Mc 10.1. τὸ εἰωθός costume Lc 4.16; At 17.2.*

εἴων 3 pes. pl. imperf. at. de ἐάω.

ἐκ; antes de vogais ἐξ, prep. com gen. de, a partir de, de dentro de—1. para denotar separação Mt 2.15; 26.27; Mc 16.3; Jo 12.27; 17.15; At 17.33; Gl 3.13; Ap 14.13; de entre Lc 20.35; At 3.23.—2. para denotar a direção da qual procede alguma coisa de, a partir de Mt 17.9; Mc 11.20; Lc 5.3; em resposta à pergunta onde? em, no Mt 20.21, 23; At 2.25; 34.—3. para denotar origem, causa, motivo ou razão de, a partir de, por Mt 1.3, 5, 18; Jo 1.13, 46; 1 Co 7.7; 2 Co 5.1; Gl 2.15; 4.4; Fp 3.5. Por causa de, por Mc 7.11; 2 Co 2.2; Ap 8.11. Pela razão de, por causa de, como resultado de Lc 12.15; At 19.25; Rm 4.2; com Lc 16.9. De, proveniente de de fonte ou material Mt 12.34; Jo 19.2; 1 Co 9.13; Ap 18.12. De Acordo com, concorde a Mt 12.37; 2 Co 8.11, 13. ἐκ τούτου por esta razão, portanto Jo 6.66. οἱ ἐκ νόμου os partidários da lei Rm 4.14.—4. em perífrases para o gen. partitivo Mt 10.29; 25.2; Lc 11.15, que pode, inclusive, funcionar como sujeito de uma sentença ἐκ τ. μαθητῶν alguns dos discípulos Jo 16.17; usado com εἶναι = pertencer a alguém ou algo Mt 26.73; At 21.8; 1 Co 12.15s. Após verbos de preenchimento com Lc 15.16; Jo 12.3; Ap 8.5.—5. de tempo de, de ... em diante Mt 19.12; Mc 10.20; Jo 9. 1, 32; por Lc 23.8; depois 2 Pe 2.8.

ἕκαστος, η, ον cada, todo Jo 19.23; Hb 3.13; Ap 22.2; talvez ambos os tipos Lc 6.44. Com função substantiva cada um, todo Mt 16.27; Lc 13.15; 1 Co 15.38. εἷς ἕκαστος cada um deles Mt 26.22 Lc 4.40; 1 Co 12.18. Para ἀνὰ εἷς ἕκαστος Ap 21.21, v. ἀνά 1.

ἑκάστοτε adv. a qualquer hora, sempre 2 Pe 1.15.*

ἑκατόν indecl. cem Mt 13.8, 23; Lc 15.4; Jo 19.39; At 23.23 v.l.; Ap 7.4.

ἑκατονταετής, ές cem anos de idade Rm 4.19.*

ἑκατονταπλασίων, ον cem vezes mais Mc 10.30; Lc 8.8; Mt 19.29; Lc 18.30 v.l.*

ἑκατοντάρχης, ου ou ἑκατόνταρχος, ου, ὁ centurião, capitão Mt 8.13; At 27.1, 6, 11, 31, 43 (todos -ης), e Mt 8.5, 8; At 22.25 (todos -ος).

ἐκβαίνω ir embora, vir (de) Hb 11.15.*

ἐκβάλλω—1. expulsar, expelir lit. lançar fora, mais ou menos pela força, Mt 9.25, 34; 21.12, 39; 25.30; Lc 9.40; 11.20; Jo 2.15; At 9.40. Desdenhar Lc 6.22; repudiar Gl 4.30; 3 Jo 10.—2. sem a conotação de força: enviar Lc 10.2; de designação para uma tarefa Mc 1.12; soltar At 16.37.—3. tirar, remover Mt 7.4s; Mc 9.47; Lc 10.35; tirar, extrair Mt 13.52; Jo 10.4; evacuar 15.17. Deixar de lado, sem consideração Ap 11.2. Causar, levar a Mc 12.20.

ἔκβασις, εως, ἡ saída, meio de escape 1 Co 10.13; fim, talvez, resultado Hb. 13.7.*

ἐκβεβλήκει 3 pes. sing. mais que perfeito ind. at. de ἐκβάλλω Mc 16.9.

ἐκβλαστάνω brotar Mc 4.5 v.l.*

ἐκβολή, ῆς, ἡ descarregar, lit. 'lançar fora' a carga de um navio At 27.18.*

ἐκγαμίζω casar, dar em casamento como v.l. de γαμίζω nas seguintes passagens: Mt 22.30; 24.38; Lc 17.27; 20.35; 1 Co 7.38.*

ἔκγονος, ον como um subst. ὁ, ἡ ἔκγονος descendente, especificamente neto 1 Tm 5.4.*

ἐκδαπανάω gastar completamente, exaurir fig. 2 Co 12.15.*

ἐκδέχομαι esperar Jo 5.3 v.l., At 17.16; 1 Co 11.33; 16.11; Tg 5.7; *ter expectativa de* Hb 11.10; seguido por ἕως *esperar até* 10.13.*

ἔκδηλος, ον *evidente, claro* 2 Tm 3.9.*

ἐκδημέω *deixar a casa* ou *o país*, fig. *partir* 2 Co 5.8. *Estar em uma terra estranha*, fig. *estar ausente* 5.6, 9.*

ἐκδίδωμι méd. *arrendar, alugar* Mt 21.33, 41; Mc 12.1; Lc 20.9.*

ἐκδιηγέομαι *contar (com detalhes)* At 13.41; 15.3.*

ἐκδικέω—1.*vingar-se, punir* 2 Co 10.6; Ap 6.10; 19.2.—2.*vingar* alguém, *procurar justiça para* alguém Lc 18.5. ἐ. με *Veja que eu seja tratada com justiça* Lc 18.3. ἐ. ἑαυτόν *tomar vingança* Rm 12.19.*

ἐκδίκησις, εως, ἡ *vingança, punição* Lc 21.22; 2 Co 7.11; 2 Ts 1.8; 1 Pe 2.14. ἐμοὶ ἐ. *a vingança me pertence* Rm 12.19; Hb 10.30. ἐ. ποιεῖν *ver que a justiça seja feita* Lc 18.7s; At 7.24.*

ἔκδικος, ον *vingador, punidor* Rm 13.4; 1 Ts 4.6.*

ἐκδιώκω *perseguir severamente* 1 Ts 2.15; Lc 11.49 v.l.*

ἔκδοτος, ον *entregue* At 2.23.*

ἐκδοχή, ῆς, ἡ *expectativa* Hb 10.27.*

ἐκδύω *tirar* Mt 27.28, 31; Mc 15.20; Lc 10.30; fig. 2 Co 5.3s.*

ἐκεῖ adv.—1.*lá, ali, naquele lugar* Mt 2.13, 15; Mc 5.11; Lc 12.34. οἱ ἐκεῖ *aqueles que estavam lá* Mt 26.71. Pleonástico, devendo ser omitido na tradução Ap 12.6, 14.—2.*lá, para lá, 'de lá'* Mt 2.22; Lc 21.2; Jo 11.8; Rm 15.24.

ἐκεῖθεν adv. *de lá* Mt 4.21; Mc 6.1; Lc 9.4; Jo 4.43.

ἐκεῖνος, η, ο pronome demonstrativo, *aquele, aquela, aquilo* Mc 4.11; Hb 12.25; Tg 4.15. Equivalente a *ele, ela isso, aquilo* Mc 16.10; Jo 5.37; 14.21, 26. Enfático Mt 17.27; Tt 3.7. Gen. Adverbial ἐκείνης *lá* Lc 19.4.

ἐκεῖσε adv., no N.T. = ἐκεῖ 1 *ali, lá, naquele lugar* At 21.3; 22.5.*

ἐκέκραξα 1 aor. ind. at. de κράζω At 24.21.

ἐκέρασε 1 aor. ind. at. de κεράννυμι.

ἐκέρδησα 1 aor. ind. at. de κερδαίνω.

ἐκζητέω *procurar, esquadrinhar* At 15.17; Rm 3.11; Hb 11.6; 12.17; 1 Pe 1.10. *Requerer* Lc 11.50s.*

ἐκζήτησις, εως, ἡ *especulação inútil* 1 Tm 1.4.*

ἐκθαμβέω pass. *espantar-se* Mc 9.15; *angustiar-se* 14.33; *alarmar-se* 16.5s.*

ἔκθαμβος, ον *totalmente admirado, maravilhado* At 3.11.*

ἐκθαυμάζω *maravilhar-se* Mc 12.17.*

ἔκθετος, ον *abandonado, exposto* At 7.19.*

ἐκκαθαίρω *limpar, purificar* 1 Co 5.7; 2 Tm 2.21.*

ἐκκαθάρατε 2 pes. pl. 1 aor. imperativo at. de ἐκκαθαίρω.

ἐκκαίω pass. *ser inflamado* Rm 1.27.*

ἐκκακέω *desanimar* como v.l. de ἐγκακέω em todas essas passagens: Lc 18.1; 2 Co 4.1, 16; Gl 6.9; Ef 3.13; 2 Ts 3.13.*

ἐκκεντέω *ferir, traspassar* Jo 19.37; Ap 1.7.*

ἐκκέχυται perf. ind. pass. de ἐκχέω.

ἐκκλάω *cortar, desgarrar* Rm 11.17, 19, 20.*

ἐκκλείω *excluir* Gl 4.17; *eliminar* Rm 3.27.*

ἐκκλησία, ας, ἡ—1.*assembléia reunida regularmente para fins políticos* At 19.39; *reunião* 19.32, 40.—2.*congregação, assembléia dos israelitas* At 7.38; Hb 2.12.—3. *a igreja* ou *congregação* cristã: como uma reunião da igreja 1 Co 11.18: 14.4s; 3 Jo 6; como um grupo de cristãos vivendo num determinado local Mt 18.17; At 5.11; Rm 16.1, 5; 1 Co 1.2; Gl 1.22; 1 Ts 1.1; Fm 2; como a *Igreja* universal, à qual todos os crentes pertencem Mt 16.18; At 9.31; 1 Co 12.28; Ef 1.22; 3.10. *Igreja* de Deus ou do Cristo 1 Co 10.32; 1 Ts 2.14; Rm 16.16. [eclesiástico]

ἐκκλίνω *desviar-se, separar-se* Rm 16.17; 1 Pe 3.11; Rm 3.12.*

ἐκκολυμβάω *(saltar de bordo) e escapar a nado* At 27.42.*

ἐκκομίζω *levar (para enterrar)* Lc 7.12.*

ἐκκοπή, ῆς, ἡ lit. *cortando fora* v.l. de ἐγκοπή *impedimento* 1 Co 9.12.*

ἐκκοπήσῃ 2 pes. sing. fut. ind. pass. de ἐκκόπτω.

ἐκκόπτω cortar fora ou abaixo Mt 3.10; 5.30; 7.19; 18.8; Lc 3.9; 13.7, 9; Rm 11.24; fig. 11.22. Remover 2 Co 11.12.*

ἐκκρεμάννυμι méd. pender, inclinar-se fig. Lc 19.48.*

ἐκλαλέω contar At 23.22.*

ἐκλάμπω brilhar Mt 13.43.*

ἐκλανθάνομαι esquecer (totalmente) com gen. Hb 12.5.*

ἔκλαυσα 1 aor. ind. at. de κλαίω.

ἐκλέγομαι escolher, selecionar Mc 13.20; Lc 9.35; 10.42; Jo 15.16; At 15.22, 25; Ef 1.4; Tg 2.5. Em Lc 6.44 ἐκλ. é v.l. de συλλέγω.

ἐκλείπω falhar, desfalecer Lc 22.32; desistir de dinheiro 16.9 (a v.l. ὅταν ἐκλίπητε aqui significa quando você morrer); escurecer, talvez ser eclipsado 23.45; chegar a um fim Hb 1.12. [eclipse]

ἐκλεκτός, ή, όν, escolhido, eleito, selecionado Mt 22.14; 24.22, 24, 31; Lc 18.7; 23.35; Cl 3.12; 1 Tm 5.21; 2 Tm 2.10; 1 Pe 2.9; 2 Jo 1, 13. Escolha 1 Pe 2.4, 6; ὁ ἐ. ἐν κυρίῳ eleito no Senhor Rm 16.13.

ἐκλελεγμένος part. perf. pass. de ἐκλέγομαι.

ἐκλέλησομαι perf. ind. pass. de ἐκλανθάνομαι.

ἐκλήθην 1 aor. ind. pass. de καλέω.

ἐκλογή, ῆς, ἡ seleção, escolha, eleição Rm 9.11; 11.5, 28, 1 Ts 1.4; 2 Pe 1.10. σκεῦος ἐκλογῆς um instrumento escolhido At 9.15. Num sentido passivo os escolhidos Rm 11.7.*

ἐκλύω pass. tornar-se desanimado, desmaiar, desfalecer Mt 15.32; Mc 8.3; Gl 6.9. Perder a coragem Hb 12.3, 5.*

ἐκμάσσω secar, enxugar Lc 7.38, 44; Jo 11.2; 12.3; 13.5.*

ἐκμυκτηρίζω ridicularizar alguém, divertir-se as custas de alguém Lc 16.14; 23.35.*

ἐκνεύω voltar atrás, retirar-se Jo 5.13.*

ἐκνήφω tornar-se sóbrio, fig. vigiar, estar alerta 1 Co 15.34.*

ἑκούσιος, ία, ιον voluntário κατὰ ἑκούσιον de livre e espontânea vontade, como oposto à compulsão legal, Fm 14.*

ἑκουσίως adv. voluntariamente 1 Pe 5.2. Sem compulsão, i.e., deliberadamente, intencionalmente Hb 10.26.*

ἔκπαλαι adv. por um longo tempo, Há muito tempo atrás 2 Pe 2.3; 3.5.*

ἐκπειράζω colocar à prova, testar, tentar Mt 4.7; Lc 4.12; 10.25; 1 Co 10.9.*

ἐκπέμπω enviar, fazer sair At 13.4; 17.10.*

ἐκπέπτωκα perf. ind. at. de ἐκπίπτω.

ἐκπερισσῶς adv. excessivamente ἐ. λαλεῖν dizer com grande ênfase Mc 14.31.*

ἐκπεσεῖν inf. 2 aor. at. de ἐκπίπτω.

ἐκπετάννυμι estender Rm 10.21.*

ἐκπηδάω correr At 14.14; sair, partir rapidamente 10.25 v.l.*

ἐκπίπτω—1.cair, cair de At 12.7; Tg 1.11; 1 Pe 1.24; talvez At 27.32, mas ver 2 abaixo.—2. sair do curso, correr fora At 27.17, 26, 29, talvez 32 (ver 1 acima).—3.fig. cair, decair Gl 5.4; 2 Pe 3.17. Falhar Rm 9.6; 1 Co 13.8 v.l.*

ἐκπλεῦσαι inf. 1 aor. at. de ἐκπλέω.

ἐκπλέω embarcar, navegar At 15.39; 18.18; 20.6.*

ἐκπληρόω encher (completamente) At 13.33.*

ἐκπλήρωσις, εως, ἡ cumpridos, no prazo At 21.26.*

ἐκπλήσσω pass. ser espantado, maravilhado Mt 19.25; 22.33; Mc 6.2; Lc 2.48; At 13.12.

ἐκπνέω expirar, morrer Mc 15.37, 39; Lc 23.46.*

ἐκπορεύομαι vir, ou ir embora, proceder Mt 17.21; Mc 7.15, 20; Lc 3.7; Jo 15.26; Ap 4.5. Espalhar Lc 4.37; projetar Ap 1.16; Fluir 22.1

ἐκπορνεύω cair na imoralidade Jd 7.*

ἐκπτύω desprezar, desdenhar Gl 4.14.*

ἐκπυρόω colocar fogo, destruir pelo fogo emenda conjectural de εὑρεθήσεται 2 Pe 3.10.*

ἐκριζόω desarraigar, arrancar pela raiz Mt 13.29; 15.13; Lc 17.6. Jd 12.*

ἐκρίθην 1 aor. ind. pass. de κρίνω.

ἐκρύβην 2 aor. ind. pass. de κρύπτω.

ἔκστασις, εως, ἡ—1.espanto, terror Mc 5.42; 16.8; Lc 5.26; At 3.10.—2.transe, êxtase At 10.10; 11.5; 22.17.*

ἐκστρέφω pass. ser pervertido, ser desencaminhado Tt 3.11.*

ἐκσῴζω 1 aor. inf. at. ἐκσῶσαι *trazer em segurança* v.l. de ἐξωθέω At 27.39.*

ἐκταράσσω *agitar, causar confusão* At 16.20; 15.24 v.l.*

ἐκτεθείς part. pass. 2 aor. de ἐκτίθημι.

ἐκτείνω *estender, ampliar, alargar,* Mt 8.3; 26.51; Mc 3.5; Lc 22.53; Jo 21.18; At 4.30; 26.1. *Acerca de uma âncora, lançar âncora* At 27.30 [Cf. *extensão*]

ἐκτελέω *terminar, completar* Lc 14.29s.*

ἐκτένεια, ας, ἡ *perseverança, afinco* At 26.7; 12.5 v.l.*

ἐκτενής, ές *fervente, intensa* At 12.5 v.l.; *constante* 1 Pe 4.8.*

ἐκτενῶ fut. ind. at. de ἐκτείνω.

ἐκτενῶς adv. *ferventemente, intensamente, constantemente* At 12.5; 1 Pe 1.22. O comparativo ἐκτενέστερον, provavelmente, = *muito ferventemente* Lc 22.44.*

ἐκτίθημι *abandonar* At 7.21. Fig. *explicar, expôr* 11.4; 18.26; 28.23.*

ἐκτινάσσω *sacudir* Mt 10.14; Mc 6.11; At 13.51; 18.6; Lc 9.5 v.l.*

ἕκτος, η, ον *sexto* Mt 20.5; Mc 15.33; Lc 1.26, 36; Jo 4.6; Ap 6.12.

ἐκτός adv. *fora*—1. ἐκτὸς εἰ μή *a menos que, exceto* 1 Co 14.5; 15.2; 1 Tm 5.19. Como subst. τὸ ἐ. *o exterior* Mt 23.26.—2. funciona como prep. com gen. *fora do* 1 Co 6.18; 2 Co 12.2; *exceto* At 26.22; 1 Co 15.27.* [*ecto-,* prefixo, cf. *ectoplasma.*]

ἐκτρέπω méd. e pass. *desviar-se* 1 Tm 1.6; 5.15; 2 Tm 4.4; *evitar* 1 Tm 6.20. Para Hb 12.13 *desviar* é possível, mas *ser deslocado* talvez seja melhor.*

ἐκτρέφω *alimentar, nutrir* Ef 5.29; *educar* 6.4.*

ἔκτρομος, ον *tremendo* Hb 12.21 v.l.*

ἔκτρωμα, ατος, τό *nascido fora de época, abortivo* 1 Co 15.8.*

ἐκφέρω *trazer ou levar* Lc 15.22; At 5.6, 9s, 15; 1 Tm 6.7; *levar* Mc 8.23. *Produzir* Hb 6.8.*

ἐκφεύγω *escapar, buscar segurança na fuga* At 19.16. *Escapar* Lc 21.36; At 16.27; Rm 2.3; Hb 12.25.

ἐκφοβέω *terrificar, apavorar* 2 Co 10.9.*

ἔκφοβος, ον *assombrado, terrificado* Mc 9.6; Hb 12.21.*

ἐκφυγεῖν inf. 2 aor. at. de ἐκφεύγω.

ἐκφύω *produzir, brotar,* lit. 'fazer crescer' Mt 24.32;. Mc 13.28.*

ἐκφωνέω *gritar* Lc 16.24 v.l.*

ἐκχέαι inf. at. 1 aor. de ἐκχέω.

ἐκχέω ou εκχύννομαι *derramar, aspergir, verter* Mt 9.17; 23.35; Mc 14.24; Jo 2.15; At 1.18; Ap 16.6; fig. *derramar* At 2.17s, 33; Rm 5.5; Tt 3.6. Pass. *entregar-se, desistir* Jd 11.

ἐκχωρέω *ir embora, sair* Lc 21.21.*

ἐκψύχω *dar o último suspiro, morrer* At 5.5; 10; 12.23.*

ἑκών, οὖσα, όν *voluntariamente, de livre e espontânea vontade* Rm 8.20; 1 Co 9.17.*

ἔλαθον 2 aor. ind. at. de λανθάνω.

ἐλαία, ας, ἡ *oliveira* Mt 21.1; Rm 11.17, 24; Ap 11.4; *oliva* Tg 3.12. τὸ ὄρος τῶν ἐλαιῶν *o Monte das Oliveiras* Mt 21.1.

ἔλαιον, ου, τό *óleo (de oliva)* Mt 25.3s, 8; Mc 6.13; Lc 10.34; Hb 1.9; *azeite* Ap 6.6. [*óleo*]

ἐλαιών, ῶνος, ὁ *oliveiral* Lc 19.29; 21.37; At 1.12.*

ἐλάκησα 1 aor. ind. at. de λακάω.

Ἐλαμίτης, ου, ὁ *Elamita,* da região leste do vale inferior do Tigre At 2.9.*

ἐλάσσων, ἔλασσον (o ático ἐλάττων é achado em 1 Tm 5.9; Hb 7.7) usado como comparativo de μικρός: *menor,* = *mais jovem* Rm 9.12; *inferior* Jo 2.10; Hb 7.7; Mt 20.28 v.l. Adv. ἔλαττον *menos* 1 Tm 5.9.*

ἐλαττονέω *ter menos* ou *estar em falta* 2 Co 8.15.*

ἐλαττόω *inferiorizar, diminuir* Hb 2.7, 9. Pass. *ser diminuído* Jo 3.30; *estar em necessidade de* 2 Co 12.13 v.l.*

ἐλάττων ver ἐλάσσων.

ἐλαύνω *sair, conduzir* Lc 8.29; Tg 3.4; 2 Pe 2.17; *remar* Mc 6.48; Jo 6.19.*

ἐλαφρία, ας, ἡ *vacilação, leviandade* τῇ ἐ. χρᾶσθαι *usei de leviandade?* 2 Co 1.17.*

ἐλαφρός, ά, όν *leve* Mt 11.30. τὸ ἐ. *insignificância, trivialidade* 2 Co 4.17.*

ἔλαχε 2 aor. ind. at. de λαγχάνω.

ἐλάχιστος, ίστη, ον usado como superlativo de μικρός: o mínimo 1 Co 15.9. Usualmente reduzido em grau muito pequeno, sem importância, insignificante Mt 2.6; Tg 3.4; trivial 1 Co 6.2; de pouco importância Mt 25.40, 45; 1 Co 4.3. Com o acrécimo da terminação do comparativo o menor de todos Ef 3.8.

Ἐλεάζαρ, ὁ indecl. Eleazar Mt 1.15.*

ἐλεάω forma alternativa de ἐλεέω ter misericórdia, achada em Rm 9.16; Jd 22, 23.*

ἐλεγμός, οῦ, ὁ reprovação, convicção ou punição 2 Tm 3.16.

ἔλεγξις, εως, ἡ reprovação 2. Pe 2.16.*

ἔλεγχος, ου, ὁ prova, talvez convicção interior Hb 11.1; reprovação, correção 2 Tm 3.16 v.l.*

ἐλέγχω—1. trazer à luz, expor, mostrar Jo 3.20; Ef 5.11, 13; Tt 2.15.—2. convencer, apontar, persuadir Jo 8.46; Tg 2.9; Tt 1.9, 13; Jd 15.—3. reprovar, corrigir Mt 18.15; Lc 3.19; 1 Tm 5.20; disciplinar, punir Hb 12.5; Ap 3.19.

ἐλεεινός, ή, όν miserável 1 Co 15.19; Ap 3.17.*

ἐλεέω ter misericórdia ou piedade, mostrar misericórdia Mt 5.7; 18.33; Mc 5.19; Lc 16.24; 1 Co 7.25; Fp 2.27; praticar atos misericordiosos Rm 12.8.

ἐλεημοσύνη, ης, ἡ ato caridoso, esmola Mt 6.2ss; Lc 11.41; At 9.36; 10.2, 4, 31.

ἐλεήμων, ον gen, ονος misericordioso, compassivo Mt 5.7; Hb 2.17.*

ἐλέησον imperativo 1 aor. at. de ἐλεέω.

ἔλεος, ους, τό misericórdia, clemência, compaixão, piedade Mt 23.23; Lc 1.72; Rm 15.9; Gl 6.16; Ef 2.4; Hb 4.16.

ἐλευθερία, ας, ἡ liberdade Rm 8.21; 1 Co 10.29; 2 Co 3.17; Gl 2.4; 5.1, 13; Tg 1.25; 2.12; 1 Pe 2.16; 2 Pe 2.19.*

ἐλεύθερος, έρα, ον livre, independente, como adj. e subst. (= um homem livre, etc.) Mt 17.26; Jo 8.33, 36; 1 Co 7.22, 39; Gl 4.31; Ap 6.15; 19.18.

ἐλευθερόω libertar, pôr em liberdade Jo 8.32, 36; Rm 6.18, 22; 8.2, 21; Gl 5.1.*

ἐλεύκανα 1 aor. ind. at. de λευκαίνω.

ἔλευσις, εως, ἡ vinda, advento At 7.52; como v.l. Lc 21.7 e 23.42.*

ἐλεύσομαι fut. ind. méd. de ἔρχομαι.

ἐλεφάντινος, η, ον feito de marfim Ap 18.12.*

ἐλήλακα perf. ind. at. de ἐλαύνω.

ἐλήλυθα perf. ind. at. de ἔρχομαι.

ἐλθεῖν inf. 2 aor. at. de ἔρχομαι.

Ἐλιακίμ, ὁ indecl. Eliaquim Mt 1.13; Lc 3.30; 3.23ss v.l.*

ἕλιγμα, ατος, τό pacote, rolo, embrulho Jo 19.39 v.l.*

Ἐλιέζερ, ὁ indecl. Eliezer Lc 3.29.*

Ἐλιούδ, ὁ indecl. Eliúde Mt 1.14s; Lc 3.23ss v.l.*

Ἐλισάβετ, ἡ indecl. Elizabete Lc 1.5, 7, 13, 24, 36, 40s, 57; 1 1.46 v.l.*

Ἐλισαῖος, ου, ὁ Eliseu Lc 4.27.*

ἑλίσσω enrolar Hb 1.12; Ap 6.14.*

ἕλκος, ους, τό chaga, úlcera, ferida Lc 16.21; Ap 16.2, 11.*

ἑλκόω pas. ser coberto com chagas Lc 16.20.*

ἑλκύω e ἕλκω puxar, desembainhar Jo 18.10; At 16.19; 21.30; lançar Jo 21.6, 11; arrastar Tg 2.6. Atrair Jo 6.44; 12.32.*

Ἑλλάς, άδος, ἡ Grécia, Hélade At 20.2.

Ἕλλην, ηνος, ὁ grego, heleno, alguém que fala grego Rm 1.14. Gentio, não-judeu At 11.20 v.l.; 20.21; 1 Co 1.24; Gl 3.28. Prosélitos ' Jo 12.20. Tementes a Deus At 17.4.

Ἑλληνικός, ή, όν grego Lc 23.38 v.l.; supra-se idioma Ap 9.11.*

Ἑλληνίς, ίδος, ἡ gentio (lit. grego) At 17.12; mulher gentia Mc 7.26.*

Ἑλληνιστής, οῦ, ὁ um helenista, um judeu de idioma grego At 6.1; 9.29; 11.20.*

Ἑλληνιστί adv, na língua grega Jo 19.20. Ἑ. γινώσκειν entender grego At 21.37.*

ἐλλογάω ou ἐλλογέω colocar na conta de alguém Rm 5.13; Fm 18.*

Ἐλμαδάμ, ὁ indecl. Elmodά Lc 3.28.*

ἐλόμενος part. méd. 2 aor de αἱρέω.

ἐλπίζω esperar, ter esperança, prever Lc 6.34; 23.8; At 26.7; 1 Co 13.7; 2 Co 8.5.

Colocar a esperança (em) Mt 12.21; Jo 5.45; 2 Co 1.10; 1 Pe 1.13.

ἐλπίς, ίδος, ἡ *esperança, expectativa* At 16.19; 23.6; Rm 4.18; 8.20, 24; 1 Co 9.10; 2 Co 1.7. *Esperança cristã* At 26.6; Rm 5.4s; 1 Co 13.13; Ef 2.12; 1 Ts 1.3; 1 Pe 1.3; *(objeto de) esperança* 1 Ts 2.19; 1 Tm 1.1; *esperança, alguma coisa esperada, ansiada* Rm 8.24; Cl 1.5; Tt 2.13; Hb 6.18.

Ἐλύμας, α, ὁ *Elimas* At 13.8.*

ἐλωΐ aramaico *meu Deus* Mc 15.34; Mt 27.46 v.l.*

ἔμαθον2 aor. ind. at. de μανθάνω.

ἐμαυτοῦ ἧς, pron. reflexivo da 1 pessoa. *eu mesmo, mim mesmo*—1. no gen. *meu mesmo* 1 Co 10.33; ἀπ' ou ἐμαυτοῦ *com minha própria autoridade, de minha própria vontade* Jo 5.30; 10.18; 12.49; 14.10—2. no dativo ἔδοξα ἐμαυτῷ *Eu cria então* At 26.9. σύνοιδα τι ἐμαυτῷ *estou consciente de alguma coisa* 1 Co 4.4.

ἐμβαίνω *entrar, subir* Jo 5.4. *Entrar, embarcar* Mt 8.23; Mc 8.10; Lc 8.22, 37; Jo 6.17, 24; At 21.6 v.l.

ἐμβάλλω *arremessar* Lc 12.5.*

ἐμβαπτίζω *mergulhar* Mc 14.20 v.l.*

ἐμβάπτω *mergulhar* Mt 26.23; Mc 14.20*

ἐμβάς part. at. 2 aor. de ἐμβαίνω.

ἐμβατεύω no N.T. somente Cl. 2.18. ἅ. ἑόρακεν ἐμβατεύων, onde o significado é incerto. O verbo pode significar *entrar, entrar em detalhes, colocar-se sobre*, etc. Entre as probabilidades para Cl 2.18 estão *delongar-se acerca da história do que se viu* em uma visão, ou *quem entra* (o santuário) *naquilo que foi visto* (êxtase). Talvez o texto esteja deturpado.*

ἐμβῆναι inf. at 2 aor. de ἐμβαίνω.

ἐμβιβάζω *colocar, colocar a bordo* At 27.6.*

ἐμβλέπω *olhar, fixar os olhos* freqüentemente com dat. Mc 10.21, 27; Lc 20.17; Jo 1.36. Com εἰς Mt 6.26 (v. abaixo), At 1.11. Talvez *ser capaz de ver* Mc 8.25; At 22.11. Talvez *considerar* Mt 6.26 (v. acima).

ἐμβριμάομαι com dat. *censurar, criticar duramente* Mc 14.5; *advertir* Mt 9.30; Mc 1.43. ἐ. τῷ πνεύματι ou ἐν ἑαυτῷ *estar profundamente comovido* Jo 11.33, 38.*

ἐμέ ac. sing. de ἐγώ.

ἔμεινα 1 aor. ind. at. de μένω.

ἐμέω *vomitar* fig. Ap 3.16.*

ἔμιξα 1 aor. ind. at. de μίγνυμι.

ἐμμαίνομαι *enfurecer-se* At 26.11.*

Ἐμμανουήλ, ὁ indecl. *Emanuel* Mt 1.23.*

Ἐμμαοῦς, ἡ *Emaús*, uma vila a aproximadamente 11,5 Km de Jerusalém Lc 24.13.*

ἐμμένω *permanecer* ou *viver (em)* At 28.30. Fig. *perseverar, ser fiel a, ficar firme* 14.22; *permanecer, viver por* Gl 3.10; Hb 8.9.*

ἐμμέσῳ v.l. de ἐν. μέσῳ Ap 1.13; 2.1; 4.6; 5.6; 6.6; 22.2.*

Ἐμμώρ, ὁ indecl. *Emor* At 7.16.*

ἐμνήσθην 1 aor. ind. pass. de μιμνήσκομαι.

ἐμοί dat. sing. de ἐγώ.

ἐμός, ή, όν pron. possessivo *meu, minha* sem ênfase Mt 18.20; Jo 15.11; com ênfase *meu mesmo* Gl 6.11; Fm 19. εἰς τὴν ἐμὴν ἀνάμνησιν *em minha memória, em memória de mim* 1 Co 11.24s. Como subst. τὸ ἐμόν *o que é meu, minha propriedade* Mt 20.15; 25.27; Jo 16.14s.

ἐμπαιγμονή, ῆς, ἡ *zombaria, sarcasmo* 2 Pe 3.3.*

ἐμπαιγμός, οῦ, ὁ *escárnio, sarcasmo*, ou *ridicularização* Hb 11.36.*

ἐμπαίζω *ridicularizar, zombador, escarnecer* com dat. Mt 27.29, 31; Mc 10.34; Lc 22.63. *Denegrir, fazer alguém de tolo* Mt 2.16.

ἐμπαίκτης, ου, ὁ *zombar, escarnecedor* 2 Pe 3.3; Jd 18.*

ἐμπέμπω *enviar* Lc 19.14 v.l.*

ἐμπεπλησμένος part. perf. pass. de ἐμπίμπλημι.

ἐμπεριπατέω *caminhar, mover-se* 2 Co 6.16.*

ἐμπί(μ)πλημι ou ἐμπι(μι)πλάω *encher, satisfazer* Lc 1.53; 6.25; Jo 6.12; At 14.17; *desfrutar de sua companhia* Rm 15.24.*

ἐμπί(μ)πρημι *queimar, colocar fogo* Mt 22.7. Como v.l. em At 28.6, para a qual ver πίμπρημι.*

ἐμπίπτω cair lit. Lc 6.39. Fig. cair 10.36; 1 Tm 3.6s; Hb 10.31.

ἐμπλακείς part. pass. 2 aor. de ἐμπλέκω.

ἐμπλέκω pass. enredar-se, envolver-se, implicar-se 2 Tm 2.24; 2 Pe 2.20.*

ἐμπλησθῶ subj. pass. 1 aor. de ἐμπί(μ)πλημι.

ἐμπλοκή, ῆς, ἡ penteado exibitivo, frisado, debrum 1 Pe 3.3.*

ἐμπνέω respirar com gen. At 9.1.*

ἐμπορεύομαι fazer negócios, comerciar Tg 4.13. Explorar, aproveitar, lit. 'vender' 2 Pe 2.3.*

ἐμπορία, ας, ἡ negócio, comércio Mt 22.5.*

ἐμπόριον, ου, τό mercado οἶκος ἐμπορίου casa do mercado Jo 2.16.* [empório]

ἔμπορος, ου, ὁ mercador, comerciante Mt 13.45; Ap 18.3, 11, 15, 23.*

ἐμπρήθω forma alternativa de ἐμπίμπρημι.

ἔμπροσθεν—1. adv. em frente, adiante, em diante Lc 19.4; 28; Ap 4.6. τὰ ἔ. ο que está a frente Fp 3.13.—2. funciona como prep. com gen. em frente de, diante Mt 5.24; 27.29; Lc 5.19; At 18.17. Ante, na presença de Mt 10.32s; 27.11; Gl 2.14; 1 Ts 1.3; 2.19. Perante, à vista de Mt 6.1; Mc 2.12; Lc 19.27; Jo 12.37; At 10.4; "na cara" Mt 23.13. Acerca de posição anterior, maior que Jo 1.15, 30. Para o gen. simples Mt 18.14, ou dat. 11.26.

ἐμπτύω cuspir com dat. ou εἰς e ac. Mt 27.30; Mc 10.34; 14.65; Lc 18.32.

ἐμφανής, ές, visível At 10.40; ἐ. ἐγενόμην Fui revelado; fui manifestado Rm 10.20.*

ἐμφανίζω—1. revelar Jo 14.21s; pass. tornar-se visível, aparecer Mt 27.53; Hb 9.24.—2. tornar conhecido, explicar, informar, prestar relatório At 23.15, 22; 25.15; Hb 11.14; prestar acusações formais At 24.1; 25.2.*

ἔμφοβος, ον assustado, com medo, terrificado, apavorado Lc 24.5, 37; At 10.4; 24.25; Ap 11.13.*

ἐμφυσάω assoprar, respirar sobre Jo 20.22.*

ἔμφυτος, ον implantado, semeado Tg 1.21.*

ἐμφωνέω somente como v.l. de φωνέω em Lucas 16.24.*

ἐμώρανα 1 aor. ind. at. de μωραίνω.

ἐν prep. com dat., a prep. mais comum no N.T., usada com grande variedade de sentidos, dos quais os seguintes são típicos:—I. de lugar: em Mt 3.1; Lc 2.49; At 5.42; 1 Tm 3.15. dentro de, na Mt 5.25; 6.5; Jo 4.20s; 2 Co 3.3. Em, próximo a, perto de Lc 13.4; Jo 8.20; Ef 1.20. No caso de, para Mt 17.12; Mc 14.6; 1 Co 4.2, 6; 9.15. Na presença de, perante 1 Co 2.6; no julgamento de 14.11. Entre, em, no meio de Mt 2.6; Mc 8.38; Gl 1.14. Com (denotando acompanhamento ou associação, chegando perto de denotar instrumento) Mt 16.28; Lc 14.31; 1 Co 4.21; 2 Co 10.14; Hb 9.25; no poder de, sob a influência Mc 1.23; 12.36; 1 Jo 5.19. O sentido para dentro de, onde εἰς poderia ser esperado, é raro, mas ver Lc 9.46; Ap 11.11. Em, no sentido de interrelacionamento, envolvendo especialmente Jesus, ou Deus, ou ambos Jo 10.38; 14.20; Rm 6.11, 23; 16.11; 1 Co 1.30; 3.1; 4.15; Gl 2.20; Fp 3.1; 4.1s;—II. de tempo—1. de um período de tempo, no curso de, dentro de Mt 2.1; 3.1; 27.40; Jo 2.19s. ἐν τῷ μεταξύ entrementes Jo 4.31.—2. denotando um ponto de tempo quando ocorre algo em, no, na, às Mt 8.13; Mc 12.23; Jo 11.9, 10, 24; 1 Co 15.23, 52—3. quando, enquanto, durante Mt 13.4, 25; 21.22; Mc 15.7; 12.38; Ef 6.20.—III. causal—1. expressando meio ou instrumento com, em, por Mt 5.13; 26.52; Lc 1.51; Rm 5.9; Ap 17.16; com o auxílio de Mt 9.34; At 17.31. ἐν τῷ ἐλαύνειν enquanto eles remavam (temporal) ou por causa de remarem (instrumental) Mc 6.48—2. gênero e maneira ἐν δυνάμει com poder, poderosamente Mc 9.1; Cl 1.29. ἐν ἐκτενείᾳ sinceramente At 26.7. ἐν παρρησίᾳ livremente, abertamente Jo 7.4.—3. causa ou razão por causa de, devido a Mt 6.7; Jo 16.30; At 24.16; Rm 1.24.—IV. vários outros usos: chegava a At 7.14; consistindo em Ef 2.15. ἐν com at. substitui o dativo comum Lc 2.14; Rm 1.19; Gl 1.16; muito raramente o genitivo Rm 5.15. Com ὄμνυμι por Mt 5.34ss; Ap 10.6; com ὁμολογεῖν omite-se ἐν na tradução Lc 12.8. ἐν ᾧ pode de significar em que, naquilo que, Rm 14.22; enquanto Mc 2.19; Lc 5.34; pelo

ἐναγκαλίζομαι—ἐνέμεινα 73

que Rm 14.21; porque, por causa 8.3; sob tais circunstâncias 1 Pe 3.19.

ἐναγκαλίζομαι tomar nos braços Mc 9.36; 10.16.*

ἐνάλιος, ον marítimo, pertencente ao mar Tg 3.7.*

ἐνάλλομαι pular sobre At 19.16 v. 1.*

ἐνανθρωπέω assumir forma humana 1 Jo 4.17 v. 1.*

ἔναντι adv. funciona como prep. com gen. perante, no julgamento de Lc 1.8; At 8.21; 7.10 v. 1.*

ἐναντίον funciona como prep. com gen. perante, na presença de Lc 20.26; At 8.32; Mc 2.12 v. l. Na opinião de, no julgamento de Lc 1.6; 24.19; At 7.10. Adv. com o art. τοὐναντίον de outro lado 2 Co 2.7; Gl 2.7; 1 Pe 3.9.*

ἐναντιόομαι opor-se com dat. At 13.45 v. l.*

ἐναντίος, α, ον oposto, contra, contrário Mt 14.24; Mc 6.48; At 27.4; 28.17; hostil 1 Ts 2.15. ἐναντία πράσσειν πρός opor-se At 26.9. ἐξ ἐναντίας oposto, defronte a Mc.15.39; ὁ ἐξ ἐ. o oponente Tt 2.8.*

ἐναργής, ές claro, evidente, visível Hb 4.12 v. l.*

ἐνάρχομαι começar, iniciar, fazer um começo Gl 3.3; Fp 1.6.*

ἔνατος, η, ον nono Ap 21.20. ἐ ὥρα a hora nona = 15 hs. Mt 20.5; At 10.3,30.

ἐναφίημι deixar, permitir Mc 7.12 v. l.*

ἐνγ- ver ἐγγ-.

ἐνδεής, ές pobre, empobrecido At 4.34.*

ἔνδειγμα, ατος, τό evidência, pista, indicação clara 2 Ts 1.5.*

ἐνδείκνυμι mostrar, demonstrar Rm 9.17, 22; Ef 2.7; Hb 6.10. Causar, fazer 2 Tm 4.14. Apontar, designar Lc 10.1 v. l.

ἔνδειξις, εως, ἡ prova Rm 3.25s; 2 Co 8.24. Sinal Fp 1.28.*

ἔνδεκα indecl. onze Mt 28.16; Mc 16.14; Lc 24.9, 33; At 1.26; 2.14.*

ἑνδέκατος, η, ον décimo primeiro Ap 21.20. ἑ. ὥρα a hora undécima = 17 hs. Mt 20.9, cf. 20.6.*

ἐνδέχομαι impes. é possível Lc 13.33.*

ἐνδημέω sentir-se em casa, estar em casa, morar fig. 2 Co 5.6, 8s.* [endêmico]

ἐνδιδύσκω vestir com ac. duplo Mc 15.17; méd. vestir-se Lc 16.19; 8.27 v. l.*

ἔνδικος, ον justo, merecido Rm 3.8; Hb 2.2.*

ἐνδόμησις v. l de ἐνδώμησις Ap 21.18.*

ἐνδοξάζομαι ser glorificado, honrado 2 Ts 1.10, 12.*

ἔνδοξος, ον honrado, distinto 1 Co 4.10. Esplêndido Lc 7.25; 13.17; glorioso Ef 5.27.*

ἔνδυμα, ατος, τό roupa, vestido Mt 3.4; 6.25, 28; 7.15; 22.11s; 28.3; Lc 12.23.*

ἐνδυναμόω fortalecer Fp 4.13; 1 Tm 1.12; 2 Tm 4.17. Pass. tornar-se forte At 9.22; Rm 4.20; Ef 6.10; 2 Tm 2.1.*

ἐνδύνω introduzir-se (furtivamente) 2 Tm 3.6.*

ἔνδυσις, εως, ἡ ação de se vestir 1 Pe 3.3.*

ἐνδύω at. vestir, colocar lit. Lc 15.22; com ac. duplo Mt 27.31; Mc 15.20. Méd. vestir-se, revestir-se lit. Mt 6.25; Mc 6.9; Lc 8.27; At 12.21; Rm 13.12; Ap 19.14;. fig., méd. e pass. Lc 24.49; Rm 13.14; 1 Co 15.53s; 2 Co 5.3; Cl 3.12.

ἐνδώμησις, εως, ἡ construção, material, talvez fundamento Ap 21.18.*

ἐνέβην 2 aor. ind. at. ἐμβαίνω.

ἐνεγκ- raiz sem aumento do aor. de φέρω.

ἐνεδειξάμην 1 aor. ind. méd. de ἐνδείκνυμι.

ἐνέδρα, ας, ἡ emboscada, conspiração At 23.16; 25.3.*

ἐνεδρεύω tramar Lc 11.54; At 23.21.*

ἔνεδρον, ου, τό uma forma variante de ἐνέδρα em At 23.16 v. l.*

ἐνειλέω envolver Mc 15.46.*

ἔνειμι part. τὰ ἐνόντα o que está dentro, o conteúdo Lc 11.41.*

ἕνεκα, ἕνεκεν, e v. artigos s. v. εἵνεκεν funciona como prep. com gen. por causa de, devido a Mt 5.10s; Rm 14.20; por amor a Mt 16.25; 19.29. ἕ. τούτου por isso 19.5. τίνος ἕ. por quê? At 19.32. ἕ. τοῦ a fim de que 2 Co 7.12.

ἐνεκεντρίσθην 1 aor. ind. pass. de ἐγκεντρίζω.

ἐνέκοψα 1 aor. ind. at. de ἐγκόπτω.

ἐνέκρυψα 1 aor. ind. at. de ἐγκρύπτω.

ἐνέμεινα 1 aor. ind. at. de ἐμμένω.

ἐνενήκοντα indecl. *noventa* Mt 18.12s; Lc 15.4, 7.*

ἐνεός, ά, όν *mudo, atônito* At 9.7.*

ἐνεπαίξα, ἐνεπαίχθην 1 aor. at. e ind. pass. de ἐμπαίζω.

ἐνέπεσον 2 aor. ind. at. de ἐμπίπτω.

ἐνέπλησα, ἐνεπλήσθην 1 aor. at. e ind. pass. de ἐμπί(μ)πλημι.

ἐνέπρησε 1 aor. ind. at. de ἐμπί(μ)πρημι.

ἐνέργεια, ας, ἡ *operação, atividade* Cl 2.12; 2 Ts 2.9. *Manifestação.* Ef 1.19; 3.7; 4.16; Cl 1.29; *poder* Fp 3.21 ἑ. πλάνης *influência enganosa* 2 Ts 2.11.* *[energia]*

ἐνεργέω—1. *trabalhar, estar trabalhando, operar, ser efetivo* at Mc 6.14; Gl 2.8; Ef 2.2. τὸ θέλειν καὶ τὸ ἑ. *a vontade e a ação* Fp 2.13b. Méd. *trabalhar* Rm 7.5; 2 Co 4.12; Ef 3.20; 1 Ts 2.13; *tornar-se efetivo* 2 Co 1.6. δέησις ἑ. *poder efetivo* Tg 5.16.—2. *trabalhar, produzir, efetuar* 1 Co 12.6; Ef 1.11; 2.2; Fp 2.13a.

ἐνέργημα, ατος, τό *atividade, operação* 1 Co 12.6, 10.*

ἐνεργής, ἐς *efetivo, ativo, poderoso* Fm 6; Hb 4.12 θύρα ἑ. *uma porta* (fig.) *para serviço efetivo* 1 Co 16.9.*

ἐνεστηκώς, ἐνεστώς parts. do primeiro e segundo perfeitos de ἐνίστημι.

ἐνετειλάμην 1 aor. ind. méd. de ἐντέλλω.

ἐνετράπην 2 aor. ind. pass. de ἐντρέπω.

ἐνέτυχον 2 aor. ind. at. de ἐντυγχάνω.

ἐνευλογέω *abençoar* 1 fut. pass. At 3.25; Gl 3.8.*

ἐνεχθ- raiz do part. 1 aor. pass. de φέρω.

ἐνέχω *ser hostil* Lc 11.53; com dat. *ter ódio de* , com χόλον 'ira' subentendido Mc 6.19. Pass. com dat. *ser sujeito a, submeter-se, estar sob o peso de* Gl 5.1; 2 Ts 1.4 v.l.*

ἐνθάδε adv. *aqui, para este lugar* Jo 4.15s; At 25.17. *Aqui, neste lugar* Lc 24.41; At 10.18; 16.28; 17.6; 25.24.*

ἔνθεν adv. *daqui* Mt 17.20; Lc 16.26.*

ἐνθυμέομαι *refletir (sobre), considerar, pensar* Mt 1.20; 9.4; At 10.19 v.l.*

ἐνθύμησις, εως, ἡ *pensamento, reflexão, idéia* Mt 9.4; 12.25; At 17.29; Hb 4.12.*

ἔνι (para ἔνεστι) *há* 1 Co 6.5; Gl 3.28; Cl 3.11; Tg 1.17.*

ἐνιαυτός, οῦ, ὁ *ano* Lc 4.19; Jo 11.49; At 11.26; Hb 9.7; Ap 9.15. Talvez *certos dias do ano* Gl 4.10.

ἐνίοτε adv. *algumas vezes* Mt 17.15 v.l.*

ἐνίστημι—1. *estar presente, ter vindo* 2 Ts 2.2. Os parts. ἐνεστηκώς e ἐνεστώς significam *presente* Rm 8.38; Gl 1.4; Hb 9.9.—2. *estar iminente* (com a conotação de ameaçador) 1 Co 7.26; 2 Tm 3.1; mas o sentido 1 é possível para estas passagens.

ἐνισχύω *recuperar a força* At 9.19; 19.20 v.l. *Fortalecer* Lc 22.43.*

ἐνκ- ver ἐγκ-.

ἐννέα indecl. *nove* Mt 18.12s; Lc 15.4, 7; 17.17.*

ἐννεός ver ἐνεός.

ἐννεύω *fazer sinais* Lc 1.62.*

ἔννοια, ας, ἡ *pensamento, conhecimento* Hb 4.12; 1 Pe 4.1.*

ἔννομος, ον *legal,* talvez *regular* At 19.39. *Sujeito à lei,* talvez *fiel à lei* 1 Co 9.21.*

ἐννόμως adv. = ἐν νόμῳ *sujeito a* ou *em posse da lei* Rm 2.12 v.l.*

ἔννυχος, ον *à noite* neutro pl. ἔννυχα como adv. *enquanto ainda estava escuro* Mc 1.35.*

ἐνοικέω *viver* ou *morar (em)* Rm 7.17 v.l.:; 8.11; 2 Co 6.16; Cl 3.16; 2 Tm 1.5, 14; Lc 13.4 v.l.*

ἐνορκίζω *adjurar, fazer jurar* com ac. duplo 1 Ts 5.27.*

ἐνότης, ητος ἡ *unidade* Ef 4.3, 13.*

ἐνοχλέω *perturbar* Lc 6.18; *causar problemas, perturbações* Hb 12.15.*

ἔνοχος, ον (= ἐνεχόμενος 'preso em') *sujeito a* Hb 2.15. *Culpado, responsável* Mt 5.21s; Mc 3.29; *culpado (de um pecado contra)* 1 Co 11.27. *Mérito, merecido, merecidamente* Mt 26.66; Mc 14.64; 3.29 v.l. γέγονεν πάντων ἔ. *pecou contra todos* Tg 2.10. ἔ. εἰς τ. γέενναν *suficientemente culpado (para ir) ao inferno* Mt 5.22c*

ἐνπ- ver ἐμπ-.

ἐνστήσομαι fut. ind. méd. de ἐνίστημι.

ἔνταλμα, ατος, τό mandamento, preceito Mt 15.9; Mc 7.7; Cl 2.22.*

ἐνταφιάζω preparar para enterro, enterrar Mt 26.12; Jo 19.40.*

ἐνταφιασμός, οῦ, ὁ preparação para enterro ou o próprio enterro Mc 14.8; Jo 12.7.*

ἐντειλάμενος, ἐντελεῖται part. aor. méd. e fut. ind. méd. de ἐντέλλω.

ἐντέλλω méd. comandar, ordenar, mandar Mt 17.9; 19.7; Jo 14.31; At 1.2; 13.47; Hb 11.22; ordenado, mandado Hb 9.20.

ἐντέταλμαι perf. ind. méd. de ἐντέλλω.

ἐντεῦθεν adv. daqui Lc 4.9; Jo 2.16; 7.3; 18.36. ἐντεῦθεν καὶ ἐντεῦθεν de cada lado 19.18. Disto Tg 4.1.

ἔντευξις, εως, ἡ oração 1 Tm 2.1; 4.5.*

ἐντίθημι colocar em, implantar At 18.4 v.l.*

ἔντιμος, ον honrado, respeitado, distinto Lc 14.8; valioso, precioso 7.2; 1 Pe 2.4, 6. ἐ. ἔχειν estimar Fp 2.29.*

ἐντολή, ῆς, ἡ mandamento, ordem, decreto Mt 22.36, 38, 40; Mc 10.19; Jo 11.57; 13.34; Rm 13.9; 1 Co 7.19; Cl 4.10; 1 Tm 6.14; 2 Pe 2.21. Lei Lc 23.56; Hb 7.16.

ἐντόπιος, ία, ον local, residente, pertencente a um lugar determinado At 21.12.*

ἐντός funciona como prep. com gen. dentro de, entre τὸ ἐντός o interior Mt 23.26. Em Lc 17.21 ἐ. ὑμῶν pode ser dentro de vós, em vossos corações ou entre vós, em vosso meio.*

ἐντραπῇ, ἐντραπήσομαι 2 aor. subj. pass. e 2 fut. pass. de ἐντρέπω.

ἐντρέπω envergonhar 1 Co 4.14; pass. ser envergonhado 2 Ts 3.14; Tt 2.8. Com sentido do méd. ter respeito ou consideração por Mt 21.37; Lc 20.13; Hb 12.9.

ἐντρέφω treinar, educar, criar 1 Tm 4.6.*

ἔντρομος, ον tremor Lc 8.47 v.l.; At 7.32; 16.29; Hb 12.21.*

ἐντροπή, ῆς, ἡ vergonha, humilhação 1 Co 6.5; 15.34.*

ἐντρυφάω deleitar-se, gozar 2 Pe 2.13.*

ἐντυγχάνω apelar, clamar, interceder At 25.24; Rm 8.27, 34; 11.2; Hb 7.25.*

ἐντυλίσσω envolver Mt 27.59; Lc 23.53; enrolar Jo 20.7.*

ἐντυπόω gravar, imprimir 2 Co 3.7.*

ἐνυβρίζω insultar, ultrajar Hb 10.29.*

ἐνυπνιάζομαι sonhar, ter visões At 2.17; Jd 8.*

ἐνύπνιον, ου, τό sonho At 2.17.*

ἐνφ- ver ἐμφ-.

ἐνώπιον funciona como prep. com gen.—1. perante Lc 1.19; At 10.30; Ap 3.8; 7.15.—2. na presença de Lc 23.14; Jo 20.30; At 10.33; 1 Tm 6.12; Ap 3.5; 13.13.—3. na opinião de Lc 16.15; 2 Co 8.21.—4. Vários usos: simplesmente para At 6.5; 2 Co 7.12 Entre Lc 15.10. Contra 15.18, 21. Pela autoridade de, em nome de Ap 13.12, 14.

Ἐνώς, ὁ indecl. Enos Lc 3.38.*

ἐνωτίζομαι dar ouvidos a, prestar atenção At 2.14.*

Ἐνώχ, ὁ indecl. Enoque Lc 3.37; Hb 11.5; Jd 14; introduzido conjecturalmente 1 Pe 3.19.*

ἐξ prep. ver ἐκ.

ἕξ indecl. seis Mt 17.1; Lc 4.25; Jo 12.1; Tg 5.17. [hexa-, prefixo em várias palavras]

ἐξαγγέλλω proclamar, contar 1 Pe 2.9 e término curto de Mc.*

ἐξαγοράζω redimir (lit. 'comprar de volta') libertar Gl. 3.13; 4.5. Méd. ἐξ. τ. καιρόν provavelmente, aproveitar o tempo ao máximo Ef 5.16; Cl 4.5.*

ἐξάγω levar para fora, tirar Lc 24.50; Jo 10.3; At 7.36, 40; 12.17; 21.38; Hb 8.9.

ἐξαιρέω—1. at. tirar, rasgar Mt 5.29; 18.9.—2. Méd. libertar, livrar, resgatar At 7.10, 34; 12.11; 23.27; Gl 1.4. Em At 26.17 livrar ou escolher, selecionar.*

ἐξαίρω remover 1 Co 5.13; 5.2 v.l.*

ἐξαιτέω méd. pedir, demandar Lc 22.31.*

ἐξαίφνης adv repentinamente, inesperadamente Mc 13.36; Lc 2.13; 9.39; At 9.3; 22.6.*

ἐξακολουθέω seguir, obedecer 2 Pe 1.16; 2.2; seguir, perseguir 2.15.*

ἑξακόσιοι, αι, α seiscentos Ap 13.18; 14.20.*

ἐξαλείφω limpar, enxugar Ap 7.17; 21.4; Apagar 3.5. Remover, arrancar, obliterar At 3.19; Cl 2.14.*

ἐξάλλομαι saltar, colocar-se em pé At 3.8; 14.10 v.l.*

ἐξανάστασις, εως, ἡ ressurreição Fp 3.11.*

ἐξαναστήσῃ 3 pes. sing. 1 aor. subj. at. de ἐξανίστημι.

ἐξανατέλλω nascer, brotar ἐξανέτειλε 3 pes. sing. 1 aor. ind. at. Mt 13.5; Mc 4.5.

ἐξανέστησα 1 aor. ind. at de ἐξανίστημι.

ἐξανίστημι levantar Mc 12.19; Lc 20.28. Ficar em pé At 15.5*

ἐξανοίγω abrir (totalmente) At 12.16 v.l.*

ἐξαπατάω enganar, seduzir Rm 7.11; 16.18; 1 Co 3.18; 2 Co 11.3; 2 Ts 2.3; 1 Tm 2.14.*

ἐξαπεστάλην, ἐξαπέστειλα 1 aor. pass. e 1 aor. ind. at. de ἐξαποστέλλω.

ἐξάπινα adv. de repente Mc 9.8.*

ἐξαπορέω pass. estar em grandes dificuldades, desespero 2 Co 4.8. τοῦ ζῆν desesperar da vida 1.8.*

ἐξαποστέλλω enviar Lc 1.53; 24.49 v.l.; At 7.12; 17.14; 22.21; Gl 4.4, 6.

ἐξάρατε, ἐξαρθῇ 1 aor. imperativo at. e 3 pes. sing. 1 aor. subj. pass. de ἐξαίρω.

ἐξαρτάω estar preso a, ser aderente a Mc 3.21 v.l.*

ἐξαρτίζω terminar, completar At 21.5. Equipar 2 Tm 3.17.*

ἐξαστράπτω brilhar, fulgurar Lc 9.29.*

ἐξαυτῆς adv. imediatamente, logo após, de uma vez Mc 6.25; At 10.33; 21.32; Fp 2.23.

ἐξέβαλον, ἐξεβλήθην 2 aor. ind. at. e 1 aor. ind. pass. de ἐκβάλλω.

ἐξέβην 2 aor. ind. at. de ἐκβαίνω.

ἐξεγείρω levantar pass. ser levantado Mc 6.45 v.l. Levantar dos mortos 1 Co 6.14. Fazer aparecer, trazer à luz Rm 9.17.*

ἐξεγερῶ fut. ind. at. de ἐγείρω.

ἐξέδετο 2 aor. ind. méd. de ἐκδίδωμι.

ἐξείλατο 2 aor. ind. méd. de ἐξαιρέω.

ἔξειμι (de εἶμι) ir embora, sair At 13.42; 20.7; 27.43.

ἔξειμι de εἰμί, ver ἔξεστιν.

ἐξεκαύθην 1 aor. ind. pass. de ἐκκαίω.

ἐξεκλάσθην 1 aor. ind. pass. de ἐκκλάω.

ἐξεκόπην 2 aor. ind. pass. de ἐκκόπτω;

ἐξεκρέμετο imperf. ind. méd. de ἐκκρεμάννυμι.

ἔξελε, ἐξελέσθαι imperativo 2 aor. e inf. méd. de ἐξαιρέω.

ἐξελέγχω convicto Jd 15 v.l.*

ἐξελέξω 2 pes. sing. 1 aor. méd. de ἐκλέγω.

ἐξελεύσομαι, ἐξελήλυθα fut. méd. e perf. ind. at. de ἐξέρχομαι.

ἐξέλκω atrair, arrastar Tg 1.14.*

ἐξέμαξα 1 aor. ind. at. de ἐκμάσσω.

ἐξενεγκ- raiz do aoristo de ἐκφέρω.

ἐξέπεσα 1 aor. ind. at. de ἐκπίπτω.

ἐξεπέτασα 1 aor. ind. at. de ἐκπετάννυμι.

ἐξεπλάγην 2 aor. ind. pass. de ἐκπλήσσω.

ἐξέπλει 3 pes. sing. do imperfeito ind. at. de ἐκπλέω.

ἐξέπλευσα 1 aor. ind. at. de ἐκπλέω.

ἐξέπνευσα 1 aor. ind. at. de ἐκπνέω.

ἐξέραμα, ατος, τό vômito 2 Pe 2.22.*

ἐξεραυνάω palavra helenística para ἐξερευνάω inquirir cuidadosamente 1 Pe 1.10.*

ἐξέρχομαι ir embora, sair, partir Mt 8.28; 25.1; Mc 1.35; 5.2; Jo 13.3; At 12.9s; Tg 3.10; Ap 19.21. Ser solto Lc 12.59. Aparecer Mc 8.11. Proceder, descender Hb 7.5. Ir embora At 16.19. ἐκ τ. κόσμου ἐ. deixar o mundo = morrer 1 Co 5.10.

ἐξεστακέναι, ἐξέστην, ἐξέστησα perf. inf. at., 2 aor. ind. at. e 1 aor. ind. at. de ἐξίστημι.

ἔξεστι impessoal 3 pes. sing. do verbo incomum ἔξειμι; é permitido; é possível, é apropriado, é lícito Mt 12.2; Mc 3.4; Lc 6.9; Jo 18.31; At 22.25; 1 Co 6.12. O part. neutro de ἐ. é ἐξόν; com ἐστί expresso ou subentendido, = ἔξεστι Mt 12.4; At 2.29.

ἐξέστραπται perf. ind. pass. de ἐκστρέφω.

ἐξετάζω inquirir Mt 10.11. ἐ. περί τινος fazer uma busca cuidadosa por alguém 2.8. Questionar, examinar Jo 21.12.*

ἐξετέθην 1 aor. ind. pass. de ἐκτίθημι.

ἐξέτεινα 1 aor. ind. at. de ἐκτείνω.

ἐξετράπην 2 aor. ind. pass. de ἐκτρέπω.

ἐξέφνης forma helenística de ἐξαίφνης.

ἐξέφυγον 2 aor. ind. at. ἐκφεύγω.

ἐξέχεα, ἐξεχύθην 1 aor. ind. at. e 1 aor. ind. pass. de ἐκχέω.

ἐξέχω ser proeminente Mt 20.28 v.l.*

ἐξέψυξα 1 aor. ind. at. de ἐκψύχω.

ἐξέωσαι 1 aor. inf. at. de ἐξωθέω.

ἐξήγαγον 2 aor. ind. at. de ἐξάγω.

ἐξήγγειλα 1 aor. ind. at. de ἐξαγγέλλω.

ἐξηγέομαι *explicar, interpretar, contar, descrever, relatar* Lc 24.35; At 10.8; 15.12, 14; 21.19. *Fazer conhecido, dar notícias de* Jo 1.18.*

ἐξήειν, ἐξήεσαν 1 pes. sing. e 3 pes. pl. do imperf. ind. at. de ἔξειμι.

ἑξήκοντα indecl. *sessenta* Mt 13.8; Lc 24.13; 1 Tm 5.9; Ap 13.18.

ἐξῆλθον 2 aor. ind. at. de ἐξέρχομαι.

ἐξήρανε, ἐξηράνθη, ἐξήρανται 1 aor. at., 1 aor. pass. e perf. ind. pass. de ξηραίνω.

ἑξῆς adv. *próximo* Lc 9.37; At 21.1; 25.17; 27.18. ἐν τῷ ἑξῆς *(logo) depois* Lc 7.11.*

ἐξητήσατο 1 aor. ind méd. de ἐξαιτέω.

ἐξηχέω pass. *ser feito soar, soar* 1 Ts 1.8. [*eco*].

ἐξιέναι pres. inf. at. de ἔξειμι.

ἕξις, εως, ἡ *prática, exercício* Hb 5.14.*

ἐξίστημι, ἐξιστάνω, ἐξιστάω—1. *confundir, tornar atônito* Lc 24.22; At 8.9, 11.—2. (2 aor. e perf. at., no méd.) *estar fora dos sentidos* Mc 3.21; 2 Co 5.13. *Ser maravilhado, espantado* Mt 12.23; Mc 5.42; Lc 2.47; At 2.7, 12. [*êxtase*]

ἐξιστῶν part. pres. at. de ἐξίστημι (ἐξιστάω).

ἐξισχύω *ser capaz, ser forte o suficiente, estar em uma posição* Ef 3.18.*

ἔξοδος, ου, ἡ *saída, escape; o êxodo* Hb 11.22. Fig. *partida, morte* Lc 9.31; 2 Pe 1.15.*

ἐξοίσουσι fut. ind. at. de ἐκφέρω.

ἐξολεθρεύω *destruir totalmente, arrasar* At 3.23.*

ἐξομολογέω—1. at. *prometer, consentir* Lc 22.6.—2. méd.—a. *confessar, admitir* Mt 3.6; Mc 1.5; At 19.18; Tg 5.16.—b. *reconhecer* Fp 2.11.—c. *louvar* Mt 11.25; Lc 10.21; Rm 14.11; 15.9.*

ἐξόν ver ἔξεστιν.

ἐξορκίζω *adjurar, acusar sob juramento* Mt 26.63. *Exorcisar* At 19.13 v.l., 14 v.l.*

ἐξορκιστής, οῦ, ὁ *exorcista* At 19.13.*

ἐξορύσσω *abrir, sacar, arrancar* Mc 2.4; Gl 4.15.*

ἐξουδενέω e ἐξουδενόω *tratar com desprezo, rechaçar* Mc 9.12.*

ἐξουθενέω e ἐξουθενόω—1. *desprezar, desdenhar* Lc 18.9; Rm 14.3, 10; 1 Co 1.28; 16.11; Gl 4.14; *considerar os que não contam* 1 Co 6.4; *de nada* 2 Co 10.10.—2. *rejeitar com desprezo* At 4.11; 1 Ts 5.20; *tratar com desprezo* Lc 23.11.*

ἐξουσία, ας, ἡ—1. *liberdade de escolha, direito* para agir, decidir, etc. Jo 10.18; At 5.4; Rm 9.21; 1 Co 9.4ss, 12; 2 Ts 3.9; Hb 13.10; Ap 13.5; 22.14.—2. *habilidade, capacidade, força, poder* Mt 9.8; Mc 1.22, 27; Lc 10.19; At 8.19; Ap 9.19; 20.6.—3. *autoridade, poder absoluto* Mt 21.23, 24, 27; 28.18; Mc 2.10; At 26.12.—4. *poder ou autoridade exercido por governantes*, etc., em virtude de seu cargo—a. *poder oficial, poder de governar* Lc 7.8; 20.20; 17.12s.—b. *domínio, jurisdição* Lc 4.6; 23.7; Ef 2.2; Cl 1.13.c. *detentores de autoridade no estado, autoridades, oficiais, governo* Lc 12.11; Rm 13.1, 2, 3; *poderes cósmicos* acima e além da esfera humana, mas não separados dela 1 Co 15.24; Ef 1.21; 3.10; Cl 2.15.—5. *meio de exercer poder* talvez *um véu* 1 Co 11.10.

ἐξουσιάζω *ter poder* com gen. *sobre alguém* Lc 22.25; 1 Co 7.4. Pass. *ser dominado* 6.12.*

ἐξουσιαστικός, ή, όν *autoritativo* Mc 1.27 v.l.*

ἐξοχή, ῆς, ἡ *proeminência* ἄνδρες οἱ κατ' ἐξοχήν *os homens mais proeminentes* At 25.23.*

ἐξυπνίζω *levantar, despertar* fig. Jo 11.11.*

ἔξυπνος, ον *acordado, levantado* At 16.27.*

ἔξω—1. adv. *de fora, fora* Mt 12.46s; Mc 11.4; Lc 1.10; Jo 18.16. *Fora* Mt 26.75; Lc 14.35; Jo 18.29; Ap 3.12. δεῦρο ἔξω *Sai para fora!* Jo 11.43. Como subst. οἱ ἔξω *os que estão de fora* Mc 4.11; 1 Co 5.12s. Como um adj. *externo* 2 Co 4.16;

estranho At 26.11.—2. funciona como prep. com gen. do lado de fora Hb 13.11s; fora de, de fora de Mt 10.14; Lc 4.29; At 4.15; 14.19.

ἔξωθεν—1. adv. do exterior, do lado de fora Mc 7.18. Fora Mt 23.27s; 2 Co 7.5. Como subst. οἱ ἔ. os que estão de fora 1 Tm 3.7. τὸ ἔ. o exterior Mt 23.25; Lc 11.39s. Como adj. externo 1 Pe 3.3.—2. funciona como prep. com gen. de fora Mc 7.15; fora de Ap 11.2s; 14.20.*

ἐξωθέω expelir, expulsar At 7.45. Praia, enseada 27.39.*

ἐξῶσαι 1 aor. inf. at. de ἐξωθέω.

ἐξώτερος, α, ον comparativo usado como superlativo o mais longe Mt 8.12; 22.13; 25.30.*

ἔοικα assemelhar-se, parecer com dat. Tg 1.6, 23.*

ἑόρακα perf. ind. at. de ὁράω.

ἑορτάζω celebrar uma festa 1 Co 5.8.*

ἑορτή, ῆς, ἡ festival, festa Mt 26.5; Mc 14.2; Lc 2.41s; 22.1; Jo 7.2, 8, 10s, 14; 13.1; Cl 2.16.

ἐπαγαγεῖν inf. 2 aor. at. de ἐπάγω.

ἐπαγγελία, ας, ἡ promessa At 2.39; 23.21; Rm 4.20; Gl 3.16, 18, 29; Hb 7.6; o que foi prometido At 1.4; 2.33; Gl 3.14.

ἐπαγγέλλομαι—1. prometer, oferecer Mc 14.11; Rm 4.21; Gl 3.19; Hb 6.13; Tg 1.12.—2. professar, reivindicar 1 Tm 2.10; 6.21.

ἐπάγγελμα, ατος, τό promessa 2 Pe 3.13; a coisa prometida 1.4.*

ἐπάγω trazer sobre, lançar sobre At 5.28; 2 Pe 2.1, 5 incitar At 14.2 v.l.*

ἐπαγωνίζομαι lutar, contender Jd 3.*

ἔπαθον 2 aor. ind. at. de πάσχω.

ἐπαθροίζω ajuntar-se (de multidão) Lc 11.29.*

Ἐπαίνετος, ου, ὁ Epêneto Rm 16.5.*

ἐπαινέω louvar Lc 16.8; Rm 15.11; 1 Co 11.2, 17, 22.*

ἔπαινος, ου, ὁ louvor, aprovação, reconhecimento Rm 2.29; 1 Co 4.5; Ef 1.6, 12, 14; 1 Pe 2.14; algo digno de louvor Fp 4.8.

ἐπαίρω levantar, alçar Mt 17.8; Lc 6.20; 21.28; Jo 17.1; At 14.11; 1 Tm 2.8. Pass. ser tomado At 1.9; fig. levantar-se contra, opor-se 2 Co 10.5; ser presunçoso 2 Co 11.20.

ἐπαισχύνομαι envergonhar-se Mc 8.38; Lc 9.26; Rm 1.16; 6.21; 2 Tm 1.8, 12, 16; Hb 2.11; 11.16.*

ἐπαιτέω pedir, esmolar Lc 16.3; 18.35; Mc 10.46 v.l.*

ἐπακολουθέω seguir, ir depois 1 Tm 5.24; 1 Pe 2.21; devotar-se 1 Tm 5.10; acompanhar, autenticar Mc 16.20.*

ἐπακούω ouvir, atentar a com gen. 2 Co 6.2.*

ἐπακροάομαι prestar atenção com gen. At 16.25.*

ἐπάν conj. com subjuntivo, quando, tão logo que Mt 2.8; Lc 11.22, 34.*

ἐπαναγαγείν inf. 2 aor. de ἐπανάγω.

ἐπάναγκες adv. necessariamente τὰ ἐ. as coisas necessárias At 15.28.*

ἐπανάγω levar ou trazer.—1. puxar, sair (do mar) Lc 5.3s.—2. retornar Mt 21.18.*

ἐπαναμιμνήσκω relembrar Rm 15.15.*

ἐπαναπαήσομαι fut. ind. pass. de ἐπαναπαύομαι.

ἐπαναπαύομαι descansar Lc 10.6; 1 Pe 4.14 v.l. (ἐπαναπέπαυται 3 pes. sing. perf. méd.); achar descanso ou apoio em, confiar Rm 2.17.*

ἐπανέρχομαι retornar Lc 10.35; 19.15.*

ἐπανίστημι insurgir-se em rebelião Mt 10.21; Mc 13.12.*

ἐπανόρθωσις, εως, ἡ correção, melhoramento 2 Tm 3.16.*

ἐπάνω adv. acima, sobre Lc 11.44; mais do que Mc 14.5; 1 Co 15.6. Funciona como prep. com gen. sobre, acima de, em cima de Mt 2.9; 5.14; 23.18, 20, 22; Lc 19.17, 19; Jo 3.31; Ap 20.3. ἐ. αὐτῆς à sua cabeça Lc 4.39.

ἐπάξας part. 1 aor. at. de ἐπάγω.

ἐπᾶραι, ἐπάρας, ἐπάρατε inf. 1 aor. at., part. e imperativo de ἐπαίρω.

ἐπάρατος, ον amaldiçoado Jo 7.49.*

ἐπαρκέω ajudar, socorrer com dat. 1 Tm 5.10, 16.*

ἐπαρχεία, ας, ἡ província At 23.34; 25.1.*

ἐπάρχειος, ον pertencente a uma prefeitura ἡ ἐπάρχειος a província At 25.1 v.l.*

ἐπαρχικός, ή, όν pertencente ao prefeito Fm subscr.

ἔπαυλις, εως, ἡ casa, habitação At 1.20.*

ἐπαύριον adv. amanhã τῇ ἐ. no dia seguinte Mc 11.12; Jo 1.29, 35, 43; At 20.7; 25. 6, 23. εἰς τὴν ἐ. At 4.3 v.l.

Ἐπαφρᾶς, ᾶ, ὁ Epafras Cl 1.7; 4.12; Fm 23.*

ἐπαφρίζω causar espumação, espumar Jd 13.*

Ἐπαφρόδιτος, ου, ὁ Epafrodito Fp 2.25; 4.18.*

ἐπέβαλον 2 aor. ind. at. de ἐπιβάλλω.

ἐπέβην 2 aor. ind. at. de ἐπιβαίνω.

ἐπεγείρω levantar, fig. incitar, excitar At 13.50; 14.2.*

ἐπέγνωκα, ἐπέγνων, ἐπεγνώσθην perf. ind. at., 2 aor. ind. at. e 1 aor. ind. pass. de ἐπιγινώσκω.

ἐπεδίδου, ἐπεδόθην, ἐπέδωκα 3 pes. sing. imperf. at., 3 pes. sing. 1 aor. pass. ind. e 1 aor. ind. at. de ἐπιδίδωμι.

ἐπεθέμην, ἐπέθηκα 2 aor. ind. méd. e 1 aor. ind. at. de ἐπιτίθημι.

ἐπεί conj.—1. quando, depois Lc 7.1 v.l.—2. por causa de, porque, visto que, pois Mt 18.32; Mc 15.42; Lc 1.34; Jo 19.31; 1 Co 14.12; 2 Co 13.3; Hb 5.2, 11; pois, de outro modo, Rm 3.6; 1 Co 14.16; Hb 10.2.

ἐπειδή conj.—1. quando, depois Lc 7.1.—2. desde, desde então, porque Lc 11.6; 1 Co 14.16; 15.21. Enquanto At 15.24.

ἐπειδήπερ conj. visto que, desde que, tendo pois Lc 1.1.*

ἐπεῖδον 2 aor. de ἐφοράω fixar os olhos sobre, olhar, preocupar-se com Lc 1.25; At 4.29.*

ἔπειμι (de εἶμι part. ἐπιών, ἐπιοῦσα, ἐπιόν; τῇ ἐπιούσῃ ἡμέρα no dia seguinte At 7.26; cf. 16.11; 20.15; 21.18; 23.11. τῷ ἐπιόντι σαββάτῳ At 18.19 v.l.*

ἐπείπερ conj. desde que, de fato Rm 3.30 v.l.

ἐπειράσθην 1 aor. ind. pass. de πειράζω.

ἔπεισα 1 aor. ind. at. de πείθω.

ἐπεισαγωγή, ῆς, ἡ introdução Hb 7.19.*

ἐπεισέρχομαι vir sobre repentinamente Lc 21.35.*

ἔπειτα adv. então, dali em diante Lc 16.7; 1 Co 12.28; 15.46; Gl 1.21; 1 Ts 4.17; Hb 7.2, 27; Tg 3.17.

ἐπέκειλα 1 aor. ind. at. de ἐπικέλλω.

ἐπέκεινα adv. mais longe, além com gen. At 7.43.*

ἐπεκεκλήμην, ἐπεκλήθην mais que perf. pass. e 1 aor. ind. pass. de ἐπικαλέω.

ἐπεκτείνομαι estender-se, alcançar com dat. Fp 3.13.*

ἐπελαβόμην 2 aor. ind. méd. de ἐπιλαμβάνομαι.

ἐπελαθόμην 2 aor. ind. méd. de ἐπιλανθάνομαι.

ἐπέλθοι, ἐπελθών 3 pes. sing. 2 aor. opt. at. e part. 2 aor. at. de ἐπέρχομαι.

ἐπέμεινα 1 aor. ind. at. de ἐπιμένω.

ἐπενδύομαι colocar (sobre) 2 Co 5.2, 4.*

ἐπενδύτες, ου, ὁ casaco, roupa externa Jo 21.7.*

ἐπενεγκεῖν 2 aor. inf. at. de ἐπιφέρω.

ἐπέπεσον 2 aor. ind. at. de ἐπιπίπτω.

ἐπεποίθει mais que perf. ind. at. πείθω.

ἐπέρχομαι vir, vir sobre, aparecer At 14.19. Chegar, aproximar-se Ef 2.7. Sobrevir, acontecer Lc 21.26; At 8.24; Tg 5.1; vindo do alto Lc 1.35; At 1.8. Vir sobre At 13.40. Atacar Lc 11.22.*

ἐπερωτάω perguntar, interrogar Mt 12.10; 22.46; Mc 9.32; 10.10; 12.18; Lc 2.46; At 5.27; 1 Co 14.35. Com dois acusativos perguntar alguma coisa, a alguém Mc 7.17, pedir algo a alguém Mt 16.1 Perguntar Rm 10.20.

ἐπερώτημα, ατος, τό requisição, apelo 1 Pe 3.21.*

ἔπεσα e ἔπεσον aor. ind. at. de πίπτω.

ἐπέστειλα 1 aor. ind. at. de ἐπιστέλλω.

ἐπέστην 2 aor. ind. at. de ἐφίστημι.

ἐπεστράφην 2 aor. ind. pass. de ἐπιστρέφω.

ἐπέσχον 2 aor. ind. at. de ἐπέχω.
ἐπετίθεσαν 3 pes. pl. imperf. ind. at. de ἐπιτίθημι.
ἐπετράπην 2 aor. ind. pass. de ἐπιτρέπω.
ἐπέτυχε 3 pes. sing. 2 aor. ind. at. de ἐπιτυγχάνω.
ἐπεφάνην 2 aor. ind. pass. de ἐπιφαίνω.
ἐπέχω—1. reter Fp 2.16; Lc 4.42 v.l.—2 objetivar, fixar a atenção At 3.5; perseverar 1 Tm 4.16; notar Lc 14.7. Parar, permanecer At 19.22.* [época]
ἐπηγγειλάμην, επήγγελμαι 1 aor. méd. e perf. ind. méd. de ἐπαγγέλομαι.
ἐπήγειρα 1 aor. ind. at. de ἐπεγείρω.
ἐπῆλθον 2 aor. ind. at. de ἐπέρχομαι.
ἐπήνεσα 1 aor. ind. at. de ἐπαινέω.
ἐπηξα 1 aor. ind. at. de πήγνυμι.
ἐπῆρα, επήρθην 1 aor. at. e ind. pass. de ἐπαίρω.
ἐπηρεάζω maltratar, abusar Lc 6.28; 1 Pe 3.16; Mt 5.44 v.l.*
ἐπί prep. com gen. dat. ou ac.—I. com o genitivo—1. de lugar, lit. e fig. sobre, em cima de, em Mt 1.11; Mc 4.26; 6.48s; Lc 17.31, 34; 1 Co 11.10; Gl 3.13. Perto de, ao lado de, por Mt 21.19; Lc 22.30; Jo 21.1; At 5.23. Perante, na presença de Mc 13.9; At 23.30; 1 Co 6.1; 1 Tm 6.13. Acima, sobre de poder, autoridade, controle Lc 12.42; At 6.3; Rm 9.5; Ap 5.10; 17.18; encarregado de At 8.27. Com base em, a partir da evidência de Mc 12.14, 32; At 4.27; 1 Tm 5.19; Hb 7.11.—2. de tempo no tempo de Mt 1.11; Mc 2.26; Lc 3.2; At 11.28; Ef 1.16; Jd 18.—II com o dativo—1. de lugar, lit. e fig. em, sobre, acima Mt 9.16; 14.8, 11; 16.18; Mc 6.39; Lc 23.38; Jo 11.38; At 3.11; 27.44. Contra Lc 12.52s. Em, perto de, por Mc 13.29; Jo 4.6; At 3.10; Ap 9.14. Sobre de poder, autoridade, controle Mt 24.47; Lc 12.44. Para, em adição a Lc 3.20; 1 Co 14.16; 2 Co 7.13; Cl 3.14. Com base em, a partir de Lc 4.4; 5.5; At 3.16; Rm 8.20; Hb 8.6. Em, de, porque, com, por causa de Mc 1.22; Lc 1.29; At 3.10; 20.38; Rm 16.19; Fm 7; Ap 12.17; 18.20. Acerca de Jo 12.16; Hb 11.4; Ap 22.16. Porque, pois Gl 5.13; Ef 2.10; 1 Ts 4.7; 2 Tm 2.14. ἐφ᾽ ᾧ sob as condições de, um termo comercial, é provável em Rm 5.12; Fp 3.12.—2. de tempo em, no tempo de, durante, por 2 Co 1.4; Fp 1.3; 2.17; 1 Ts 3.7b; Hb 9.15, 26. ἐπὶ τούτῳ nesse meio tempo, entrementes Jo 4.27.—III. com o acusativo—1. de lugar, lit. e fig., freqüentemente com movimento implícito, por, através Mt 14.25, 28s; Lc 23.44; At 11.28. Em, sobre Mt 5.45; 13.5; Lc 6.29; 23.30; 1 Co 14.25; Ap 7.11. Para, a Mt 22.9; At 8.26; Ap 7.1. Para, até, na vizinhança de Mt 3.13; Mc 5.21; Lc 22.44; Jo 19.33; 21.20; perante Lc 12.58; At 25.12. Para, em direção a Mt 12.49; 2 Pe 2.22. Contra com intenção hostil Mt 10.21; Mc 14.48; Lc 11.17s; At 13.50. Simplesmente em, sobre sem idéia de movimento Mt 13.2; Mc 4.38; Jo 12.15; 2 Co 3.15; Ap 4.4. ἐπὶ τὸ αὐτό no mesmo lugar, juntos Lc 17.35; At 1.15, mas para o mesmo lugar com verbos de movimento Mt 22.34; 1 Co 11.20; 14.23 το προσετίθει ἐπὶ τὸ αὐτό ele acrescentou ao seu número At 2.47. Sobre, acima, poder, domínio, controle Mt 25.21, 23; Lc 1.33; At 7.10; Rm 5.14; Ap 6.8. A, em adição a Mt 6.27; Lc 12.25; Fp 2.27. Em, sobre, acima, para, adiante Mt 12.28; 27.25; Lc 3.2; 10.6; Jo 1.32s; At 2.17s; 13.11; Rm 2.2, 9; 1 Pe 5.7; Ap 11.11. Em, para, na direção de Mt 27.43; Mc 9.22; At 11.17; Rm 4.24; Ef 2.7; Hb 6.1; Ap 1.7.—2. de tempo: tempo quando em Lc 10.35; At 3.1; 4.5. Da extensão de um período de tempo por, durante Lc 4.25; At 13.31; 18.20; 28.6.

ἐπιβαίνω subir, embarcar, ir à bordo Mt 21.5; At 27.2; embarcar 21.2. Colocar os pés (em) At 20.18; 21.4; 25.1.*

ἐπιβάλλω—1. at., lançar 1 Co 7.35. Impôr, colocar Mt 9.16; Mc 14.46; Lc 9.62; Jo 7.44; At 21.27.—2. méd. lançar-se, bater Mc 4.37. ἐπιβαλὼν ἔκλαιεν Mc 14.72, provavelmente = ele começou a chorar, ou quando ele pensou sobre aquilo, chorou. Pertencer a Lc 15.12.

ἐπιβαλῶ fut. ind. at. de ἐπιβάλλω.

ἐπιβαρέω ser uma carga, pesar 1 Ts 2.9; 2 Ts 3.8. ἵνα μὴ ἐπιβαρῶ 2 Co 2.5 é, provavelmente, 'a fim de não amontoar um peso demasiado de palavras' = a fim de não falar demais.*

ἐπιβάς—ἐπιθυμία 81

ἐπιβάς, ἐπιβέβηκα part. 2 aor. at. e perf. ind. at. de ἐπιβαίνω.

ἐπιβιβάζω *colocar sobre, fazer subir* Lc 10.34; 19.35; At 23.24.*

ἐπιβλέπω *olhar, considerar, cuidar* Lc 1.48; 9.38; Tg 2.3.*

ἐπίβλημα, ατος, τό *pedaço, remendo* Mt 9.16; Mc 2.21; Lc 5.36.*

ἐπιβοάω *clamar em alta voz* At 25.24 v.l.*

ἐπιβουλή, ῆς, ἡ *conspiração, trama* At 9.24; 20.3, 19; 23.30.*

ἐπιγαμβρεύω *casar-se (com o parente próximo, de acordo com a lei do levirato)* Mt 22.24.*

ἐπίγειος, ον *terreno* 1 Co 15.40; 2 Co 5.1; Fp 2.10; 3.19; Tg 3.15. τὰ ἐπίγεια *coisas terrenas* Jo 3.12.*

ἐπιγίνομαι *sobrevir* At 28.13; 27.27 v.l.*

ἐπιγινώσκω—1. *conhecer exatamente, completamente* Lc 1.4; Rm 1.32; 1 Co 13.12; Cl 1.6. *Conhecer de novo, reconhecer* Lc 24.16, 31; At 12.14. *Reconhecer, prestar reconhecimento a* Mt 17.12; 1 Co 16.18.—2. *conhecer* Mt 7.16, 20; Mc 6.54; 1 Tm 4.3. *Aprender, descobrir* Mc 6.33; Lc 7.37; At 28.1. *Achar, apurar* 23.28; 24.11. *Notar, perceber, aprender de* Mc 5.30; At 9.30. *Compreender, conhecer* At 25.10; 2 Co 1.13s. *Aprender, conhecer* 2 Pe 2.21b.

ἐπιγνούς, ἐπιγνῶ part. at. 2 aor. e subj. de ἐπιγινώσκω.

ἐπίγνωσις, εως, ἡ *conhecimento, compreensão, entendimento, percepção* Cl 1.9s; 1 Tm 2.4; Tt 1.1; Fm 6; Hb 10.26; 2 Pe 1.2; *conhecimento, consciência* Rm 3.20. ἔχειν ἐν ἐ. *reconhecer, ter conhecimento de* Rm 1.28.

ἐπιγνώσομαι fut. ind. méd. de ἐπιγινώσκω.

ἐπιγραφή, ῆς, ἡ *inscrição, superscrição* Mt 22.20; Mc 12.16; 15.26; Lc 20.24; 23.38.*

ἐπιγράφω *escrever em, inscrever* Mc 15.26; At 17.23; Ap 21.12; fig. Hb 8.10; 10.16.* [*epígrafe, epigrama*]

ἐπιδε imperativo 2 aor. at. de ἐπεῖδον, que, por sua vez, é o 2 aor. de ἐφοράω.

ἐπιδείκνυμι *mostrar, apontar* Mt 16.1; 22.19; 24.1; Lc 17.14; At 9.39. *Demonstrar, mostrar* At 18.28; Hb 6.17.*

ἐπιδείξατε 2 pes. pl. imperativo 1 aor. de ἐπιδείκνυμι.

ἐπιδέχομαι *receber como convidado* 3 Jo 10; *aceitar, reconhecer* 3 Jo 9. *tomando consigo* At 15.40 v.l.*

ἐπιδημέω *permanecer em um local como estrangeiro ou visitante, estar na cidade* At 2.10; 17.21; 18.27 v.l.*

ἐπιδιατάσσομαι *acrescentar (a um testamento)* Gl 3.15.*

ἐπιδίδωμι *dar, entregar* Mt 7.9s; Lc 4.17; 11.11s; 24.30, 42; At 15.30; *desistir* 27.15.*

ἐπιδιορθόω *corrigir (novamente, em acréscimo)* Tt 1.5.*

ἐπιδούς part. 2 aor. at. de ἐπιδίδωμι.

ἐπιδύω *pôr* Ef 4.26.*

ἐπιδῷ, ἐπιδώσω 3 pes. sing. 2 aor. subj. at. e 1 pes. sing. fut. ind. at. de ἐπιδίδωμι.

ἐπιείκεια, ας, ἡ *gentileza, graciosidade, clemência, tolerância* At 24.4; 2 Co 10.1.*

ἐπιεικής, ές *gentil, amável, tolerante* 1 Tm 3.3; Tt 3.2; Tg 3.17; 1 Pe 2.18. τὸ ἐπιεικές = ἡ ἐπιείκεια Fp 4.5.*

ἐπιεικία outra forma de ἐπιείκεια.

ἐπιζητέω *buscar, procurar* Lc 4.42; At 12.19; *querer saber* 19.39. *Aspirar* Mt 6.32; Fp 4.17; Hb 13.14. *Demandar, desejar* Mt 12.39; 16.4.

ἐπιθανάτιος, ον *condenado à morte* 1 Co 4.9.*

ἐπιθεῖναι, ἐπιθείς, ἐπίθες inf., part. e imperativo 2 aor. at. de ἐπιτίθημι.

ἐπίθεσις, εως, ἡ *imposição (de mãos)* At 8.18; 1 Tm 4.14; 2 Tm 1.6; Hb 6.2.*

ἐπιθήσω fut. ind. at. de ἐπιτίθημι.

ἐπιθυμέω *desejar, aspirar* com gen. ou ac. Mt 5.28; At 20.33; Gl 5.17; 1 Tm 3.1; Hb 6.11; Ap 9.6; ἐπιθυμίᾳ ἐπιθυμεῖν *desejo ardente* Lc 22.15.

ἐπιθυμητής, οῦ, ὁ *o que deseja* ἐ. κακῶν *desejoso do mal* 1 Co 10.6.*

ἐπιθυμία, ας, ἡ *desejo, aspiração* Mc 4.19; Lc 22.15; Gl 5.24; Fp 1.23; Cl 3.5; 1 Ts 2.17; 4.5; Tg 1.14s; *anseio* Gl 5.16. ἐ. μιασμοῦ *paixão impura, concupiscência* 2 Pe 2.10.

ἐπιθύω *oferecer um sacrifício* At 14.13 v.l.*
ἐπιθῶ 2 aor. subj. at. de ἐπιτίθημι.
ἐπικαθίζω *sentar-se* Mt 21.7.*
ἐπικαλέω—1. at. e pass. *chamar, nomear, dar nome* ou *sobrenome a* Mt 10.25; At 1.23; 12.12; Hb 11.16. ἐφ' οὓς ἐπικέκληται τὸ ὄνομα *sobre os quais o nome é invocado* (para indicar que as pessoas envolvidas pertencem ao que é nomeado) At 15.17.—2. méd. *chamar, convocar* alguém para ajudar At 2.21; Rm 10.12s; 1 Co 1.2; 2 Co 1.23; 2 Tm 2.22; 1 Pe 1.17. *Apelar a* At 25.11s, 21, 25.
ἐπικάλυμμα, ατος, τό *cobertura, véu* 1 Pe 2.16.*
ἐπικαλύπτω *cobrir* Rm 4.7.*
ἐπικατάρατος, ον *amaldiçoado* Gl 3.10, 13; Lc 6.5 v.l.*
ἐπίκειμαι—1. *estar em cima, acima* lit. Jo 11.38; 21.9; fig. At 27.20; 1 Co 9.16.—2. *pressionar, apertar, insistir* Lc 5.1; 23.23. *Ser imposto* (ref. a obrigações) Hb 9.10.*
ἐπικέκλημαι perf. ind. pass. de ἐπικαλέω.
ἐπικέλλω *encalhar, trazer à praia* At 27.41.*
ἐπικερδαίνω *ganhar em lucro* Mt 25.20 v.l., 22 v.l.*
ἐπικεφάλαιον, ου, τό *imposto* Mc 12.14 v.l.
ἐπικληθείς part. 1 aor. pass. de ἐπικαλέω.
Ἐπικούρειος, ου, ὁ *Epicureano* At 17.18.*
ἐπικουρία, ας, ἡ *socorro, ajuda* At 26.22.*
ἐπικράνθη 1 aor. ind. pass. de πικραίνω.
ἐπικράζω *ameaçar* At 16.39 v.l.*
ἐπικρίνω *decidir, determinar* Lc 23.24.*
ἐπιλαθέσθαι 2 aor. méd. inf. de ἐπιλανθάνομαι.
ἐπιλαμβάνομαι—1. *tomar, agarrar, pegar* com gen. ou ac. Mt 14.31; Mc 8.23; Lc 9.47; 14.4; At 17.19; 18.17.—2. fig. *pegar* Lc 20.20, 26; *tomar posse* 1 Tm 6.12; *preocupar-se com, interessar-se por, ajudar* Hb 2.16. [*epilepsia*]
ἐπιλάμπω *brilhar, reluzir* At 12.7 v.l.*
ἐπιλανθάνομαι *esquecer* Mc 8.14; Fp 3.13; Tg 1.24. *Negligenciar* Lc 12.6; Hb 13.2, 16.
ἐπιλέγω pass. *ser chamado* ou *nomeado* Jo 5.2; méd. *escolher, selecionar* At 15.40.*

ἐπιλείπω *deixar atrás,* daí, *falhar* em Hb 11.32.*
ἐπιλείχω *lamber* Lc 16.21.*
ἐπιλελησμένος perf. méd. e part. pass. de ἐπιλανθάνομαι.
ἐπιλησμονή, ῆς, ἡ *esquecimento, negligência* ἀκροατὴς ἐπιλησμονῆς *ouvinte negligente* Tg 1.25.*
ἐπίλοιπος, ον *resto, remanescente* 1 Pe 4.2; Lc 24.43 v.l.*
ἐπίλυσις, εως, ἡ *explicação, interpretação* 2 Pe 1.20.*
ἐπιλύω *explicar, interpretar* Mc 4.34; *decidir* pass. At 19.39.*
ἐπιμαρτυρέω *testemunhar* 1 Pe 5.12.*
ἐπιμεῖναι inf. 1 aor. at de ἐπιμένω.
ἐπιμέλεια, ας, ἡ *cuidado, atenção* At 27.3.*
ἐπιμελέομαι *cuidar de, atender a* com gen. Lc 10.34s; 1 Tm 3.5.*
ἐπιμελῶς adv. *cuidadosamente, diligentemente* Lc 15.8.*
ἐπιμένω—1. *ficar, permanecer* At 10.48; 21.4; 1 Co 16.8; Gl 1.18.—2. *continuar, persistir, perseverar* com dat. Rm 6.1; 11.22; Cl 1.23. Com um particípio a seguir *manter-se, persistir em fazer alguma coisa* Jo 8.7; At 12.16.
ἐπινεύω *dar consentimento a* (por sinais) At 18.20.*
ἐπίνοια, ας, ἡ *pensamento, intenção* At 8.22.*
ἔπιον 2 aor. ind. at. de πίνω.
ἐπιορκέω *jurar falsamente* ou *quebrar um juramento* Mt 5.33.*
ἐπίορκος, ον *perjúrio, perjurador* 1 Tm 1.10.*
ἐπιοῦσα, ης, ἡ *o dia seguinte* ver ἔπειμι.
ἐπιούσιος, ον *uma palavra extremamente rara, de significado disputado. Entre as possibilidades temos: diariamente, necessário para a existência, para o dia seguinte, para o futuro. Achado no N.T. somente em* Mt 6.11; Lc 11.3.*
ἐπιπέπτωκα perf. ind. at. de ἐπιπίπτω.
ἐπιπίπτω—1. *cair, inclinar-se* Mc 3.10; At 20.10; ἐ. ἐπὶ τὸν τράχηλον *abraçar* vs. 37.—2. *cair sobre, acontecer, sobrevir* Lc 1.12; At 8.16; 10.44; 19.17; Rm 15.3.

ἐπιπλήσσω rebater, reprovar 1 Tm 5.1.*

ἐπιποθέω desejar, ansiar Rm 1.11; 2 Co 9.14; Fp 1.8; 1 Ts 3.6; 1 Pe 2.2.

ἐπιπόθησις, εως, ἡ anseio 2 Co 7.7, 11.*

ἐπιπόθητος, ον ansiado, esperado Fp 4.1.*

ἐπιποθία, ας, ἡ desejo, anseio Rm 15.23.*

ἐπιπορεύομαι ir ou viajar Lc 8.4.*

ἐπι(ρ)ράπτω costurar (sobre) Mc 2.21.*

ἐπι(ρ)ρίπτω descarregar em, lançar sobre Lc 19.35; 1 Pe 5.7.*

ἐπισείω ungir, incitar At 14.19 v.l.*

ἐπίσημος, ον proeminente Rm 16.7. Notório Mt 27.16.*

ἐπισιτισμός, οῦ, ὁ comida, alimento Lc 9.12.*

ἐπισκέπτομαι—1. selecionar At 6.3.—2. ir ver, visitar Mt 25.36; At 7.23; 15.36; Visitar Tg 1.27.—3. visitar com o propósito de trazer salvação Lc 1.68; 7.16; preocupar-se com At 15.14.

ἐπισκευάζομαι fazer preparativos At 21.15.*

ἐπισκηνόω habitar 2 Co 12.9.*

ἐπισκιάζω sombrear, cobrir Mt 17.5; Lc 1.35; At 5.15.

ἐπισκοπέω cuidar de, providenciar para Hb 12.15. Cuidar de, suprir 1 Pe 5.2.*

ἐπισκοπή, ῆς, ἡ—1. visitação: favorável Lc 19.44; favorável ou não 1 Pe 2.12.—2. posição ou ofício de supervisor At 1.20; ofício de supervisor, episcopado 1 Tm 3.1.*

ἐπίσκοπος, ου, ὁ supervisor, guardião (de Jesus) 1 Pe 2.25. O uso no N.T., em referência aos líderes, parece ser menos técnico do que uma tradução como 'bispo' sugeriria; daí, superintendente, supervisor At 20.28; Fp 1.1; 1 Tm 3.2; Tt 1.7.*

ἐπισπάομαι tirar a marca da circuncisão 1 Co 7.18.*

ἐπισπείρω semear (depois) Mt 13.25.*

ἐπίσταμαι entender Mc 14.68; 1 Tm 6.4. Conhecer, estar acostumado com At 15.7; 19.15; 26.26; Hb 11.8; Jd 10.

ἐπιστάς part. 2 aor. de ἐφίστημι.

ἐπίστασις, εως, ἡ ataque, assalto At 24.12. Para 2 Co 11.28 pressão é, provavelmente, a melhor; outras possibilidades são atenção, supervisão, obstáculo.*

ἐπιστάτης, ου vocativo ἐπιστάτα, ὁ mestre Lc 5.5; 8.24, 45; 9.33; 49; 17.13.*

ἐπιστεῖλαι inf. 1 aor. at. de ἐπιστέλλω.

ἐπιστέλλω informar ou instruir por meio de carta, escrever At 15.20; 21.25; Hb 13.22.* [epístola]

ἐπιστῇ, ἐπίστηθι 3 pes. sing. 2 aor. subj. e 2 pes. sing. imperativo at. de ἐφίστημι.

ἐπιστήμη, ης, ἡ compreensão, conhecimento Fp 4.8 v.l.* [epistemologia].

ἐπιστήμων, ον gen. ονος perito, estudado Tg 3.13.*

ἐπιστηρίζω fortalecer At 14.22; 15.32, 41; 11.2 v.l.; 18.23 v.l.*

ἐπιστολή, ῆς, ἡ carta epístola At 9.2; 23.25; Rm 16.22, 1 Co 5.9; 2 Co 3.1; 10.9; 1 Ts 5.27.

ἐπιστομίζω calar a boca, silenciar Tt 1.11.*

ἐπιστραφείς part. 2 aor. pass. de ἐπιστρέφω.

ἐπιστρέφω voltar lit. e fig. Lc 1.16; Tg 5.20; voltar-se Mc 5.30; voltar atrás, retornar Mt 10.13; 12.44. Ser convertido Jo 12.40 v.l.

ἐπιστροφή, ῆς, ἡ conversão, lit. 'retorno' At 15.3.*

ἐπισυναγαγεῖν 2 aor. inf. at. de ἐπισυνάγω.

ἐπισυνάγω reunir Mt 23.37; Mc 13.27; Lc 17.37.

ἐπισυναγωγή, ῆς, ἡ encontro, reunião Hb 10.25; reunião 2 Ts 2.1*

ἐπισυνάξαι inf. 1 aor. at. de ἐπισυνάγω.

ἐπισυντρέχω concorrer, juntar-se rapidamente Mc 9.25.*

ἐπισυρράπτω forma de ἐπι(ρ)ράπτω (q.v.) Mc 2.21 v.l.*

ἐπισύστασις, εως, ἡ distúrbio, insurreição, levante At 24.12 v.l.; 2 Co 11.28 v.l.*

ἐπισφαλής, ές inseguro, perigoso At 27.9.*

ἐπισχύω insistir Lc 23.5.*

ἐπισωρεύω acumular 2 Tm 4.3.*

ἐπιταγή, ῆς, ἡ ordem, comando 1 Co 7.25; autoridade Tt 2.15. κατ' ἐπιταγήν mediante o comando Rm 16.26; 1 Tm 1.1; Tt 1.3 κατ' ἐπιταγὴν λέγειν dizer como um mandamento 1 Co 7.6; 2 Co 8.8.*

ἐπιτάσσω ordenar, mandar, comandar com dat. Mc 1.27; 6.39; Lc 8.25; At 23.2; Fm 8. Sem dat. ordenar, dar ordens Mc 6.27; Lc 14.22.

ἐπιτελέω—1. terminar, completar Rm 15.28; 2 Co 8.6, 11.—2. completar, performar, realizar 2 Co 7.1; Hb 9.6; erigir 8.5; impor 1 Pe 5.9.

ἐπιτήδειος, εία, ον necessário, apropriado At 24.25 v.l. Como subst. τὰ ἐ. o que é necessário Tg 2.16.*

ἐπιτιθέασιν, ἐπιτίθει 3 pes. pl. pres. ind. at. e 2 pes. sing. imperativo de ἐπιτίθημι.

ἐπιτίθημι impor, pôr, pôr sobre, colocar Mt 9.18; 27.29, 37; Mc 8.23; Jo 9.6 v.l., 15; At 19.6; 1 Tm 5.22. Inflingir At 16.23. Acrescentar, realizar Ap 22.18. Dar Mc 3.16s; At 28.10. Atacar 18.10. [epíteto]

ἐπιτιμάω censurar, advertir Mt 8.26; 16.20 v.l.; Mc 8.30; 10.13; Lc 18.15, 39; 23.40. Em Jd 9 o significado pode ser repreender ou punir.

ἐπιτιμία, ας, ἡ punição 2 Co 2.6.*

ἐπιτρέπω permitir, deixar com dat. Mt 8.21; Mc 10.4; Lc 9.59, 61; At 27.3; 1 Tm 2.12; dar permissão Mc 5.13; Jo 19.38; 1 Co 16.7; Hb 6.3.

ἐπιτροπεύω ser procurador, governante Lc 3.1 vl.*

ἐπιτροπή, ῆς, ἡ permissão, pleno poder At 26.12.*

ἐπίτροπος, ου, ὁ mordomo, gerente, administrador Mt 20.8 e talvez Lc 8.3, onde o significado pode ser governante, procurador. Guardião Gl 4.2.*

ἐπιτυγχάνω obter, alcançar, conseguir com gen. Hb 6.15; 11.33; com ac. Rm 11.7; absoluto At 13.29 v.l.; Tg 4.2.*

ἐπιτυχεῖν inf. 2 aor. at. de ἐπιτυγχάνω.

ἐπιφαίνω at. e pass. aparecer, fazer uma aparição, mostrar-se Lc 1.79; At 27.20; Tt 2.11; 3.4.*

ἐπιφᾶναι inf. 1 aor. at. de ἐπιφαίνω.

ἐπιφάνεια, ας, ἡ aparição, manifestação, epifania 2 Ts 2.8; 1 Tm 6.14; 2 Tm 1.10; 4.1, 8; Tt 2.13.*

ἐπιφανής, ἐς esplêndido, glorioso At 2.20.*

ἐπιφαύσκω aparecer, surgir Ef 5.14.*

ἐπιφαύσω fut. ind. at. de ἐπιφαύσκω.

ἐπιφέρω trazer, impor At 19.12 v.l. Pronunciar At 25.18 v.l; Jd 9. Inflingir Rm 3.5.*

ἐπιφωνέω gritar (bem alto) Lc 23.21; At 12.22; 21.34; 22.24.*

ἐπιφώσκω brilhar, irromper, amanhecer Mt 28.1; Lc 23.54.*

ἐπιχειρέω tratar de, tentar, procurar fazer algo Lc 1.1; At 9.29; 19.13.*

ἐπιχείρησις, εως, ἡ tentativa, ataque At 12.3 v.l.*

ἐπιχέω derramar Lc 10.34.*

ἐπιχορηγέω fornecer, providenciar 2 Pe 1.5. Dar, conceder 2 Co 9.10; Gl 3.5; 2 Pe 1.11. Sustentar Cl 2.19.*

ἐπιχορηγία, ας, ἡ apoio Ef 4.16; Fp 1.19.*

ἐπιχρίω untar, ungir Jo 9.6; 9.11.*

ἐπιψαύω tocar, pegar com gen. Ef 5.14 v.l.*

ἐπλάσθην 1 aor. ind. pass. de πλάσσω.

ἐπλήγην 2 aor. pass. de πλήσσω.

ἔπλησα, ἐπλήσθην 1 aor. ind. at. e pass. de πίμπλημι.

ἔπνευσα 1 aor. ind. at. de πνέω.

ἐποικοδομέω construir, edificar (sobre) fig. 1 Co 3.10, 12, 14; Ef 2.20; Cl 2.7; Jd 20; At 20.32 v.l.; 1 Pe 2.5 v.l.*

ἐποκέλλω encalhar At 27.41 v.l.*

ἐπονομάζω chamar, nomear Rm 2.17.*

ἐποπτεύω ver, observar 1 Pe 2.12; 3.2.*

ἐπόπτης, ου, ὁ testemunha ocular 2 Pe 1.16.*

ἔπος, ους, τό palavra ὡς ἔ. εἰπεῖν por assim dizer, quase se pode dizer talvez, usar a palavra certa Hb 7.9.* [épico]

ἐπουράνιος, ον celestial 1 Co 15.40, 48s; Ef 1.3, 20; Fp 2.10; Hb 3.1; 8.5.

ἐπράθην 1 aor. ind. pass. de πιπράσκω.

ἐπρίσθην 1 aor. ind. pass. de πρίζω.

ἑπτά indecl. sete Mt 12.45; Mc 8.5s; Lc 20.29; At 6.3; Ap 1.4, 11; 16.1, 17.9. [hepta- prefixo de várias palavras]

ἑπτάκις adv. sete vezes Mt 18.21s; Lc 17.4.*

ἑπτακισχίλιοι, αι, α sete mil Rm 11.4.*

ἑπταπλασίων, ον gen. ονος sétuplo Lc 18.30 v.l.

ἐπύθετο 3 pes. sing. 2 aor. ind. de πυνθάνομαι.

Έραστος—έρρυσάμην 85

Έραστος, ου,ό Erasto—1. Rm 16.23.—2. At 19.22; 2 Tm 4.20.*

έραυνάω pesquisar, examinar, investigar Jo 5.39; 7.52; Rm 8.27; 1 Co 2.10; 1 Pe 1.11; Ap 2.23.*

εργάζομαι—1. trabalhar, ser ativo Mt 21.28; 25.16; Rm 4.4s; 1 Co 4.12; 9.6; 1 Ts 2.9.—2. fazer, cumprir, desempenhar Mt 26.10; Jo 3.21; 6.28; At 13.41; Rm 2.10; 13.10; 1 Co 16.10; Gl 6.10; 2 Ts 3.11; Praticar, performar 1 Co 9.13. Fazer surgir 2 Co 7.10; Tg 1.20. Trabalhar Ap 18.17. Trabalhar para, preparar, assimilar Jo 6.27.

εργασία, ας, ή prática, objetivo, atividade Ef 4.19. Comércio, negócio At 19.25. Lucro, ganho 16.16, 19; 19.24. δὸς ἐργασίαν esforçar-se Lc 12.58.*

εργάτης, ου, ὁ trabalhador lit. Mt 9.37s; 20.1s, 8; At 19.25; 1 Tm 5.18; Tg 5.4. Fig. 2 Co 11.13; Fp 3.2; 2 Tm 2.15. Agente, aquele que faz Lc 13.27.

ἔργον, ου, τό trabalho—1. ato, ação Lc 24.19; Cl 3.17; 2 Ts 2.17; Hb 4.3, 4, 10; Tg 2.14ss. Manifestação, prova prática Rm 2.15; Ef 4.12; 1 Ts 1.3; 2 Ts 1.11; Tg 1.4. Ato, realização Mt 11.2; Mc 14.6; Lc 11.48; Jo 3.19, 20s; 6.28s; 7.3, 21; 10.25, 37s.; At 9.36; Rm 3.20, 28; Cl 1.10; Hb 6.1; Tg 3.13; Ap 15.3.—2. trabalho, tarefa, ocupação Mc 13.34; Jo 17.4; At 14.26; 15.38; 1 Co 15.58; 2 Tm 4.5.—3. trabalho, no sentido passivo, indicando o produto do trabalho At 7.41; 1 Co 3.13, 14, 15; Hb 1.10; 2 Pe 3.10; 1 Jo 3.8.—4. coisa, matéria At 5.38; talvez 1 Tm 3.1. [ergometria]

ἐρεθίζω incitar, provocar, em um bom sentido, 2 Co 9.2; num mau sentido irritar, irar Cl 3.21.*

ἐρείδω encaixar, fixar At 27.41.*

ἐρεύγομαι declarar, proclamar Mt 13.35.*

ἐρευνάω forma clássica de ἐραυνάω.

ἐρημία, ας, ή região desabitada, deserto, ermo Mt 15.33; Mc 8.4; 2 Co 11.26; Hb 11.38.*

ἔρημος, ov—1. como adj. abandonado, vazio, desolado Mt 14.13, 15; Mc 1.35, 45; At 1.20; solitário 8.26. Deserto, desolado Gl 4.27.—2. como subst. ή ἔρημος deserto, ermo Mt 24.26; Mc 1.4; Lc 15.4; Jo 11.54; At 7.30; 21.38; Ap 12.6, 14. Lugares solitários Lc 1.80. [eremita]

ἐρημόω despopular, devastar Mt 12.25; Lc 11.17; Ap 17.16; 18.19. Arruinar Ap 18.17.*

ἐρήμωσις, εως, ή devastação, destruição, despovoamento Mt 24.15; Mc 13.14; Lc 21.20.*

ἐρίζω contender, disputar Mt 12.19.*

ἐριθεία, ας, ή rivalidade ou ambição egoísta Rm 2.8; 2 Co 12.20; Gl 5.20; Fp 1.17; 2.3; Tg 3.14, 16.*

ἐριμμένος part. perf. pass. de ῥίπτω.

ἔριον, ου, τό lã Hb 9.19; Ap 1.14.*

ἔρις, ιδος, ή rivalidade, discórdia, contenda Rm 1.29; 1 Co 3.3; Gl 5.20; Fp 1.15; Tt 3.9. Pl. contendas 1 Co 1.11.

ἐρίφιον, ου, τό bode, Mt 25.33; Lc 15.29 v.l.* lit. 'cabrito'

ἔριφος, ου, ὁ cabrito Lc 15.29; bode Mt 25.32.

Ἑρμᾶς, ᾶ, ὁ Hermas Rm 16.14.*

ἑρμηνεία, ας, ή tradução, interpretação 1 Co 12.10; 14.26.*

ἑρμηνευτής, οῦ, ὁ tradutor 1 Co 14.28 v.l.* [hermenêutica]

ἑρμηνεύω explicar, interpretar Lc 24.27 v.l. Traduzir Jo 1.38 v.l., 42; 9.7; Hb 7.2.*

Ἑρμῆς, οῦ, ὁ Hermes—1. o deus grego At 14.12.—2. uma pessoa que recebeu saudações Rm 16.14.* [hermético]

Ἑρμογένης, ους, ὁ Hermógenes 2 Tm 1.15.*

ἑρπετόν, οῦ, τό réptil At 10.12; 11.6; Rm 1.23; Tg 3.7.* [herpet-, sufixo de várias palavras]

ἔρραμαι perf. ind. méd. de ῥαίνω Ap 19.13 v.l.

ἐρραντισμένος part. perf. pass. de ῥαντίζω Ap 19.13 v.l.

ἐρρέθην 1 aor. ind. pass. de εἶπον.

ἔ(ρ)ρηξα 1 aor. ind. at. de ῥήγνυμι.

ἐρρίζωμαι perf. ind. pass. de ῥιζόω.

ἐ(ρ)ριμμένος perf. méd. e pass., part., de ῥίπτω.

ἐρρυσάμην, ερρύσθην 1 aor. ind. méd., e pass. de ῥύομαι.

ἔρρωσο 2 pes. sing. imperativo perf. pass. de ῥώννυμι.

ἐρυθρός, ά, όν *vermelho* At 7.36; Hb 11.29.*

ἔρχομαι—1. *vir*—a. em um sentido literal Mt 8.9; Mc 7.1, 31; Lc 19.5; Jo 10.10; At 16.37, 39; Rm 9.9; 2 Co 13.1; Hb 6.7; Ap 18.10. *Aparecer, vir perante a, vir a público* Mt 21.9; Mc 9.11; Lc 3.16; 7.33; Jo 7.27, 31; At 1.11; 1 Co 4.5; 1 Tm 1.15. Em um sentido hostil Lc 11.22 v.l.—b. em um sentido não literal Mt 23.35; Lc 15.17; Jo 18.4; Ef 5.6. ἔ. ἐκ τ. θλίψεως *ter sofrido perseguição* Ap 7.14. ἔ. εἰς κρίσιν *submeter a julgamento* Jo 5.24. εἰς προκοπήν *resultar em progresso* Fp 1.12.—2. *ir* Mt 16.24; Mc 11.13; Lc 15.20; Jo 21.3.

ἐρῶ fut. ind. at. de εἶπον.

ἐρωτάω—1. *perguntar, questionar* Mt 21.24; Mc 4.10; Lc 22.68; Jo 8.7.—2. *pedir, solicitar* Mt 15.23; Lc 14.32; Jo 14.16; At 10.48; Fp 4.3; 2 Ts 2.1; *suplicar* Lc 4.38.

ἔσβεσα 1 aor. ind. at. de σβέννυμι.

ἐσθής, ῆτος, ἡ *roupa* Lc 23.11; 24.4; At 1.10; 10.30; 12.21; Tg 2.2, 3. O dat. plural ἐσθήσεσι (At. 1.10; Lc 24.4 v.l.) não é uma forma separada ἔσθησις, mas é o resultado da duplicação da terminação do dativo.*

ἐσθίω e ἔσθω *comer*—1. lit. Mt 15.32; Mc 2.26; 7.28; Lc 22.30; At 10.14; Rm 14.2; 1 Co 10.25, 27; 2 Ts 3.12; Ap 19.18; *conseguir sustento* 1 Co 9.7.—2. fig. *consumir, devorar* Hb 10.27; Tg 5.3.

ἐσήμανα 1 aor. ind. at. de σημαίνω.

ἐσκυλμένος part. perf. pass. de σκύλλω.

Ἐσλί, ὁ indecl. *Esli* Lc 3.25.*

ἐσόμενος part. fut. de εἰμί.

ἔσοπτρον, ου, τό *espelho* 1 Co 13.12; Tg 1.23.*

ἐσπαρμένος part. perf. pass. de σπείρω.

ἐσπέρα, ας, ἡ *noite* Lc 24.29; At 4.3; 20.15 v.l.; 28.23.*

ἑσπερινός, ή, όν *noturno, pertencente à noite* φυλακή *das seis às nove* Lc 12.38 v.l.*

Ἑσρώμ, ὁ indecl. *Esrom* Mt 1.3; Lc 3.33.*

ἐσσόομαι *ser tratado como inferior, ser pior do que* 2 Co 12.13.*

ἐστάθην, ἐστάναι, ἕστηκα, ἑστηκώς, ἔστην, ἔστησα, ἑστώς 1 aor. ind. pass., inf. perf. at., perf. ind. at., part. perf. at., 2 aor. ind. at., 1 aor. ind. at., e part. perf. at. de ἵστημι.

ἐστράφην 2 aor. ind. pass. de στρέφω.

ἐστρωμένος, ἔστρωσα part. perf. pass., e 1 aor. ind. at. de στρώννυμι.

ἔστω, ἔστωσαν 3 pes. sing. e 3 do pl. pres. imperativo de εἰμί.

ἐσφάγην, ἐσφαγμένος, ἔσφαξα 2 aor. ind. pass., part. perf. pass., e 1 aor. ind. at. de σφάζω.

ἔσχατος, η, ον *último*. De lugar Lc 14.9s. τὸ ἔσχατον *o fim* At 1.8; 13.47. De posição e sucessão *último, menor, mais insignificante* Mt 20.16; Lc 13.30; 1 Co 4.9. De tempo *final, mínimo* Mt 20.8, 12, 14: Jo 6.39s; 7.37; At 2.17; 1 Co 15.26, 45, 52; 2 Tm 3.1; Tg 5.3; Ap 2.19. [*escatologia*]

ἐσχάτως adv. finalmente ἔ. ἔχειν *estar a ponto de morrer* Mc 5.23.*

ἔσχηκα, ἔσχον perf. ind. at. e 2 aor. ind. at. de ἔχω.

ἔσω *em, dentro de* Mt 26.58; Mc 14.54; 15.16. *Dentro de* Jo 20.26; At 5.23; 1 Co 5.12; *interior* Rm 7.22; 2 Co 4.16; Ef 3.16.*

ἔσωθεν adv. *de dentro* Mc 7.21, 23; Lc 11.7. *Dentro de, no meio* Mt 23.25, 27s; 2 Co 7.5. τὸ ἔ. ὑμῶν *vossa natureza interior* Lc 11.39.

ἐσώτερος, α, ον *interior* At 16.24. τὸ ἐσώτερον *o que está dentro* com gen. (= *atrás*) Hb 6.19.*

ἑταῖρος, ου, ὁ *companheiro, amigo* Mt 11.16 v.l.; 20.13; 22.12; 26.50.*

ἐταράχθην 1 aor. ind. pass. de ταράσσω.

ἐτάφην 2 aor. ind. pass. de θάπτω.

ἐτέθην 1 aor. ind. pass. de τίθημι.

ἔτεκον 2 aor. ind. at. de τίκτω.

ἑτερόγλωσσος, ον *falante de uma língua estrangeira* 1 Co 14.21.*

ἑτεροδιδασκαλέω *dar ensino diferente, divergente* (i.e. *sectário*) 1 Tm 1.3; 6.3.*

ἑτεροζυγέω *estar em jugo diferente, desigual* 2 Co 6.14.*

ἕτερος, α ον *outro* (de dois) Lc 5.7; 7.41; 18.10; At 23.6; 1 Co 4.6. *Demais do que dois* Mt 11.3; 12.45; Jo 19.37; At 15.35; Rm 2.1, 21; 1 Co 12.9s; *usado intercambiavelmente com* ἄλλος Gl 1.6s; 2 Co 11.4 *Próximo* At 20.15. *Outro, diferente* Mc 16.12; Rm 7.23; 1 Co 15.40. [*hetero-*, prefixo de várias palavras]

ἑτέρως adv. *diferentemente. de outro modo* Fp 3.15.*

ἐτέχθην 1 aor. ind. pass. de τίκτω.

ἔτι adv. *ainda* Mt 12.46; Lc 14.32; 15.20; Rm 9.19; Gl 1.10; Ap 9.12. *De novo* 2 Co 10.10; Hb 12.26s; *além* Mc 14.63; Hb 7.11; *outro* Mt 18.16.

ἐτίθει, ἐτίθεσαν, ἐτίθουν 3 pes. sing. imperf. at., e duas formas da 3 pes. pl. do imperf. at. de τίθημι.

ἑτοιμάζω *preparar, deixar em prontidão* Mt 22.4; 25.34, 41; Mc 1.3; Lc 22.13; Jo 14.2; Ap 9.7; 21.2; *fazer preparativos* Lc 9.52.

ἑτοιμασία, ας, ἡ *prontidão, equipamento, preparação* Ef 6.15.*

Ἕτοιμας v.l. de Ἐλύμας em At 13.8.*

ἕτοιμος, η, ον *pronto, preparado* Mt 22.4; 25.10; Mc 14.15; Jo 7.6; At 23.15, 21; 2 Co 9.5; 1 Pe 1.5. τὰ ἕτοιμα *o que já foi preparado* 2 Co 10.16. ἐν ἑτοίμῳ ἔχειν *estar pronto* 10.6.

ἑτοίμως adv. *prontamente* ἑ. ἔχειν *estar pronto, estar disposto* At 21.13; 2 Co 12.14; 13.1 v.l.; 1 Pe 4.5.*

ἔτος, ους, τό *ano* Mt 9.20; Mc 5.42; Lc 4.25; At 7.30; Gl 1.18; Ap 20.4. κατ' ἔτος *anualmente* Lc 2.41. πεντήκοντα ἔτη ἔχειν *ter cincoenta anos* Jo 8.57. πρὸ ἐτῶν δεκατεσσάρων *há quatorze anos atrás* 2 Co 12.2.

ἐτύθην 1 aor. ind. pass. de θύω.

εὖ adv. *bem* εὖ ποιεῖν *fazer o bem, mostrar bondade* Mc 14.7. εὖ πράσσειν *fazer o bem, agir corretamente* At 15.29. ἵνα εὖ σοι γένηται *para que possas prosperar* Ef 6.3. Usado sozinho *bem feito! Excelente* Mt 25.21, 23; Lc 19.17.* [*eu-* prefixo em várias palavras, p. ex. *eutanásia*]

Εὕα, ας, ἡ *Eva* 2 Co 11.3; 1 Tm 2.13.*

εὐαγγελίζω at e méd. *trazer ou anunciar boas novas* Lc 1.19; Ap 14.6. *Proclamar, pregar (o evangelho), evangelizar* Lc 4.43; At 13.32; Rm 15.20; 1 Co 15.1; 2 Co 10.16; Gl 1.11, 23; 1 Pe 1.12. Pass. *ser evangelizado, receber a pregação das boas novas* Mt 11.5; Hb 4.2, 6.

εὐαγγέλιον, ου, τό *boas novas, evangelho* Mt 4.23; 26.13; Mc 1.1, 14, 15; 8.35; At 15.7; Rm 1.16; 1 Co 9.12, 18, 23; 2 Co 4.4; 11.7; Ef 6.15; Cl 1.5, 23; 1 Pe 4.17.

εὐαγγελιστής, οῦ, ὁ *evangelista, pregador do evangelho* At 21.8; Ef 4.11; 2 Tm 4.5.*

εὐαρεστέω *agradar, ser agradável* Hb 11.5s; *estar satisfeito* 13.16.*

εὐάρεστος, ον *agradável, aceitável* Rm 12.1s; 2 Co 5.9; Ef 5.10; Tt 2.9; Hb 13.21.

εὐαρέστως adv. *de modo aceitável* Hb 12.28.*

Εὔβουλος, ου, ὁ *Êubulo* 2 Tm 4.21.*

εὖγε adv. *excelente! ótimo!* Lc 19.17.*

εὐγενής, ές, ἡ *bem nascido, de boa família* 1 Co 1.26. ἄνθρωπος εὐ. *nobre* Lc 19.12. *Mente nobre, mente aberta* At 17.11.* [*eugênico*]

εὐγλωττία, ας, ἡ *fluência de linguagem* Rm 16.18 v.l.*

εὐδία, ας, ἡ *tempo bom* Mt 16.2.*

εὐδοκέω *considerar bom, consentir, resolver* Lc 12.32; Rm 15.26s; 2 Co 5.8; Cl 1.19; 1 Ts 2.8. *Agradar-se, ter prazer* Mt 3.17; 12.18; 1 Co 10.5; 2 Pe 1.17. *Aprovar, gostar, agradar-se de* 2 Co 12.10; 2 Ts 2.12; Hb 10.6, 8.

εὐδοκία, ας, ἡ—1. *boa vontade* Fp 1.15; 2.13; 2 Ts 1.11 (ver 3 abaixo).—**2.** *favor* Mt 11.26; Lc 10.21; Ef 1.5, 9. ἐν ἀνθρώποις εὐδοκίας Lc 2.14 *entre pessoas sobre as quais repousa o favor de Deus.*—**3.** *desejo, querer* Rm 10.1, talvez 2 Ts 1.11.*

εὐεργεσία, ας, ἡ *fazer o bem, beneficência* 1 Tm 6.2; *ato bondoso* At 4.9.*

εὐεργετέω *fazer o bem (a), conferir um benefício (a)* At 10.38.*

εὐεργέτης, ου, ὁ *benfeitor* Lc 22.25.*

εὔθετος, ον *apropriado, útil* Lc 9.62; 14.35; Hb 6.7.*

εὐθέως adv. *imediatamente, de vez* Mt 4.20, 22; 14.31; Lc 12.36; Jo 6.21; At 9.18, 20. 34; Gl 1.16; Ap 4.2.

εὐθυδρομέω *correr em linha reta* At 16.11; 21.1.*

εὐθυμέω *estar alegre* Tg 5.13; *alegrar-se, animar-se* At 27.22, 25.*

εὔθυμος, ον *animado, encorajado* At 27.36.*

εὐθύμως adv. *alegremente, corajosamente* At 24.10.*

εὐθύνω *endireitar* Jo 1.23. *Alinhar, dirigir* ὁ εὐθύων *o piloto* Tg 3.4.*

εὐθύς, εῖα, ύ gen. έως *reto* lit. Mt 3.3; Mc 1.3; Lc 3.4s; At 9.11. Fig. At 13.10; 2 Pe 2.15; *reto, direito* At 8.21.*

εὐθύς adv. *imediatamente, de uma vez* Mt 13.20s; Mc 1.10, 12; Lc 6.49; Jo 13.30, 32; At 10.16. Talvez *então, daí* Mc 1.21, 23, 29.

εὐθύτης, ητος, ἡ *justiça, retidão* ῥάβδος τῆς εὐθύτητος *cetro de eqüidade* Hb 1.8.*

εὐκαιρέω *ter um tempo (favorável), lazer, de oportunidade* Mc 6.31; 1 Co 16.12; *gastar o tempo* At 17.21.*

εὐκαιρία, ας, ἡ *oportunidade favorável, o momento certo* Mt 26.16; Lc 22.6.*

εὔκαιρος, ον *conveniente, oportuno* Mc 6.21. εὔ. βοήθεια *em tempo de necessidade* Hb 4.16.*

εὐκαίρως adv. *convenientemente* Mc 14.11; *no tempo certo* 2 Tm 4.2. εὐ. ἔχειν *ter descanso* Mc 6.31 v.l.*

εὔκοπος, ον *fácil* comparativo εὐκοπώτερος: εὐκοπώτερον ἐστιν *é mais fácil* Mt 9.5; Mc 10.25; Lc 16.17; 18.25.

εὐλάβεια, ας, ἡ *temor, reverência, temor de Deus* Hb 12.28; *piedade* 5.7.*

εὐλαβέομαι *estar temeroso, preocupado* At 23.10 v.l. Para Hb 11.7 *tomar cuidado, e reverência, respeito* são possíveis também.*

εὐλαβής, ές, *devoto, temente a Deus* Lc 2.25; At 2.5; 8.2; 22.12.*

εὐλογέω—1. *falar bem de, louvar, exaltar* em reconhecimento dos benefícios divinos Lc 1.64; 24.53; Tg 3.9; *agradecer e louvar* Mt 14.19; Lc 24.30; 1 Co 14.16; *consagrar* Mc 8.7; 1 Co 10.16.—2. de Deus, *conferir favor* ou *benefícios*—a. at. *abençoar* At 3.26; Ef 1.3.—b. pass. *ser bendito* Mt 25.34; Lc 1.42.—3. *pedir o favor de Deus para alguém, abençoar* Lc 6.28; 24.50s; 1 Co 4.12; Hb 7.1, 6s. [*eulogia*]

εὐλογητός, ή, όν *abençoado, bendito, louvado* Mc 14.61; Lc 1.68; Rm 9.5.

εὐλογία, ας, ἡ *louvor* Ap 5.12s. *Falsa eloqüência, demagogia* Rm 16.18. *Bênção, benfeitoria* Rm 15.29; Ef 1.3; Tg 3.10; Hb 6.7. *Consagração* τὸ ποτήριον τῆς εὐ. *o cálice da bênção*, i.e., o copo pelo qual o favor divino é compartilhado 1 Co 10.16. *Generosidade* 2 Co 9.6, *talvez* Hb 6.7. [*eulogia*]

εὐμετάδοτος, ον *generoso* 1 Tm 6.18.*

Εὐνίκη, ης, ἡ *Eunice* 2 Tm 1.5.*

εὐνοέω *fazer amigos (com)* Mt 5.25.*

εὔνοια, ας, ἡ *boa vontade, entusiasmo* Ef 6.7.*

εὐνουχίζω *emascular, fazer de alguém um eunuco* Mt 19.12.*

εὐνοῦχος, ου, ὁ *emasculado, eunuco* Mt 19.12; At 8.27, 34, 36, 38s.*

εὐξαίμην 1 aor. méd. opt. de εὔχομαι.

Εὐοδία, ας, ἡ *Evódia* Fp 4.2.*

εὐοδόω *ir bem, prosperar, ter sucesso* Rm 1.10; 3 Jo 2; *ganho* 1 Co 16.2.*

εὐπάρεδρος, ον *constante, devotado* 1 Co 7.35.*

εὐπειθής, ές, gen. οὕς *obediente* Tg 3.17.*

εὐπερίσπαστος, ον *algo que provoca distração* Hb 12.1 v.l.*

εὐπερίστατος, ον *algo que embaraça, obstruir* Hb 12.1*

εὐποιΐα, ας, ἡ *a prática do bem* Hb 13.16.*

εὐπορέω *ter recursos financeiros, estar bem de vida* καθὼς εὐπορεῖτό τις *conforme a capacidade* (financeira) *da pessoa* At 11.29.*

εὐπορία, ας, ἡ *prosperidade* At 19.25.*

εὐπρέπεια, ας, ἡ *beleza* Tg 1.11.*

εὐπρόσδεκτος, ον aceitável, agradável Rm 15.16, 31; 2 Co 6.2; 8.12; 1 Pe 2.5.*

εὐπρόσεδρος, ον constante 1 Co 7.35 v.l.*

εὐπροσωπέω mostrar boa aparência Gl 6.12.*

εὐρακύλων, ωνος, ὁ Euráquilo, o vento nordeste At 27.14.*

εὑρέθην, εὕρηκα, εὑρήσω 1 aor. pass.; perf. at. e fut. at., ind. de εὑρίσκω.

εὑρίσκω achar, descobrir Mt 7.7s; Mc 14.55; Lc 6.7; 11.24; Jo 7.34, 36; At 13.6, 28; 27.6; Rm 7.21; 2 Co 12.20; Ap 20.15. Achar, obter Lc 1.30; 2 Tm 1.18; Hb 4.16; 9.12. Pass. ser achado, achar-se, estar At 8.40; Fp 3.9; 1 Pe 2.22; provar ser Rm 7.10; ser julgado 2 Pe 3.10. [eureca, a exclamação de Arquimedes, heurística]

εὕροιεν, εὗρον 3 pes. pl. 2 aor. opt. at., e 2 aor. ind. at. de εὑρίσκω.

εὐροκλύδων, ωνος, ὁ Euróclido, o vento sudeste. Uma outra forma é εὐρυκλύδων; ambas como v.l. de εὐρακύλων em At 27.14.*

εὐρύχωρος, ον amplo, espaçoso Mt 7.13.*

εὐσέβεια, ας, ἡ piedade, religião At 3.12; 1 Tm 2.2; 3.16; 4.7s; 6.3, 5s, 11; 2 Tm 3.5; Tt 1.1; 2 Pe 1.3, 6s. Pl. atos piedosos 2 Pe 3.11.*

εὐσεβέω adorar At 17.23. Mostrar piedade a 1 Tm 5.4.*

εὐσεβής, ές devoto, piedoso, reverente At 10.2, 7; 2 Pe 2.9.* [Eusébio]

εὐσεβῶς adv. de forma piedosa 2 Tm 3.12; Tt 2.12.*

εὔσημος, ον facilmente reconhecível, claro, distinto 1 Co 14.9.*

εὔσπλαγχνος, ον compassivo, terno Ef 4.32; 1 Pe 3.8.*

εὐσχημονέω comportar-se de modo simulado 1 Co 13.5 v.l.*

εὐσχημόνως adv. decentemente, propriamente Rm 13.13; 1 Co 14.40; 1 Ts 4.12.*

εὐσχημοσύνη, ης, ἡ propriedade, decoro 1 Co 12.23.*

εὐσχήμων, ον, gen. ονος próprio, apresentável 1 Co 12.24. Proeminente, notório Mc 15.43; At 13.50; 17.12, 34 v.l. τὸ εὖ boa ordem 1 Co 7.35.*

εὐτόνως adv. poderosamente, vigorosamente, veementemente Lc 23.10; At 18.28.*

εὐτραπελία, ας, ἡ conversa grosseira ou vulgar Ef 5.4.*

Εὔτυχος, ου, ὁ Êutico At 20.9.*

εὐφημία, ας, ἡ bom relatório 2 Co 6.8.*

εὔφημος, ον digno de louvor Fp 4.8. [eufemismo]

εὐφορέω produzir uma boa safra, ser frutífero Lc 12.16.* [euforia]

εὐφραίνω at. alegrar, animar 2 Co 2.2. Pass. estar alegre, contente, regozijar-se Lc 12.19; 15.32; At 2.26; 7.41; Rm 15.10.

εὐφρανθῆναι inf. 1 aor. pass de εὐφραίνω.

Εὐφράτης, ου, ὁ o rio Eufrates Ap 9.14; 16.12.*

εὐφροσύνη, ης, ἡ alegria, regozijo At 2.28; 14.17.*

εὐχαριστέω dar graças, agradecer Mt 26.27; Mc 8.6; Lc 17.16; 18.11; At 27.35; 28.15; Rm 1.21; 1 Co 14.17s; Cl 1.3, 12; 1 Ts 1.2; 2.13.

εὐχαριστία, ας, ἡ gratidão At 24.3. Ação de graças 2 Co 9.11; Ef 5.4; Cl 2.7; 1 Ts 3.9; Ap 4.9. Oração de agradecimento 1 Co 14.16; 2 Co 9.12; Ceia do Senhor, eucaristia 1 Co 10.16 v.l.

εὐχάριστος, ον grato, agradecido Cl 3.15.*

εὐχή, ῆς ἡ—1. oração ἡ εὐ. τῆς πίστεως oração oferecida com fé Tg 5.15.—2. voto At 18.18; 21.23.*

εὔχομαι—1. orar (por) At 26.29; 2 Co 13.7, 9; Tg 5.16 v.l.—2. querer, desejar At 27.29; Rm 9.3; 3 Jo 2.*

εὔχρηστος, ον útil, utilizável 2 Tm 2.21; 4.11; Fm 11.*

εὐψυχέω estar feliz, ter coragem Fp 2.19.*

εὐωδία, ας, ἡ aroma, fragrância 2 Co 2.15; Ef 5.2; Fp 4.18.*

εὐώνυμος, ον esquerda Mt 20.21, 23; 25.33, 41; Mc 15.27; At 21.3; Ap 10.2.

εὐωχία, ας, ἡ banquete, festa Jd 12 v.l.*

ἔφαγον 2 aor. ind. at de ἐσθίω.

ἐφάλλομαι saltar sobre, lançar-se At 19.16.*

ἐφαλόμην 2 aor. ind. méd. de ἐφάλλομαι.

ἐφάνην 2 aor. ind. pass. de φαίνω

ἐφάπαξ. adv.—1. de vez, de uma vez 1 Co 15.6.—2. de uma vez por todas Rm 6.10; Hb 7.27; 9.12; 10.10.*

Ἐφέσιος, ία, ιον Efésio At 19.28, 34s; 21.29.*

Ἔφεσος, ου, ἡ Éfeso, uma cidade marítima no oeste da Ásia Menor, famosa devido o culto a Artemis (Diana). At 18.19, 21, 24; 19.1, 17,26; 1 Co 15.32; 16.8.

ἐφευρετής, οὔ, ὁ pessoa que trama ou planeja Rm 1.30.*

ἔφη 3 pes. sing. imperf., ou 3 pes. sing. 2 aor. at. de φημί.

ἐφημερία, ας, ἡ classe, divisão de sacerdotes Lc 1.5, 8.*

ἐφήμερος, ον para o dia, diariamente Tg 2.15.* [efêmero]

ἔφθασα 1 aor. ind. at de φθάνω.

ἐφικέσθαι 2 aor. méd. inf. de ἐφικνέομαι.

ἐφικνέομαι vir (a), alcançar 2 Co 10.13s.*

ἐφίστημι—1. pres. e aor. (2 aor. ind. at. ἐπέστην) chegar a, acercar-se, aproximar-se, aparecer Lc 4.39; 10.40; At 4.1; 6.12; 10.17; 1 Ts 5.3. Atacar At 17.5. ἐπίστημι estar pronto 2 Tm 4.2.—2. perf. (ind. at. ἐφέστηκα, part. ἐφεστώς estar presente At 22.20; 28.2. Ser iminente 2 Tm 4.6.

Ἐφραίμ, ὁ indecl. Efraim, uma cidade Jo 11.54.*

ἔφυγον 2 aor. ind. at. de φεύγω.

ἐφφαθά palavra aramaica estar aberto Mc 7.34.*

ἐχάρην 2 aor. ind. pass. de χαίρω.

ἐχθές adv. ontem Jo 4.52; At 16.35 v.l.; 7.28; do passado como um todo Hb 13.8.*

ἔχθρα, ας, ἡ inimizade Lc 23.12; Rm 8.7; Gl 5.20; Ef 2.14, 16. ἔ, τοῦ θεοῦ inimizade contra Deus Tg 4.4.*

ἐχθρός. ά, όν—1. como adj. odiado, hostil Mt 13.28; Rm 11.28.—2. como subst. ὁ ἐχθρός o inimigo (pessoal) Mt 5.43s; Mc 12.36; Lc 1.74; 10.19; Rm 5.10; 12.20; 1 Co 15.26; Gl 4.16; Fp 3.18; 2 Ts 3.15.

ἔχιδνα, ης, ἡ víbora, serpente Mt 3.7; 12.34; 23.33; Lc 3.7; At 28.3.*

ἔχρησα 1 aor. ind. at. de κίχρημι.

ἔχω—I. at.—1. ter, manter Mt 26.7; Ap 1.16; 5.8. Vestir Mt 3.4; Jo 18.10; Ap 9.9, 17. Manter, preservar Lc 19.20; 1 Tm 3.9; Ap 6.9. Pego de surpresa Mc 16.8.—2. ter, possuir lit. e fig. Mt 18.8s; 19.22; Lc 11.5; 15.4; 19.26; Jo 8.41; At 2.44; Rm 12.4; 1 Co 4.7; 5.1; 7.2; Ef 5.5; Cl 4.1; 1 Jo 2.23; Ap 18.19. De todas as condições do corpo e da alma ter Mt 11.18; Jo 5.42; At 28.9; Rm 10.2; 1 Co 13.1; Hb 10.2, 19. Ter à mão, ter à disposição Mt 14.17; Mc 8.1; Jo 4.11; Fp 2.20; 1 Jo 2.1. Com indicações de tempo e idade πεντήκοντα ἔτη ἔχειν ter cincoenta anos Jo 8.57. πολὺν χρόνον ἔχειν estar há muito tempo 5.6. ἡλικίαν ἔχειν ser idoso 9.21, 23. Ter = ter algo sobre si, estar debaixo de alguma coisa ἀνάγκην ἔχειν ter necessidade 1 Co 7.37.; ser compelido Lc 14.18. χρείαν ἔ. estar em necessidade Ef 4.28; precisar Lc 19.31, 34. διακονίαν 2 Co 4.1. Ter dentro de si Mc 13.17; Jo 5.26; 2 Co 1.9; Fp 1.7.—3. ter ou incluir em si mesmo, causar, fazer acontecer Hb 10.35; Tg 1.4; 2.17; 1 Jo 4.18.—4. considerar, ver, olhar Mt 14.5; 21.46; Mc 11.32; Lc 14.18s; Fp 2.29.—5. ἔ. com um inf. a seguir ter a possibilidade, poder, ser capaz, estar em posição de Mt 18.25; Lc 12.4; At 4.14; 25.26; Hb 6.13; 2 Pe 1.15. Deve-se Lc 12.50; 2 Jo 12.—6. combinações especiais: ἔ. ἐν ἐπιγνώσει reconhecer Rm 1.28. ἐν ἐμοὶ οὐκ ἔχει οὐδέν ele não tem poder sobre mim Jo 14.30 ἔ. κατὰ πρόσωπον encontrar face a face At 25.16. ἔ. ὁδον estar situado (a uma certa distância) At 1.12.—II. at., com um advérbio, ser, estar localizado, situado πῶς ἔχουσιν como eles estão At 15.36. ἑτοίμως ἔχειν estar pronto 2 Co 12.14 κακῶς ἔ. estar doente Mt 4.24. καλῶς ἔ. estar bem, saudável Mc 16.18. ἐσχάτως ἔχειν estar prestes a morrer 5.23. τὸ νῦν ἔχον para o presente At 25.25. Outras expressões: At 7.1; 12.15; 1 Tm 5.25.—III. méd. estar firme a, apegar-se firmemente, agarrar; τὰ ἐχόμενα σωτερίας coisas que pertencem à salvação Hb 6.9. ἐχόμενοσ vizinhas Mc 1.38. De tempo imediatamente depois: τῇ ἐχομένῃ ἡμέρᾳ no dia seguinte At 21.26; cf. 20.15; Lc 13.33.

ἐψεύσω 2 pes. sing. 1 aor. ind. méd. de ψεύδομαι.

ἑῶν part pres. at. de ἑάω.

ἑώρακα, ἑώρων perf. ind. at., e 3 pes. pl. imperf. at. de ὁράω.

ἕως—1. adv. de tempo *até, ainda, até que* Mt 2.9; Mc 6.10; Lc 21.32; Jo 21.22s; At 2.35; 1 Co 4.5; 2 Ts 2.7; Hb 10.13. *Enquanto* Mc 6.45; Lc 17.8; Jo 9.4.—2. funciona como prep. com gen. de tempo: *até, até que* Mt 11.13; 27.64; Mc 14.25; Lc 23.44; At 1.22; 1 Co 1.8. ἕως οὗ *até que* Mt 13.33; At 21.26; 25.21. ἕως πότε *até quando? quanto tempo?* Mt 9.19; Jo 10.24; Ap 6.10. De lugar *para, até* Lc 2.15; At 1.8; 2 Co 12.2. ἕως ἑπτάκις *até sete vezes* Mt 18.21s. ἕως ἔσω *direto para dentro* Mc 14.54. οὐκ ἔστιν ἕως ἑνός *não há nem mesmo um* Rm 3.12.

ϛ

ϛ o stigma ou vau, uma letra obsoleta, é usada como o numeral *6 (seis)* (ϛ´) no

v.l. de Ap 13.18 χξϛ´.

Z

Ζαβουλών, ὁ indecl. *Zebulom* uma tribo israelita Mt 4.13, 15; Ap 7.8; Lc 4.31 v.l.*

Ζακχαῖος, ου, ὁ *Zaqueu* Lc 19.2, 5, 8.*

Ζάρα, ὁ indecl. *Zará* Mt 1.3.*

ζαφθάνι a leitura do ms. D para σαβαχθάνι em Mt 27.46; Mc 15.34.*

Ζαχαρίας, ου, ὁ *Zacarias*—1. pai de João Batista Lc 1 passim; 3.2.—2. filho de Baraquias Mt 23.35; Lc 11.51.—3. o profeta, como v.l. de Jeremias em Mt 27.9.*

[ζάω] contracta ζῶ *viver*—1. da vida natural Mt 4.4; Lc 24.5; Rm 7.1, 2, 3; 1 Co 15.45; Fp 1.22. Da conduta de vida Lc

2.36; At 26.5; Rm 14.7; 2 Co 5.15. *Estar bem* Mc 5.23. *De Deus* Mt 26.63; Hb 3.12; ζῶ ἐγώ *tão certo como eu vivo* Rm 14.11. τὸ ζῆν *vida* 2 Co 1.8. Fig. Jo 4.10s; At 7.38; 1 Pe 1.3; 2.4.—**2.** da vida dos filhos de Deus Lc 10.28; Jo 5.25; Rm 1.17; 2 Co 13.4; Gl 2.20; 1 Ts 5.10.

ζβέννυμι forma alternativa de σβέννυμι.

Ζεβεδαῖος, ου, ὁ *Zebedeu,* pai dos apóstolos João e Tiago Mt 4.21; Mc 10.35; Lc 5.10; Jo 21.2.

ζεστός, ή, όν *quente* Ap 3.15s.*

ζεύγνυμι *conectar, juntar, ligar* (lit. com um jugo) Mc 10.9 v.l.*

ζεῦγος, ους, τό *jugo,* de dois animais unidos por um jugo Lc 14.19. *Par 2.24.*

ζευκτηρία, ας, ἡ *cordas, amarras* ('guardim' ou 'galhardete' t.t. náutico) que ligavam os lemes At 27.40.*

Ζεύς, Διός, ac. Δία, ὁ *Zeus,* principal deus grego At 14.12, 13.*

ζέω *ferver* fig. ζέων τῷ πνεύματι *com zelo fervente* At 18.25, mas τῷ πνεύματι ζέοντες *mantendo o fervor espiritual* Rm 12.11.*

ζῇ 3 pes. sing. pres. ind. at. de [ζάω].

ζηλεύω *ser zeloso, fervoroso* Ap 3.19.*

ζῆλος, ου, ὁ e ζῆλος, ους, τό—**1.** em um bom sentido *zelo, ardor* Rm 10.2; 2 Co 7.11; 9.2; Fp 3.6.—**2.** em um mau sentido *inveja, ciúmes* At 5.17; Rm 13.13; Tg 3.14, 16; *faccionalismo, divisão partidarista* 1 Co 3.3; 2 Co 12.20; Gl 5.20.

ζηλόω—**1.** em um bom sentido *desejar, lutar (por)* 1 Co 12.31; 14.1, 39. *Estar profundamente preocupado com* Gl 4.17. *Mostrar zelo* 4.18.—**2.** em um mau sentido *estar cheio de inveja* ou *ciúmes de* At 7.9; 1 Co 13.4; Tg 4.2.

ζηλωτής, οῦ, ὁ *zelote, aderente entusiasta, alguém que é zeloso* com gen. At 22.3; 1 Co 14.12; Tt 2.14; 1 Pe 3.13. De Simão, como ex-membro de uma facção judaica Lc 6.15; At 1.13.

ζημία, ας, ἡ *perda, prejuízo* At 27.10, 21; Fp 3.7, 8.*

ζημιόω *infligir injúria* ou *punição.* Pass. *sofrer dano* ou *perda,* com ac. de especificação Mt 16.26; Mc 8.36; Lc 9.25; Fp 3.8; sem ac. 2 Co 7.9. *Ser punido* 1 Co 3.15.*

ζῆν inf. pres. at. de [ζάω].

Ζηνᾶς, ac. ᾶν, ὁ *Zenas* Tt 3.13.*

Ζήνων, ωνος, ὁ *Zeno* 2 Tm 4.19 v.l.*

ζητέω—**1.** *procurar, buscar por* Mt 13.45; 18.12; Mc 1.37; Lc 19.10; Jo 18.4; At 10.19, 21; 2 Tm 1.17; *buscar* At 17.27. *Investigar, examinar, considerar, deliberar* Mc 11.18; Lc 12.29; Jo 8.50; 16.19.—**2.** um pouco distante da ideia de procura: *tentar obter; desejar possuir* Mt 6.33; 26.59; Lc 22.6; Jo 5.44; Rm 2.7; Cl 3.1. *Esforçar-se (para), objetivar, desejar, querer* Mt 12.46; Lc 17.33; Jo 1.38; At 16.10; 1 Co 13.5; Gl 1.10. *Pedir, requerer, demandar* Mc 8.11s; Lc 12.48; Jo 4.23; 2 Co 13.3. Pass. *requer-se que* 1 Co 4.2.

ζήτημα, ατος, τό *questão, ponto-de-vista, idéia (controverso)* At 15.2; 18.15; 23.29; 25.19; 26.3.*

ζήτησις, εως, ἡ *investigação, questão controversa, controvérsia, discussão, debate* Jo 3.25; At 15.2, 7; 25.20; 1 Tm 6.4; 2 Tm 2.23; Tt 3.9.*

ζιζάνιον, ου, τό *espinheiro, erva maligna* Mt 13 passim.*

Ζμύρνα uma variação de Σμύρνα.

Ζοροβαβέλ, ὁ indecl. *Zorobabel* (Ed 2.2; 3.8) Mt 1.12s; Lc 3.27.*

ζόφος, ου, ὁ *trevas, escuridão* Hb 12.18; nas regiões inferiores, *inferno* 2 Pe 2.4. 17; Jd 6,13.*

ζυγός, οῦ. ὁ—**1.** *jugo* fig. Mt 11. 29s; At 15.10; Gl 5.1; 1 Tm 6.1.—**2.** *balança, balança de dois pratos* Ap 6.5.*

ζύμη, ης, ἡ *fermento, levedura* lit. Mt 16.12; Lc 13.21; 1 Co 5.6; Gl 5.9. Fig. Mt 16.6, 11; Lc 12.1; 1 Co 5.6-8. [*enzima*]

ζυμόω *fermentar, levedar* Mt 13.33; Lc 13.21; 1 Co 5.6; Gl 5.9.*

ζωγρέω *capturar (vivo)* Lc 5.10; 2 Tm 2.26.*

ζωή, ῆς, ἡ *vida*—**1.** no sentido físico Lc 16.25; At 17.25; Rm 8.38; 1 Tm 4.8; Tg 4.14.—**2.** da vida pertencente a Deus, Cristo e ao crente Mt 25.46; Mc 10.17, 30; Jo 1.4; 3.15s; 5.26; 6.35; At 5.20; Rm

6.4; 8.2; Ef 4.18; Fp 2.16; 1 Tm 6.19; Tg 1.12; Ap 2.7; 13.8. [zoo-, prefixo de várias palavras.]

ζώνη, ης, ἡ cinto, cinturão Mt 3.4; 10.9; Mc 1.6; 6.8; At 21.11; Ap 1.13; 15.6.*

ζώννυμι ou ζωννύω cingir, ajustar o cinto Jo 21.18; At 12.8.*

ζωογονέω dar vida, fazer viver 1 Tm 6.13. Manter ou preservar a vida Lc 17.33; At 7.19.*

ζῷον, ου, τό animal, no sentido usual Hb 13.11; 2 Pe 2.12; Jd 10. Coisa ou ser vivente Ap 4.6-9; 6.1, 3, 5-7; 19.4. [zoologia]

ζωοποιέω fazer viver, dar vida a Jo 5.21; 1 Co 15.22, 36, 45; 2 Co 3.6; 1 Pe 3.18; trazer à vida Rm 4.17.

ζῶσαι, ζώσω imperativo 1 aor. méd. e fut. ind. at. de ζώννυμι.

H

ἤ conjunção—1. alternativa ou Mt 5.17, 36; Mc 3.4; Rm 8.35; 14.13; Ap 3.15. ἤ ... ἤ ou ... ou Mt 6.24; Lc 16.13; 1 Co 14.6. Em interrogações Mt 26.53; Lc 13.4; 1 Co 9.7; Gl 1.10.—2. comparativa que Mt 10.15; 18.8, 9, 13; Mc 10.25; Lc 15.7; At 17.21; 1 Co 9.15; 14.19. πρίν ἤ antes Mc 14.30; Lc 2.26; At 25.16.

ἦ adv. verdadeiramente, talvez a acentuação correta em 1 Co 9.15.

ἤγαγον 2 aor. ind. at. de ἄγω.

ἤγγειλα 1 aor. ind. at de ἀγγέλω.

ἤγειρα 1 aor. ind. at. de ἐγείρω.

ἡγεμονεύω ser líder, governar Lc 2.2; 3.1.*

ἡγεμονία, ας, ἡ liderança, comando do ofício do imperador romano Lc 3.1.* [hegemonia]

ἡγεμών, όνος, ὁ príncipe Mt 2.6. Governador Mt 10.18; Mc 13.9; 1 Pe 2.14. Prefeito, procurador Mt 27.2, 11, 14s; Lc 20.20; At 23.24; 24.1; 26.30.

ἡγέομαι—1. liderar, guiar part. pres. ὁ ἡγούμενος líder, chefe Mt 2.6; Lc 22.26; At 7.10; Hb 13.7, 17,24. ὁ ἡγούμενος τοῦ λόγου o orador principal At 14.12.—2. pensar, considerar At 26.2; 2 Co 9.5; Fp 2.3; 3.8; Hb 10.29; Tg 1.2; com δίκαιον considerar algo um dever ou responsabilidade 2 Pe 1.13.

ἠγέρθην 1 aor. ind. pass. de ἐγείρω.

ἡγνικώς, ἡγισμένος part. perf. at. e part. pass. de ἁγνίζω.

ᾔδειν 1 pes. sing. mais-que-perf. ind. at. de οἶδα

ἡδέως adv. alegremente 2 Co 11.19. ἡ. ἀκούειν gostar de ouvir Mc 6.20; 12.37. Superlativo ἥδιστα muito alegremente 2 Co 12.9, 15.*

ἤδη adv. agora, já, por ora, ora, realmente Mt 5.28; 15.32; 17.12; Mc 4.37; 6.35; Lc 21.30; Jo 3.18; 4.35. ἤδη καί já, agora mesmo Lc 3.9. ἤδη ποτέ finalmente, em boa hora Rm 1.10; Fp 4.10.

ἥδιστα ver ἡδέως.

ἡδονή, ῆς, ἡ prazer, desfrute em um sentido desfavorável Lc 8.14; Tt 3.3; Tg 4.1, 3; 2 Pe 1.13.* [hedonista] ἠδυνάσθην, ἠδυνήθην formas do 1 aor. ind. pass. de δύναμαι.

ἡδύοσμον, ου, τό menta Mt 23.23; Lc 11.42.*

ἤθελον imperf. at. de θέλω.

ἦθος, ους, τό costume, uso, hábito 1 Co 15.33.* [Cf. ἔθος]

ἠκαιρεῖσθε 2 pes. pl. imperf. de ἀκαιρέομαι.

ἥκω ter vindo, estar presente Mt 8.11; Mc 8.3; Lc 15.27; Jo 4.47; 8.42; Hb 10.37; Ap 15.4; 18.8.

ἡλάμην 1 aor. ind. méd. de ἅλλομαι.

ἠλεήθην, ἠλεημένος 1 aor. ind. pass. e part. pass. de ἐλεέω.

ἦλθα, ἦλθον formas do 2 aor. ind. at. de ἔρχομαι.

ἠλί (também nas formas ἡλι, ἡλει, ἠλει) Hebr. meu Deus Mt 27.46.*

Ἡλί, ὁ indecl. Eli Lc 3.23.*

Ἡλίας, ου, ὁ Elias (1 Rs 17-20) Mt 11.14; 17.3s, 10-12; Mc 15.35s; Lc 1.17; 4.25s; Jo 1.21, 25; Tg 5.17. ἐν. Ἡλία na história de Elias Rm 11.2.

ἡλικία, ας, ἡ—1. idade, tempo de vida. Este sentido é possível em Mt 6.27 = Lc 12.25, mas é provável que humor hiperbólico acerca de se aumentar a própria estatura subjaza a máxima; ver 2. Idade madura, maturidade Ef 4.13. Anos Lc 2.52 ἡλικίαν ἔχειν ser idoso Jo 9.21, 23. παρὰ καιρὸν ἡλικίας passada a idade normal Hb 11.11—2. estatura corporal Lc 19.3. Este sing. também é possível em Lc 2.52 e Ef 4.13 acima, e é provável em Mt 6.27 = Lc 12.25.*

ἡλίκος, η, ον quão grande Cl 2.1; Tg 3.5; Gl 6.11 v.l.*

ἥλιος, ου, ὁ sol Mt 13.6, 43; Lc 21.25; 23.45; At 13.11; 27.20; 1 Co 15.41; Ap 7.2, 16; 21.23.

ἧλος, ου, ὁ cravo Jo 20.25.*

ἤλπικα, ἤλπισα perf. e 1 aor. ind. at. de ἐλπίζω.

ἡμάρτησα, ἥμαρτον 1 e 2 aor. ind. at de ἁμαρτάνω.

ἡμεῖς nom. pl. de ἐγώ.

ἡμέρα, ας, ἡ dia—1. do período da luz solar Mt 4.2; Mc 4.27; Lc 4.42; 9.12; Jo 1.39; 11.9; 2 Pe 1.19; 2 Pe 1.19; Ap 8.12. Fig. 1 Ts 5.5.—2. do período de 24 horas Mt 6.34; 28.15; Mc 2.1; Lc 17.4; At 13.31; Rm 8.36; 1 Co 10.8; Hb 3.13; Ap 1.10; 9.15.—3. de um dia designado para um propósito especial Mt 10.15; Lc 17.24, 30; At 28.23; 1 Co 4.3; 5.5; Hb 10.25; Ap 16.14.—4. de um período mais longo, tempo Mt 2.1; Lc 21.22; At 5.36; 2 Co 6.2; 2 Tm 3.1; Hb 5.7; 8.9. [efêmero, ἐπί + ἡμέρα]

ἡμέτερος, α, ον nosso At 2.11; Rm 15.4; 1 Jo 1.3. τὸ ἡμ. o que é nosso Lc 16.12 v.l.

ἦ μήν ver ἦ.

ἤμην imperf. at. de εἰμί.

ἡμιθανής, ές meio morto, moribundo Lc 10.30.*

ἥμισυς, εια, υ meio, metade Lc 19.8. τὸ ἥ. um meio, uma metade Mc 6.23; Ap 11.9, 11; 12.14.*

ἡμίωρον, ου, τό meia hora Ap 8.1.*

ἠμφιεσμένος part. perf. pass. de ἀμφιέννυμι.

ἦν imperf. de εἰμί.

ἤνεγκα, ἠνέχθην 1 aor. ind., at. e pass. de φέρω.

ἠνεῳγμένος, ἠνέῳξα, ἠνεῴχθην part. perf. méd., 1 aor. ind. at. e pass. de ἀνοίγω.

ἡνίκα partícula denotadora de tempo quando, na hora, no tempo quando, com ἄν sempre que 2 Co 3.15; com ἐάν quando, toda vez que vs. 16.*

ἠνοίγην, ἠνοίχθην 2 aor. ind. pass. e 1 aor. ind. pass. de ἀνοίγω.

ἠντληκώς part. perf. at. de ἀντλέω.

ἤπερ forma aumentada de ἤ do que Jo 12.43.*

ἤπιος, α, ον amável, gentil, bondoso 1 Ts 2.7 v.l; 2 Tm 2.24.*

ἠπίστησα, ἠπίστουν 1 aor. ind. at. e imperf. at. de ἀπιστέω.

Ἤρ, ὁ indecl. Er Lc 3.28.*

ἤρα, ἤρθην 1 aor. ind. at. e pass. de αἴρω.

ἠργασάμην 1 aor. ind. de ἐργάζομαι.

ἥμερος, ον calmo, tranqüilo 1 Tm 2.2.*

ἤρεσε 1 aor. ind. at. de ἀρέσκω.

ἤρθην, ἤρκα, ἤρμαι 1 aor. pass., perf. at. e perf. ind. pass. de αἴρω.

ἡρπάγην 2 aor. ind. pass. de ἁρπάζω.

ἡρχόμην imperf. de ἔρχομαι.

Ἡρῴδης, ου, ὁ *Herodes*—1. Herodes I, o Grande (41—4 a.C.) Mt 2.1-22.—2. Herodes Antipas, filho de Herodes I Mc 6.14-22; Lc 3.1, 19; 13.31; 23.7; At 4.27.—3. Herodes Agripa I, neto de Herodes I At 12 passim.

Ἡρῳδιανοί, ῶν, οἱ *os herodianos*, partidários de Herodes I e sua família Mt 22.16; Mc 3.6; 8.15 v.l.; 12.13.*

Ἡρῳδιάς, άδος, ἡ *Herodias*, esposa de Herodes Antipas Mt 14.3, 6; Mc 6.17, 19, 22; Lc 3.19.*

Ἡρῳδίων, ωνος, ὁ *Herodião* Rm 16.11.*

Ἡσαΐας, ου, ὁ *Isaías* o profeta e seu livro Mt 3.3; 13.14; Mc 1.2; Lc 4.17; Jo 12.38s; At 8.28; Rm 9.27, 29.

Ἡσαῦ, ὁ indecl. *Esaú* (Gn 27 e 28) Rm 9.13; Hb 11.20; 12.16.*

ἦσθα 2 pes. sing. imperf. de εἰμί.

ἡσσώθην 1 aor. ind. pass. de ἑσσόομαι.

ἥσσων ou ἥττων, ον, gen. ονος comparativo sem um grau normal *menor, inferior, mais fraco* Mt 20.28 v.l., εἰς τὸ ἧσσον *para pior* 1 Co 11.17. o neut. é usado como adv. *menos* 2 Co 12.15.*

ἡσυχάζω *estar calmo, descansar, abster-se de trabalhar* Lc 23.56; 1 Ts 4.11; *ficar quieto, permanecer em silêncio* Lc 14.4; At 11.18; 21.14; 22.2 v.l.*

ἡσυχία, ας, ἡ *descanso, calma*. O oposto de causar problemas, distúrbios *ordem* 2 Ts 3.12. *Tranqüilidade* como uma postura de aprendizado 1 Tm 2.11s; At 21.40 v.l. παρέχειν ἡσυχίαν *acalmar, prestar atenção, guardar silêncio* At 22.2.*

ἡσύχιος, ον *calmo, quieto* 1 Tm 2.2; 1 Pe 3.4.*

ἤτοι forma aumentada de ἤ, ἤτοι ... ἤ *ou ... ou* Rm 6.16.*

ἡττάομαι *ser vencido (por), sucumbir (a)* 2 Pe 2.19s; *ser inferior* 2 Co 12.13 v.l.*

ἥττημα, ατος, τό *derrota* Rm 11.12; 1 Co 6.7.*

ἤτω 3 pes. sing. imperativo de εἰμί.

ηὐξήθην, ηὔξησα 1 aor. ind., pass. e at. de αὐξάνω.

ηὐφράνθην 1 aor. ind. pass. de εὐφραίνω.

ἦφιε 3 pes. sing. imperf. de ἀφίημι.

ἠχέω *soar* 1 Co 13.1. *bramido, trovoar* Lc 21.25 v.l.*

ἤχθην 1 aor. ind. pass. de ἄγω.

ἦχος, ου, ὁ *som, tom, barulho* At 2.2; Hb 12.19. *Notícia, relato* Lc 4.37.*

ἦχος, ους, τό *som, tom, barulho* Lc 21.25.*

ἠχώ, οῦς, ἡ *som*. Se o gen. em Lc for acentuado ἠχοῦς, a forma vem deste nominativo, 21.25.* [eco]

ἡψάμην 1 aor. ind. méd. de ἅπτω.

Θ

θά um termo aramaico na expressão μαράνα θά, q.v.

θάβιτα Mc 5.41 v.l.; v. ῥαβιθά.

Θαδδαῖος, ου, ὁ *Tadeu* Mt 10.3; Mc 3.18.*

θάλασσα, ης, ἡ *mar* Mt 23.15; Mc 9.42; At 7.36; 10.6, 32; 2 Co 11.26; Ap 8.8s; *lago* (da Galiléia) Mt 4.18; 8.24; Jo 6.1.

θάλπω cuidar, confortar Ef 5.29; 1 Ts 2.7.*

Θαμάρ, ἡ indecl. Tamar (Gn 38) Mt 1.3.*

θαμβέω pasmar-se, assombrar-se At 9.6 v.l. Pass. ser assombrado, assustado, maravilhado Mc 1.27; 10.24; 32; At 3.11 v.l.*

θάμβος, ους, τό e **θάμβος, ου, ὁ** assombro, temor Lc 4.36; 5.9; At 3.10.*

θανάσιμος, ον mortal Mc 16.18.*

θανατηφόρος, ον portador de morte, mortal Tg 3.8.*

θάνατος, ου, ὁ morte—1. da morte natural Mt 10.21; 20.18; Jo 11.4, 13; At 22.4; Rm 5.12, 14, 17; Fp 2.27, 30; Hb 7.23; Ap 18.8.—2. fig. da morte espiritual Mt 4.16; Jo 8.51; Rm 1.32; 7.10, 13; 1 Jo 5.16s.

θανατόω colocar à morte, matar lit. Mt 10.21; Mc 14.55; Lc 21.16; 2 Co 6.9. Estar em perigo de morte Rm 8.36. Fig. Rm 7.4; 8.13.

θάπτω enterrar Mt 8.21s; Lc 9.59s; At 5.6, 9s; 1 Co 15.4.

Θάρα, ὁ indecl. Terá, pai de Abraão Lc 3.34.

θαρρέω ser corajoso, ousado 2 Co 5.6, 8; ter confiança em alguém 7.16 (falar) com ousadia Hb 13.6; θ. εἴς τινα ser ousado com alguém 2 Co 10.1.*

θαρσέω forma derivada de θαρρέω ser corajoso, ter disposição, ânimo; somente usado no imperativo: θάρσει, θαρσεῖτε Coragem! Ânimo! Não Temas! Mt 9.2, 22; 14.27; Mc 6.50; 10.49; Jo 16.33; At 23.11.*

θάρσος, ους, τό coragem At 28.15.*

θαῦμα, ατος, τό maravilha 2 Co 11.14. ἐθαύμασα θαῦμα maravilhei-me com grande assombro Ap 17.6.* [taumaturgo]

θαυμάζω maravilhar-se, ficar atônito Mt 8.10; Mc 15.5; Lc 11.38; Gl 1.6; Ap 17.6; especialmente em epifanias ou atos divinos Mt 15.31; Lc 1.21, 63; Jo 5.20; 7.21; At 2.7; 7.31. Admirar Lc 7.9; Jo 5.28; 2 Ts 1.10. Adular Jd 16. Pass.

maravilhar-se, admirar-se Ap 13.3; 17.8.

θαυμάσιος, α, ον maravilhoso, digno de nota Mt 21.15.*

θαυμαστός, ή, όν maravilhoso, extraordinário, surpreendente Mt 21.42; Mc 12.11; Jo 9.30; 1 Pe 2.9; Ap 15.1, 3.*

θεά, ᾶς, ἡ deusa At 19.27.*

θεάομαι ver, olhar, Mt 11.7; Mc 16.11, 14; Lc 5.27; Jo 1.14, 32; 4.35; At 21.27; 1 Jo 1.1; visitar, ir ver Rm 15.24; saudar Mt 22.11. Pass. ser percebido Mt 6.1.

θεατρίζω envergonhar, expôr publicamente Hb 10.33.*

θέατρον, ου, τό teatro At 19.29, 31. Peça, espetáculo 1 Co 4.9.*

θεῖον, ου, τό enxofre Lc 17.29; Ap 9.17s; 14.10; 19.20; 20.10; 21.8.*

θεῖος, θεία, θεῖον divino 2 Pe 1.3s.τὸ θεῖον ser divino, divindade At 17.29, 27 v.l.; Tt 1.9 v.l.*

θειότης, ητος, ἡ divindade, natureza divina manifesta em seus atos Rm 1.20.*

θείς part. 2 aor. at. de τίθημι.

θειώδης, ες sulfuroso, de enxofre Ap 9.17.*

Θέκλα, ης, ἡ Tecla 2 Tm 3.11 v.l.*

θέλημα, ατος, τό vontade Mt 6.10; Lc 12.47; Jo 6.38-40; At 21.14; Rm 2.18; 12.2; 15.32; Ef 1.9; Hb 10.10; 2 Pe 1.21. Desejo 1 Co 7.37. τὰ θελήματα τ. σαρκός o que a carne deseja Ef 2.3.

θέλησις, εως, ἡ vontade Hb 2.4.*

θέλω—1. querer (de desejo), querer ter, desejar Mt 20.21; Mc 10.43; Lc 5.39; Jo 9.27; Rm 1.13; Gl 4.20; Tg 2.20. τί θέλω como eu quero Lc 12.49. τί θέλετε ποιήσω ὑμῖν o que quereis que eu vos faça? Mt 20.32.—2. querer, desejar (de propósito ou resolução), querer fazer Mt 20.14; Mc 3.13; Jo 6.21, 67; At 18.21; Rm 7.15s, 19s; 2 Co 8.10; Cl 1.27; Ap 11.5. οὐ θέλω não quero Mt 21.30 v.l.—3. τί θέλει τοῦτο εἶναι o que significa isto? At 2.12; cf. 17.20; Lc 15.26 v.l.—4. ter prazer em, gostar Mt 27.43; Mc 12.38; Lc 20.46; Cl 2.18.—5. manter 2 Pe 3.5. [monotelismo]

θεμέλιον, ου, τό *fundamento* At 16.26.*

θεμέλιος, ου, ὁ *fundamento* lit. Lc 6.48s; 14.29; Hb 11.10; *pedra fundamental* Ap 21.14, 19. Fig. Rm 15.20; 1 Co 3.10-12; Hb 6.1. *Tesouro, reserva* 1 Tm 6.19.

θεμελιόω *fundar, fundamentar* Mt 7.25; Lc 6.48 v.l.; Hb 1.10. Fig. *estabelecer, fortalecer* Ef 3.17; Cl 1.23; 1 Pe 5.10.*

θεοδίδακτος, ον *ensinado por Deus* 1 Ts 4.9.

θεολόγος, ου, ὁ *alguém que fala de Deus ou de coisas divinas* Ap inscr. v.l.* [*teólogo*]

θεομαχέω *lutar contra Deus* At 23.9 v.l.*

θεομάχος, ον *lutando contra Deus* At 5.39.*

θεόπνευστος, ον *inspirada por Deus* 2 Tm 3.16.*

θεός, οῦ, ὁ e ἡ *Deus, deus* um termo geralmente usado no mundo antigo para seres que têm poder ou conferem benefícios que estão além da capacidade humana. Em traduções, o termo com maiúscula refere-se a uma divindade específica e, comumente, ao Deus Único de Israel.—1. Deus de Israel, em oposição a outras, assim-chamadas, deidades Gl 4.8; conforme revelado aos patriarcas Lc 20.37; como Criador Mc 13.19; como o Pai que enviou Jesus Cristo Jo 17.3; como Pai unicamente de Jesus Cristo Rm 15.6; como o Pai dos crentes 1.7; ἀστεῖος τῷ θεῷ *muito bonito* (lit. 'bonito na presença de Deus') At 7.20; ὁ θεός como vocativo *Ó Deus!* Lc 18.11.—II. De deuses que não o de Israel—1. de não-mortais, de deuses não-especificados *deuses, assim-chamados* 1 Co 8.5 (nos céus); Gl 4.8; Deus Ráfia At 7.43; ἡ θεός *a Deusa* (Artemis), que é única na perspectiva dos efésios não-cristãos e não-judeus At 19.37; o Diabo, o Deus deste século 2 Co 4.4.—2. de seres humanos, não-especificados Jo 10.34s; 1 Co 8.5 (na terra); Herodes At 12.22; Paulo 28.6.—3. de uma coisa, o estômago Fp 3.19.—III. de Cristo Jo 1.1, 18; 20.28; Hb 1.8 (vocativo ὁ θεὸς; 2 Pe 1.1.

θεοσέβεια, ας, ἡ *reverência a Deus, piedade, religião* 1 Tm 2.10.*

θεοσεβής, ές *temente a Deus, devoto* Jo 9.31.*

θεοστυγής, ές *odiador de Deus,* talvez *esquecendo-se de Deus* Rm 1.30.*

θεότης, ητος, τό *deidade, divindade* Cl 2.9.*

Θεόφιλος, ου, ὁ *Teófilo* Lc 1.3; At 1.1.*

θεραπεία, ας, ἡ *serviço, cuidado* daí *cura* Lc 9.11; Ap 22.2. ἡ θ. = οἱ θεράποντες *servos* Lc 12.42; Mt 24.45 v.l.* [*terapia*]

θεραπεύω *servir* At 17.25. *Cuidar de,* daí *curar, restaurar* Mt 4.23s; Mc 3.2, 10; Lc 4.23, 40; 14.3; Ap 13.3. [*terapêutico*]

θεράπων, οντος, ὁ *servo* Hb 3.5.*

θερίζω *colher, ceifar* lit. Mt 6.26; Jo 4.36; Tg 5.4. Fig. Lc 19.21s; Jo 4.37s; Gl 6.7-9; Ap 14.15s.

θερισμός, οῦ, ὁ *ceifa, colheita* Mt 13.30, 39; Mc 4.29; Jo 4.35a. Fig. Mt 9.37s; Lc 10.2; Jo 4.35b; Ap 14.15.*

θεριστής, οῦ, ὁ *ceifeiro, colhedor* Mt 13.30, 39.*

θερμαίνω méd. *aquentar-se, esquentar-se* Mc 14.54, 67; Jo 18.18, 25; Tg 2.16.*

θέρμη, ης, ἡ *calor* At 28.3.* [*termas*]

θέρος, ους, τό *verão* Mt 24.32; Mc 13.28; Lc 21.30.*

θέσθε 2 pes. pl. imperativo 2 aor. méd. de τίθημι. [Cf. *tese*]

Θεσσαλία, ας, ἡ *Tessália,* uma região na Grécia nordeste At 17.15 v.l.*

Θεσσαλονικεύς, έως, ὁ *tessalonicense,* habitante da Tessalônica At 20.4; 27.2; 1 Ts 1.1 inscr.; 2 Ts 1.1 inscr.*

Θεσσαλονίκη, ης, ἡ *Tessalônica,* uma cidade com porto marítimo na Macedônia At 17.1, 11, 13; Fp 4.16; 2 Tm 4.10.

Θευδᾶς, ᾶ, ὁ *Teudas* At 5.36.*

θεωρέω *ver, olhar, observar, perceber* Mt 27.55; Mc 12.41; Lc 14.29; Jo 12.45; 14.17; 20.12; At 7.56; 9.7; 17.22; *ver* Mt 28.1; *notar* Mc 3.11; *experimentar* morte Jo 8.51. [*teorema, teoria*]

θεωρία, ας, ἡ *espetáculo, visão* Lc 23.48.*

θήκη, ης, ἡ *bainha* (da espada) Jo 18.11.*

θηλάζω *dar de mamar*—1. de uma mãe *amamentar, criar* Mt 24.19; Mc 13.17; Lc 21.23.—2. de uma criança *mamar* Lc 11.27; part. pl. é usado como subst.

crianças de peito Mt 21.16.*

θῆλυς, εια, υ fêmea Mt 19.4; Mc 10.6; Rm 1.26, 27; Gl 3.28.*

θήρα, ας, ἡ rede, armadilha Rm 11.9.*

θηρεύω pegar, fazer cair em armadilha fig. Lc 11.54.*

θηριομαχέω lutar com feras, provavelmente fig. em 1 Co 15.32.*

θηρίον, ου, τό animal (selvagem), fera, besta lit. Mc 1.13; Hb 12.20; Tg 3.7; de seres como animais Ap 11.7; 13.1ss; 20.4, 10. Fig. pessoas, besta, monstro Tt 1.12.

θησαυρίζω guardar, juntar, entesourar lit. Mt 6.19; Lc 12.21; 1 Co 16.2; 2 Co 12.14; Tg 5.3. Fig. Mt 6.20; Rm 2.5; reservar 2 Pe 3.7.*

θησαυρός, οῦ, ὁ tesouro lit. Mt 6.19, 21; 13.44; Lc 12.34; Hb 11.26. Fig. Mt 6.20; Mc 10.21; Lc 6.45; 2 Co 4.7; Cl 2.3. Caixa do tesouro Mt 2.11; depósito do tesouro 13.52.

θήσω fut. ind. at. de τίθμι.

θιγγάνω tocar Cl 2.21; Hb 11.28; 12.20.*

θίγῃ 3 pes. sing. 2 aor. subj. at. de θιγγάνω.

θλίβω apertar, pressionar Mc 3.9; estreitar Mt 7.14. Oprimir, afligir pass. 2 Co 1.6; 7.5; 1 Ts 3.4; 1 Tm 5.10; Hb 11.37.

θλῖψις, εως, ἡ opressão, aflição, tribulação Mt 24.9, 21; At 11.19; Rm 12.12; 2 Co 4.17; Cl 1.24; 2 Ts 1.6; Ap 2.9, 22; 7.14. Circunstâncias difíceis 2 Co 8.13; Tg 1.27. Problemas, dificuldades 2 Co 2.4; Fp 1.17.

θνήσκω morrer perf. τέθνηκα ter morrido, estar morto lit. Mc 15.44; Lc 8.49; Jo 19.33; At 14.19. Fig. 1 Tm 5.6.

θνητός, ή, όν mortal Rm 6.12; 8.11; 1 Co 15.53s; 2 Co 4.11; 5.4.*

θορυβάζω causar problemas pass. estar angustiado Lc 10.41.*

θορυβέω colocar em desordem At 17.5; 21.13 v.l. Pass. ser afligido, estar em problemas Mt 9.23; Mc 5.39; 13.7 v.l.; At 20.10.*

θόρυβος, ου, ὁ ruído, barulho, clamor At 21.34; turbilhão, excitamento, tumulto Mt 26.5; 27.24; Mc 5.38; 14.2; At 20.1; 24.18.*

θραυματίζω quebrar Lc 4.18 v.l.*

θραύω quebrar part. perf. pass. τεθραυσμένοι os oprimidos Lc 4.18.*

θρέμμα, ατος, τό animal (domesticado), esp. um cordeiro ou bode Jo 4.12.*

θρηνέω chorar (por), lamentar Lc 23.27; Jo 16.20. Cantar uma endecha Mt 11.17; Lc 7.32.*

θρῆνος, ου, ὁ endecha, canto fúnebre Mt 2.18 v.l.*

θρησκεία, ας, ἡ religião, culto At 26.5; Cl 2.18; Tg 1.26.*

θρῆσκος, ον religião Tg 1.26.*

θριαμβεύω liderar numa procissão triunfal Cl 2.15. Este pode ser o significado também em 2 Co 2.14, mas nesta passagem o sentido pode ser fazer triunfar ou exibir em uma procissão pública.*

θρίξ, τριχός, ἡ cabelo, pelo Mt 3.4; 5.36; Lc 21.18; Jo 11.2; 1 Pe 3.3; Ap 9.8.

θροέω pass. ser perturbado ou afligido Mt 24.6; Mc 13.7; 2 Ts 2.2; Lc 24.37 v.l.

θρόμβος, ου, ὁ gota Lc 22.44.*

θρόνος, ου, ὁ trono Mt 5.34; 19.28; 25.31; Lc 1.32, 52; Hb 4.16; Ap 2.13; 4.4; 12.5. Domínio, soberania de uma classe de seres supraterrestres Cl 1.16.

θρύπτω quebrar em pedaços 1 Co 11.24. v.l.*

Θυάτειρα, ων, τά Tiatira, uma cidade na Lídia, Ásia Menor, notável pela roupa de púrpura que produzia At 16.14; Ap 1.11; 2.18, 24.*

θυγάτηρ, τρός, ἡ filha lit. Mt 10.35, 37; Mc 5.35; Lc 2.36; At 7.21; Hb 11.24. Fig. Mc 5.34; Lc 1.5; 23.28; Jo 12.15; 2 Co 6.18.

θυγάτριον, ου, τό filha (pequena), filhinha Mc 5.23; 7.25.*

θύελλα, ης, ἡ tempestade, vendaval Hb 12.18.*

θύϊνος, η, ον de cedro, portanto madeira perfumada Ap 18.12.*

θυμίαμα, ατος, τό incenso Ap 5.8; 8.3s; 18.13; oferenda de incenso Lc 1.10s.*

θυμιατήριον, ου, τό altar de incenso Hb 9.4.*

θυμιάω—Ἰάκωβος 99

θυμιάω *fazer uma oferta de incenso* Lc 1.9.*
θυμομαχέω *estar muito irado* At 12.20.*
θυμός, οῦ, ὁ *ira, raiva, furor* Lc 4.28; At 19.28; Rm 2.8; Gl 5.20; Hb 11.27; Ap 12.12; 14.10. *Paixão é provável para* 14.8.
θυμόω *irar, enfurecer,* pass. *ficar irado* Mt 2.16.*
θύρα, ας, ἡ *porta* lit. Mt 6.6; Mc 1.33; Lc 11.7; Jo 20.19, 26; At 5.19; *entrada* Mc 15.46; Ap 4.1. Fig. Mt 24.33; Lc 13.24; Jo 10.9; 1 Co 16.9; Tg 5.9; Ap 3.20.
θυρεός, οῦ, ὁ um *escudo* longo, ovalado Ef 6.16.*
θυρίς, ίδος, ἡ *janela* At 20.9; 2 Co 11.33.*
θυρωρός, οῦ, ὁ e ἡ *porteiro* Mc 13.34; Jo 10.3; 18.16s.*
θυσία, ας, ἡ *sacrifício, oferta, oferenda* lit. Mt 9.13; Mc 12.33; At 7.41s; 1 Co 10.18; Hb 10.1, 8, 12. Fig. Rm 12.1; Fp 2.17 (aqui *ato de ofertar* também é possível); 4.18; Hb 13.15.
θυσιαστήριον, ου, τό *altar* lit. Mt 5.23s; Lc 1.11; 11.51; Hb 7.13; Tg 2.21; Ap 11.1; 14.18. Fig. Hb 13.10.
θύω *sacrificar* At 14.13, 18; 1 Co 10.20. *Matar, sacrificar, assassinar* Mt 22.4; Lc 15.23; Jo 10.10; At 10.13; 1 Co 5.7. *Celebrar* Mc 14.12.
θῶ 2 aor. subj. at. de τίθημι.
Θωμᾶς, ᾶ, ὁ (aramaico = "gêmeo") *Tomé* Mt 10.3; Mc 3.18; Lc 6.15; Jo 11.16; 14.5; 20.24, 26-28; 21.2; At 1.13.*
θώραξ, ακος, ὁ *couraça, peitoril* lit. Ap 9.9b, 17; fig. Ef 6.14; 1 Ts 5.8. Provavelmente *tórax, caixa torácica* Ap 9.9a.* [*tórax*]

I

Ἰάϊρος, ου, ὁ *Jairo* Mc 5.22; Lc 8.41.*
Ἰακώβ, ὁ indecl. *Jacó*—1. o patriarca, filho de Isaque Mt 1.2; Mc 12.26; Lc 13.28; Jo 4.5s, 12; At 7.8, 46; Rm 9.13; 11.26.—2. o pai de José, na genealogia de Jesus Mt 1.15s; Lc 3.23 v.l.
Ἰάκωβος, ου, ὁ (forma helenizada do nome precedente) *Tiago*—1. filho de Zebedeu, irmão de João, um dos Doze Mt 4.21; Mc 3.17; Lc 9.28, 54; At 1.13a; 12.2—2. filho de Alfeu Mt 10.3; Mc 3.18; Lc 6.15; At 1.13b. Ele é, talvez, o mesmo que—3. filho de Maria Mt 27.56; Mc 16.1; Lc 24.10; em Mc 15.40 ele é chamado Ἰ. ὁ μικρός Tiago o pequeno ou *mais jovem.*—4. Tiago, o irmão do Senhor Mt 13.55; Mc 6.3; 1 Co 15.7; Gl 1.19; 2.9, 12; At 12.17; 15.13; 21.18; Tg

1.1.—5. *Tiago,* pai de um apóstolo chamado Judas Lc 6.16a; At 1.13c.—6. Em Mc 2.14 v.l. o coletor de impostos é chamado *Tiago* (ao invés de Levi).

ἴαμα, ατος, τό *cura* 1 Co 12.9, 28, 30.*

Ἰαμβρῆς, ὁ *Jambres,* um feiticeiro egípcio 2 Tm 3.8.*

Ἰανναί, ὁ indecl. *Janai* Lc 3.24.*

Ἰάννης, ὁ *Janes,* um feiticeiro egípcio 2 Tm 3.8.*

ἰάομαι *curar, sarar* lit. Mt 8.8, 13; Mc 5.29; Lc 5.17; 9.11; Jo 4.47; 5.13. Fig. *restaurar* Mt 13.15; Lc 4.18 v.l.; Jo 12.40; Hb 12.13.

Ἰάρετ, ὁ indecl. *Jarede* Lc 3.37.*

ἴασις, εως, ἡ *cura, melhora, restabelecimento* Lc 13.32; At 4.22, 30.*

ἴασπις, ιδος, ἡ *jaspe* uma pedra preciosa achada em várias cores Ap 4.3; 21.11, 18s.*

Ἰάσων, ονος, ὁ *Jasom*—1. At 17.5-7, 9.—2. Rm 16.21—3. At 21.16 v.l.*

ἰατρός, οῦ, ὁ *médico* Mt 9.12; Mc 2.17; 5.26; Lc 4.23; 5.31; 8.43 v.l.; Cl 4.14.* [*-atria,* sufixo em várias palavras]

Ἰαχίν, ὁ indecl. *Jaquim* Lc 3.23ss v.l.*

ιβ' numeral *doze* Mc 6.7 v.l.; At 1.26 v.l.*

ἴδε imperativo de εἶδον, estereotipado como uma partícula *veja, eis* Mc 2.24; 13.1; Jo 3.26; 5.14; 11.36; 12.19; 18.21; Gl 5.2. *Aqui está, eis* Mt 25.20; Mc 3.34; 16.6. *Ali* Mt 26.65. *Você ouve* Mc 15.4 cf. vs 35.

ἰδέα, ας, ἡ *aparência, aspecto* Lc 9.29 v.l. Ver εἰδέα.* [*ideo-* prefixo em várias palavras]

ἴδετε 2 pes. pl. imperativo de εἶδον, que serve como 2 aor. de ὁράω.

ἴδιος, ία, ον *próprio, privado, particular, peculiar a si mesmo* Mt 25.15; Lc 6.41, 44; Jo 10.3s; At 2.8; 4.32; Rm 10.3; 1 Co 3.8; 4.12; Tt 1.3; 2.5, 9; 2 Pe 1.20; 2.22. Como subst. οἱ ἴδιοι *o seu próprio povo* de cristãos At 4.23; 24.23; parentes Jo 1.11b; 1 Tm 5.8. τὰ ἴδια *lar* Lc 18.28; Jo 1.11a; 16.32; At 21.6, mas *propriedade* Jo 8.44 e *seus próprios assuntos* 1 Ts 4.11; o sing. Jo 15.19. ἰδίᾳ. *por si mesmo, particularmente* 1 Co 12.11. κατ'

ἰδίαν *particularmente, por si mesmo* Mt 14.13; Mc 9.2, 28; Lc 10.23; At 23.19; Gl 2.2. [*idio-* prefixo de várias palavras]

ἰδιώτης, ου, ὁ *amador, leigo* em contraste com um perito, *pessoa não treinada* At 4.13. ἰ. τῷ λόγῳ *inábil na fala* 2 Co 11.6. *Curioso,* de uma pessoa querendo conhecer mais acerca do cristianismo, talvez semelhante ao catecúmeno posterior 1 Co 14.16, 23s.*

ἰδού imperativo aor. med. de εἶδον, usado como uma partícula demonstrativa, quando acentuada dessa maneira. Pode receber diferentes traduções: *veja, olhe, eis,* ou pode ser deixada sem tradução Mt 2.1, 13; 13.3; Lc 1.20; 22.10; At 2.7; Tg 5.9; Ap 9.12; *e ainda* Mt 7.4; 2 Co 6.9; *relembrar, considerar* Mt 10.16; Lc 2.48; At 9.11; 2 Co 7.11; ἰ. δέκα κ. ὀκτὼ ἔτη *há dezoito anos* Lc 13.16. *Aqui,* ou *lá está* ou *era, estava,* ou *vem, veio* Mt 3.17; 12.10; Lc 7.34, 37; 13.11; Jo 19.5; At 8.27, 36; 2 Co 6.2; Ap 12.3. ἰ. ἐγώ *aqui estou* At 9.10.

Ἰδουμαία, ας, ἡ *Iduméia* (Edom, A.T.) um distrito montanhoso, ao sul da Judéia Mc 3.8; At 2.9 v.l.*

ἱδρώς, ῶτος, ὁ *suor, transpiração* Lc 22.44.*

ἰδών part. 2 aor. at. de εἶδον.

ἰδώς part. at. alt. de οἶδα.

Ἰεζάβελ, ἡ indecl. *Jezabel* (1 Rs 16.31 e capítulos subseqüentes), aplicado a uma mulher que perverteu o ensino ortodoxo Ap 2.20.*

Ἱεράπολις, εως, ἡ *Hierápolis,* uma cidade no vale do Lico, na Ásia Menor Cl 4.13.*

ἱερατεία, ας, ἡ *ofício sacerdotal* Lc 1 9; Hb 7.5; *sacerdócio* Ap 5.10 v.l.* [*hierático*]

ἱεράτευμα, ατος, τό *sacerdócio* 1 Pe 2.5, 9.*

ἱερατεύω *executar serviço sacerdotal* Lc 1.8.*

Ἰερεμίας, ου, ὁ *Jeremias,* o profeta Mt 2.17; 16.14; 27.9.*

ἱερεύς, έως, ὁ *sacerdote* Mt 8.4; Mc 1.44; Lc 10.31; At 14.13; Hb 7.14, 17, 20s, 23; 8.4; Ap 20.6.

Ἰεριχώ, ἡ indecl. *Jericó,* uma cidade no vale

do Jordão, ao norte do Mar Morto Mt 20.29; Mc 10.46; Lc 10.30; 18.35; 19.1; Hb 11.30.*

ἱερόθυτος, ον *sacrificado a uma deidade*, como subst. τὸ ἱερόθυτον *comida sacrificada a ídolos* 1 Co 10.28.*

ἱερόν, οῦ, τό (neut. do adj. ἱερός, usado como subst.) *templo, santuário* Mt 12.6; 21.12; Mc 13.3; Lc 22.52; Jo 10.23; At 19.27.

ἱεροπρεπής, ές *digno de reverência, santo* Tt 2.3.*

ἱερός, ά, όν *separado para a deidade, santo* 2 Tm 3.15; Cl 4.13 v.l. τὸ ἱερὸν κήρυγμα *a pregação sagrada* Mc 16.8 final curto. τὰ ἱερά *as coisas santas*, i.e. *cultos* 1 Co 9.13.* [*hiero-*, prefixo de várias palavras]

Ἱεροσόλυμα, τά e ή, e Ἱερουσαλήμ, ή indecl. *Jerusalém* a cidade santa Mt 2.1, 3; Mc 3.8; Lc 19.28; Jo 2.13; At 25.1; Gl 4.25; Hb 12.22; Ap 21.2.

Ἱεροσολυμίτης, ου, ὁ *ierosolomita, habitante de Jerusalém* Mc 1.5; Jo 7.25.*

ἱεροσυλέω *roubar templos* Rm 2.22.*

ἱερόσυλος, ὁ *ladrão de templos*, ou apenas *sacrílego* At 19.37.*

ἱερουργέω *executar serviço sagrado, agir como sacerdote* i. τὸ εὐαγγέλιον *servir sacerdotalmente ao evangelho* Rm 15.16.

Ἱερουσαλήμ ver Ἱεροσόλυμα.

ἱερωσύνη, ης, ή *ofício sacerdotal, sacerdócio* Hb 7.11s, 24.*

Ἰεσσαί, ὁ indecl. *Jessé*, pai de Davi (1 Sm 16) Mt 1.5s; Lc 3.32; At 13.22; Rm 15.12.*

Ἰεφθάε, ὁ indecl. *Jefte* (Jz 11s) Hb 11.32.*

Ἰεχονίας, ου, ὁ *Jeconias* Mt 1.11s; Lc 3.23ss v.l.*

Ἰησοῦς, gen. οῦ, dat. οῦ ac. οῦν, voc. οῦ, ὁ *Jesus* forma grega do nome hebreu Josué ou o posterior Jeshua. — 1. *Josué*, sucessor de Moisés At 7.45; Hb 4.8.—2. *Jesus*, filho de Eliezer Lc 3.29.—3. *Jesus Cristo* Mt 1.1, 21, 25 freqüentemente por todo o N.T.—4. *Jesus Barrabás* Mt 27.16s.—5. *Jesus*, chamado Justo Cl 4.11.

ἱκανός, ή, όν—1. *suficiente, adequado,* *grande o suficiente,* ou simplesmente *grande, muito.* Mc 10.46; At 11.24, 26. ἀργύρια *uma grande soma de dinheiro* Mt 28.12. φῶς *uma luz muito brilhante* At 22.6. ἱκανὸν ἡ ἐπιτιμία *a punição suficientemente severa* 2 Co 2.6. De tempo, *longo, considerável* Lc 8.27; 23.8; At 14.3; 27.9; *muitos* At 9.23, 43; Rm 15.23 v.l. ἱκανόν ἐστιν *é suficiente* Lc 22.38. τὸ ἱκανὸν ποιεῖν *satisfazer* Mc 15.15. τὸ ἱκανόν *fiança, satisfação, compromisso* At 17.9. ἐφ' ἱκανόν *suficiente, aquilo que se deseja* At 20.11.—2. *certo, apropriado, competente, capaz, digno* Mt 3.11; Lc 7.6; Jo 1.27; v.l.; 1 Co 15.9; 2 Co 2.16; 3.5.

ἱκανότης, ητος, ή *apropriável, capacidade, qualificação* 2 Co 3.5.*

ἱκανόω *tornar suficiente, qualificar, autorizar* Cl 1.12; com ac. duplo 2 Co 3.6.*

ἱκετηρία, ας, ή *oração, súplica* Hb 5.7.*

ἰκμάς, άδος, ή *umidade* Lc 8.6.*

Ἰκόνιον, ου, τό *Icônio*, uma cidade no centro da Ásia Menor At 13.51; 14.1, 19, 21; 16.2; 2 Tm 3.11.*

ἱλαρός, ά όν *gracioso, sem tristeza* 2 Co 9.7.*

ἱλαρότης, ητος, ή *graciosidade, alegria.* ἐν ἱ. *sem relutância* Rm 12.8.* [*hilariante*]

ἱλάσκομαι—1. *ser misericordioso* pass. Lc 18.13.—2. *expiar* Hb 2.17.*

ἱλασμός, οῦ, ὁ *expiação, oferta pelo pecado* 1 Jo 2.2; 4.10.*

ἱλαστήριον, ου, τό *meio de expiação, lugar de expiação* Rm 3.25; Hb 9.5.*

ἴλεως, neut. ων (segunda declinação do ático) *gracioso, misericordioso* Hb 8.12. ἴλεώς σοι *Seja Deus gracioso para contigo, Deus te perdoe* Mt 16.22.*

Ἰλλυρικόν, οῦ, τό *Ilírico*, um distrito costeiro ao mar Adriático, da Itália Rm 15.19.*

ἱμάς, άντος, ὁ *correia* para sandálias Mc 1.7; Lc 3.16; Jo 1.27. Em At 22.25 í. pode significar *correias* ou *látego.**

ἱματίζω *vestir* Mc 5.15; Lc 8.35.*

ἱμάτιον, ου, τό *roupa*, em geral Mt 9.16; 27.35; Mc 5.28,30; Lc 7.25; Hb 1.11s; 1 Pe 3.3. *Capa, túnica,* da roupa exterior,

Mt 5.40; 9.20s; Lc 6.29; 22.36; Jo 19.2; At 9.39; 12.8; 16.22; Ap 19.16.

ἱματισμός, οὖ, ὁ *roupa, vestidura* Lc 7.25; 9.29; Jo 19.24; At 20.33; 1 Tm 2.9.*

ἱμείομαι, *desejar, aspirar* 1Ts 2.8 v.l.*

ἵνα conjunção—**1.** denotando propósito, alvo, objetivo *a fim de que, para que* Mt 1.22; Mc 4.21; Lc 20.10; Jo 5.20; At 5.15; Rm 14.9; Gl 2.4; Ef 6.22; Ap 3.9.—**2.** como substituto para o infinitivo, conforme usada em grego e inglês ἀρκετὸν τῷ μαθητῇ ἵνα γένηται *é suficiente para o discípulo tornar-se* Mt 10.25. τῷ θυρωρῷ ἐνετείλατο ἵνα γρηγορῇ *ele deu ordens ao porteiro para ficar alerta* Mc 13.34. ἐδεήθην τῶν μαθητῶν ἵνα ἐκβάλωσιν αὐτό *eu pedi aos discípulos para expulsarem-no* Lc 9.40. Cf Mt 7.12; Mc 9.30; 11.16; Lc 7.6; Jo 6.29; 16.30; 1 Co 1.10; 4.2; Ap 2.21; 9.5.—**3.** indicando resultado. *que, de modo que* Lc 9.45; Jo 9.2; Gl 5.17; Ap 9.20. Algumas vezes, propósito e resultado não podem ser claramente diferenciados Lc 11.50; Jo 4.36; Rm 3.19; 8.17.—**4.** como uma perífrase para o imperativo ἵνα ἐπιθῇς τὰς χεῖρας αὐτῇ (por favor) *ponha suas mãos sobre ela* Mc 5.23. ἡ δὲ γυνὴ ἵνα φοβῆται τὸν ἄνδρα *a mulher deve respeitar seu marido* Ef 5.33. ἵνα ἀναπαήσονται *deixem-nos descansar* Ap 14.13. Cf. Mt 20.33; Mc 10.51; 2 Co 8.7; Gl 2.10.

ἱνατί (ἵνα + τί) *por quê? por qual razão?* Mt 9.4; 27.46; Lc 13.7; At 4.25; 7.26; 1 Co 10.29.*

Ἰόππη, ης, ἡ *Jope*, a moderna Jafa, uma cidade na costa sul da Palestina At 9.36, 38, 42s; 10.5, 8, 23, 32; 11.5, 13.*

Ἰορδάνης, ου, ὁ *Jordão*, o principal rio da Palestina Mt 3.5s; 19.1; Mc 10.1; Lc 4.1; Jo 3.26; 10.40.

ἰός, οὖ, ὁ *poção, veneno* Rm 3.13; Tg 3.8. *Ferrugem* Tg 5.3.*

Ἰουδαία, ας, ἡ *Judéia*, a parte da Palestina ao sul de Samaria Mt 2.1, 5, 22; 24.16; Mc 1.5; Lc 1.65; 6.17; At 1.8; 12.19; 28.21; Rm 15.31; Gl 1.22. Em um sentido mais amplo, a região ocupada pela nação judaica Mt 19.1; Lc 1.5; At 10.37; 1 Ts 2.14.

ἰουδαΐζω *viver como um judeu, de acordo com os costumes judaicos* Gl 2.14.*

Ἰουδαϊκός, ή, όν *judeu* Tt 1.14.*

Ἰουδαϊκῶς adv. *de modo judaico, de acordo com os costumes judaicos* Gl 2.14.*

Ἰουδαῖος, αία, αῖον *judeu* Mc 1.5; At 13.6; 19.13s; 21.39. Como subst. ὁ 'Ι. *o judeu* Mt 2.2; Mc 7.33; Lc 23.51; Jo 2.18, 20; 9.18, 22; 11.8; At 2.11; 18.4; Rm 2.9s, 17, 28s; 3.1; Gl 2.14. *De cristãos judeus* Gl 2.13.

Ἰουδαϊσμός, οὖ, ὁ *Judaísmo* Gl 1.13s.*

Ἰούδας, α, ὁ *Judá* (hebraico), *Judas* (grego).—**1.** *Judá*, filho de Jacó, e a tribo que leva o seu nome Mt 1.2s; 2.6; Lc 1.39; Hb 7.14; Ap 5.5.—**2.** *Judas* na genealogia de Jesus Lc 3.30.—**3.** *Judas* da Galiléia, um revolucionário At 5.37.—**4.** *Judas* de Damasco, anfitrião de Paulo At 9.11.—**5.** *Judas*, um apóstolo, filho (ou irmão) de Tiago Lc 6.16; Jo 14.22; At 1.13.—**6.** *Judas* Iscariotes, o traidor de Jesus Mt 10.4; 26.14, 25, 47; 27.3; Mc 3.19; 14.10; 43; Lc 6.16; 22.3, 47s; Jo 6.71; 12.4; 13.2, 29; 18.2s, 5; At 1.16, 25.—**7.** *Judas* chamado Barsabás, um profeta cristão At 15.22, 27. 32 (34).—**8.** *Judas*, o irmão de Jesus Mt 13.55; Mc 6.3. Provavelmente o mesmo de Jd. 1.

Ἰουλία, ας, ἡ *Júlia* Rm 16.15.*

Ἰούλιος, ου, ὁ *Júlio* At 27.1, 3.*

Ἰουνία, ας, ἡ—**1.** *Júnia* Rm 16.15 v.l.*—**2.** Talvez o fem. 'Ι. deva ser lido em 16.7.*

Ἰουνιᾶς, ᾶ, ὁ *Júnias*, a menos que deva ser lido o nome de mulher *Júnia* (Ἰουνία) em Rm 16.7.*

Ἰοῦστος, ου, ὁ *Justo*, sobrenome de —**1.** José Barsabás At 1.23.—**2.** Tício At 18.7.—**3.** Jesus, um judeu cristão Cl 4.11.*

ἱππεύς, έως, ὁ *cavaleiro* At 23.23, 32.*

ἱππικός, ή, όν *pertencente a um cavaleiro*; τὸ ἱ. *a cavalaria* Ap 9.16.*

ἵππος, ου, ὁ *cavalo* Tg 3.3; Ap 6.2, 4s, 8; 9.7, 17; 18.13; 19.11, 14. [*hipo-*, prefixo em várias palavras]

ἶρις, ιδος, ἡ *arco-íris* Ap 10.1. *Auréola, radiância* 4.3.* [*irid-*, prefixo em várias palavras]

Ἰσαάκ, ὁ indecl. *Isaque, filho de Abraão, pai de Jacó* Mt 8.11; Mc 12.26; Lc 3.34; At 7.8; Rm 9.7, 10; Gl 4.28; Hb 11.17.

ἰσάγγελος, ον *semelhante a um anjo* Lc 20.36.*

ἴσασι 3 pes. pl. perf. ind. at. de οἶδα.

ἴσθι 2 pes. sing. imperativo de εἰμί.

Ἰσκαριώθ indecl. e Ἰσκαριώτης, ου, ὁ *Iscariotes, sobrenome de Judas o traidor, e seu pai* Mt 10.4; 26.14; Mc 14.10; Lc 6.16; 22.3; Jo 6.71; 13.2, 13.2, 26; 14.22.

ἴσος, η, ον *igual* Mt 20.12; Jo 5.18; Ap 21.16; *consistente* Mc 14.56, 59 ἡ ἴ. *o mesmo* At 11.17; τὰ ἴσα *uma quantia igual* Lc 6.34. ἴσα (usado como adv.) εἶναι. *ser igual* Fp 2.6.* [*iso-*, prefixo de várias palavras]

ἰσότης, ητος, ἡ *igualdade* 2 Co 8.14; ἐξ. ἰσότητος *como uma questão de igualdade* 8.13. *Eqüidade* Cl 4.1.*

ἰσότιμος, ον *com os mesmos privilégios,* lit. *igual em valor* ou *prestígio* 2 Pe 1.1.*

ἰσόψυχος, ον *da mesma alma* ou *mente* Fp 2.20.*

Ἰσραήλ, ὁ indecl. *Israel*—1. *o patriarca Jacó* Mt 10.6; Lc 1.16; At 2.36; Fp 3.5; Hb 8.10.—2. *a nação de Israel* Mt 2.6; Mc 12.29; Lc 2.34; Jo 3.10; At 4.10; Rm 11.2; Ap 7.4.—3. *dos cristãos como participantes dos privilégios de Israel* Rm 9.6b; Gl 6.16.

Ἰσραηλίτης, ου, ὁ *israelita* Jo 1.47; Rm 11.1; 2 Co 11.22. ἄνδρες Ἰσραηλῖται *homens de Israel* At 2.22; 5.35; 21.28.

Ἰσσαχάρ, ὁ indecl. *Issacar filho de Jacó, e uma tribo de Israel que leva seu nome* Ap 7.7.*

ἴστε 2 pes. pl. perf. ind. at. de οἶδα.

ἵστημι ou ἱστάνω—1. (pres., imperf., fut., 1 aor. at.) *colocar, por, levar* Mt 25.33; Mc 9.36; Lc 4.9; At 5.27. *Propôr* At 1.23; 6.13. *Estabelecer, confirmar* Rm 3.31; 10.3; Hb 10.9. *Fazer estar firme* Rm 14.4. *Determinar, fixar* At 17.31. *Pesar, separar* Mt 26.15.—2. (2 aor., perf., mais-que-perf. at., fut. méd. e pass.; 1 aor. pass.) aor. e fut. *parar* Mt 20.32; Mc 10.49; Lc 6.17; 8.44; At 8.38; Tg 2.3. *Chegar, levantar, aparecer* Mt 27.11; Mc 13.9; Lc 24.36; At 10.30; 11.13. *Resistir* Ef 6.11, 13. *Permanecer firme, manter sua posição* Mt 12.25s; Mc 3.26; Rm 14.4a; Ef 6.14; Ap 6.17. Perf. e mais-queperf. *Eu permaneço, Eu permaneci* Mt 27.47; Lc 23.10; Jo 7.37; At 1.11. *Ser, existir* Mt 12.46s; 26.73; Lc 18.13; Jo 11.56; At 7.55s; 21.40; Ap 18.10. Fig. *Permanecer, ficar firme* Rm 11.20; 1 Co 7.37; 2 Tm 2.19. *Permanecer* ou *ser* Rm 5.2; 1 Co 15.1; 2 Co 1.24. *Atender, estar a serviço de* Ap 8.2.

ἱστίον, ου, τό *vela (de navio)* At 27.16 v.l.*

ἱστορέω *visitar* Gl 1.18; At 17.23 v.l.*

ἰσχυρός, ά, όν *forte, capaz, poderoso* Mt 3.11; Mc 3.27; 1 Co 1.25; 4.10; 10.22; Ap 6.15; 18.8. *Severo* Lc 15.14; *clamor* Hb 5.7; Ap 18.2; 19.6. *Efetivo* 2 Co 10.10.

ἰσχύς, ύος, ἡ *força, poder, capacidade* Mc 12.30, 33; Ef 1.19; 2 Ts 1.9; 2 Pe 2.11; Ap 5.12.

ἰσχύω *ser forte, capaz, poderoso* Mt 8.28; Mc 14.37; Lc 14.6, 29s; Jo 21.6; At 15.10. *Ser suficientemente forte* Lc 16.3. *Ter boa saúde* Mc 2.17. *Vencer, prevalecer* At 19.16; Ap 12.8. *Ter sentido, ser válido* Gl 5.6; Hb 9.17. ἰ. πολύ *ser capaz de fazer muito* Tg 5.16. εἰς οὐδέν *ser bom para nada, não prestar* Mt 5.13.

ἴσως adv. *talvez, provavelmente* Lc 20.13.*

Ἰταλία, ας, ἡ *Itália* At 18.2; 27.1, 6; Hb 13.24; sobrescrito de Hb.*

Ἰταλικός, ή, όν *italiano* At 10.1.* [*itálico*]

Ἰτουραῖος, αία, αῖον ἡ. Ἰ. χώρα *Ituréia, uma região ao longo das fronteiras do Líbano e Anti-Líbano, parte da tetrarquia de Filipe* Lc 3.1.*

ἰχθύδιον, ου, τὸ *peixinho* Mt 15.34; Mc 8.7.*

ἰχθύς, ύος, ὁ *peixe* Mt 7.10; 17.27; Mc 6.38, 41, 43; Lc 5.6, 9; Jo 21.6, 8, 11; 1 Co 15.39.

ἴχνος, ους, τό *pisada, marca, pegada* fig. Rm 4.12; 2 Co 12.18; 1 Pe 2.21.* [*ícone, iconografia*]

Ἰωαθάμ, ὁ indecl. *Jotão* Mt 1.9; Lc 3.23ss v.l.*

Ἰωακίμ, ὁ indecl. *Jeoaquim* Mt 1.11 v.l.; Lc 3.23ss v.l.*

Ἰωανάν, ὁ indecl. *Joanã* Lc 3.27.*

Ἰωάν(ν)α, ας, ἡ *Joana* Lc 8.3; 24.10.*

Ἰωάν(ν)ης, ου, ὁ *João*—**1.** *João Batista* Mt 3.1, 4, 13s; 11.2, 4, 7, 11-13, 18; 21.25s; Mc 1.4; 6.14, 16-18; Lc 16.16; 20.4, 6; Jo 1.6, 15; 3.23-27; At 1.5, 22; 18.25; 19.3s.—**2.** *João*, filho de Zebedeu, irmão de Tiago, um dos Doze Mt 4.21; Mc 1.19, 29; 5.37; Lc 8.51; At 3.1, 3s, 11; 12.2; Gl 2.9.—**3.** *João*, autor do Apocalipse, que a tradição da igreja identifica com o apóstolo (2), filho de Zebedeu Ap 1.1, 4, 9; 22.8.—**4.** *João*, pai de Pedro Jo 1.42; 21.15-17. —**5.** *João* um membro desconhecido do Sinédrio At 4.6.—**6.** *João*, de sobrenome Marcos At 12.12, 25; 13.5, 13; 15.37.

Ἰωάς, ὁ indecl. *Joás*, rei de Judá (2 Rs 14.1) Mt 1.8 v.l.; Lc 3.23ss v.l.*

Ἰώβ, ὁ indecl. *Jó*, herói do livro do mesmo nome Tg 5.11.*

Ἰωβήδ, ὁ indecl. *Obede*, avô de Davi Mt 1.5; Lc 3.32.*

Ἰωδά, ὁ indecl. *Jodá* Lc 3.26.

Ἰωήλ, ὁ indecl. *Joel*, o profeta do A.T., At 2.16.*

Ἰωνάθας, ου, ὁ *Jônatas* At 4.6 v.l. de Ἰωάννης.*

Ἰωνάμ, ὁ indecl. *Jonã* Lc 3.30.*

Ἰωνᾶς, ᾶ, ὁ *Jonas*—**1.** o profeta do A.T. Mt 12.39-41; 16.4; Lc 11.29s, 32.—**2.** um pescador galileu, pai de Simão Pedro e André Mt 16.17 v.l. Também como v.l. em Jo 1.42; 21.15-17.*

Ἰωράμ, ὁ indecl. *Jorão* ou *Jeorão*, rei de Judá (2 Rs 8.16ss) Mt 1.8; Lc 3.23ss v.l.*

Ἰωρίμ, ὁ indecl. *Jorim* Lc 3.29.*

Ἰωσαφάτ, ὁ indecl. *Josafá*, rei de Judá (1 Rs 22.41ss) Mt 1.8; Lc 3.23ss v.l.*

Ἰωσῆς, ῆ, ou ῆτος, ὁ *José*—**1.** um irmão de Jesus Mc 6.3; Mt 13.55 v.l.—**2.** filho de uma mulher chamada Maria e irmão de Tiago Menor Mc 15.40, 47; Mt 27.56 v.l—**3.** um membro da igreja primitiva melhor conhecido como Barnabé At 4.36 v.l.*

ἰωσήφ, ὁ indecl. *José*—**1.** o patriarca Jo 4.5; At 7.9, 13s, 18; Hb 11.21s. Em Ap 7.8, a tribo de José substitui a meia-tribo de Efraim.—**2.** filho de Jonã Lc 3.30.—**3.** filho de Matatias Lc 3.24.—**4.** marido de Maria, a mãe de Jesus Mt 1.16, 18-20, 24; 2.13, 19; Lc 1.27; 2.4, 16, 33 v.l.; 3.23; 4.22; Jo 1.45; 6.42. —**5.** um irmão de Jesus Mt 13.55.—**6.** *José* de Arimatéia Mt 27.57, 59; Mc 15.43, 45; Lc 23.50; Jo 19.38.—**7.** *José*, de sobrenome Barnabé At 4.36.—**8.** *José*, de sobrenome Barsabás, também chamado Justo 1.23.—**9.** filho de uma certa Maria Mt 27.56.*

Ἰωσήχ, ὁ indecl. *Joseque* Lc 3.26.*

Ἰωσίας, ου, ὁ *Josias*, rei de Judá (2 Rs 22) Mt 1.10s; Lc 3.23ss v.l.*

ἰῶτα, τό indecl. *iota*, a menor letra do alfabeto grego, correspondente ao iode, a menor no alfabeto aramaico Mt 5.18.*

K

κάβος, ου, ὁ *cabo*, uma medida de produtos secos, equivalente a aproximadamente dois litros Lc 16.6 v.l.*

κἀγώ formado pela contração de καί mais ἐγώ dat. κἀμοί, ac. κἀμέ *e eu* Mt 11.28; Lc 2.48; Jo 1.31, 33s; 6.56; 2 Co 12.20; Gl 6.14. *Mas eu, Eu porém* Jo 12.32; At 10.28; Tg 2.18a. *Eu também* Mt 2.8; Lc 1.3; Jo 5.17; At 8.19; 2 Co 11.21s. *Eu, de minha parte* Mt 10.32s; Lc 11.9; 22.29;

Ap 3.10. Eu, em particular Rm 3.7. κάγώ = έγώ 1 Co 7.8; 10.33; 11.1; Ef 1.15.

κάδος, ου, ό *jarra* Lc 16.6 v.l.*

καθά conj. ou adv. *assim como* Mt 6.12 v.l; 27.10; Lc 1.2 v.l.*

καθαίρεσις, εως, ή *destruição* 2 Co 10.4, 8; 13.10.*

καθαιρέω—1. *tirar, fazer descer* Mc 15.36, 46; Lc 1.52; 23.53; At 13.29.—2. *vencer, derrubar, destruir* Lc 12.18; At 13.19; 2 Co 10.4; pass. *sofrer a perda de* At 19.27.*

καθαίρω *limpar, purificar;* de uma vinha límpida, podada pela remoção de ramos supérfluos Jo 15.2.* [*catársis*]

καθάπερ conj. ou adv. *assim como, igual a* Rm 3.4 v.l; 11.8 v.l; 1 Co 10.10; 2 Co 3.13, 18; 1 Ts 2.11 καθάπερ καί *assim também* Rm 4.6; 1 Ts 3.6, 12.

καθάπτω *prender, agarrar* At 28.3.*

καθαριεῖ ático, 3 pes. sing. fut. de καθαρίζω Hb 9.14.

καθαρίζω *limpar, lavar, purificar* lit. e fig. Mt 23.25s; Mc 7.19; At 10.15; 15.9; 2 Co 7.1; Tt 2.14; Hb 9.22s; 10.2; Tg 4.8. *Curar* Mt 8.3.

καθαρισμός, οῦ, ὁ *purificação* Mc 1.44; Lc 2.22; 5.14; Jo 2.6; 3.25; Hb 1.3; 2 Pe 1.9.*

κάθαρμα, ατος, τό *refugo, bode expiatório* v.l. de περικάθαρμα (q.v.) em 1 Co 4.13.*

καθαρός, ά, όν *limpo, puro* lit. e fig., cerimonial e moralmente Mt 5.8; 23.26; 27.59; Lc 11.41; Jo 13.10; Rm 14.20; Hb 10.22; Tg 1.27; Ap 15.6; 21.18.

καθαρότης, ητος, ή *pureza* Hb 9.13.*

καθέδρα, ας, ή *cadeira, assento* Mt 21.12; 23.2; Mc 11.15.* [*cátedra, catedral.*]

καθέζομαι *sentar* Mt 26.55; Lc 2.46; Jo 11.20; At 6.15; 20.9; 3.10 v.l *Assentados (onde)* Jo 20.12. *Sentar-se* 4.6; 6.3 v.l.*

καθεῖλον, καθελεῖν, καθελῶ, καθελόν 2 aor. ind. at., inf. 2 aor. at., 2 fut. ind. at., e part. at. 2 aor. de καθαιρέω.

καθεῖς = καθ' εἷς *individualmente* Rm 12.5 v.l.*

καθεξῆς adv. *em ordem, um depois do outro* com referência temporal, espacial ou lógica Lc 1.3; At 3.24; 11.4; 18.23; *depois disso* Lc 8.1.*

καθερίζω forma variante de καθαρίζω.

καθεύδω *dormir* lit. Mt 8.24; 13.25; Mc 4.27, 38; 14.37, 40s. O significado fig. *morrer, estar morto* é provável em Mt 9.24 (= Mc 5.39; Lc 8.52) e certo em 1 Ts 5.10. Da indiferença espiritual Ef 5.14; 1 Ts 5.6.

κάθῃ 2 pes. sing. pres. ind. de κάθημαι.

καθηγητής, οῦ, ὁ *mestre* Mt 23.10.*

καθῆκα 1 aor. ind. at. de καθίημι.

καθήκω *ser próprio, apropriado* At 22.22. τὰ μὴ καθήκοντα *o que é impróprio* Rm 1.28.*

κάθημαι *sentar* Mt 26.64; 27.61; Mc 2.6; 13.3; Lc 10.13; 18.35; At 8.28; 23.3; Cl 3.1; Ap 6.8, 16; *sentar (lá, ali)* Lc 5.17; Jo 2.14; *estar entronizado* Ap 18.7. *Estar, viver, residir* Lc 1.79; 21.35; Ap 14.6. *Sentar-se* Mt 22.44; 28.2; Mc 4.1; At 2.34; Tg 2.3.

καθημέραν = καθ' (κατὰ) ἡμέραν.

καθημερινός, ή, όν *diário, cotidiano* At 6.1.*

καθῆψα 1 aor. ind. at. de καθάπτω.

καθιέμενος part. pres. pass. de καθίημι At 10.11.

καθίζω—1. *fazer sentar, assentar, colocar* At 2.30; Ef 1.20. *Apontar* 1 Co 6.4.—2. *sentar-se* Mt 5.1; 26.36; Mc 9.35; Lc 4.20; At 8.31; 13.14; 1 Co 10.7; Hb 1.3; *descansar* At 2.3. *Permanecer, instalar-se, viver* Lc 24.49; At 18.11.

καθίημι *abaixar, descer* Lc 5.19; At 9.25; 10.11; 11.5.*

καθιστάνω ver καθίστημι.

καθίστημι ou καθιστάνω-1. *levar, tomar, conduzir* At 17.15.—2. *apontar, nomear, constituir* Mt 24.45, 47; At 6.3; *autorizar, instituir* Lc 12.14; At 7.10, 27; Tt 1.5; Hb 5.1.—3. *fazer, causar* 2 Pe 1.8. Pass. *ser feito, tornar-se* Rm 5.19; Tg 4.4.

καθό adv. = καθ' ὅ *como* Rm 8.26. *À medida em que, segundo* 2 Co 8.12; 1 Pe 4.13.*

καθολικός, ή, όν geral, universal, católico sobrescrito Tg v.l.*

καθόλου adv. inteiramente, completamente μή κ. de modo algum At 4.18.*

καθοπλίζω méd. armar ou equipar-se Lc 11.21.*

καθοράω perceber Rm 1.20.*

καθότι como, ao ponto que At 2.45; 4.35. Por causa de, em vista do fato Lc 1.7; 19.9; At 2.24; 17.31.*

κάθου 2 pes. sing. pres. imperativo de κάθημαι.

καθώς adv. assim como, assim Mt 21.6; 28.6; Mc 1.2; Lc 11.30; 24.24; Jo 1.23; At 15.8; Rm 1.17; 1 Co 15.49; 2 Co 1.5; 1 Tm 1.3; 1 Jo 3.2. Conforme, segundo Mc 4.33; At 11.29; 1 Co 12.11, 18; 1 Pe 4.10. Desde que, visto que Jo 17.2; Rm 1.28; Ef 1.4; Fp 1.7. Quando At 7.17. Como, que At 15.14; 3 Jo 3.

καθώσπερ adv. assim como Hb 5.4; 2 Co 3.18 v.l.*

καί conjunção—1. e Mt 13.55; 23.32; Lc 2.47; 3.14; Rm 7.12; At 5.29; Hb 1.1. Quando Mt 26.45; Mc 15.25; Jo 2.13; Hb 8.8. Que = ὅτι Mc 6.14. καὶ ἐγένετο ... καί e aconteceu que Mt 9.10; Mc 2.15; Lc 5.1, 12, 17. Mas Mt 12.43; Lc 13.7; Rm 1.13; 1 Ts 2.18. E assim, a saber, isto é Mt 8.33; Jo 1.16; Rm 1.5; 1 Co 3.5. καί ... καί tanto ... como, não somente ... mas também Mt 10.28; Mc 4.41; 9.13; Jo 7.28; At 26.29; 1 Co 1.22; Fp 4.16. Algumas vezes καί pode ficar sem tradução, como πολλὰ ... κ. ἄλλα σημεῖα muitos outros sinais Jo 20.30; cf. Lc 3.18; At 25.7.—2. usado adverbialmente também, semelhantemente Mt 5.39s; 12.45; Mc 8.7. Mesmo, a ponto de Mt 5.46s; Mc 1.27; At 5.39; 2 Co 1.8; Fm 21; Hb 7.25; Jd 23. ὁ καί com nomes duplos, que também é chamado At 13.9.

Καϊάφας, α, ὁ Caifás, sumo-sacerdote 18-36 d.C.: Mt 26.3, 57; Lc 3.2; Jo 11.49; 18.13s, 24, 28; At 4.6.*

καίγε = καί + γε.

Κάϊν, ὁ indecl. Caim, filho de Adão Hb 11.4; 1 Jo 3.12; Jd 11.*

Καϊνάμ, ὁ indecl. Cainã—1. filho de Arfaxade Lc 3.36.—2. filho de Enos 3.37.*

καινός, ή, όν novo Mt 13.52; 27.60; Mc 2.21s; Lc 22.20; Jo 13.34; 2 Co 3.6; 5.17; Hb 9.15; Ap 2.17; 5.9; 21.1, 5; estranho Mc 1.27. Comparativo τι καινότερον alguma coisa bem nova At 17.21.

καινότης, ητος, ἡ novidade κ. ζωῆς uma nova vida Rm 6.4; cf. 7.6.*

καινοφωνία ver κενοφωνία.

καίπερ conj. embora Fp 3.4; Hb 5.8; 7.5; 12.17; 2 Pe 1.12.*

καιρός, οῦ, ὁ tempo, i.e., um ponto no tempo e, também, um período de tempo—1. geralmente Lc 21.36; At 14.17; 2 Co 6.2; Ef 6.18; 2 Tm 3.1; (tempo) presente Rm 3.26; 13.11. κατὰ καιρόν de tempos em tempos Jo 5.4.-2. o tempo certo, próprio, favorável Mt 24.45; Mc 12.2; Lc 20.10; Jo 7.6, 8; At 24.25. Oportunidade Gl 6.10; Cl 4.5; Hb 11.15.—3. tempo fixo, definido Mt 13.30; 26.18; Mc 11.13; Lc 8.13; 19.44; Gl 4.10; 6.9; 2 Tm 4.6.—4. o tempo de crise, os últimos tempos Mt 8.29; 16.3; Mc 10.30; 13.33; Lc 21.8; 1 Co 7.29; Ef 1.10; Ap 1.3.

Καῖσαρ, ος, ὁ César, imperador Mc 12.14, 16s; Lc 2.1; 3.1; 23.2; Jo 19.12; At 17.7; 25.10-12; Fp 4.22.

Καισάρεια, ας, ἡ Cesaréia—1. Καισάρεια ἡ Φιλίππου Cesaréia de Filipe, uma cidade no sopé do Monte Hermon, na tetrarquia de Filipe Mt 16.13; Mc 8.27.—2. Cesaréia, ao sul do Monte Carmelo, cidade dos procuradores romanos e capital da Palestina At 8.40; 10.1, 24; 18.22; 21.8, 16; 25.1, 4, 6, 13.

καίτοι partícula e contudo At 14.17; embora Hb 4.3.*

καίτοιγε ou καίτοι γε partícula ainda que, e contudo Jo 4.2; At 14.17 v.l.*

καίω—1. iluminar alguma coisa, ter ou manter algo queimando lit. Mt 5.15; Lc 12.35; Jo 5.35; Hb 12.18; Ap 8.8, 10; 21.8. Fig. Lc 24.32.—2. pass. ser queimado Jo 15.6; 1 Co 13.3 v.l. [cáustico]

κἀκεῖ = καί ἐκεῖ adv. e lá, e ali Mt 5.23; 10.11; 28.10; Jo 11.54; At 14.7; 27.6. Lá também Mc 1.38 v.l.; At 17.13.

κἀκεῖθεν = καί ἐκεῖθεν adv. *e dali, e de lá* Mc 9.30; Lc 11.53; At 7.4; 16.12; 27.4; 28.15. *E então* At 13.21.

κἀκεῖνος, η, ο = καί ἐκεῖνος *e ele, e aquele* Lc 11.7; Jo 10.16; At 18.19; *e ele, e isso ou aquilo* Mt 15.18; Mc 16.11; Jo 7.29. *Também aquele, ele também* Mc 12.4s; Lc 20.11; Jo 6.57; At 15.11; 1 Co 10.6; 2 Tm 2.12.

κακία, ας, ἡ *maldade, depravação, impiedade, vício* At 8.22; 1 Co 14.20; Tg 1.21; 1 Pe 2.16. *Malícia, mal, malignidade* Rm 1.29; Cl 3.8; 1 Pe 2.1. *Problema, infortúnio* Mt 6.34.

κακοήθεια, ας, ἡ *malícia, malignidade, perversidade* Rm 1.29.*

κακολογέω *falar mal de, insultar, magoar* Mt 15.4; Mc 7.10; 9.39; At 19.9.*

κακοπάθεια, ας, ἡ e κακοπαθία, ας, ἡ *perseverança, esforço extenuante* Tg 5.10.*

κακοπαθέω *sofrer* 2 Tm 2.9; Tg 5.13. *Suportar o mau pacientemente* 2 Tm 4.5.*

κακοπαθία ver κακοπάθεια

κακοποιέω *fazer o mal, ser um malfeitor* ou *criminoso* 1 Pe 3.17; 3 Jo 11. Em Mc 3.4 = Lc 6.9 o sentido pode ser o acima, ou *dano, injúria.*

κακοποιός, όν *fazendo o mal,* como subst. *malfeitor, criminoso* 1 Pe 2.12, 14; 4.15; Jo 18.30 v.l.*

κακός, ή, όν *mau, maligno* Mt 21.41; 24.48; 27.23; Mc 7.21; Jo 18.23; Rm 7.19, 21; 1 Co 15.33; Ap 2.2. *Mau, errado, danoso,* como subst. *mal, males* At 9.13; 16.28; 28.5; Rm 12.17; 13.10; 14.20; Tg 3.8; 1 Pe 3.9. [*caco-,* prefixo de várias palavras]

κακοῦργος, ον como subst. ὁ κ. *criminoso, malfeitor* Lc 23.32s, 39; 2 Tm 2.9.*

κακουχέω *maltratar, atormentar* Hb 11.37; 13.3.*

κακόω *maltratar, prejudicar* At 7.6, 19; 12.1; 18.10; 1 Pe 3.13. *Enfurecer, irar* At 14.2.*

κακῶς adv. *erradamente, impiamente, mal* Jo 18.23; At 23.5; Tg 4.3. *Severamente* Mt 15.22; 17.15 v.l. κ. ἔχειν *estar mal, doente* Mt 4.24; Mc 6.55; Lc 5.31.

κάκωσις, εως, ἡ *maus tratos, opressão* At 7.34.

καλάμη, ης, ἡ *palha* 1 Co 3.12.*

κάλαμος, ου, ὁ *cana* Mt 11.7; 12.20; Lc 7.24. *Vara* Mt 27.29s, 48; Mc 15.19, 36. *Vara de medição* Ap 11.1; 21.15s. *pena,* (de escrever) 3 Jo 13.* [*cálamo*]

καλέω *chamar, nomear* Mt 22.43, 45; 23.7s, 10; Lc 1.59; 2.4; 10.39; At 14.12; Rm 9.26; 1 Pe 3.6. Quase equivalente ao verbo 'ser' Mt 2.23; Lc 1.32, 35s; 1 Co 15.9; Hb 3.13. *Convidar* Mt 22.3, 9; Jo 2.2; 1 Co 10.27; Ap 19.9; *chamar juntos* Mt 20.8; 25.14; Lc 19.13. *Convocar* Mt 2.7, 15; Mc 3.31; At 4.18; 24.2. Fig. De Deus ou Cristo *chamar,* para a salvação eterna, arrependimento, etc. Mc 2.17; 1 Co 1.9; Gl 5.8, 13; Ef 4.1; 1 Tm 6.12; Hb 9.15; 1 Pe 5.10.

καλλιέλαιος, ου, ἡ *oliveira cultivada* Rm 11.24.*

κάλλιον grau comparativo de καλῶς.

καλοδιδάσκαλος, ον *ensinando o que é bom* Tt 2.3.*

Καλοὶ λιμένες, Καλῶν λιμένων, οἱ *Bons Portos,* uma baía na costa sul de Creta, perto da cidade de Laséia At 27.8.*

καλοκαγαθία, ας, ἡ *nobreza de caráter, excelência,* um ideal greco-romano Tg 5.10 v.l.*

καλοποιέω *fazer o que é certo* ou *bom* 2 Ts 3.13.*

καλός, ή, όν *bonito* Lc 21.5. *Bom, útil, sem defeito* Mt 7.17ss; 13.8, 23, 48; Mc 4.8, 20; Lc 14.34; Jo 2.10. *Moralmente bom, nobre, digno de louvor* Mt 5.16; Mc 14.6; Rm 7.18, 21; Gl 6.9; Hb 5.14; 10.24; 13.18; Tg 2.7; 4.17; 1 Pe 4.10. καλόν (ἐστιν) *isto é bom, agradável, vantajoso* Mt 18.8s; Mc 9.5; 1 Co 7.26a; *moralmente bom* Mc 7.27; 1 Co 7.1, 8, 26b; Hb 13.9. καλὸν ἐστιν αὐτῷ μᾶλλον *é melhor para ele* Mc 9.42. καλὸν ἦν αὐτῷ *teria sido melhor para ele* Mt 26.24. [*caligrafia*]

κάλλυμα, ατος, τό *véu, coberta* lit. 2 Co 3.13; fig. 3.14, 15, 16.*

καλύπτω *cobrir, ocultar, esconder* lit. Mt 8.24; Lc 8.16; 23.30. Fig. Tg 5.20; 1 Pe 4.8; 2 Co 4.3.

καλῶς adv. *bem* Mc 7.37; Lc 6.48; Gl 5.7; *corretamente* Mc 7.6; como exclamação *muito bem!* Mc 12.32; Rm 11.20; usado ironicamente 2 Co 11.4. κ. ποιεῖν *fazer bem* Mt 12.12; Lc 6.27, mas *fazer o que é certo* 1 Co 7.37s; Tg 2.8, 19. κ. ἔχειν *ter boa saúde* Mc 16.18. Comparativo κάλλιον At 25.10.

κἀμέ = καὶ ἐμέ.

κάμηλος, ου, ὁ e ἡ *camelo* Mt 3.4; 23.24; Mc 10.25; Lc 18.25.

κάμητε 2 pes. pl. 2 aor. subj. at. de κάμνω.

κάμιλος, ου, ὁ *corda, cabo* como v.l. em Mt 19.24; Mc 10.25; Lc 18.25.*

κάμινος, ου, ὁ *forno* Mt 13.42, 50; Ap 1.15; 9.2.*

καμμύω *fechar (os olhos)* Mt 13.15; At 28.27.*

κάμνω κ. ψυχῇ *ser desencorajado* Hb 12.3. *Estar doente* Tg 5.15.*

κἀμοί = καὶ ἐμοί

κάμπτω *dobrar, ajoelhar-se* Rm 11.4; 14.11; Ef 3.14; Fp 2.10.*

κἄν = καὶ ἐάν *e se* Mc 16.18; Lc 12.38; Jo 8.55; Tg 5.15. *Mesmo que, até mesmo* Mt 21.21; Jo 8.14; Hb 12.20. *Ao menos, pelo menos* At 5.15; 2 Co 11.16.

Κανά, ἡ indecl. *Caná*, uma cidade na Galiléia Jo 2.1, 11; 4.46; 21.2.*

Καναναῖος, ου, ὁ *cananeu*, sobrenome do segundo Simão entre os Doze; significa *entusiasta, zelote* Mt 10.4; Mc 3.18.*

Κανανίτης, ου, ὁ *cananita, de Caná*, como v.l. em Mt 10.4; Mc 3.18.*

Κανδάκη, ης, ἡ *Candace*, título da rainha da Etiópia At 8.27.*

κανών, όνος, ὁ—1. *regra, padrão* Gl 6.16; Fp 3.16 v.l.—2. *esfera de ação, província, limites* 2 Co 10.13, 15s.*

Καπερναούμ ver Καφαρναούμ.

καπηλεύω *negociar, mercadejar, buscar lucro* 2 Co 2.17.*

καπνός, οῦ, ὁ *fumaça* At 2.19; Ap 9.2s, 17s; 15.8.

Καππαδοκία, ας, ἡ *Capadócia*, uma província no interior da Ásia Menor At 2.9; 1 Pe 1.1.*

καραδοκία, ας, ἡ *expectativa ansiosa* Fp 1.20.*

καρδία, ας, ἡ *coração* como a sede da vida física At 14.17. Principalmente como o centro e fonte da vida interior como um todo Mt 18.35; Lc 16.15; 2 Co 5.12; 1 Ts 2.4; 1 Pe 1.22; 3.4. Das emoções Jo 16.6, 22; Rm 1.24; Hb 10.22. Da vontade At 11.23; Rm 2.5, 15; 2 Pe 2.14. καρδία pode, algumas vezes, ser traduzido por *mente* Lc 24.25; At 7.23; Rm 1.21; 2 Co 9.7, e aproxima-se do sentido *consciência* 1 Jo 3.20s. ἐν τῇ κ. *para si mesmo* Mt 24.48; Rm 10.6; Ap 18.7. Fig. καρδία no sentido *interior, centro* Mt 12.40. [*cardíaco, cardio-*, prefixo de várias palavras.]

καρδιογνώστης, ου, ὁ *conhecedor de corações* At 1.24; 15.8.*

Κάρπος, ου, ὁ *Carpo*, um cristão 2 Tm 4.13.*

καρπός, οῦ, ὁ *fruto*—1. lit. Mt 12.33; 21.34; Mc 11.14; Lc 13.6ss; Tg 5.7, 18; Ap 22.2. *Colheita* Mc 4.29; Lc 12.17; Jo 4.36. *Da linhagem* Lc 1.42; At 2.30.—2. fig. *fruto*, no sentido de *resultado, ato, produto* Mt 7.16, 20; Jo 15.5, 8, 16; Gl 5.22; Ef 5.9; Fp 1.11; Tg 3.18; Hb 12.11.; No sentido de *vantagem, ganho* Rm 1.13; Fp 1.22; 4.17.

καρποφορέω *dar fruto, frutificar, amadurecer*—1. lit. Mc 4.28.—2. fig. Mt 13.23; Mc 4.20; Lc 8.15; Rm 7.4s; Cl 1.6, 10.*

καρποφόρος, ον *frutífero* At 14.17; Jo 15.2 v.l.*

καρτερέω *perseverar, manter-se firme* Hb 11.27.*

[ἀπὸ] Καρυώτου *(de) Queriote* Jo 6.71 v.l.

κάρφος, ους, τό *cisco, argueiro*, uma pequena *lasca* de madeira, etc. Mt 7.3ss.; Lc 6.41.*

κατά prep. com gen. e ac.—I. com o genitivo—1. de lugar *para baixo* Mc 5.13; *por toda parte* Lc 23.5; At 9.31, 42; 10.37.—2. fig. *por* Mt 26.63; Hb 6.13, 16. *Contra* Mt 5.11; 10.35; Mc 14.55; Lc 11.23; Jo 19.11; At 25.3, 15, 27; Rm 8.31; 1 Co 4.6; Gl 5.17; Ap 2.4, 14, 20.—II. com o acusativo—1. de lugar—a. de extensão no espaço *ao longo de* At 25.3; 27.5. *Através* Lc 8.39. *Por toda parte* At 11.1. *Acima* 8.1. *Entre* 21.21.—b. de direção, *para, em direção a* At 8.26; Fp

3.14. Ά, para Lc 10.32; At 16.7. κατά πρόσωπον frente a frente, na cara Gl 2.11.—c. servindo para isolar ou separar por, em At 28.16; Tg 2.17; para Rm 14.22. κατά μόνας sozinho, por si mesmo Mc 4.10; Lc 9.18.—d. como pron. distributivo κατά πόλιν em cada cidade At 15.21; 20.23; Tt 1.5. Cf. Lc 8.1; At 15.36—2. de tempo por, em Rm 9.9; Hb 1.10; 3.8; durante Mt 1.20; 2.12; por volta de At 16.25. Distributivamente κ. έτος cada ano Lc 2.41; cf. Mt 26.55; At 2.46s; 17.17; 2 Co 11.28; Ap 22.2.—3. distributivamente (sem menção de lugar e tempo como acima) κ. δύο ή τρεις dois ou três de cada vez 1 Co 14.27. κ. ένα um depois do outro 14.31. Cf. Mc 6.40; At 21.19. κ. όνομα por nome Jo 10.3; 3 Jo 15.—4. de alvo ou propósito para, a fim de Jo 2.6; 2 Co 11.21.—5. da norma, similaridade, homogeneidade—a. para introduzir a norma que rege alguma coisa de acordo com, conforme, segundo Mt 2.16; Lc 2.22; 22.22; Jo 19.7; Rm 8.28; 1 Co 3.8; 15.3; Hb 7.5. Como resultado de, com base em, na base de Mt 19.3; Gl 2.2; Fp 4.11; Fm 14—b. de igualdade, similaridade, exemplo (assim) como, semelhantemente Mt 23.3; Gl 4.28. κατά τά αυτά da mesma forma Lc 6.23, 26; 17.30. κατά τό αυτό juntos, juntamente At 14.1. καθ' όν τρόπον assim como, igualmente 15.11; 27.25. Freqüentemente a frase com κατά é equivalente a um adv.: κ. συγκυρίαν por acaso Lc 10.31. κ κράτος poderosamente At 19.20. κ. λόγον razoavelmente 18.14.—6. denotando relacionamento com algo, com respeito a, em relação a At 17.22; Rm 1.3; 9.3, 5; Cl 3.20, 22; Hb 2.17.—7. algumas vezes a frase com κατά pode funcionar como adj., pron. possessivo ou o genitivo de um subst. Adj.: κατά φύσιν natural Rm 11.21. κατά σάρκα terreno Ef 6.5. Pron. possessivo: καθ' ύμάς vosso At 17.28. κατ' εμέ meu Rm 1.15 Gen. de um subst. κ. 'Ιουδαίους dos judeus At 26.3. κ. πίστιν da fé Hb 11.7. Cf. o título ευαγγέλιον κατά Ματθαίον, etc. [cata-, prefixo de várias palavras]

κατάβα 2 pes. sing. imperativo 2 aor. at. de καταβαίνω.

καταβαίνω descer, vir para baixo, cair, abaixar Mt 8.1; Mc 1.10; 9.9; 15.30, 32; Lc 19.5s; At 25.7; Jo 2.12; 4.47, 49, 51; Rm 10.7; Ef 4.10; Tg 1.17; Ap 12.12. Descer, sair Mt 14.29. Cair 7.25, 27. Fig. ser abatido 11.23.

καταβάλλω at. e pass. lancar para baixo, derrubar 2 Co 4.9; Ap 12.10 v.l. Méd. fundar, lançar (fundamento) fig. Hb 6.1.*

καταβαρέω pesar, ser um peso para 2 Co 12.16.*

καταβαρύνω pesar, pass. estar gordo, pesado Mc 14.40.*

καταβάς part. 2 aor. at. de καταβαίνω.

κατάβασις, εως, ή baixada, costa, declive Lc 19.37.*

καταβάτω 3 pes. sing. imperativo 2 aor. at. de καταβαίνω.

καταβέβηκα, καταβή, κατάβηθι, καταβήναι, καταβήσομαι perf. ind. at., 3 pes. sing. 2 aor. subj. at., 2 pes. sing. imperativo 2 aor. at., inf. at. 2 aor., e fut. ind. de καταβαίνω.

καταβιβάζω abaixar, lançar abaixo, fazer descer Mt 11.23 v.l.; Lc 10.15 v.l.; At 19.33 v.l.*

καταβοάω gritar, acusar At 18.13 v.l.*

καταβολή, ής, ή fundamento, início, fundação Mt 25.34; Lc 11.50; Jo 17.24; Ef 1.4; Hb 11.11; Ap 17.8.

καταβραβεύω decidir contra, privar, condenar Cl 2.18.*

καταγαγείν inf. 2 aor. at. de κατάγω.

καταγγελές, έως, ό proclamador, pregador At 17.18.*

καταγγέλω proclamar At 13.5; 16.21; 17.23; Rm 1.8; 1 Co 9.14; 11.26; Fp 1.17s.

καταγελάω rir de, ridicularizar com gen. Mt 9.24; Mc 5.40; Lc 8.53.*

καταγινώσκω condenar com gen. Gl 2.11; 1 Jo 3.20s; Mc 7.2 v.l.*

κατάγνυμι quebrar, romper Mt 12.20; Jo 19.31-33.*

καταγράφω escrever Jo 8.6, v.l. no v. 8.*

κατάγω abaixar, levar, trazer At 9.30; 22.30; 23.15, 20, 28; Rm 10.6. At. Levar, trazer botes à terra Lc 5.11. Pass. colocar *em* um porto At 27.3; 28.12; 21.3 v.l.*

καταγωνίζομαι *conquistar, derrotar, vencer* Hb 11.33.*

καταδέω *atar* Lc 10.34.*

κατάδηλος, ον *muito claro, evidente* Hb 7.15.*

καταδικάζω *condenar, achar* ou *pronunciar culpado* Mt 12.7, 37; Lc 6.37; Tg 5.6.*

καταδίκη, ης, ή *condenação, sentença condenatória* At 25.15.*

καταδιώκω *buscar diligentemente* Mc 1.36.*

καταδουλόω *escravizar, reduzir à escravidão* fig. 2 Co 11.20; Gl 2.4.*

καταδυναστεύω *oprimir, explorar, dominar* com gen. At 10.38; Tg 2.6.*

κατάθεμα, ατος, τό *coisa amaldiçoada* Ap 22.3.*

καταθεματίζω *amaldiçoar* Mt 26.74.*

κατάθεσθαι inf. 2 aor. méd. de κατατίθημι.

καταισχύνω *desonrar,* 1 Co 11.4s. *Envergonhar* 1 Co 1.27; pass. *ser envergonhado, humilhado* Lc 13.17; 2 Co 7.14; 9.4; 1 Pe 3.16; Mt 20.28 v.l. *Humilhar* 1 Co 11.22. *Desapontar* Rm 5.5; Pass. 9.33; 10.11; 1 Pe 2.6.*

κατακαήσομαι 2 fut. ind. pass. de κατακαίω.

κατακαίω *queimar, consumir pelo fogo* Mt 3.12; 13.30, 40; At 19.19; Hb 13.11; Ap 8.7; 18.8; 2 Pe 3.10 v.l.

κατακαλύπτω méd. *cobrir-se* com um véu 1 Co 11.6s.*

κατακαυθήσομαι, κατακαῦσαι, κατακαύσει 1 fut. pass., inf. 1 aor. at., e 3 pes. sing. fut. ind. at. de κατακαίω.

κατακαυχάομαι *jactar-se (contra), desprezar* Rm 11.18; Tg 3.14; 4.16 v.l. *Triunfar sobre* com gen. Tg 2.13.*

κατακαυχῶ 2 pes. sing. pres. imperativo de κατακαυχάομαι Rm 11.18.

κατάκειμαι *jazer* (de pessoas doentes) Mc 1.30; 2.4; cf. 5.40 v.l.; Lc 5.25; Jo 5.3, 6; At 9.33; 28.8. *Reclinar-se (à mesa), jantar* Mc 2.15; 14.3; Lc 5.29; 7.37; 1 Co 8.10.*

κατακλάω *quebrar em pedaços* Mc 6.41; Lc 9.16.*

κατακλείω *fechar, prender* Lc 3.20; At 26.10.*

κατακληροδοτέω *parcelar (por lotes)* At 13.19 v.l.*

κατακληρονομέω *dar por herança* At 13.19.*

κατακλίνω *fazer reclinar-se* ou *sentar-se para comer* Lc 9.14s. Pass. *reclinar-se* Lc 7.36; 14.8; 24.30.*

κατακλύζω *inundar* pass. 2 Pe 3.6.*

κατακλυσμός, οῦ, ὁ *dilúvio, inundação* Mt 24.38s; Lc 17.27; 2 Pe 2.5.* [*cataclisma*]

κατακολουθέω *seguir* com dat. Lc 23.55; At 16.17.*

κατακόπτω *ferir, bater, cortar* Mc 5.5.*

κατακρημνίζω *lançar abaixo (de) um despenhadeiro* Lc 4.29.*

κατάκριμα, ατος, τό *punição, condenação, castigo* Rm 5.16, 18; 8.1.*

κατακρίνω *condenar, pronunciar sentença* Mt 27.3; Mc 10.33; Lc 11.31s; Rm 2.1; 8.3, 34; Hb 11.7; 2 Pe 2.6.

κατάκρισις, εως, ή *condenação* 2 Co 3.9; 7.3.*

κατακύπτω *inclinar-se* Jo 8.8.*

χατακυριεύω *tornar-se mestre, ganhar domínio, subjugar* com gen. At 19.16. *Ser mestre, senhor (sobre), dominar* com gen. Mt 20.25; Mc 10.42; 1 Pe 5.3.*

καταλαλέω *falar contra, falar mal de, difamar* com gen Tg 4.11; 1 Pe 2.12; 3.16.*

καταλαλιά, ᾶς, ή *calúnia, difamação* 2 Co 12.20; 1 Pe 2.1.*

κατάλαλος, ον *caluniador, injuriador;* subst. ὁ κ. *o caluniador* Rm 1.30.*

καταλαμβάνω—1.—a. at. e pass. *agarrar, prender, vencer, apropriar-se* Rm 9.30; 1 Co 9.24; Fp 3.12s; final de Marcos nos Evangelhos Freer 3. Para Jo 1.5 há dois conjuntos de possibilidades: *pegar, compreender, apreciar;* e *vencer, derrubar, assenhorear-se.—b. pegar* com objetivo hostil; *vencer, apoderar-se* Mc 9.18; Jo 12.35; 6.17 v.l.; 1 Ts 5.4.—c. *apanhar, detectar* Jo 8.3s;—2. méd. *pegar, achar, compreender* At 4.13; 10.34; Ef 3.18; ἐγὼ δὲ κατελαβόμην *satisfiz-me* At 25.25.* [*catalepsia,* uma condição de rigidez muscular]

καταλέγω *selecionar, inscrever, arrolar* 1 Tm 5.9.* [*catálogo*]

κατάλειμμα, ατος, τό *remanescente* Rm 9.27 v.l.*

καταλείπω *deixar (atrás, para trás)* Mt 16.4; 19.5; 21.17; Mc 12.19, 21; Lc 15.4; 20.31; At 18.19; 24.27; Hb 11.27. *Abandonar* Mc 14.52; Lc 5.28. *Negligenciar* At 6.2. *Manter, guardar* Rm 11.4. Pass. *permanecer, ficar atrás* Jo 8.9; 1 Ts 3.11. *estar aberto* Hb 4.1.

καταλελειμμένος part. perf. pass. de καταλείπω.

καταλιθάζω *apedrejar até à morte* Lc 20.6.*

καταλιπών part. 2 aor. at. de καταλείπω.

καταλλαγείς part. 2 aor. at. de καταλλάσσω.

καταλλαγή, ῆς, ἡ *reconciliação* Rm 5.11; 11.15; 2 Co 5.18s.*

καταλλάσσω *reconciliar* Rm 5.10; 1 Co 7.11; 2 Co 5.18-20; At 12.22 v.l.*

κατάλοιπος, ον *resto, restante* οἱ κ. *o resto* At 15.17.*

κατάλυμα, ατος, τό *quarto de hóspedes, sala de jantar* Mc 14.14; Lc 22.11. Visto que Lc 10.34 usa o termo mais específico para *estalagem* πανδοχεῖον, o termo κ. em 2.7 é melhor entendido como *quarto de hóspedes.* *

καταλύω—1.—a. *lançar abaixo, derrubar* Mc 13.2.—**b.** *destruir, demolir, desmantelar* lit. Mt 27.40; Mc 14.58; At 6.14. Fig. Rm 14.20; 2 Co 5.1; Gl 2.18.—**c.** *anular, invalidar* Mt 5.17; Lc 23.2 v.l. *Arruinar, levar ao fim* At 5.38; *parar* 5.39.—**2.** *buscar alojamento, hospedar-se* Lc 9.12; 19.7.

καταμάθετε 2 pes. pl. 2 aor. imperativo at. de καταμανθάνω.

καταμαμθάνω *observar (bem), reparar* Mt 6.28.*

καταμαρτυρέω *testemunhar contra* Mt 26.62; 27.13; Mc 14.60.*

καταμένω *permanecer, viver, residir* At 1.13; 1 Co 16.6 v.l.*

καταμόνας = κατὰ μόνας, v. s.v. μόνος.

κατανάθεμα v.l. de κατάθεμα em Ap 22.3, com o mesmo significado.

καταναθεματίζω *amaldiçoar* Mt 26.74 v.l.*

καταναλίσκω *consumir* Hb 12.29.*

καταναρκάω *pesar, ser um peso* com gen. 2 Co 11.9; 12.13s.*

κατανεύω *fazer sinais* Lc 5.7.*

κατανοέω *observar, reparar* Mt 7.3; Lc 6.41; At 27.39. *Observar, considerar, contemplar* Lc 12.24. 27; At 7.31s; Tg 1.23s; Hb 3.1. *perceber* (truques, tramas) Lc 20.23.

καταντάω *vir (a), chegar* At 16.1; 18.19; 28.13; 1 Co 10.11; 14.36. *Chegar a, alcançar* At 26.7; Ef 4.13; Fp 3.11.

κατάνυξις, εως, ἡ *estupor, entorpecimento* Rm 11.8.*

κατανύσσομαι *ser apunhalado* fig. At 2.37.*

καταξιόω *considerar digno, valorizar* pass. Lc 20.35; 21.36 v.l.; At 5.41; 2 Ts 1.5.*

καταπατέω *pisotear* lit. Mt 5.13; 7.6; Lc 8.5; 12.1. Fig. *tratar com desdém* Hb 10.29.*

κατάπαυσις, εως, ἡ *descanso* At 7.49 *Lugar de descanso* Hb 3.11, 18; 4.1, 3, 5, 10s.*

Καταπαύω—1. *(fazer) parar, reter* At 14.18. *Levar (trazer) a um lugar de descanso* Hb 4.8.—**1.** *parar, descansar* 4.4, 10.*

καταπεσών part. at. 2 aor. de καταπίπτω.

καταπέτασμα, ατος, τό *cortina* Mt 27.51; Mc 15.38; Lc 23.45; Hb 6.19; 9.3; 10.20.*

καταπιεῖν, καταπίῃ inf. 2 aor. at., e 3 pes. sing. subj. de καταπίνω.

καταπίνω *tragar*—**1.** lit. embora mais ou menos transferido Mt 23.24; Ap 12.16. *Devorar* 1 Pe 5.8. Pass. *ser afogado* Hb 11.29; ser devorado 2 Co 2.7. —**2.** fig. *tragar, devorar* 1 Co 15.54; 2 Co 5.4.*

καταπίμπρημι *queimar até as cinzas* κατέπρησεν 3 pes. sig. 1 aor. ind. at. 2 Pe 2.6 v.l.*

καταπίπτω *cair* Lc 8.6; At 26.14; 28.6.*

καταπλέω *navegar* Lc 8.26.*

καταποθῇ 3 pes. sing. 1 aor. subj. pass. de καταπίνω.

καταπονέω *subjugar, oprimir* part. pres. pass. 2 Pe 2.7; At 4.2 v.l. Como subst. *o oprimido* At 7.24.*

καταποντίζω *lançar ao mar,* pass. *ser afogado* Mt 18.6; *afundar* 14.30.*

κατάρα,ας, ἡ *maldição, imprecação* Gl 3.10, 13; Hb 6.8; Tg 3.10; 2 Pe 2.14.*

καταράομαι *amaldiçoar* Mt 25.41; Mc 11.21; Lc 6.28; Rm 12.14, Tg 3.9.*

καταργέω—1. *tornar ineficaz, sem poder* lit. usar, gastar Lc 13.7. Fig. *anular, tornar ineficaz* Rm 3.3; 4.14; 1 Co 1.28; Gl 3.17; *invalidar* Rm 3.31; Ef 2.15.—**2.** *abolir, colocar de lado, levar ao fim* Rm 6.6; 1 Co 6.13; 13.11; 15.24, 26; 2 Ts 2.8; 2 Tm 1.10; Hb 2.14. Pass *cessar, passar* 1 Co 2.6; 13.8, 10; 2 Co 3.7, 11, 13s; Gl 5.11.—**3.** καταργοῦμαι ἀπό τινος *ser libertado de, não ter nada mais a ver com* Rm 7.2, 6; *ser separado* Gl 5.4.*

καταριθμέω *contar;* pass. *ser contado entre, pertencer a* At 1.17.*

καταρτίζω—1. *colocar em ordem, restaurar* 2 Co 13.11; Gl 6.1; *emendar* Mt 4.21; Mc 1.19. *Completar* 1 Co 1.10; 1 Ts 3.10; Hb 13.21; 1 Pe 5.10. κατηρτισμένος *plenamente treinado* Lc 6.40.—**2.** *preparar, fazer, criar* Mt 21.16; Rm 9.22; Hb 10.5; 11.3.*

κατάρτισις, εως, ἡ *ser completado* 2 Co 13.9.*

καταρτισμός, οῦ, ὁ *treinamento, equipamento* Ef 4.12.*

κατασείω *acenar* At 19.33. *Fazer sinais* 12.17; 13.16; 21.40.*

κατασκάπτω *demolir, destruir* Rm 11.3; At 15.16.*

κατασκευάζω *preparar* Mc 1.2; Lc 1.17. *Edificar, construir, criar* Hb 3.3s; 11.7; 1 Pe 3.20. *Equipar, prover* Hb 9.2, 6.

κατασκηνοῖν inf. pres. at. de κατασκηνόω.

κατασκηνόω *viver, morar* At 2.26. *Aninhar-se* Mt 13.32; Mc 4.32; Lc 13.19.*

κατασκήνωσις, εως, ἡ *lugar para viver, ninho* Mt 8.20; Lc 9.58.*

κατασκιάζω *sombrear, cobrir (com sombra)* Hb 9.5.*

κατασκοπέω *espiar, ficar à espreita* Gl 2.4.*

κατάσκοπος, ου, ὁ *espião* Hb 11.31; Tg 2.25 v.l.*

κατασοφίζομαι *tirar vantagem com tramas, astúcia* At 7.19.*

κατασταθήσομαι fut. pass. de καθίστημι.

καταστείλας part. at. 1 aor de καταστέλλω.

καταστέλλω *apaziguar, acalmar* At 19.35s.*

κατάστημα, ατος, τὸ *comportamento, modo de vida* Tt 2.3.*

καταστήσω fut. ind. at de καθίστημι.

καταστολή, ῆς, ἡ *modo de vestir, conduta* 1 Tm 2.9.*

καταστρέφω *derrubar* Mt 21.12; Mc 11.15; Jo 2.15 v.l. τὰ κατεστραμμένα *ruínas* At 15.16 v.l.*

καταστρηνιάω *estar cheio de desejos que conflitam com a afeição por alguém* 1 Tm 5.11.*

καταστροφή, ῆς, ἡ *ruína, destruição* 2 Tm 2.14; 2 Pe 2.6.* [*catástrofe*]

καταστρώννυμι *derrubar, matar* pass. 1 Co 10.5.*

κατασύρω *arrastar, levar à força* Lc 12.58.*

κατασφάζω ou **κατασφάττω** *matar* Lc 19.27.*

κατασφραγίζω *selar* Ap 5.1.*

κατάσχεσις, εως, ἡ *posse, tomar posse* At 7.5, 45; 13.33 v.l. *Atrasar, demorar* 20.16 v.l.*

κατάσχωμεν 1 pes. pl. 2 aor. subj. at. de κατέχω.

κατατίθημι—1. *pôr, colocar* Mc 15.46 v.l.—**2.** méd. com χάρις como obj., *fazer um favor a, outorgar* At 24.27; 25.9.*

κατατομή, ῆς, ἡ *mutilação* Fp 3.2.*

κατατοξεύω *derrubar, arruinar, matar, liquidar* Hb 12.20 v.l.

κατατρέχω *descer correndo* At 21.32.*

καταυγάζω *brilhar, iluminar* 2 Co 4.4 v.l.*

καταφαγεῖν, καταφάγομαι inf. 2 aor. at., e fut. ind. at. de κατεσθίω.

καταφέρω *votar contra, prestar acusações* At 26.10; 25.7. Pass. *ser dominado, cair no sono* 20.9a, b.*

καταφεύγω *fugir* At 14.6. *Refugiar-se* Hb 6.18.*

καταφθείρω *destruir* 2 Pe 2.12 v.l. *Arruinar, corromper, depravar* 2 Tm 3.8.*

καταφιλέω *beijar* Mt 26.49; Mc 14.45; Lc 7.38, 45; 15.20; At 20.37.*

καταφρονέω—1. *desprezar, tratar com desprezo* com gen. Mt 6.24; 18.10; Lc 16.13; 1 Co 11.22; 1 Tm 4.12; 2 Pe 2.10; Tt 2.15 v.l. *Ter idéias erradas sobre* Rm 2.4; 1 Tm 6.2.—**2** *desconsiderar* Hb 12.2.*

καταφρονητής, οῦ, ὁ *desprezador* At 13.41.*

καταφυγών part. 2 aor. at. de καταφεύγω.

καταφωνέω v.l. de ἐπιφωνέω, com o mesmo significado At 22.24.*

καταχέω *derramar sobre* com gen. Mt 26.7; Mc 14.3.*

καταχθείς part. 1 aor. pass. de κατάγω.

καταχθόνιος, ον *sob a terra, subterrâneo* Fp 2.10.*

καταχράομαι *usar, ser absorvido em* 1 Co 7.31; *usar plenamente, explorar* 9.18.*

καταψηφίζομαι *ser arrolado* At 1.26 v.l.*

καταψύχω *refrescar* Lc 16.24.*

κατεάγην, κατεαγῶσιν, κατέαξα, κατεάξω. 2 aor. pass., 3 pes. pl. 2 aor. subj. pass., 1 aor. ind. at., e fut. ind. at. de κατάγνυμι.

κατέβην 2 aor. ind. at. de καταβαίνω.

κατεγέλων imperf. at. de καταγελάω.

κατέγνωσμαι perf. ind. pass. de καταγινώσκω.

κατέδραμον 2 aor. ind. at. de κατατρέχω.

κατέθηκα 1 aor. ind. at. de κατατίθημι.

κατείδωλος, ον *cheio de imagens* ou *ídolos* At 17.16.*

κατειλημμένος, κατείληφα part. perf. méd. e pass., e perf. ind. at. de καταλαμβάνω.

κατεκάην 2 aor. ind. pass. de κατακαίω.

κατεκρίθην 1 aor. ind. pass. de κατακρίνω.

κατέλαβον 2 aor. ind. at. de καταλαμβάνω.

κατέλειψα 1 aor. ind. at. de καταλείπω.

κατελήμφθην 1 aor. ind. pass. de καταλαμβάνω.

κατελθεῖν inf. 2 aor. at. de κατέρχομαι.

κατέλιπον 2 aor. ind. at. de καταλείπω.

κατέναντι adv. *oposto* Lc 19.30. Funciona como preposição com gen. *oposto* Mc 13.3; *na presença de* Mt 27.24 v.l., *perante* Rm 4.17; 2 Co 2.17; 12.19.

κατενεχθείς part. 1 aor. pass. de καταφέρω.

κατενύγην 2 aor. ind. pass. de κατανύσσομαι.

κατενώπιον adv. funciona como prep. com gen. *na presença de* Jd 24; *perante* Ef 1.4; Cl 1.22.*

κατεξουσιάζω *exercer autoridade sobre, dominar* com gen. Mt 20.25; Mc 10.42*

κατέπεσον 2 aor. ind. at. de καταπίπτω.

κατέπιον 2 aor. ind. at. de καταπίνω.

κατεπέστησαν 3 pes. pl. 2 aor. ind. at. de κατεφίστημι.

κατέπλευσα 1 aor. ind. at de καταπλέω.

κατεπόθην 1 aor. ind. pass. de καταπίνω.

κατέπρησα 1 aor. ind. at. formado de πρήθω + κατά, ver, καταπίμπρημι 2 Pe 2.6 v.l.

κατεργάζομαι—1. *cumprir, fazer, realizar* Rm 1.27; 7.15, 17s, 20; 1 Co 5.3; 1 Pe 4.3; talvez Ef 6.13 (v. 3 abaixo).—**2.** *produzir, criar* Rm 4.15; 7.8, 13; 2 Co 7.10s; 9.11; Tg 1.3. *Desenvolver* Fp 2.12. *Preparar* 2 Co 5.5—**3.** *subjugar, conquistar* talvez Ef 6.13 (ver 1 acima)

κατέρχομαι *descer, vir a* Lc 4.31; 9.37; At 8.5; 15.1, 30; 21.10; Tg 3.15. *De navios chegar, aportar* At 18.22; 27.5.

κατεσθίω e **κατέσθω** *comer, consumir, devorar* lit. Mt 13.4; Ap 10.9s; 12.4. Fig. *destruir, consumir* Mc 12.40; Lc 15.30. Jo 2.17; 2 Co 11.20; Gl 5.15; Ap 11.5; 20.9.

κατεστάθην 1 aor. ind. pass. de καθίστημι.

κατέσταλμαι perf. ind. pass. de καταστέλλω.

κατέστησα 1 aor. ind. at. de καθίστημι.

κατεστρώθην 1 aor. ind. pass. de καταστρώννυμι.

κατευθῦναι, κατευθῦναι 3 pes. sing. 1 aor. opt., e inf. de κατευθύνω.

κατευθύνω *levar, dirigir* Lc 1.79; 1 Ts 3.11; 2 Ts 3.5.*

κατευλογέω *abençoar* Mc 10.16.*

κατέφαγον 2 aor. ind. at. de κατεσθίω.

κατεφθαρμένος part. perf. pass. de καταφθείρω.

κατεφίσταμαι *levantar-se contra* com dat. At 18.12.*

κατέφυγον 2 aor. ind. at. de καταφεύγω.

κατεφώνουν imperf. at. de καταφωνέω.

κατέχεεν 3 pes. sing. 1 aor. ind. at. de καταχέω. Mt 26.7.*

κατέχω—1. —a. *reter* Lc 4.42; *conservar* Fm 13; *suprimir* Rm 1.18; *deter* 2 Ts 2.6s.—b. *reter, manter* Lc 8.15; 1 Co 11.2; 15.2; 1 Ts 5.21; Hb 3.6, 14; 10.23; *possuir* 1 Co 7.30; 2 Co 6.10; *ocupar* Lc 14.9.— c. pass. *ser preso, vinculado* Rm 7.6; Jo 5.4 v.l.—2. *dirigir-se rumo a* At 27.40.*

κατήγαγον 2 aor. ind. at. de κατάγω.

κατήγγειλα, κατηγγέλην 1 aor. at. e 2 aor. ind. pass. de καταγγέλλω.

κατηγορείτωσαν 3 pes. pl. imperativo pres. at. de κατηγορέω.

κατηγορέω *acusar* Mt 12.10; 27.12; Mc 15.3s; Lc 23.2, 10, 14; Jo 5.45; At 24.2, 8, 13, 19; 25.5; Rm 2.15; Ap 12.10.

κατηγορία, ας, ἡ *acusação* Jo 18.29; 1 Tm 5.19; Tt 1.6; Lc 6.7 v.l.* [*categoria, categórico*]

κατήγορος, ου, ὁ *acusador* At 23.30, 35; 24.8 v.l.; 25.16, 18; Ap 12.10 v.l.*

κατήγωρ. ορος, ὁ *acusador* Ap 12.10.*

κατῆλθον 2 aor. ind. at. de κατέρχομαι.

κατηλλάγην 2 aor. ind. pass. de καταλλάσσω.

κατήνεγκα 1 aor. ind. at. de καταφέρω.

κατηραμένος part. perf. pass. de καταράομαι.

κατηράσω 2 pes. sing. 1 aor. ind. méd. de καταράομαι.

κατήργηκα perf. ind. at. de καταργέω.

κατήφεια, ας, ἡ *tristeza, desalento* Tg 4.9.*

κατηχέω *informar* Lc 1.4; At 21.21, 24. *Ensinar, instruir* At 18.25; Rm 2.18; 1 Co 14.19; Gl 6.6.* [*catequizar*]

κατήχθημεν 1 pes. pl. 1 aor. ind. pass. de κατάγω.

κατ' ἰδίαν ver ἴδιος.

κατιόω *enferrujar, corroer* Tg 5.3.*

κατισχύω *ser dominador, prevalecer* Lc 23.23; *ser capaz* 21.36. *Vencer com gen.* Mt 16.18.*

κατίωται 3 pes. sing. perf. ind. pass. de κατιόω.

κατοικέω—1. *viver, residir, habitar* Mt 2.23; 12.45; At 1.20; 2.5; 7.2, 4a, 48; 17.24, 26; 22.12; Ef 3.17; Cl 2.9; Hb 11.9; 2 Pe 3.13; Ap 3.10; 17.8.—2. *habitar, morar em* Mt 23.21; Lc 13.4; At 1.19; 2.14; Ap 17.2.

κατοίκησις, εως, ἡ *habitação* Mc 5.3.*

κατοικητήριον, ου, ὁ *residência, moradia* Ef 2.22; Ap 18.2.*

κατοικία, ας, ἡ *habitação* At 17.26.*

κατοικίζω *morar em, fazer viver em* Tg 4.5.*

κατοπτρίζω méd. *contemplar, olhar como em um espelho* 2 Co 3.18.*

κατόρθωμα, ατος, τό *sucesso, prosperidade* At 24.2 v.l.*

κάτω adv.—1. *abaixo, debaixo* Mc 14.66; At 2.19; *sob* Mt 2.16 v.l. τὰ κάτω *este mundo* Jo 8.23.—2. *em baixo, para baixo* Mt 4.6; Lc 4.9; Jo 8.6; At 20.9. ἕως κάτω *até em baixo* Mt 27.51; Mc 15.38.*

κατῴκισα 1 aor. ind. at de κατοικίζω.

κατώτερος, α, ον *mais baixo* Ef 4.9.*

κατωτέρω adv. *sob, abaixo* Mt 2.16.*

Καῦδα *Clauda*, uma pequena ilha ao sul de Creta At 27.16.*

καυθήσομαι fut. ind. pass. de καίω.

καῦμα, ατος, τό *calor* Ap 7.16; 16.9.*

καυματίζω *queimar* Mt 13.6; Mc 4.6; Ap 16.8s.*

καυματόω *ser queimado* Mt 13.6 v.l.*

καῦσις, εως, ἡ *abrasamento* Hb 6.8.*

καυσόω pass. *ser consumido pelo calor, queimar-se* 2 Pe 3.10, 12.*

καυστηριάζω *cauterizar, queimar com ferro em brasa* pass. fig. 1 Tm 4.2.*

καύσων, ωνος, ὁ *calor, queima (sol)* Mt 20.12; *um dia quente* Lc 12.55; *calor escaldante* Tg. 1.11.*

καυτηριάζω v.l. de καυστηριάζω.

καυχάομαι—1. *jactar-se, orgulhar-se, gloriar-se* Rm 2.17, 23; 1 Co 1.31; 4.7; 13.3; 2 Co 10.13, 15-17; 12.5; Gl 6.13s; Fp 3.3; Tg 1.9; 4.16.—2. *jactar-se de, orgulhar-se por* 2 Co 7.14; 9.2; 10.8; 11.16, 30.

καύχημα, ατος, τό—1. *orgulho, objeto de orgulho, algo de que jactar-se* Rm 4.2; 1 Co 5.6; 9.15s; Gl 6.4; Fp 1.26; Hb 3.6;

orgulho 2 Co 1.14; Fp 2.16.—**2.** *jactância, o que é dito jactanciosamente, vanglória* 2 Co 5.12; 9.3.*

καύχησις, εως, ἡ *jactância, orgulho* Rm 3.27; 15.17; 1 Co 15.31; 2 Co 7.4, 14; 8.24; 11.10, 17; Tg 4.16; 1 Ts 2.19. *Objeto de jactância, razão para jactância* 2 Co 1.12.*

Καφαρναούμ, ἡ indecl. *Cafarnaum*, uma cidade no Mar da Galiléia Mt 4.13; Mc 1.21; Lc 4.23, 31; 7.1; Jo 2.12; 4.46.

Κεγχρεαί, ῶν, αἱ *Cencréia*, o porto marítimo de Corinto At 18.18; Rm 16.1; subscripto.*

κέδρος, ου, ὁ *cedro* Jo 18.1 v.l.*

Κεδρών, ὁ indecl. *Cedrom*, um vale próximo a Jerusalém Jo 18.1.*

κεῖμαι *deitar, reclinar* (pode servir como o pass. de τίθημι)—**1.** lit. Mt 5.14; Lc 2.12, 16; 23.53; Jo 20.5s, 12; 2 Co 3.15; *permanecer* Jo 2.6; Ap 4.2; *ser estocado* Lc 12.19; *ser cortado* Mt 3.10; 1 Co 3.11; *ser preparada* Ap 21.16.—**2.** fig. *ser apontado, colocado, destinado* Lc 2.34; Fp 1.16; 1 Ts 3.3. *Ser dado, ser válido* 1 Tm 1.9. *Achar-se, ser* 1 Jo 5.19.

κειρία, ας, ἡ *venda, mortalha* Jo 11.44.*

κείρω *tosquiar* At 8.32. Méd. *ter o cabelo cortado* 18.18; 1 Co 11.6.*

κεκαθαρμένος part. perf. pass. de καθαίρω.

κεκάθικα perf. ind. at. de καθίζω.

κέκαυμαι, κεκαυμένος ind. e part. pass. do perf. de καίω.

κεκερασμένος part. perf. pass. de κεράννυμι.

κέκληκα perf. ind. at. de καλέω.

κέκλικα perf. ind. at. de κλίνω.

κέκμηκα perf. ind. at. de κάμνω.

κεκορεσμένος part. perf. pass de κορέννυμι.

κέκραγα perf. ind. at de κράζω.

κέκρικα perf. ind. at. de κρίνω.

κέκρυμμαι perf. ind. pass. de κρύπτω.

κέλευσμα, ατος, τό *sinal, (grito de) ordem* 1 Ts 4.16.*

κελεύω *mandar, comandar, ordenar, urgir* Mt 8.18; 14.19, 28; 18.25; 27.58; Lc 18.40; At 4.15; 8.38; 12.19; 16.22; 21.34; 23.10; 25.23.

κενεμβατεύω *caminhar no vazio, dar um passo errado* v.l. conjectural em Cl 2.18.*

κενοδοξία, ας, ἡ *vanglória, presunção* Fp 2.3.*

κενόδοξος, ον *presunçoso, orgulhoso* Gl 5.26.*

κενός, ή, όν *vazio* —**1.** lit. *de mãos vazias* Mc 12.3; Lc 1.53; 20.10s.—**2.** fig. *vazio,* no sentido de *sem base, sem verdade* ou *poder* 1 Co 15.14; Ef 5.6; Cl 2.8; Tg 2.20 v.l. *Sem efeito, sem atingir seu objetivo, (em) vão* At 4.25; 1 Co 15.10, 58; 1 Ts 2.1. *tolice, insensatez* Tg 2.20. εἰς κενόν *em vão* 2 Co 6.1; Gl 2.2; Fp 2.16; 1 Ts 3.5.*

κενοφωρία, ας, ἡ *tagarelice, conversa fiada, vã* 1 Tm 6.20; 2 Tm 2.16.*

κενόω *esvaziar* Fp 2.7. *Destruir, invalidar, tornar nulo* 1 Co 9.15. Pass. Rm 4.14; 1 Co 1.17; *perder sua justificativa* 2 Co 9.3.* [quenosis, da auto-humilhação de Cristo]

κέντρον, ου, τό o *ferrão de um animal* Ap 9.10; fig. 1 Co 15.55s. Um *aguilhão, objeto pontudo* At 26.14; 9.5 v.l.* [*centri-*, prefixo de várias palavras]

κεντυρίων, ωνος, ὁ (palavra latina) *centurião*, um oficial do exército romano, mais ou menos equivalente a um capitão Mc 15.39, 44s.*

Κενχρεαί ver Κεγχρεαί.

κενῶς adv. *em vão, sem propósito* Tg 4.5.*

κεραία, ας, ἡ *projeção, gancho* como parte de uma letra, traço fino de um letra, lit. 'chifre' Mt 5.18; Lc 16.17.*

κεραμεύς, έως, ὁ *oleiro, fabricante de potes* Mt 27.7, 10; Rm 9.21.*

κεραμικός, ή, όν *pertencente ao oleiro* ou *feito de barro* Ap 2.27.* [cerâmica]

κεράμιον, ου, τό *cântaro, vaso, jarra* Mc 14.13; Lc 22.10.*

κέραμος, ου, ὁ *telha, telhado* feito de barro Lc 5.19.*

κεράννυμι *misturar* Ap 18.6; *derramar, verter* 14.10.*

κέρας, ατος, τό *chifre* lit. Ap 5.6; 17.3, 7, 12, 16; *cantos, fins* do altar 9.13. Fig. para *poder, força* Lc 1.69.

κεράτιον, ου, τό *alfarrobas* Lc 15.16.*

κερδαίνω—1. *ganhar* lit. Mt 16.26; 25.16s, 20, 22; Mc 8.36; Lc 9.25; *Ter lucro* Tg 4.13. Fig. Mt 18.15; 1 Co 9.19-22; Fp 3.8; pass. 1 Pe 3.1.—**2.** *evitar* At 27.21.*

κερδάνω subj. aor. at de κερδαίνω.

κερδῆσαι, κερδήσω inf. 1 aor. at. e fut. ind. at. de κερδαίνω.

κέρδος, ους, τό *ganho, lucro* Fp 1.21; 3.7; Tt 1.11.*

κερέα outra forma de κεραία.

κέρμα, ατος, τό *moeda, dinheiro* Jo 2.15.*

κερματιστής, οῦ, ὁ *cambista* Jo 2.14.*

κεφάλαιον, ου, τό—1. *coisa principal, ponto principal* Hb 8.1.—**2.** *capital* (financeiro), *soma de dinheiro* At 22.28.*

κεφαλαιόω no texto de Mc 12.4 tem uma forma melhor de κεφαλιόω q.v.

κεφαλή, ῆς, ἡ *cabeça*—**1.** lit. Mt 5.36; 8.20; 27.29s; Mc 6.24, 27s; 15.29; Lc 21.28; Jo 13.9; At 21.24; Rm 12.20; 1 Co 11.4s. 7, 10; Ap 10.1; 17.3, 7, 9; 18.19; 19.12.—**2.** fig. —**a.** *cabeça* denotando alguém de posição superior 1 Co 11.3; Ef 1.22; 4.15; 5.23; Cl 1.18; 2.10.—**b.** *cabeça* como *extremidade, fim* κ. γωνίας *pedra principal, de esquina* Mt 21.42; Mc 12.10; Lc 20.17; At 4.11; 1 Pe 2.7. *Capital* ou *cidade fronteiriça* At 16.12 v.l. [*cefálico*]

κεφαλιόω *bater na cabeça, ferir a cabeça* Mc 12.4.*

κεφαλίς, ίδος ἡ *rolo* (de livro) Hb 10.7.*

κέχρημαι perf. ind. méd. e pass. de χράομαι.

Κηδεύω *cuidar de, enterrar um cadáver* Mc 6.29 v.l.*

κημόω *amordaçar, afocinhar* 1 Co 9.9.*

κῆνσος, ου, ὁ *taxa, imposto* Mt 17.25; 22.17, 19; Mc 12.14.* [*censo*]

κῆπος, ου, ὁ *jardim* Lc 13.19; Jo 18.1, 26; 19.41.*

κηπουρός, οῦ, ὁ *jardineiro* Jo 20.15.*

κηρίον, ου, τό *mel, favo de mel* Lc 24.42 v.l.*

κήρυγμα, ατος, τό *proclamação, pregação* Mt 12.41; Mc 16.8 final curto; Lc 11.32; Rm 16.25; 1 Co 1.21; 2.4; 15.14; 2 Tm 4.17; Tt 1.3.*

κῆρυξ, υκος, ὁ *proclamador, pregador,* lit. 'arauto' 1 Tm 2.7; 2 Tm 1.11; 2 Pe 2.5.*

κηρύσσω *proclamar, anunciar, mencionar publicamente, pregar,* mais freqüentemente em referência à ação salvífica de Deus Mt 10.27; Mc 1.4, 39, 45; 5.20; 7.36; 13.10; Lc 8.39; 9.2; 12.3; 24.47; At 15.21; Rm 2.21; 1 Co 9.27; 15.12; 2 Co 4.5; Gl 2.2; 5.11; 1 Ts 2.9; 2 Tm 4.2; Ap 5.2. *Proclamar vitórias* 1 Pe 3.19.

κῆτος, ους, τό *monstro marinho* Mt 12.40.*

κηφᾶς, ᾶ, ὁ (aramaico, "rocha") *Cefas,* sobrenome de Simão Jo 1.42; 1 Co 1.12; 3.22; 9.5; 15.5; Gl 1.18; 2.9, 11, 14.*

κιβώριον, ου, τό *cibório,* vaso egípcio de semente de feijão, também um vaso de forma similar At 19.24 v.l.*

κιβωτός, οῦ, ἡ *caixa, arca, a arca* de Noé Mt 24.38; Lc 17.27; Hb 11.7; 1 Pe 3.20. *A arca* no Santo dos Santos Hb 9.4; Ap 11.19.*

κιθάρα, ας, ἡ *lira, harpa, cítara* 1 Co 14.7; Ap 5.8; 14.2; 15.2.*

κιθαρίζω *tocar harpa* ou *lira* 1 Co 14.7; Ap 14.2.*

κιθαρῳδός, οῦ ὁ *tocador de lira, harpista* Ap 14.2; 18.22.*

Κιλικία, ας, ἡ *Cilícia,* uma província no sudeste da Ásia Menor, cuja capital era Tarso At 6.9; 15.23, 41; 21.39; 22.3; 23.34; 27.5; Gl 1.21.*

Κίλιξ, ικος, ὁ *um ciliciano* At 23.34 v.l.*

Κινδυνεύω *estar em perigo, correr risco* Lc 8.23; At 19.27, 40; 1 Co 15.30.*

κίνδυνος, ου, ὁ *perigo, risco* Rm 8.35; 2 Co 11.26.*

κινέω *mover, movimentar, mudar, remover* Mt 23.4; Ap 2.5; 6.14. *Balançar* Mt 27.39; Mc 15.29. *Alvoroçar* At 21.30; 14.7 v.l. *Causar, produzir* 24.5. Pass. *ser movido, mover-se* At 17.28.* [*cinema*]

κίνησις, εως, ἡ *movimento* Jo 5.3 v.l.*[*cinética*]

κιννάμωμον, ου, τό palavra hebraica, *canela* Ap 18.13.*

Κίς, ὁ indecl. *Cis* pai de Saul At 13.21.*

κίχρημι *emprestar* Lc 11.5.*

κλάδος, ου, ὁ *ramo, rama, ramagem* Mt 13.32; 21.8; 24.32; Mc 4.32; 13.28; Lc 13.19. Fig. Rm 11.16-19, 21.*

κλαίω chorar, lamentar Mc 14.72; Lc 7.13, 32, 38; 19.41; 22.62; Jo 20.11, 13, 15: At 9.39; 1 Co 7.30; Tg 4.9; Ap 5.5; 18.9. Chorar por, lamentar Mt 2.18; Ap 18.9 v.l.

κλάσις, εως, ή quebra, partir (do pão) Lc 24.35; At 2.42; Fm subscr.*

κλάσμα, ατος, τό fragmento, pedaço Mt 14.20; 15.37; Mc 6.43; 8.8, 19s; Lc 9.17; Jo 6.12s.*

Κλαῦδα forma alternativa de Καῦδα q.v., At 27.16 v.l.*

Κλαυδία, ας, ή Cláudia 2 Tm 4.21.*

Κλαύδιος, ου, ὁ Cláudio—1. imperador romano 41—54 d.C. At 11.28; 18.2.—2. Cláudio Lísias, oficial romano em Jerusalém 23.26.*

κλαυθμός, οῦ, ὁ pranto, choro, lamento Mt 2.18; 13.42, 50; 25.30; At 20.37.

κλαύσω fut. ind. at. de κλαίω.

κλάω quebrar Mt 14.19; 26.26; Mc 8.6, 19; Lc 24.30; At 20.7, 11; 1 Co 11.24.

κλείς, κλειδός, ή chave Mt 16.19; Lc 11.52; Ap 1.18; 3.7; 9.1; 20.1.*

κλείω fechar, trancar lit. e fig. Mt 6.6; 23.13; 25.10: Lc 11.7; Jo 20.19, 26; At 21.30; 1 Jo 3.17; Ap 3.7s; 11.6; 20.3; 21.25. Pass. At 5.23; Lc 4.25.*

κλέμμα, ατος, τό roubo, furto Ap 9.21; Mc 7.22 v.l.*

Κλεοπᾶς, ᾶ, ὁ Cléopas Lc 24.18.*

κλέος, ους, τό fama, crédito 1 Pe 2.20.*

κλέπτης, ου, ὁ ladrão Mt 6.19s; Jo 10.1, 8, 10; 1 Co 6.10; 1 Pe 4.15; Ap 3.3.

κλέπτω roubar, furtar Mt 6.19s; 27.64; Mc 10.19; Rm 2.21; Ef 4.28. [cleptomaníaco]

κληθήσομαι 1 fut. ind. pass. de καλέω.

κλῆμα, ατος, τό ramo, especialmente de uma videira Jo 15.2, 4-6.*

Κλήμης, εντος, ὁ Clemente Fp 4.3.

κληρονομέω—1. herdar, ser um herdeiro Gl 4.30.—2. adquirir, obter, entrar na posse de Mt 5.5; 25.34; 1 Co 6.9s; 15.50; Gl 5.21. Receber, participar de Mt 19.29; Mc 10.17; Lc 10.25; Hb 1.4, 14; 12.17; Ap 21.7

κληρονομία, ας, ή—1. herança Mt 21.38; Mc 12.7; Lc 12.13; 20.14. Possessão, propriedade At 7.5; 13.33 v.l.; Hb 11.8. Os herdeiros Rm 11.1 v.l.—2. em um uso especificamente cristão, salvação At 20.32; Gl 3.18; Cl 3.24; Ef 1.14, 18; Hb 9.15; 1 Pe 1.4; participação Ef 5.5.*

κληρονόμος, ου, ὁ herdeiro—1. lit. Mt 21.38; Mc 12.7; Lc 20.14; Gl 4.1—2. fig. Rm 4.13s; 8.17; Gl 3.29; 4.7; Tt 3.7; Hb 1.2; 6.17; 11.7; Tg 2.5.*

κλῆρος, ου, ὁ—1. sorte (i.e., uma pequena concha, pedrinha, etc. lançada para chegar a uma decisão) Mt 27.35; Mc 15.24; Lc 23.34; Jo 19.24; At 1.26.—2. aquilo que é designado por sorte, porção, participação, lugar At 1.17, 25 v.l.; 8.21; 26.18; Cl 1.12. κλῆρος em 1 Pe 5.3 significa uma porção do povo de Deus, a saber, uma congregação ou grupo de congregações.* [clérigo]

κληρόω at. designar por sorte, pass. ser designado por sorte ἐν ᾧ ἐκληρώθημεν em quem nossa sorte está lançada Ef 1.11.*

κλῆσις, εως, ή—1. chamada, convocação, convite Rm 11.29; 1 Co 1.26; Ef 4.1, 4; Fp 3.14; 2 Ts 1.11; 2 Tm 1.9; Hb 3.1; 2 Pe 1.10; Lc 11.42 v.l. ἡ ἐλπίς τῆς κ. αὐτοῦ a esperança para a qual ele chama Ef 1.18.—2. status na vida, posição, vocação 1 Co 7.20.*

κλητός, ή, όν chamado, convocado Mt 20.16 v.l.; 22.14; Rm 1.1, 7; 8.28; 1 Co 1.1s, 24; Jd 1; Ap 17.14 κλητοὶ Ἰησοῦ Χριστοῦ chamados para pertencer a Jesus Cristo Rm 1.6.*

κλίβανος, ου, ὁ forno, fornalha Mt 6.30; Lc 12.28; Ap 2.22 v.l.*

κλίμα, ατος, τό distrito, pl. região Rm 15.23; 2 Co 11.10; Gl 1.21.*

κλινάριον, ου, τό cama, leito At 5.15.*

κλίνη, ης, ή cama, leito Mc 4.21; 7.30; Lc 8.16; 17.34; divã de jantar Mc 7.4 v.l. Leito, maca Mt 9.2, 6; Lc 5.18. Cama de doente Ap 2.22.*

κλινίδιον, ου, τό cama = leito, maca Lc 5.19, 24.*

κλίνω—1. inclinar, recostar-se, curvar-se Lc 24.5; Jo 19.30. Jazer Mt 8.20; Lc 9.58. Virar-se para fugir Hb 11.34.—2. declinar, terminar Lc 9.12; 24.29.*

κλισία, ας, ἡ *um grupo de pessoas comendo juntas* Lc 9.14.*

κλοπή, ῆς, ἡ *roubo, furto* Mt 15.19; Mc 7.21.* [V. κλέπτω]

κλύδων, ωνος, ὁ *(uma sucessão de) ondas* Lc 8.24; *onda* Tg 1.6.*

κλυδωνίζομαι *ser jogado de lá para cá por ondas* fig. Ef 4.14.*

Κλωπᾶς, ᾶ, ὁ *Clópas* Jo 19.25.*

κνήθω *cócegas, sentir coceira* fig. 2 Tm 4.3.*

Κνίδος, ου, ἡ *Cnido* uma península com uma cidade do mesmo nome, na costa da Cária, no sudoeste da Ásia Menor At 27.7.*

κοδράντης, ου, ὁ (palavra latina) *quadrante*, a menor moeda romana (= 1/4 de um ace) Mt 5.26; Mc 12.42; Lc 12.59 v.l.*

κοιλία, ας, ἡ *cavidade do corpo, estômago*—1. *estômago, barriga* Mt 12.40; 15.17; Mc 7.19; Lc 15.16 v.l.; Rm 16.18; 1 Co 6.13; Fp 3.19; Ap 10.9.—2. *útero, ventre* Mt 19.12; Lc 1.41s, 44; 2.21; 11.27; 23.29; Jo 3.4. ἐκ κοιλίας etc. *desde o nascimento* Lc 1.15; At 3.2; 14.8; Gl 1.15.—3. com referência às profundezas da personalidade = 'coração' ἐκ τῆς κ αὐτοῦ *de dentro, do interior* Jo 7.38.*

κοιμάω pass. *dormir, cair no sono*—1. lit. Mt 28.13; Lc 22.45; Jo 11.12: At 12.6.—2. fig., da morte, *dormir, morrer, passar* Mt 27.52; Jo 11.11; At 7.60; 13.36; 1 Co 7.39; 11.30; 15.6, 18, 20, 51; 1 Ts 4.13-15; 2 Pe 3.4.* [Cf. *cemitério*]

κοίμησις, εως, ἡ *sono* Jo 11.13.*

κοινός, ή, όν *comum*—1. *comunal, comunitário, comum* At 2.44; 4.32; Tt 1.4; Jd 3.—2. *comum, ordinário*, cerimonialmente *impuro, imundo* Mc 7.2, 5: At 10.14, 28; 11.8; Rm 14.14; Hb 10.29; Ap 21.27.* [*cenobita* (κοινός + βίος), membro de uma ordem religiosa que vive em comunidade; oposto de anacoreta; *Coinê*, o grego comumente falado e escrito no Oriente Próximo nos períodos helenista e romano]

κοινόω *tornar comum* ou *impuro, manchar* cerimonialmente Mt 15.11, 18, 20; Mc 7.15, 18, 20, 23; Hb 9.13. *Profanar* At 21.28. *Considerar* ou *declarar impuro* At 10.15; 11.9.*

κοινωνέω—1. *compartilhar, ter uma parte, participação em* com gen. Hb 2.14. Com dat. Rm 12.13; 15.27; 1 Tm 5.22; 1 Pe 4.13; 2 Jo 11.—2. *dar uma parte, compartilhar* Gl 6.6; Fp 4.15.—3. κ. é achado com o mesmo sentido de κοινόω = *tornar impuro*, como v.l. em Mt 15.11, 18, 20.*

κοινωνία, ας, ἡ—1. *associação, comunhão, fraternidade, relacionamento íntimo* At 2.42; Rm 15.26; 1 Co 1.9; 2 Co 6.14; 13.13; Gl 2.9; Fp 1.5; 2.1; 1 Jo 1.3, 6s.—2. *generosidade* 2 Co 9.13; Hb 13.16; talvez Fp 2.1.—3. *sinal de comunhão, dom* talvez Rm 15.26 e 1 Co 10.16.—4. *participação, partilha, compartilhamento* 2 Co 8.4; Fp 3.10; Fm 6; talvez 1 Co 1.9; 10.16; 2 Co 13.13.*

κοινωνικός, ή, όν *partilhando o que é seu, liberal, generoso* 1 Tm 6.18.*

κοινωνός, οῦ, ὁ e ἡ *companheiro, parceiro* freqüentemente com gen. ou dat. Mt 23.30; Lc 5.10; 1 Co 10.18, 20; 2 Co 1.7; 8.23; Fm 17; Hb 10.33; 1 Pe 5.1; 2 Pe 1.4.*

κοινῶς adv. *em linguagem comum* ou *dialeto* Mc 3.17 v.l.*

κοίτη, ης, ἡ—1. *cama* Lc 11.7; *leito nupcial* Hb 13.4.—2. eufemisticamente para *relações sexuais, coito*, pl. *excessos sexuais* Rm 13.13. *Concepção* de uma criança 9.10.*

κοιτών, ῶνος, ὁ *quarto* ὁ ἐπὶ τοῦ κοιτῶνος *camareiro* At 12.20.*

κόκκινος, η, ον *vermelho, escarlate* Mt 27.28; Hb 9.19; Ap 17.3; *roupa escarlate* 17.4; 18.12, 16.*

κόκκος, ου, ὁ *semente, grão* Mt 13.31; 17.20; Mc 4.31; Lc 13.19; 17.6; Jo 12.24; 1 Co 15.37.*

κολάζω *punir, castigar* At 4.21; 1 Pe 2.20 v.l.; 2 Pe 2.9.*

κολακεία, ας, ἡ *adulação, bajulação* 1 Ts 2.5.*

κόλασις, εως, ἡ *punição, castigo* Mt 25.46; 1 Jo 4.18.*

Κολασσαεύς, έως, ὁ *colossense* somente como v.l. no título de Cl.

Κολασσαί v.l. de Κολοσσαί Cl 1.2.

κολαφίζω *golpear, bater*—**1.** lit. Mt 26.67; Mc 14.65; 1 Pe 2.20; *ser tratado rudemente* 1 Co 4.11.—**2.** fig., *de ataques de doença* 2 Co 12.7.*

κολλάω *juntar, unir* pass. *abraçar, grudar* Lc 10.11. *Juntar-se, associar-se* Mt 19.5; At 5.13; 8.29; 9.26; 10.28; Rm 12.9; 1 Co 6.16s. *Tornar-se um seguidor de* At 17.34. *alugar-se a alguém* Lc 15.15. *Tocar, alcançar* Ap 18.5.* [Cf. *coloidal*]

κολλούριον, ου, τό *colírio* Ap 3.18.*

κολλυβιστής, οῦ, ὁ *cambista* Mt 21.12; Mc 11.15; Lc 19.45 v.l.; Jo 2.15.*

κολλύριον uma forma variante de κολλούριον.

κολοβόω *encurtar, reduzir* Mt 24.22; Mc 13.20.*

Κολοσσαεύς, έως, ὁ *colossense*, título de Cl.

Κολοσσαί, ῶν, αἱ *Colossos*, uma cidade na Frígia, no oeste da Ásia Menor Cl 1.2; Fm subscr. v.l.*

κόλπος, ου, ὁ—**1.** *seio, peito* ἀνακεῖσθαι ἐν τῷ κόλπῳ τινός *reclinar* (à mesa) com a cabeça *sobre o peito de alguém* Jo 13.32. Semelhantemente Lc 16.22s; Jo 1.18.—**2.** *bolso, prega* de uma túnica Lc 6.38.—**3.** *baía, golfo*, do mar At 27.39.*

κολυμβάω *nadar*, lit. 'mergulhar' At 27.43.*

κολυμβήθρα, ας, ἡ *tanque, piscina* Jo 5.2, 4, 7; 9.7.*

κολωνία, ας, ἡ (palavra latina) *colonia* At 16.12.*

κομάω *ter cabelo comprido, deixar o cabelo crescer* 1 Co 11.14s.*

κόμη, ης, ἡ *cabelo* 1 Co 11.15.*

κομιοῦμαι, κομιεῖται 1 e 3 pes. sing. fut. ind. méd. de κομίζω.

κομίζω—**1.** at. *trazer* Lc 7.37.—**2.** méd. *pegar, receber, obter* 2 Co. 5.10; Ef 6.8; Cl 3.25; Hb 10.36; 11.13 v.l., 39; 1 Pe 1.9; 5.4; 2 Pe 2.13 v.l. *Recobrar* Mt 25.27; Hb 11.19.*

κομίσομαι fut. ind. méd. de κομίζω.

κομψότερον adv. *melhor* κ. ἔσχεν *ele começou a melhorar* Jo 4.52.*

κονιάω *branquear, cairar* Mt 23.27; At 23.3.*

κονιορτός, οῦ, ὁ *pó* Mt 10.14; Lc 9.5; 10.11; At 13.51; 22.23.*

κοπάζω *abater*, do vento *bater* Mt 14.32; Mc 4.39; 6.51.*

κοπετός, οῦ, ὁ *choro, lamento* At 8.2.*

κοπή, ῆς, ἡ *derrota, matança* Hb 7.1.*

κοπιάω—**1.** *tornar-se desanimado, cansado* Mt 11.28; Jo 4.6; Ap 2.3.—**2.** *trabalhar duramente, arduamente, esforçar-se, lutar* Mt 6.28; Jo 4.38b; At 20.35; Rm 16.6, 12; 1 Co 4.12; Fp 2.16; Cl 1.29; 1 Tm 5.17. *Trabalhar para* Jo 4.38a.

κόπος, ου, ὁ—**1.** *problema, dificuldade* Mc 14.6; Lc 11.7; Gl 6.17.—**2.** *trabalho, labor, labuta* Jo 4.38; 1 Co 15.58; 2 Co 6.5; 11.23, 27; 1 Ts 1.3; 3.5; 2 Ts 3.8; Ap 14.13.

κοπρία, ας, ἡ *adubo* Lc 14.35.*

κόπριον, ον, τό *estrume* Lc 13.8.*

κόπρος, ου, ἡ *estrume* Lc 13.8 v.l.*

κόπτω—**1.** at. *cortar* Mt 21.8; Mc 11.8.—**2.** méd. *bater* no peito, *lamentar* Mt 11.17; 24.30; Lc 8.52; 23.27; Ap 1.7; 18.9.* [*perícope*, περί + κόπτειν; *sincopado*]

κόραξ, ακος, ὁ *corvo* Lc 12.24.*

κοράσιον, ου, τό *menina, garota* Mt 9.24s; 14.11; Mc 5.41s; 6.22, 28.

κορβᾶν indecl. (palavra hebraica) *corbã*, uma *dádiva consagrada a Deus* Mc 7.11.*

κορβανᾶς, ᾶ, ὁ (hebr) *tesouro do templo* Mt 27.6.

Κόρε, ὁ indecl. *Coré* (Nm 16) Jd 11.*

κορέννυμι *saciar, encher*, pass. *ter o suficiente* At 27.38; 1 Co 4.8.*

κορεσθείς part. 1 aor. pass. de κορέννυμι.

Κορίνθιος, ου, ὁ *coríntio* At 18.8, 27 v.l.; 2 Co 6.11; títulos de 1 e 2 Co; subscr. Rm.*

Κόρινθος, ου, ἡ *Corinto*, uma importante cidade comercial no istmo entre a Grécia central e sul. At 18.1, 27 v.l.; 19.1; 1 Co 1.2; 2 Co 1.1, 23; 2 Tm 4.20; subscr. de Rm e 1 Ts.*

Κορνήλιος, ου, ὁ *Cornélio* At 10.1, 3, 17, 22, 24s, 30s.*

κόρος, ου, ὁ *coro,* uma medida de secos, de mais ou menos 10 ou 12 cados Lc 16.7.*

κοσμέω—1. *colocar em ordem* Mt 12.44; Lc 11.25; *preparar* Mt 25.7.—2. *enfeitar, adornar, decorar* lit. Mt 23.29; Lc 21.5; 1 Tm 2.9; Ap 21.2, 19; talvez Mt 12.44; Lc 11.25. Fig. *tornar belo* ou *atraente 1 Pe 3.5; adornar* Tt 2.10.* [*cosmético*]

κοσμικός, ή, όν *terreno* Hb 9.1. *Mundano* Tt 2.12.* [*cósmico*]

κόσμιος, (ία), ον *respeitável, honrado* 1 Tm 3.2; *modesto* 2.9.*

κοσμίως adv. *modestamente* 1 Tm 2.9 v.l.*

κοσμοκράτωρ, ορος, ὁ *governante do mundo* Ef 6.12.*

κόσμος, ου, ὁ—1. *enfeite, adorno* 1 Pe 3.3.—2. *mundo,* em vários sentidos—**a.** *o mundo* em seu sentido mais inclusivo, *o universo, cosmos* Mt 25.34; Jo 17.5; At 17.24; Rm 1.20; 1 Co 8.4; Fp 2.15; Hb 4.3.—**b.** *o mundo* como a terra, o planeta em que vivemos Mt 4.8; Mc 14.9; Lc 12.30; Jo 10.36; 11.9, 27; 16.21, 28; 18.36; 1 Tm 6.7; 1 Pe 5.9; Ap 11.15.—**c.** *o mundo* como a humanidade em geral Mt 18.7; Jo 1.29; 3.16; 4.42; 6.33, 51; 8.12; 12.19; 17.6; 18.20; Rm 3.6, 19; 1 Co 4.13; 2 Pe 2.5.—**d.** *o mundo* como o cenário das posses, alegrias, sofrimentos terrenos, etc. Mt 16.26; Mc 8.36; Lc 9.25; 1 Co 7.31a, 33s; 1 Jo 2.15s; 3.17.—**e.** *o mundo* é descrito algumas vezes como sendo hostil a Deus, perdido no pecado, arruinado, depravado Jo 7.7; 8.23; 12.31; 15.18s; 16.33; 17.25; 18.36; 1 Co 2.12; 3.19; 11.32; 2 Co 5.19; Gl 6.14; Tg 1.27; 1 Jo 4.17; 5.4s, 19.—**f.** *o mundo* como *totalidade, a soma total* Tg 3.6.

Κούαρτος, ου, ὁ *Quarto* Rm 16.23; 1 Co subscr.*

κοῦμ palavra aramaica *levanta!* Mc 5.41.*

κοῦμι forma alternativa de κοῦμ.

κουστωδία, ας, ἡ *uma guarda* composta de soldados Mt 27.65s; 28.11.* [Palavra latina, *custódia*]

κουφίζω *fazer luz, iluminar* At 27.38.*

κόφινος, ου, ὁ *uma cesta* grande, pesada Mt 14.20; 16.9; Mc 6.43; 8.19; Lc 9.17; 13.8 v.l.; Jo 6.13.*

κράβαττος, ου, ὁ *catre, leito, cama* dos pobres Mc 2.4, 9, 11s; 6.55; Jo 5.8-11; At 5.15; 9.33.*

κράζω—1. *gritar, clamar* ininteligivelmente Mt 14.26; 27.50; Mc 5.5; 9.26; Lc 9.39; At 7.57; Ap 12.2.—2. *chamar, convocar, gritar*—**a.** lit. Mt 15.23; 20.30s; Mc 10.48; 15.14; Lc 18.39; Jo 7.28; At 7.60; 16.17; 19.32; 24.21; Ap 6.10.—**b.** fig. Lc 19.40; Rm 8.15; 9.27; Gl 4.6; Tg 5.4.

κραιπάλη, ης, ἡ *dissipação, libertinagem, vício* Lc 21.34.* [*Crápula*]

κρανίον, ου, τό *caveira, crânio* κρανίου τόπος *o lugar chamado caveira* Mt 27.33; Mc 15.22; Jo 19.17; cf. Lc 23.33;* [*crânio, cavidade craniana*]

κράσπεδον, ου, τό—1. *borda, orla, bainha* de uma roupa Mt 9.20; 14.36; Mc 6.56; Lc 8.44; o significado 2 também é possível para estas passagens.—2. *borla* (Dt 22.12) Mt 23.5.*

κραταιός, ά, όν *poderoso, forte* 1 Pe 5.6.*

κραταιόω *fortalecer,* pass. *ser* ou *tornar-se forte* Lc 1.80; 2.40; 1 Co 16.13; Ef 3.16.*

κρατέω—1. *tomar para posse* ou *custódia*—**a.** *arrastar, apreender* Mt 26.4, 48, 50, 55, 57; Mc 3.21; 6.17; At 24.6; Ap 20.2.—**b.** *tomar posse de, pegar, agarrar* com ac. ou gen. Mt 12.11; 22.6; 28.9; Mc 1.31; 9.27; Lc 8.54. *Alcançar* At 27.13.—2. *segurar* At 3.11; Ap 2.1. *Reter, recuperar* 7.1; pass. *ser impedido* Lc 24.16. *Guardar, apegar* Mc 7.3s, 8; At 2.24; Cl 2.19; Ap 2.13-15. Guardar Mc 9.10; Reter Jo 20.23.

κράτιστος, η, ον *excelentíssimo,* usado ao se dirigir a uma pessoa de proeminência política ou social At 23.26; 24.3; 26.25. Em discurso polido, sem conotação oficial Lc 1.3.*

κράτος, ους, τό *poder, força, majestade* At 19.20; Ef 1.19; 6.10; Cl 1.11; 1 Tm 6.16; Hb 2.14; Ap 1.6. *Ato poderoso* Lc 1.51.

κραυγάζω *gritar, clamar (em alta voz)* Mt 12.19; Lc 4.41; Jo 11.43; 12.13; 18.40; 19.6, 12, 15; At 22.23.*

κραυγή, ῆς, ἡ *grito, gritaria, clamor* Mt 25.6; Lc 1.42; At 23.9; Ef 4.31; Hb 5.7. *Pranto* Ap 21.4.*

κρέας, κρέως, ε κρέατος, τό no pl. κρέα carne Rm 14.21; 1 Co 8.13.*

κρείσσων ε κρείττων, ον, gen. ονος melhor—1. no sentido mais proeminente; melhor em posição, preferível Hb 1.4; 7.7, 19, 22; 11.16, 35, 40.—2. no sentido mais útil, mais vantajoso 1 Co 7.9; 11.17; Fp 1.23; Hb 6.9; 1 Pe 3.17; 2 Pe 2.21.—3. como adv. melhor 1 Co 7.38; Hb 12.24.

κρέμαμαι ver κρεμάννυμι 2.

κρεμάννυμι—1. pendurar, dependurar At 5.30; 10.39. Pass. Mt 18.6; Lc 22.39.—2. méd. κρέμαμαι pendurar, pender At 28.4; Gl 3.13. Fig. depender Mt 22.40.* κρεμάσας, κρεμάσθεις 1 aor. at. e part. pass. de κρεμάννυμι.

κρεπάλη uma forma variante de κραιπάλη.

κρημνός, οῦ, ὁ barranco, despenhadeiro, penhasco Mt 8.32; Mc 5.13; Lc 8.33.*

Κρής, ητός, ὁ pl. Κρῆτες cretense At 2.11; Tt 1.12; Tt subscr.*

Κρήσκης, εντος, ὁ Crescente 2 Tm 4.10.*

Κρήτη, ης, ἡ Creta, uma grande ilha na ponta sul do Mar Egeu At 27.7, 12s, 21; Tt 1.5.*

κριθή, ῆς, ἡ cevada Ap 6.6.*

κριθήσομαι fut. ind. pass. de κρίνω.

κρίθινος, η, ον feito de farinha de cevada Jo 6.9, 13.*

κρίμα, ατος, τό processo 1 Co 6.7. Decisão, decreto Rm 11.33. Juízo, julgamento Mt 7.2; At 24.25; Hb 6.2; 1 Pe 4.17; autoridade para julgar Ap 20.4. Veredicto Rm 5.16. Na maior parte das vezes, condenação, sentença, punição Mc 12.40; Lc 24.20; Rm 2.2s; 3.8; 1 Co 11.29, 34; 1 Tm 5.12; 2 Pe 2.3; Ap 17.1.

κρίνον, ου, τό lírio Mt 6.28; Lc 12.27.*

κρίνω—1. separar, distinguir, daí selecionar, preferir Rm 14.5a; em 14.5b κ. provavelmente significa estimar.—2. julgar, pensar, considerar, observar Lc 7.43; At 4.19; 13.46; 16.15; 26.8; 1 Co 11.13; 2 Co 5.14.—3. decidir, propor, intentar At 3.13; 16.4; 20.16; 21.25; 27.1; 1 Co 2.2; 5.3; 7.37; Rm 14.13.—4. como termo legal, de cortes humanas ou divina julgar, decidir, condenar, sentenciar, pleitear em juízo Mt 5.40; 7.1b, 2b; Lc 19.22; Jo 5.30; 7.51; 18.31; At 13.27; 17.31; 23.3; 25.9; 26.6; Rm 2.16, 27; 1 Co 5.12s; 6.2s, 6; 2 Tm 4.1; Tg 2.12; 1 Pe 1.17; Ap 6.10; 20.12s. Condenar, punir Jo 3.17s; 12.47s; 16.11; Rm 2.12; 1 Co 11.31s; Hb 10.30; Ap 18.8.—5. julgar, expressar uma opinião acerca de algo Mt 7.1a, 2a; Lc 6.37a; Jo 7.24; 8.15. Em um sentido desfavorável achar falta em, condenar Rm 2.1, 3; 14.3s, 10, 13a, 22; 1 Co 4.5; 10.29; Cl 2.16; Tg 4.11s.

κρίσις, εως, ἡ—1. juízo, julgamento Mt 10.15; Lc 10.14; Jo 5.30; 2 Ts 1.5; Hb 9.27; 2 Pe 2.9; Jd 6. κρίσιν ποιεῖν agir como juiz Jo 5.27. Condenação, punição Mt 23.33; Jo 5.24, 29; Hb 10.27; Tg 5.12; Ap 18.10; 19.2.—2. corpo de juízes, corte local Mt 5.21s.—3. direito no sentido de justiça, retidão Mt 12.18, 20; 23.23; Lc 11.42. Este significado também é possível para Jo 7.24; 12.31; At 8.33 e outros. [crise, crítica]

κρίσπος, ου, ὁ Crispo At 18.8; 1 Co 1.14; 2 Tm 4.10 v.l.*

κριτήριον, ου, τό—1. corte legal, tribunal Tg 2.6—2. processo, ação judicial é provável para 1 Co 6.2, 4, embora no sign. 1 também seja possível.* [critério]

κριτής, οῦ, ὁ juiz Mt 5.25; 12.27; Lc 18.2, 6; At 10.42; 24.10; 2 Tm 4.8; Hb 12.23; Tg 2.4; 4.11s. Um líder do povo no período dos juízes At 13.20.

κριτικός, ή, όν hábil para discernir ou julgar Hb 4.12.* [crítico]

κρούω bater (à), chamar Mt 7.7s; Lc 11.9s; 12.36; 13.25; At 12.13, 16; Ap 3.20.*

κρυβῆναι inf. 2 aor. pass. de κρύπτω.

κρύπτη, ης, ἡ um lugar escuro e escondido, sótão Lc 11.33.*

κρυπτός, ή, όν oculto, secreto como adj. Mt 10.26; Mc 4.22; Lc 12.2; 1 Pe 3.4. Como subst. uma coisa oculta Lc 8.17; Rm 2.16; 1 Co 4.5; 14.25. τὰ κ. τῆς αἰσχύνης as coisas que estão ocultas por serem vergonhosas 2 Co 4.2. Um lugar escondido Jo 7.4; 18.20. ἐν τῷ κ. em segredo Mt 6.4, 6, 18 v.l., mas interiormente Rm 2.29. ὡς ἐν κ. como que em segredo Jo 7.10. [críptico]

κρύπτω *ocultar, esconder, cobrir* lit. Mt 13.44; 25.18, 25; Lc 13.21; Jo 12.36; Ap 6.15s. Fig. Mt 11.25; Lc 18.34; Jo 19.38; Cl 3.3; 1 Tm 5.25.

κρυσταλλίζω *brilhar como cristal, ser transparente como cristal* Ap 21.11.* [*cristalino, cristalizar*]

κρύσταλλος, ου, ὁ *cristal (pedra)* Ap 4.6; 22.1.*

κρυφαῖος, αία, αῖον *oculto* ἐν τῷ κ. *em segredo* Mt 6.18.*

κρυφῇ adv. *secretamente, em segredo* Ef 5.12.*

κρύφιος, ία, ιον *oculto, secreto* Mt 6.18 v.l.*

κτάομαι *procurar para si mesmo, adquirir, conseguir* Mt 10.9; Lc 18.12; 21.19; At 1.18; 8.20; 22.28; 1 Ts 4.4.*

κτῆμα, ατος, τό *propriedade, posse* Mt 19.22; Mc 10.22; At 2.45. *Campo, pedaço de terra* 5.1.*

κτῆνος, ους, τό *animal, animal doméstico* 1 Co 15.39; usado para montaria Lc 10.34; At 23.24. Pl. *gado* Ap 18.13.*

κτήτωρ, ορος, ὁ *possuidor, dono* At 4.34.*

κτίζω *criar* Mt 19.4; Mc 13.19; 1 Co 11.9; Ef 2.10, 15; 4.24; 1 Tm 4.3; Ap 10.6.

κτίσις, εως, ἡ—1. *criação*—a. o ato da criação Rm 1.20.—b. *criação, aquilo que é criado, criatura* Mc 10.6; 13.19; Rm 1.25; 8.19-22, 39; 2 Co 5.17; Cl 1.15, 23; Hb 4.13; 2 Pe 3.4.—2. *instituição, autoridade governamental* 1 Pe 2.13.

κτίσμα, ατος, τό *aquilo que é criado (por Deus), criatura* 1 Tm 4.4; Tg 1.18; Ap 5.13; 8.9.*

κτίστης, ου, ὁ *criador* 1 Pe 4.19.*

κυβεία, ας, ἡ *astúcia, dolo* Ef 4.14.*

κυβέρνησις, εως, ἡ *administração* 1 Co 12.28.*

κυβερνήτης, ου, ὁ *capitão, piloto* At 27.11; Ap 18.17.* [*cibernética*]

κυβία uma forma variante de κυβεία.

κυκλεύω *andar ao redor* Ap 20.9; Jo 10.24 v.l.*

κυκλόθεν adv. *ao redor de, de todos os lados* Ap 4.8. Funciona como prep. com gen. *ao redor* 4.3s.*

κυκλόω *rondar, circular* Lc 21.20; Jo 10.24; At 14.20. *Dar voltas, circular* Hb 11.30.*

κύκλῳ dat. de κύκλος, fixado como um adv. *ao redor de, circularmente* Mc 3.34; 6.6; Rm 15.19. Usado como adj. *circunvizinha* Mc 6.36. *em redor daqui* Lc 9.12. Ap 4.6; 5.11; 7.11.* [*ciclo*]

κύλισμα, ματος, τό v.l. de κυλισμός.

κυλισμός, οῦ, ὁ *ação de revolver-se* 2 Pe 2.22.*

κυλίω at. *rolar* Lc 23.53 v.l. Pass. *rolar-se* Mc 9.20.* [Cl. *cilindro*]

κυλλός, ή, όν *manco, deformado* Mt 18.8; Mc 9.43. Como subst. *o aleijado* Mt 15.30s.*

κῦμα, ατος, τό *onda* lit. Mt 8.24; 14.24; Mc 4.37; At 27.41 v.l. Fig. Jd 13.*

κύμβαλον, ου, τό *címbalo* 1 Co 13.1.*

κύμινον, ου, τό *cominho*, a frutinha ou semente do cominho, uma planta nativa do Egito e Síria Mt 23.23.*

κυνάριον, ου, τό *cachorrinho* ou simplesmente *cachorro* Mt 15.26s; Mc 7.27s.*

Κύπριος, ου, ὁ *de Chipre, natural de Chipre* At 4.36; 11.20; 21.16.*

Κύπρος, ου, ἡ *Chipre,* uma ilha ao sul da Ásia Menor At 11.19; 13.4; 15.39; 21.3; 27.4.*

κύπτω *agachar-se, inclinar-se* Mc 1.7; Jo 8.6, 8 v.l.*

Κυρεῖνος forma variante de Κυρίνιος.

Κυρηναῖος, ου, ὁ *cireneu* Mt 27.32; Mc 15.21; Lc 23.26; At 6.9; 11.20; 13.1.*

Κυρήνη, ης, ἡ *Cirene*, uma importante cidade grega no norte da África, a oeste do Egito At 2.10.*

Κυρήνιος e Κυρίνιος, ου, ὁ *Quirino* (P. Sulpicius Q.), governador imperial da Síria Lc 2.2.*

κυρία, ας, ἡ *senhora* em 2 Jo 1 e 5 pode referir-se ou a uma pessoa ou, mais provavelmente, a uma congregação de importância.*

κυριακός, ή, όν *pertencente ao Senhor, do Senhor* 1 Co 11.20. κ. ἡμέρα o dia do Senhor, domingo Ap 1.10.*

κυριεύω *ser senhor* ou *mestre, dominar, reger, controlar* com gen. Lc 22.25; At

19.16 v.l.; Rm 6.9, 14; 7.1; 14.9; 2 Co 1.24; 1 Tm 6.15.*

κύριος, ου, ὁ *senhor, Senhor, mestre*—1. genericamente—a. *mestre, dono* Mt 6.24; 20.8; 24.48; Lc 12.46; 19.33; Jo 13.16; Rm 14.4; Gl 4.1; *senhor, mestre, alguém que tem pleno controle sobre alguma coisa* Mt 9.38; Mc 2.28.—b. como uma forma respeitosa de tratamento, ao se abordar pessoas de posição social ou política diferente, freqüentemente equivalente a nossa expressão *senhor, "seu"* Mt 27.63; Jo 12.21; At 16.30; Ap 7.14; *(Meu) mestre* 1 Pe 3.6.—2. usos especializados—a. como designação de Deus Mt 5.33; Mc 12.29s; Lc 1.11, 15, 17, 32; 2.15, 22; At 7.31; 1 Tm 6.15; Hb 8.2; Tg 1.7; 2 Pe 2.9.—b. como uma designação do imperador romano At 25.26.—c. como designação de Jesus Cristo, com ênfase em sua autoridade e, freqüentemente, em contraste com δοῦλος. Provavelmente uma "tradução" do nome de Deus do A.T., indicando, assim, a plena divindade de Jesus. É difícil determinar com precisão o nível exato de reconhecimento social expresso em diálogos contidos nos evangelhos. Mt 20.31; Mc 11.3; Lc 7.13; 10.1, 39, 41; Jo 20.18, 20, 28; At 2.36; 9.10s, 42; 10.36; Rm 1.4; 10.9; 12.11; 16.12; 1 Co 4.17; 6.13s, 17; 11.23; Ef 6.8; Cl 1.10; Fm 25; Hb 2.3; 7.14; 1 Pe 1.3; 2 Pe 1.2; Ap 22.20.—d. em algumas passagens não fica claro se refere-se a Deus ou a Cristo, e.g. 1 Co 4.19; 7.17; 2 Co 8.21; 1 Ts 4.6; 2 Ts 3.16.—e. como designação de mensageiro divino At 10.4.—f. em geral, usado para seres ou pessoas que atraem a devoção apropriada à divindade (deidades) 1 Co 8.5.

κυριότης, ητος, ἡ—1. *poder real, senhorio, domínio* 2 Pe 2.10; Jd 8.—2. uma classe especial de seres angélicos, *portadores de poder governamental, dominações, domínios* Ef 1.21; Cl 1.16.*

κυρόω—1. *confirmar, validar, ratificar* Gl 3.15.—2. *concluir, decidir em favor de,* talvez *reafirmar* 2 Co 2.8.*

κυσί dat. pl. de κύων.

κύων, κυνός, ὁ *cachorro* lit. Mt 7.6; Lc 16.21; 2 Pe 2.22. Fig. Fp 3.2; Ap 22.15.* [*cínico*]

κῶλον, ου, τό pl. *cadáver, corpo inerte* Hb 3.17.*

κωλύω—1. *impedir, obstar, proibir* Mt 19.14; Mc 9.38s; Lc 9.49s; At 8.36; 11.17; 27.43; Rm 1.13; 1 Co 14.39; 1 Ts 2.16; 2 Pe 2.16.—2. *recusar, negar, suspender, voltar atrás* Lc 6.29; At 10.47.

κώμη, ης, ἡ *vila, aldeia, cidadezinha* Mt 9.35; Mc 6.36, 56; 8.23, 26; Lc 13.22; 17.12; Jo 11.1, 30.

κωμόπολις, εως, ἡ *cidade mercado, povoado* Mc 1.38.*

κῶμος, ου, ὁ *banquete, orgia* Rm 13.13; Gl 5.21; 1 Pe 4.3.* [*cômico*]

κώνωψ, ωπος, ὁ *mosquito* Mt 23.24.*

Κῶς, Κῶ, ἡ ac. Κῶ *Cós,* uma ilha no Mar Egeu At 21.1.*

Κωσάμ, ὁ indecl. *Cosão* Lc 3.28.*

κωφός, ή, όν—1. *incapaz de articular* ou *falar, mudo* Mt 15.30s; de Zacarias Lc 1.22; com especial referência à interferência demoníaca Mt 9.32s; 12.22; Lc 11.14;—2. *surdo* Mt 11.5; Mc 7.32, 37; 9.25; Lc 7.22.*

Λ

1 numeral = *30* Lc 3.23 v.l.*

λάβε, λαβεῖν, λάβοι, λαβών imperativo 2 aor. at., inf., 3 pes. sing. opt., e part. de **λαμβάνω**.

λαγχάνω—**1**. *receber, obter* (por sorte ou pela vontade divina) At 1.17; 2 Pe 1.1.—**2**. *ser apontado* ou *escolhido por sorte* Lc 1.9.—**3**. *lançar sortes* Jo 19.24.*

Λάζαρος, ου, ὁ *Lázaro*—**1**. irmão de Maria e Marta Jo 11.1s, 5, 11, 14, 43; 12.1s, 9s, 17.—**2**. nome de um mendigo Lc 16.20, 23-25.*

λαθεῖν inf. 2 aor. at. de **λανθάνω**.

λάθρᾳ adv. *secretamente* Mt 1.19; 2.7; Mc 5.33; v.l.; Jo 11.28; At 16.37.*

λαῖλαψ, απος, ἡ *tempestade, furacão* 2 Pe 2.17. λ. ἀνέμου *uma feroz rajada de vento* Mc 4.37; Lc 8.23.*

λακάω *arrebentar* At 1.18.*

λακτίζω At 26.14; 9.5 v.l.* [*escoicear, recalcitrar*]

λαλέω—**1**. *soar, emitir sons* ou *tons* de coisas inanimadas Hb 11.4; 12.24; Ap 4.1; 10.4.—**2**. *falar* Mt 12.34, 46s; Mc 1.34; Lc 1.19, 55; At 13.45; 18.9; 1 Co 13.11; 14.29; Hb 2.5; Ap 13.11. *Ser capaz de falar* Mc 7.35, 37; Lc 1.20, 64. *Proclamar, dizer* Mt 12.36; Mc 2.2; Jo 3.34; 16.25a; 1 Co 2.6s.

λαλιά, ας, ἡ *fala, dito* Jo 4.42. *Forma de falar, modo de dizer* Mt 26.73; Jo 8.43.*

λαμά (hebr.) *por quê?* Mt 27.46 v.l.; Mc 15.34 v.l.*

λαμβάνω—**1**. em um sentido mais ou menos ativo *tomar, pegar, apossar-se* Mt 26.26a; Mc 12.19-21; 15.23; Jo 19.30; Tg 5.10; Ap 5.8s. *Agarrar, apoderar-se* Mt 21.35, 39; Lc 5.26; 9.39; 1 Co 10.13. *Pegar, apanhar* Lc 5.5. *Lançar mão de* Mt 26.52. *Colocar, tomar* Jo 13.12; Fp 2.7. *Tomar, receber* Mt 13.20; Jo 6.21; 12.48; 13.20; 19.27. *Coletar* Mt 17.24; 21.34; Mc 12.2; Hb 7.8s. *Escolher, selecionar* Hb 5.1. Algumas vezes o part. pode ser traduzido com λαβὼν τὴν σπεῖραν ἔρχεται *ele veio com um destacamento* Jo 18.3.—**2**. em um sentido mais ou menos passivo *receber, conseguir, obter* Mc 10.30; 12.40; Lc 11.10; At 1.20; 10.43; 20.35; 1 Co 4.7; 9.24s; Tg 1.12; Ap 22.17. *Aceitar* suborno Mt 28.15. Como perífrase para o pass. οἰκοδομὴν 1. *ser edificado* 1 Co 14.5. Cf. Jo 7.23; Rm 5.11.

Λάμεχ, ὁ indecl. *Lameque* Lc 3.36.*

λαμπάς, άδος, ἡ *tocha* Jo 18.3; Ap 4.5; 8.10. *Lâmpada,* embora não a do tipo caseiro, pequena, pode ser o sentido em Mt 25.1, 3s, 7s; At 20.8.*

λαμπρός, ά, όν *brilhante, radiante, resplandescente* Lc 23.11; At 10.30; Tg 2.2s; Ap 15.6; 19.8; 22.16. *Claro, transparente* Ap 22.1. τὰ λαμπρά *esplendor* 18.14.*

λαμπρότης, ητος, ἡ *resplendor* At 26.13.*

λαμπρῶς adv *esplendidamente, suntuosamente* Lc 16.19.*

λάμπω *brilhar* lit. Mt 5.15; At 12.7; *resplandecer* Mt 17.2; *relampejar* Lc 17.24; *brilhar* 2 Co 4.6a. Fig. Mt 5.16; 2 Co 4.6b.*

λανθάνω *esconder-se, estar oculto, passar ignorado* Mc 7.24; Lc 8.47; At 26.26; Hb 13.2; 2 Pe 3.5, 8.*

λαξευτός, ή, όν *escavado na rocha* Lc 23.53.*

Λαοδίκεια, ας, ἡ *Laodicéia,* uma cidade na Frígia, Ásia Menor Cl 2.1; 4.13, 15s; subscr. de 1 e 2 Tm; Ap 1.11; 3.14.*

Λαοδικεύς, έως, ὁ *laodicense* Cl 4.16.*

λαός, οῦ, ὁ *povo* Mt 26.5; Lc 7.29; 19.48; At 3.23; 4.10, 25; 15.14; Rm 9.25; Hb 2.17; 4.9; 1 Pe 2.9; Jd 5; Ap 5.9; 17.15; *população, povo* Mt 26.74. [*leigo, laicado*]

λάρυγξ, γγος, ὁ *garganta* Rm 3.13.* [*laringe*]

Λασαία, ας, ou Λασέα, ας, ἡ *Laséia*, uma cidade na costa sul de Creta At 27.8.*

λάσκω uma forma da qual se pensava erroneamente ser a fonte de ἐλάκησεν At 1.18, que é o aor. ind. at de λακάω.

λατομέω *abrir, escavar (em rocha)* Mt 27.60; Mc 15.46; Lc 23.53 v.l.*

λατρεία, ας, ἡ *culto, adoração (a Deus)* Jo 16.2; Rm 9.4; 12.1; Hb 9.1; pl. *ritos* 9.6.* [*idolatria*]

λατρεύω *servir* executando deveres religiosos, com dat. Mt 4.10; Lc 1.74; At 7.7, 42; 26.7; Rm 1.9; 2 Tm 1.3; Hb 9.9, 14; Ap 7.15.

λάχανον, ου, τό *hortaliça, verdura* Mt 13.32; Mc 4.32; Lc 11.42; Rm 14.2.*

λαχοῦσιν dat. pl. part. 2 aor. at de λαγχάνω.

λάχωμεν, λαχών 1 pes. pl. e part. do 2 aor. subj. at. de λαγχάνω.

Λεββαῖος, ου, ὁ *Lebeu* Mt 10.3 v.l. e Mc 3.18 v.l.*

λεγιών, ῶνος, ἡ (palavra latina, legio) *legião,* uma unidade de cerca de 6.000 soldados romanos Mt 26.53; Mc· 5.9. 15 (masc. porque o demônio é masculino); Lc 8.30.* [*legionário;* o latim legio é derivado de λέγω.]

λέγω *falar, dizer*—1. geralmente, *dizer, con tar, dar expressão (oral) a,* mas também escrita Mt 1.20; 9.34; 21.45; Mc 1.15; Lc 13.6, 24; Jo 2.3; 18.34; At 14.11; Rm 10.16, 20; Hb 8.8; 11.32. *Fazer referência a, mencionar* Mc 14.71. *Significar, quer dizer,* de termos e nomes estrangeiros Mt 27.33b; Jo 20.16; 1 Co 10.29; de declarações feitas Gl 3.17; 4.1. *Acusar* At 23.30.—2. mais especificamente, de formas especiais de falar: *Perguntar* Mt 9.14; Mc 14.14. *Responder* Mt 4.10; 19.8; Jo 1.21. *Ordenar, mandar, dirigir* Mc 13.37; Lc 6.46; Jo 2.7s; Ap 10.9. *Asseverar, assegurar* Mt 11.22; Mc 11.24; Lc 9.27. *Manter, declarar, proclamar* Mt 22.23; Mc 15.2; Rm 15.8; 1 Co 15.12; Gl 4.1. *Falar, contar, reportar* Mc 7.36; Lc 9.31; At 1.3; Ef 5.12. *Chamar* Mc 10.18; 12.37; Jo 5.18; Cl 4.11; Ap 2.20.[*legenda*]

λεῖμμα, ατος, τό *remanescente* Rm 11.5.*

λεῖος, α, ον, *plano, liso* Lc 3.5.*

λείπω méd. e pass. e at. intransitivo *faltar, carecer* Lc 18.22; Tt 1.5; 3.13; Tg 1.4. *Estar em necessidade* ou *em falta de* Tg 1.5; 2.15.*

λειτουργέω A família λειτουργ- no uso greco-romano denota vários tipos de serviço público ou cívico, cúltico e secular. Os escritores do N.T. adotaram a terminologia em relação à compreensão cristã da responsabilidade perante Deus e da solicitude generosa pelos seres humanos.—1. *executar um serviço* (religioso) Hb 10.11; Tt 1.9 v.l; At 13.2.—2. servir Rm 15.27.*

λειτουργία, ας, ἡ—1. *serviço* ritual ou de outra natureza Lc 1.23; Fp 2.17; Hb 8.6; 9.21.—2. serviço prestado a alguém em necessidade 2 Co 9.12; Fp 2.30.* [*liturgia*]

λειτουργικός, ή, όν *engajado em um serviço santo, sagrado* Hb 1.14.*[*litúrgico*]

λειτουργός, οῦ, ὁ—1. *servo, ministro* com referência especial à responsabilidade perante Deus Rm 13.6; 15.16; Hb 1.7; 8.2.—2. Em Fp 2.25 o termo refere-se ao papel de Epafrodito como ajudante pessoal de Paulo.*

λείχω *lamber* Lc 16.21 v.l.*

Λέκτρα, ας, ἡ *Letra* 2 Tm 4.19 v.l.*

λεμά (aramaico) *por quê?* Mt 27.46; Mc 15.34.*

λέντιον, ου, τό (palavra latina: linteum) *toalha* Jo 13.4s.*

λεπίς, ίδος, ἡ *escama* At 9.18.* [*lepidótero*]

λέπρα, ας, ἡ um termo genérico para várias doenças da pele, como psoríase, lupo, etc., popularmente conhecida na forma transliterada *lepra,* mas, provavelmente, não o mal de Hansen. Mt 8.3; Mc 1.42; Lc 5.12s.*

λεπρός, ά, όν *leproso* Lc 17.12. Como subst. *o leproso* Mt 10.8; 11.5; Mc 1.40; 14.3; Lc 4.27.

λεπτός, ή όν *pequeno, fino.* Como subst. τό λεπτόν *lepto, pequena moeda* de cobre Mc 12.42; Lc 12.59; 21.2.*

Λευί, ὁ indecl. e Λευίς, gen. Λευί, ac. Λευίν *Levi* —1. filho de Jacó Hb 7.5, 9; Ap 7.7.—2. filho de Melqui Lc 3.24.—3. filho de Simeão 3.29.—4. o cobrador de impostos, discípulo de Jesus Mc 2.14; Lc 5.27, 29. Chamado Mateus Mt 9.9.*

Λευίτης, ου, ό *levita,* um membro do grupo que executava os serviços inferiores no ritual do templo Lc 10.32; Jo 1.19; At 4.36.*

Λευιτικός, ή, όν *levítico* Hb 7.11.*

λευκαίνω *branquear, tornar branco* lit. Mt 9.3; fig. Ap 7.14.*

λευκάναι 1 aor. at., inf. de λευκαίνω.

λευκοβύσσινος v.l. de βύσσινον λευκόν *linho branco* Ap 19.14b.*

λευκός, ή,όν—1. *brilhante, resplandecente* Mt 17.2; Lc 9.29.—**2.** *branco* Mt 5.36; Mc 9.3; 16.5; Lc 9.29; Jo 4.35; At 1.10; Ap 1.14; 2.17; 6.2; 7.9, 13; 19.11, 14; 20.11. [*leucemia*]

λέων, οντος, ό *leão* lit. Hb 11.33; 1 Pe 5.8; Ap 4.7; 9.8, 17; 10.3; 13.2. Fig. 2. Tm 4.17; Ap 5.5.*

λήθη, ης, ή *esquecimento* λήθην λαμβάνειν *esquecer* 2 Pe 1.9.*

λῆμψις, εως, ή *recibo, crédito* Fp 4.15.*

λήμψομαι fut. ind. méd. de λαμβάνω.

ληνός, οῦ, ό *lagar* Mt 21.33; Ap 14.19s; 19.15.*

λῆρος, ου, ό *conversa tola, sem sentido* Lc 24.11.*

ληστής, οῦ, ό—1. *ladrão, bandoleiro* Mt 27.38; Mc 11.17; 15.27; Lc 10.30, 36; Jo 10.1, 8; 2 Co 11.26.—**2.** *revolucionário, insurreicionista* Jo 18.40 e provavelmente Mt 26.55; Mc 14.48; Lc 22.52.

λῆψις forma variante de λῆμψις.

λίαν adv. *muito, excedentemente, em excesso* Mt 2.16; 8.28; 27.14; Mc 1.35; 16.2; Lc 23.8; 2 Jo 4; *veementemente* 2 Tm 4.15.

λίβα ac. singular de λίψ.

λίβανος, ου, ό *olíbano,* uma goma resinosa aromática Mt 2.11; Ap 18.13.*

λιβανωτός, οῦ, ό *incensário* Ap 8.3, 5.*

λιβερτῖνος, ου, ό *liberto* At 6.9.*

Λιβύη, ης, ή *Líbia,* um distrito no norte da África, perto de Cirene At 2.10.*

Λιβυστῖνος, ου, ό *líbio* v.l. de Λιβερτῖνος em At 6.9.*

λιθάζω *apedrejar* Jo 8.5; 10.31-33; 11.8; At 5.26; 14.19; 2 Co 11.25; Hb 11.37.

λίθινος, ίνη, ον *(feito de) pedra* Jo 2.6; 2 Co 3.3; Ap 9.20*

λιθοβολέω *lançar pedras em* Mt 21.35; Mc 12.4 v.l.; At 14.5. *Apedrejar (até à morte)* Mt 23.37; Lc 13.34; Jo 8.5 v.l.; At 7.58s; Hb 12.20.*

λίθος, ου, ό *pedra* lit. Mt 3.9; 24.2; Mc 5.5; 15.46; Lc 4.3, 11; 21.5; Jo 8.7, 59; At 17.29; Ap 17.4; 18.21; 21.11, 19. Fig. Lc 20.17s; At 4.11; Rm 9.32; 1 Pe 2.4-8. [*monolito*]

λιθόστρωτος, ον *empedrado, pavimentado com blocos de pedra;* como subst. *pavimento de pedra,* ou *mosaico* Jo 19.13.*

λικμάω *destroçar* Mt 21.44; Lc 20.18.*

λιμήν, ένος, ό *porto* At 27.12. Para o nome de lugar Καλοὶ λιμένες 27.8, v. este último com o vocábulo separado.*

λίμμα uma forma variante de λεῖμμα.

λίμνη, ης, ή *lago* Lc 5.1s; Ap 20.14s; 21.8.*

λιμός, οῦ, ό e **ἡ—1.** *fome* Lc 15.17; Rm 8.35; 2 Co 11.27.—**2.** *fome, carestia* Mc 13.8; Lc 4.25; 15.14; At 7.11; Ap 6.8.

λίνον, ου, τό *linho,* e alguma coisa feita dele: *torcida* Mt 12.20; *veste de linho* Ap 15.6.*

Λίνος, ου, ό *Lino* 2 Tm 4.21.*

λιπαρός, ά, όν *luxuoso, custoso, rico,* como subst. τὰ λιπαρά *luxúria* Ap 18.14.*

λίτρα, ας, ή (palavra latina: libra) uma *libra* (romana = 327,45 gramas) Jo 12.3; 19.39.*

λίψ, λιβός, ό *o sudoeste* At 27.12.*

λογεία, ας, ή *contribuição, coleta* 1 Co 16.1s.*

λογίζομαι—1. *contar, calcular—***a.** *contar, levar em conta* Rm 4.8; 1 Co 13.5; 2 Co 5.19; 2 Tm 4.16. *Creditar* Rm 4.3s, 5s, 9, 11; 2 Co 12.6; Tg 2.23.—**b.** *avaliar, estimar, considerar* At 19.27; Rm 2.26; 9.8; 1 Co 4.1; 2 Co 10.2b. *Classificar* Lc 22.37.—**2.** *pensar (acerca de), considerar, deixar a mente refletir* Jo 11.50; 2 Co 10.11; Hb 11.19. *Propôr* 2 Co 10.2a. *Raciocinar, planejar* 1 Co 13.11.—**3.** *pensar, crer, ser da opinião de que* Rm 2.3; 3.28; 14.14; 2 Co 11.5; Fp 3.13; 1 Pe 5.12.

λογικός, ή, όν *espiritual*, lit. *racional* Rm 12.1; 1 Pe 2.2.* [*lógico*]

λόγιον, ου, τό *dito* pl. *ditos, oráculos* At 7.38; Rm 3.2; Hb 5.12; 1 Pe 4.11.* [*logia*]

λόγιος, ία, ιον *eloqüente* ou *erudito* At 18.24.*

λογισμός, οῦ, ὁ *pensamento* Rm 2.15; *raciocínio* ou *argumento falso, sofisma* 2 Co 10.4.*

λογομαχέω *disputar acerca de palavras, altercar-se* 2 Tm 2.14.*

λογομαχία, ας, ἡ *disputa acerca de palavras, batalha oral* 1 Tm 6.4; Tt 3.9 v.l.*

λόγος, ου, ὁ—**1.** *palavra*—**a.** geralmente Mt 12.37; 13.19-23; 22.46; Mc 7.13; Lc 5.1; 24.19; At 15.27; 2 Co 11.6; Ef 5.6; Fp 2.16; Cl 3.17; 1 Tm 1.15; Tt 2.5; 1 Pe 1.23; Ap. 6.9. εἰπὲ λόγῳ *dizer a palavra* Mt 8.8.—**b.** *assunto sob discussão, matéria, coisa, ponto, tema* Mt 5.32; Mc 9.10; At 8.21; 15.6; *queixa* 19.38.—**c.** *declaração, asserção, afirmação* Mt 12.32; 15.12; 19.11, 22; 22.15; Mc 5.36; 7.29; Lc 1.29; Jo 4.39, 50; 19.8; At 6.5; 1 Ts 4.15.—**d.** a tradução de λ. irá, freqüentemente, variar de acordo com o contexto: *falar, o que se diz* Mt 5.37. *Questão* 21.24. *Oração* Mc 14.39. *Pregação* 1 Tm 5.17. *Profecia* Jo 2.22. *Ordem* Lc 4.36. *História, relato* 5.15; Jo 21.23; At 11.22. *Provérbio* Jo 4.37. *Proclamação, instrução, ensino, mensagem* Lc 4.32; Jo 4.41; At 10.44; 1 Co 1.17. Um *discurso, exortação* At 15.32; 20.2.—**2.** *A Palavra* ou *Logos, (Verbo) a Palavra de Deus,* personificada = *Jesus Cristo* Jo 1.1, 14; 1 Jo 1.1; Ap 19.13.—**3.** *reconhecimento, computação*—**a.** *reconhecimento, conhecimento* Mt 12.36; Lc 16.2; At 19.40; Rm 14.12; 1 Pe 3.15; 4.5. Em um sentido transferido ἐν τῷ λόγῳ τούτῳ *nesta palavra* (se resume) Rm 13.9; cf. 9.6.—**b.** *tomada de contas, prestação de contas* Mt 18.23; 25.19; Fp 4.15, 17.—**c.** *razão, motivo* At 10.29; 18.14; talvez Mt 5.32 (ver **1b** acima).—**d.** πρὸς ὃν ἡμῖν ὁ λόγος *a quem iremos prestar contas* Hb 4.13. [*log-, logo-*, prefixos]

λόγχη, ης, ἡ *lança* Jo 19.34; Mt 27.49 v.l.*

λοιδορέω *maldizer, insultar* Jo 9.28; At 23.4; 1 Co 4.12; 1 Pe 2.23.*

λοιδορία, ας, ἡ *insulto, maldição, crítica* 1 Tm 5.14; 1 Pe 3.9.*

λοίδορος, ου, ὁ *maldizente, crítico, insultador, blasfemador* 1 Co 5.11; 6.10.*

λοιμός, οῦ, ὁ *peste, pestilência* Lc 21.11; Mt 24.7 v.l Fig. *uma praga,* i.e. *uma ameaça pública* At 24.5.*

λοιπός, ή, όν *remanescente*—**1.** *resto* Ap 8.13; 9.20; 11.13.—**2.** *outro,* algumas vezes no pl. *o restante* At 2.37; Rm 1.13; 1 Co 9.5; Gl 2.13; Fp 4.3. Como subst. Mt 22.6; Lc 8.10; 12.26; At 5.13; Rm 11.7; 2 Co 13.2; 1 Ts 4.13; 5.6; Ap 3.2; 19.21.—**3.** usos adverbiais (τὸ λοιπόν *de agora em diante, no futuro, daqui para frente* 1 Co 7.29; 2 Tm 4.8; Hb 10.13; *finalmente* At 27.20, talvez *ainda* Mc 14.41. τὸ λοιπόν também pode significar *no mais, o que concerne, além disso, adicionalmente, finalmente* 1 Co 1.16; 2 Co 13.11; Fp 4.8; 1 Ts 4.1. *Além do mais, além disso* 1 Co 4.2. τοῦ λοιποῦ *de agora em diante, no futuro* Gl 6.17; *finalmente* Ef 6.10.

Λουκᾶς, ᾶ, ὁ *Lucas* Cl 4.14; Fm 24; 2 Tm 4.11; título do 3º evangelho; 2 Co subscr.*

Λούκιος, ου, ὁ *Lúcio*—**1.** de Cirene, em Antioquia At 13.1.—**2.** que enviou saudações Rm 16.21.*

λουτρόν, οῦ, τό *banho, lavagem* batismal Ef 5.26; Tt 3.5.*

λούω *lavar, banhar*—**1.** at. lit. At 9.37; 16.33; Ap 1.5 v.l.—**2.** méd. *lavar-se* Jo 13.10; Hb 10.22; 2 Pe 2.22.*

Λύδδα, gen. ας ou ης, ac. **Λύδδα, ἡ** *Lida,* uma cidade a cerca de 18 kms. ao sudeste de Jopa At 9.32, 35, 38.*

Λυδία, ας, ἡ *Lídia, uma mercadora* At 16.14, 40.*

Λυκαονία, ας, ἡ *Licaônia,* uma província no interior da Ásia Menor, na qual estavam localizadas as cidades de Listra, Icônio e Derbe At 14.6.*

Λυκαονιστί adv. *em (idioma) licaônico* At 14.11.*

Λυκία, ας, ἡ *Lícia,* uma projeção na costa sul da Ásia Menor At 27.5.*

λύκος, ου, ὁ *lobo* lit. Mt 10.16; Lc 10.3; Jo 10.12. Fig. Mt 7.15; At 20.29.*

λυμαίνω *prejudicar, causar danos, arruinar, destruir;* imperf. ἐλυμαίνετο *ele estava tentando destruir* At 8.3.*

λυπέω *afligir, entristecer*—1. at. *vexar, irritar, ofender, insultar* 2 Co 2.2, 5; 7.8; Ef 4.30.—2. pass. *ficar triste, aflito, preocupado* Mt 14.9; 18.31; Jo 16.20; 21.17; 2 Co 2.4; 1 Pe 1.6. *Ser triste, preocupado, aflito* Mc 10.22; 14.19; Rm 14.15; 2 Co 6.10; 1 Ts 4.13.

λύπη, ης, ἡ *tristeza, dor, aflição, pesar* Lc 22.45; Jo 16.6, 20-22; Rm 9.2; 2 Co 2.1, 3, 7; 7.10; 9.7; Fp 2.27; Hb 12.11; 1 Pe 2.19;*

Λυσανίας, ου, ὁ *Lisânias* Lc 3.1.*

Λυσίας, ου, ὁ *(Cláudio) Lísias* At 23.26; 24.7, 22.*

λύσις, εως, ἡ *divórcio* 1 Co 7.27.*

λυσιτελέω *ser vantajoso* (impessoal), *é melhor* Lc 17.2.*

Λύστρα, ac. Λύσραν, dat. Λύστροις, ἡ ou τά *Listra*, uma cidade na Licaônia, Asia Menor At 14.6, 8, 21; 16.1s; 27.5 v.l.; 2 Tm 3.11.*

λύτρον, ου, τό *preço de libertação, resgate* Mt 20.28; Mc 10.45.*

λυτρόω *libertar ao pagar um resgate, redimir, resgatar* fig. 1 Pe 1.18. *Libertar, redimir, resgatar* Lc 24.21; Tt 2.14; At 28.19 v.l.*

λύτρωσις, εως, ἡ *redenção, resgate, libertação* Lc 1.68; 2.38; Hb 9.12.*

λυτρωτής, οῦ, ὁ *redentor* At 7.35.*

λυχνία, ας, ἡ *candeeiro, candelabro* Mc 4.21; Lc 8.16; Hb 9.2; Ap 1.12s, 20; 11.4.

λύχνος, ου, ὁ *lâmpada* lit. Mt 5.15; Mc 4.21; Lc 11.33, 36; 15.8; Jo 5.35; Ap 18.23; 22.5. Fig. Mt 6.22; Ap 21.23.

λύω—1. *soltar, desatar, libertar* lit. Mt 21.2; Mc 1.7; Lc 13.15; Jo 11.44; At 7.33; 22.30; Ap 9.14s; 20.3; *quebrar* 5.2. Fig. *libertar, soltar, livrar* Mc 7.35; Lc 13.16; 1 Co 7.27; Ap 1.5; *permitir* Mt 16.19; 18.18.—2. *romper, quebrar, rasgar* Jo 2.19; At 13.43; 27.41; Ef 2.14; 2 Pe 3.10-12.—3. *destruir, causar o fim, abolir, acabar com* At 2.24; 1 Jo 3.8; *anular, abolir* Mt 5.19; Jo 5.18; 7.23; 10.35. [*-lise,* sufixo de várias palavras]

Λωΐς, ΐδος, ἡ *Lóide* 2 Tm 1.5.*

Λώτ, ὁ indecl. *Ló* (Gn 11.27) Lc 17.28s, 32; 2 Pe 2.7.*

M

μ numeral = quarenta At 10.41 v.l.*

Μάαθ, ὁ indecl. *Maate* Lc 3.26.*

Μαγαδάν, ἡ indecl. *Magadã,* um lugar no lago Genesaré Mt 15.39; Mc 8.10 v.l.*

Μαγδαληνή, ῆς, ἡ *Madalena, mulher de Magdala,* uma cidade na margem oeste do lago Genesaré Mt 27.56, 61; 28.1; Mc 15.40, 47; 16.1, 9; Lc 8.2; 24.10; Jo 19.25; 20.1, 18.*

Μαγεδών ver Ἁρμαγεδ(δ)ών.

μαγεία, ας, ἡ *magia, mágica* At 8.11.*

μαγεύω *praticar a magia* At 8.9.*

μαγία uma forma diferente de μαγεία.

μάγος, ου, ὁ—1. Mago, um homem sábio ou astrólogo Mt 2.1, 7, 16.—2., *mágico, mago* At 13.6, 8.*

Μαγώγ, ὁ indecl. *Magogue* (Ez 38.2-39.16) Ap 20.8.*

Μαδιάμ, ὁ indecl. *Midiã,* um povo na Arábia At 7.29.*

μαζός, οῦ, ὁ *peito, tórax* Ap 1.13 v.l.*

μαθεῖν inf. 2 aor. at. de μανθάνω.

μαθητεύω—1. at. e pass. depoente *ser* ou *tornar-se pupilo, discípulo* Mt 13.52; 27.57 (ambos pass.); 27.57 v.l. (at.).—2.

at. *discipular, fazer discípulos, ensinar* Mt 28.19; At 14.21.* [Cf. μανθάνω, μαθεῖν]

μαθητής, οῦ, ὁ *pupilo, aluno, discípulo*—1. *pupilo, aprendiz* Mt 10.24s; Lc 6.40.—2. *discípulo, aderente* Mt 10.1; 22.16; Mc 2.18; 5.31; Lc 6.17; 8.9; Jo 1.35, 37; 6.66; At 9.1; praticamente = *cristão* At 6.1s, 7; 13.52.

μαθήτρια, ας, ἡ *discípula, cristã* At 9.36.*

Μαθθάω ver Μαθθάτ.

Μαθθαῖος, ου, ὁ *Mateus* Mt 9.9; 10.3; Mc 3.18; Lc 6.15; At 1.13; título do primeiro evangelho.*

Μαθθάν ver Μαθθάτ.

Μαθθάτ, ὁ indecl. *Matate*—1. Lc 3.24.—2. 3.29.*

Μαθθίας *Matias* At 1.23, 26.*

Μαθουσαλά, ὁ indecl. *Matusalém* Lc 3.37.*

Μαϊνάν ver Μεννά.

μαίνομαι *estar louco, estar fora de si* Jo 10.20; At 12.15; 26.24s; 1 Co 14.23.*

μακαρίζω *considerar feliz* ou *bem-aventurado* Lc 1.48; Tg 5.11.*

μακάριος, ία, ιον *bem-aventurado, bendito, feliz,* usualmente no sentido de *recebedor privilegiado do favor divino* Mt 11.6; 13.16; Lc 11.27; 23.29; Jo 13.17; Tg 1.25; 1 Pe 3.14. μακάριος ὁ *feliz, bem-aventurado aquele que* Mt 5.3-11; Lc 6.20-22; Jo 20.29; Ap 1.3; 22.7, 14. De Deus como a fonte de todo bem 1 Tm 6.15.

μακαρισμός, οῦ, ὁ *bênção* Rm 4.6, 9; Gl 4.15.*

Μακεδονία, ας, ἡ *Macedônia* At 16.9s, 12; 19.21s; Rm 15.26; 1 Co 16.5; 2 Co 2.13; 8.1; Fp 4.15; 1 Tm 1.3.

Μακεδών, όνος, ὁ *macedônio* At 16.9; 19.29; 27.2; 2 Co 9.2, 4.*

μάκελλον, ου, τό *açougue, mercado* 1 Co 10.25.*

μακράν *longe, distante,* adv. Mt 8.30; Mc 12.34; Lc 15.20; Jo 21.8; At 17.27; Ef 2.13, 17. Como prep. com gen. Lc 7.6 v.l.

μακρόθεν adv. *de longe, de muito longe, longe, distante,* algumas vezes com ἀπό Mt 26.58; 27.55; Mc 11.13; 14.54; Lc 18.13; 22.54; Ap 18.10, 15, 17. *De longe* Mc 8.3.

μακροθυμέω *ter paciência, esperar* Hb 6.15; Tg 5.7s. *Ser paciente, longânimo* Mt 18.26, 29; 1 Co 13.4; 1 Ts 5.14; 2 Pe 3.9. μακροθυμεῖ ἐπ' αὐτοῖς; Lc 18.7 é, provavelmente *irá ele ainda adiar?**

μακροθυμία, ας, ἡ *paciência, longanimidade, perseverança, firmeza* Rm 2.4; 9.22; 2 Co 6.6; Gl 5.22; Ef 4.2; Cl 1.11; 3.12; 1 Tm 1.16; 2 Tm 3.10; 4.2; Hb 6.12; Tg 5.10; 1 Pe 3.20; 2 Pe 3.15.*

μακροθύμως adv. *pacientemente* At 26.3.*

μακρός, ά, όν *longo* Mt 23.14 v.l.; Mc 12.40; Lc 20.47. *Longe, distante* Lc 15.13; 19.12.* [*macro, macrocosmos, macro-economia*]

μακροχρόνιος, ον *de longa vida* Ef 6.3.*

μαλακία, ας, ἡ *doença, enfermidade* lit. 'moleza' Mt 4.23; 9.35; 10.1.*

μαλακός, ή, όν *mole, macio, suave* Mt 11.8; Lc 7.25; *efeminado* 1 Co 6.9.*

Μαλελεήλ, ὁ indecl. *Maleleel* Lc 3.37.*

μάλιστα adv. *especialmente, acima de tudo, particularmente* At 20.38; 26.3; Gl 6.10; Fp 4.22; 1 Tm 5.8, 17; 2 Tm 4.13; Fm 16.

μᾶλλον adv. *mais, muito mais*—1. *mais, maior* Mc 9.42; 10.48; 1 Co 12.22; 14.18; Fp 1.9, 12; 3.4; *agora mais do que nunca* Lc 5.15; At 5.14; 2 Co 7.7. *Supérfluo* com outras expressões comparativas Mt 6.26; Fp 1.23.—2. *por uma razão melhor*—a. *muito mais, ainda, melhor que* 1 Co 7.21; Fp 2.12; 1 Tm 6.2; Hb 12.9.—b. *mais (certamente), mais (seguramente)* Mt 6.30; 7.11; Lc 11.13; Rm 5.9s, 15, 17; 1 Co 9.12; Fm 16; Hb 9.14—3. *ao invés de* Mt 10.6, 28; 25.9; Mc 15.11; Jo 3.19; Rm 8.34; 1 Co 5.2; 2 Co 12.9; Ef 4.28; Fm 9; Hb 12.13.

Μάλχος, ου, ὁ *Malco* Jo 18.10.*

μάμμη, ης, ἡ *avó* 2 Tm 1.5.*

μαμωνᾶς, ᾶ, ὁ (aramaico) *riqueza, posses* Lc 16.9, 11. Personificado 'Mamom' Mt 6.24; Lc 16.13.*

Μαναήν, ὁ indecl. *Manaém* At 13.1.*

Μανασσῆς, ῆ, ac. ῆ, ὁ *Manassés*—1. uma tribo israelita Ap 7.6.—2. rei hebreu Mt 1.10; Lc 3.23ss v.l.*

μανθάνω *aprender* Mt 11.29; Mc 13.28; Jo 7.15; Rm 16.17; 1 Co 14.31; Fp 4.11; Cl 1.7; 1 Tm 2.11; Hb 5.8; *descobrir* At 23.27; Gl 3.2; *aprender*, aparentemente através de perguntas 1 Co 14.35. μαθεῖν em Ap 14.3 pode significar *ouvir*, mas *aprender* e *compreender* também são prováveis.

μανία, ας, ἡ *loucura, delírio*, também num sentido enfraquecido *excentricidade, esquisitice* At 26.24.* [*mania*]

μάννα, τό *maná* (Êx 16.32ss) Jo 6.31, 49; Hb 9.4; fig. Ap. 2.17.*

μαντεύομαι *profetizar, dar oráculos* At 16.16.* [*mântico*]

μαραίνω *destruir*, pass. *morrer, desaparecer, murchar* Tg 1.11.*

μαράνα θά (aramaico) *(nosso) Senhor, vem!* 1 Co 16.22.*

μαρανθήσομαι 1 fut. ind. pass. de μαραίνω.

μαργαρίτης, ου, ὁ *pérola* Mt 7.6; 13.45s; 1 Tm 2.9; Ap 17.4; 18.12, 16; 21.21.* [*Margarida*]

Μάρθα, ας, ἡ *Marta* Lc 10.38, 40s; Jo 11.1, 5, 19-21, 24, 30, 39; 12.2.*

Μαρία, ας, ἡ e **Μαριάμ** indecl. *Maria*—1. a mãe de Jesus Cristo Mt 1.16, 18, 20; 2.11; 13.55; Mc 6.3; Lc 1.27-56 passim; 2.5, 16, 19, 34; At 1.14.*2. *Maria Madalena* (ver Μαγδαληνή) Mt 27.56, 61; 28.1; Mc 15.40, 47; 16.1, 9; Lc 8.2; 24.10; Jo 19.25; 20.1, 11, 16, 18.—3. a 'outra' *Maria*, maē de Tiago e José Mt 27.56, 61; Mc 15.40, 47; 16.1; Lc 24.10.* Ela poderia ser idêntica a—4. *Maria*, a esposa de Clopas Jo 19.25.—5. *Maria*, irmã de Marta e Lázaro Lc 10.39s, 42; Jo 11.1-45 passim; 12.3.*—6. *Maria*, maē de João Marcos At 12.12.*—7. *Maria*, que foi saudada Rm 16.6.*

Μᾶρκος, ου, ὁ *Marcos*, um sobrenome de João, filho de Maria de Jerusalém At 12.12, 25; 15.37, 39; Cl 4.10; Fm 24; 2 Tm 4.11; 1 Pe 5.13; título do segundo evangelho.*

μάρμαρος, ου, ὁ *mármore*, um material precioso Ap 18.12.*

μαρτυρέω—1. at.—a. *dar testemunho, testificar, ser testemunha* Mt 23.31; Jo 1.7s, 15; 5.33; 8.13s, 18; 15.27; At 22.5; 26.5; 2 Co 8.3; Gl 4.15; 1 Tm 6.13; Hb 11.4; Ap 22.18.—b. *testificar a, declarar, confirmar* Jo 3.11, 32; 1 Jo 1.2; 5.10; Ap 1.2; 22.20.—c. *testificar favoravelmente, falar bem (de), aprovar* com dat. Lc 4.22; Jo 3.26; At 13.22; 14.3; 3 Jo 12b.—2. pass.—a. *ser testemunhado* Rm 3.21; Hb 7.8, 17.—b. *ser bem falado, ser aprovado* At 6.3; 10.22; 16.2; 22.12; Hb 11.2, 4s, 39: 3 Jo 12a [*martirizar*]

μαρτυρία, ας, ἡ *testemunho* Mc 14.55s, 59; Jo 1.7, 19; 3.11; 8.13s, 17; 19.35; At 22.18; Tt 1.13; Ap 1.2, 9; 6.9; 11.7; 12.11, 17; 20.4. *Reputação, bom testemunho* 1 Tm 3.7.

μαρτύριον, ου, ὁ *testemunho, prova* Mt 10.18; 24.14; Mc 1.44; 6.11; 13.9: Lc 21.13; At 4.33; 7.44; 2 Co 1.2; 2 Ts 1.10; 1 Tm 2.6; Hb 3.5; Tg 5.3. [*martírio*]

μαρτύρομαι *testificar, testemunhar* At 20.26; 26.22; Gl 5.3; *Afirmar, insistir, implorar* Ef 4.17; 1 Ts 2.12.*

μάρτυς, μάρτυρος, ὁ *testemunha*—1. em um sentido legal Mt 18.16; Mc 14.63; At 6.13; 7.58; Hb 10.28.—2. em um sentido não-legal, esp. com relação à atestação de atos ou comunicações dignas de nota Lc 11.48; At 1.8, 22; 26.16; Rm 1.9; 2 Co 1.23; 1 Tm 6.12; Hb 12.1; 1 Pe 5.1; Ap 11.3.—3. de alguém cujo testemunho ou atestação leva, em última análise, à morte (o pano-de-fundo para o uso técnico posterior 'mártir') At 22.20; Ap 1.5; 2.13; 3.14; 17.6.

μασάομαι *morder* Ap 16.10.*

μασθός v.l. de μαστός.

μαστιγόω *açoitar, chicotear* lit. Mt 10.17; 20.19; 23.34; Mc 10.34; Lc 18.33; Jo 19.1. Fig. *punir, castigar* Hb 12.6.*

μαστίζω *açoitar, chicotear* At 22.25.*

μάστιξ, ιγος, ἡ *açoite, chicote, látego* lit. At 22.24; Hb 11.36. Fig. *tormento, sofrimento, doença* Mc 3.10; 5.29, 34; Lc 7.21.*

μαστός, οῦ, ὁ *peito, tórax* Lc 11.27; 23.29; Ap 1.13.*

ματαιολογία, ας, ἡ *conversa fiada, vazia*, 1 Tm 1.6.*

ματαιολόγος, ον *falando em vão, falador, 'papudo'* Tt 1.10.*

μάταιος, αία, αιον *vão, tolo, fútil, sem valor* 1 Co 3.20; 15.17; Tt 3.9; Tg 1.26; 1 Pe 1.18. τὰ μάταια *ídolos* At 14.15.*

ματαιότης, ητος, ἡ *vacuidade, futilidade, frustração, transitoriedade* Rm 8.20; Ef 4.17; 2 Pe 2.18.*

ματαιόω *especular, pensar sobre coisas indignas* Rm 1.21.*

μάτην adv *em vão, sem propósito* Mt 15.9; Mc 7.7.*

Ματθαῖος ver Μαθθαῖος.

Ματθάν, ὁ indecl. *Matã* Mt 1.15; Lc 3.24 v.l.*

Ματθάτ ver Μαθθάτ.

Ματταθά, ὁ indecl. *Matatá* Lc 3.31.*

Ματταθίας, ου, ὁ *Matatias*—1. Lc 3.25.—2. 3.26.*

μάχαιρα, ης, ἡ *espada, sabre* lit. Mt 26.52; Mc 14.43, 47s; Lc 21.24; 22.36, 38, 49; Jo 18.10s; At 16.27; Hb 4.12; 11.34, 37; Ap 13.10, 14. Fig. Mt 10.34; Rm 8.35 *de morte violenta*; 13.4; Ef 6.17.

μάχη, ης, ἡ pl. *rixa, luta, contendas, disputas* 2 Co 7.5; 2 Tm 2.23; Tt 3.9; Tg 4.1.*

μάχομαι *lutar* lit. At. 7.26. Fig. *ser briguento* 2 Tm 2.24; *disputar* Jo 6.52; Tg 4.2.*

μέ ac. de ἐγώ.

μεγαλαυχέω *tornar-se orgulhoso, jactar-se* Tg 3.5 v.l.*

μεγαλεῖος, α, ον *magnífico, esplêndido;* como subst. τὰ μ. *os atos poderosos* At 2.11; cf. Lc 1.49 v.l.*

μεγαλειότης, ητος, ἡ *grandeza, majestade* Lc 9.43; At 19.27; 2 Pe 1.16.*

μεγαλοπρεπής, ές *magnífico, sublime, majestoso* 2 Pe 1.17.*

μεγαλύνω *engrandecer, alargar, magnificar*—1. lit. Mt 23.5; Lc 1.58; pass. *aumentar, crescer* 2 Co 10.15.—2. fig. *exaltar, glorificar, louvar* Lc 1.46; At 5.13; 10.46; pass. At 19.17; Fp 1.20.*

μεγάλως adv. *grandemente* Fp 4.10; *de coração* At 15.4 v.l.*

μεγαλωσύνη, ης, ἡ *majestade* Jd 25; como uma perífrase para Deus *Majestade* Hb 1.3; 8.1.*

μέγας, μεγάλη, μέγα *largo, grande*—1. lit. Mc 4.32; 5.11; 16.4; Lc 14.16; 22.12; 2 Tm 2.20; Ap 8.8, 10; 12.3; 14.19. *Grande* Ap 6.4; 20.1. *Ampla* 1 Co 16.9.—2. fig.—a. *de medida, intensidade* Mt 8.26; 28.2; Mc 5.7; Lc 2.9s; 21.11; Jo 6.18; At 4.33; 11.28; Hb 10.35; 11.24; Ap 11.18; 15.3. *Alto, grande* Mt 27.46; Mc 15.37; Lc 19.37; At 7.57; 23.9; Ap 5.2. *Brilhante* Mt 4.16. *Intenso* Ap 16.9. *Severo* At 8.1.—b. *de posição e dignidade grande*, etc. Mt 20.25; Mc 10.43; Lc 7.16; Jo 19.31; At 2.20; 19.27s. 34s; Ef 5.32; Tt 2.13; Hb 4.14. μεγάλα *palavras orgulhosas* Ap 13.5.—Para μείζων e μέγιστος vê-los como ítens separados. [*megalo-*, prefixo de várias palavras]

μέγεθος, ους, τό *grandeza* Ef 1.19.*

μεγιστάν, ᾶνος, τό *grande homem, magnata, pessoa de excelente reputação* Mc 6.21; Ap 6.15; 18.23.*

μέγιστος superlativo de μέγας *muito grande, grandíssimo* 2 Pe 1.4.*

μεθερμηνεύω *traduzir* Mt 1.23; Mc 5.41; 15.22, 34; Jo 1.38, 41; At 4.36; 13.8.*

μέθη, ης, ἡ *embriaguez, bebedeira* Lc 21.34; Rm 13.13; Gl 5.21.*

μεθίστημι ou μεθιστάνω *remover* At 13.22; 1 Co 13.2; *transferir* Cl 1.13; pass. *ser desapossado* Lc 16.4. *Enganar, desviar* At 19.26.*

μεθοδεία, ας, ἡ *astúcia, engano* Ef 4.14; pl. *estratagemas, truques* 6.11, 12 v.l.* [*método*]

μεθόριον, ου, τό *fronteira*, pl. *região* Mc 7.24 v.l.*

μεθύσκω *fazer (alguém) intoxicar-se*, pass. *tornar-se intoxicado, embriagar-se* Lc 12.45; Ef 5.18; 1 Ts 5.7; Ap 17.2; *beber livremente, beber bastante* Jo 2.10.*

μέθυσος, ου, ὁ *bêbado* 1 Co 5.11; 6.10.*

μεθύω *estar bêbado* lit. Mt 24.49; At 2.15; 1 Co 11.21; 1 Ts 5.7; fig. Ap 17.6.*

μείγνυμι ou μειγνύω *misturar, mesclar* Mt 27.34; Lc 13.1; Ap 8.7; 15.2.*

μειζότερος, α, ον forma comparativa de μέγας *maior que* 3 Jo 4.*

μείζων, ον comparativo de μέγας, maior que Mt 11.11; 12.6; Lc 22.26s; Jo 4.12; 14.28; 1 Co 12.31; 14.5; Hb 6.13; 1 Jo 3.20; 4.4. ό μ. o mais velho Rm 9.12. μεῖζον como adv. ainda mais Mt 20.31. μείζων como superlativo o maior Mt 18.1, 4; Mc 9.34; 1 Co 13.13.

μεῖναι, μεῖνον inf. e imperativo do 1 aor. at. de μένω.

μέλαν, τό ver μέλας.

μέλας, μέλαινα, μέλαν, gen. ανος, αίνης, ανος preto, negro Mt 5.36; Ap 6.5, 12. Neutro τὸ μέλαν tinta 2 Co 3.3; 2 Jo 12; 3 Jo 13.*

Μελεά, ὁ indecl. Meleá Lc 3.31.*

μέλει 3 pes. sing. de μέλω, usada quase sempre impessoalmente, mas, algumas vezes, pessoalmente; com dat. é uma preocupação ou um peso para alguém, i.e. alguém cuida, se preocupa Mt 22.16; Mc 4.38; 12.14; Lc 10.40; Jo 10.13; 12.6; 1 Co 9.9; 1 Pe 5.7. Pessoal At 18.17. μή σοι μελέτω não te importa 1 Co 7.21.*

μελετάω praticar, cultivar 1 Tm 4.15. Pensar acerca de, meditar At 4.25; Mt 13.11 v.l.*

μέλι, ιτος, τό mel Mt 3.4; Mc 1.6; Ap 10.9s.*

μελίσσιος, ιον relativo à abelha μ. κηρίον favo de mel Lc 24.42 v.l. A outra v.l ἀπό μελισσίου κηρίον pertence a μελισσ(ε)ῖον, ου, τό colméia.*

Μελίτη, ης, ἡ Malta uma ilha ao sul da Sicília At 28.1.*

Μελιτήνη v.l. de Μελίτη.

μέλλω—1. estar para, a ponto de Mc 13.4; Lc 7.2; 19.4; 22.23; At 12.6; 16.27; Rm 8.18; 1 Tm 1.16; 1 Pe 5.1; Ap 3.2, 16.—2. ser destinado, dever Mt 17.12, 22; Jo 11.51; At 26.22; Gl 3.23; Hb 1.14; Ap 1.19.—3. intender, dispor-se Mt 2.13; Lc 10.1; Jo 6.15; 71; 7.35; At 17.31; 20.3, 7, 13.—4. a partícula freqüentemente significa futuro, porvir, Mt 12.32; Rm 8.38; Ef 1.21; Cl 2.17; 1 Tm 6.19; Hb 2.5; 13.14.—5. demorar At 22.16.

μέλος, ου, τό membro, parte do corpo lit. Mt 5.29s; Rm 7.5, 23; 12.4; 1 Co 12.18-20; Tg 3.5. Fig. Rm 12.5; 1 Co 6.15a; 12.27; Ef 5.30.

Μελχί, ὁ indecl. Melqui—1. Lc 3.24.—2. 3.28.*

Μελχισέδεκ, ὁ indecl. Melquisedeque (Gn 14.18) Hb 5.6, 10; 6.20; 7.1, 10s, 15, 17.*

μέλω ver μέλει.

μεμάθηκα perf. ind. at. de μανθάνω.

μεμβράνα, ης, ἡ pergaminho, usado para fazer livros 2 Tm 4.13.* [Palavra latina: membrana; membrana]

μεμενήκεισαν 3 pes. pl. mais-que-perf. at. de μένω.

μεμίαμμαι perf. ind. pass. de μιαίνω.

μέμιγμαι perf. ind. pass. de μίγνυμι.

μέμνημαι perf. ind. méd. e pass. de μιμνήσκομαι.

μέμφομαι achar falta em, reprovar, censurar Rm 9.19; Hb 8.8; Mc 7.2. v.l.*

μεμψίμοιρος, ον queixoso, descontente Jd 16.*

μέμψις, εως, ἡ razão para queixa Cl 3.13 v.l.*

μέν partícula afirmativa—1. usada correlativamente com outras partículas—a. freqüentemente indicando um (forte) contraste entre duas orações. μὲν... δέ, μὲν... ἀλλά pode ser traduzido certamente... mas ou de um lado... de outro, embora este esquema nem sempre se encaixe Mt 3.11; 9.37; Mc 9.12s; 14.21; Jo 19.32; Rm 14.20; 1 Co 14.17.—b. quando usado com conjunções, μέν freqüentemente fica sem tradução Lc 13.9; 1 Co 11.7; Hb 11.15. μέν pode, algumas vezes, ser deixada sem tradução mesmo quando não acompanha nenhuma conjunção Lc 11.48; 1 Co 1.12, 18, 23; Fp 3.1.—c. Quando é usado com o art. definido ὁ μέν... ὁ δέ ou o pronome relativo ὅς μέν... ὅς δέ a combinação significa um... o outro; mas pl. alguns... outros Mt 21.35; 25.15; Lc 23.33; At 14.4; 17.32; 27.44; Rm 14.5; Gl 4.23; Ef 4.11; Fp 1.16; Jd 22. ὁ μὲν οὕτως, ὁ δὲ οὕτως um de um jeito, outro de outro 1 Co 7.7.—2. Algumas vezes a segunda parte do contraste é totalmente omitida, embora possa ser suprida pelo contexto 1 Co 6.7; 2 Co 12.12; Cl 2.23.

Μεννά, ὁ indecl. Mená Lc 3.31.*

μενοῦν Lc 11.28; Rm 9.20 v.l.; Fp 3.8 v.l. e **μενοῦνγε** (μενοῦν γε) partículas *pelo contrário, mas, todavia* Lc 11.28. *De fato* Rm 10.18. ἀλλά μενοῦνγε *mais, do que, que* Fp 3.8. μενοῦνγε σὺ τίς εἶ; *ao contrário, quem são vocês?* Rm 9.20.*

μέντοι partícula—1. *realmente* Tg 2.8—2. *embora, de fato, certamente* Jo 4.27; 7.13; 20.5; 21.4. *Mesmo assim* 2 Tm 2.19. ὅμως μ. *ainda assim, todavia, a despeito de* Jo 12.42. *Mas* Jd 8.*

μένω—1. *permanecer, ficar* Jo 7.9; 12.24; 15.4b; At 27.31; 1 Co 7.11, 40; Hb 7.3. *Morar, viver* Lc 8.27; Jo 1.38; At 28.16. *Continuar, insistir, permanecer* Jo 6.56; 12.46; 14.10; 15.4-7, 9s; 1 Jo passim; 2 Jo 9. *Persistir, continuar a viver* ou *existir* Mt 11.23; Jo 9.41; 21.22s; 1 Co 13.13; 15.6; 2 Co 3.11; Fp 1.25; Hb 13.1, 14; Ap 17.10.—2. *esperar, aguardar* At 20.5, 23. [Cf. *permanente*]

μερίζω *dividir, separar* — 1. *dividir* at. e pass., fig. Mt 12.25s; Mc 3.24-26; 1 Co 1.13; 7.34; méd. *partilhar* Lc 12.13.—2. *distribuir* Mc 6.41; *designar, alocar* Rm 12.3; 1 Co 7.17; 2 Co 10.13; Hb 7.2.*

μέριμνα, ης, ἡ *ansiedade, preocupação, cuidado* Mt 13.22; Mc 4.19; Lc 8.14; 21.34; 2 Co 11.28; 1 Pe 5.7.*

μεριμνάω—1. *ter ansiedade, estar ansioso, estar (indevidamente) preocupado* Mt 6.25, 27s, 31, 34a; 10.19; Lc 10.41; 12.11, 22, 25s; Fp 4.6.—2. *cuidar, preocupar-se* Mt 6.34b v.l.; 1 Co 7.32- 34; 12.25; Fp 2.20.*

μερίς, ίδος, ἡ—1. *parte, distrito* At 16.12.—2. *porção, parte* At 8.21; Cl 1.12; Lc 10.42. τίς μερὶς πιστῷ *em comum com um incrédulo?* 2 Co 6.15.*

μερισμός, οῦ, ὁ *separação* Hb 4.12. *Distribuição, alocação* 2.4.*

μεριστής, οῦ ὁ *arbitrador, repartidor* Lc 12.14.*

μέρος, ους, τό—1. *parte* Lc 11.36; 15.12; At 5.2; Ef 4.16; Ap 16.19. Usos especializados *lado* Jo 21.6; *pedaço* Lc 24.42; *partido* At 23.6, 9; *profissão* 19.27; *assunto, caso* 2 Co 3.10; 9.3; pl. *região, distrito* Mt 2.22; 15.21; At 2.10; 19.1.— Com preposições: ἀνὰ μέρος *um após o outro* 1 Co 14.27.— ἀπὸ μέρους *em parte* Rm 11.25; 15.15; 2 Co 1.14; 2.5; *por um pouco* Rm 15.24.— ἐκ μέρους *individualmente* 1 Co 12.27; *em parte* 13.9s, 12.— ἐν μέρει *com respeito a* Cl 2.16.— κατὰ μέρος *em detalhe* Hb 9.5.— μέρος τι como ac. adverbial *em parte, parcialmente* 1 Co 11.18.—2. *Parte, participação* Ap 20.6; 22.19. *Lugar* Mt 24.51; Lc 12.46; Jo 13.8; Ap 21.8.

μεσάζω *estar em* ou *no meio* Jo 7.14 v.l.*

μεσημβρία, αη, ἡ *meio-dia* At 22.6. κατὰ μεσημβρίαν 8.26 *para o sul.**

μεσιτεύω *mediar, garantir* Hb 6.17.*

μεσίτης, ου, ὁ *mediador, arbitrador* Gl 3.19s; 1 Tm 2.5; Hb 8.6; 9.15; 12.24.*

μεσονύκτιον, ου, τό *meia-noite* Mc 13.35; Lc 11.5; At 16.25; 20.7.* [μέσος + νύξ]

Μεσοποταμία, ας, ἡ *Mesopotâmia,* país entre os rios Tigre e Eufrates At 2.9; 7.2.*

μέσος, η, ον *meio, no meio*—1. como adj. Mt 25.6; Lc 23.45; Jo 19.18; At 1.18; 26.13. μέσος αὐτῶν *entre eles* Lc 22.55; cf. Jo 1.26.—2. (τὸ) μέσον como subst. *o meio:* ἀνὰ μέσον com gen. *entre* Mt 13.25; *dentro de* Mc 7.31; *entre* 1 Co 6.5 (a expressão está incompleta); *no centro* Ap 7.17.—ἐν (τῷ) μέσῳ *diante* Mt 14.6; Mc 6.47; Jo 8.3, At 4.7; *dentro de* Lc 21.21; *entre* 22.27.— ἐκ μέσου *de entre* Cl 2.14.— Com outras preposições Mc 3.3; 14.60; Lc 4.30, 35.—3. o neutro μέσον serve como um adv., que funciona como prep. com gen. *no meio* ou *em meio a* Mt 14.24 v.l.; Fp 2.15. [*meso*-, prefixo de várias palavras, e.g. *Mesopotâmia*]

μεσότοιχον, ου, τό *muro de separação* Ef 2.14.*

μεσουράνημα, ατος, τό *zênite, pelo meio do céu* Ap 8.13; 14.6; 19.17.*

μεσόω *estar no ponto central* Jo 7.14.*

Μεσσίας, ου, ὁ (hebr.) *o Messias* = *o Ungido,* traduzido para o grego por Χριστός Jo 1.41; 4.25.*

μεστός, ή, όν *cheio* lit. Jo 19.29; 21.11. Fig. Mt 23.28; Rm 1.29; 15.14; Tg 3.8, 17; 2 Pe 2.14.*

μεστόω *encher,* pass. *ser cheio* At 2.13.*

μετά prep.—1. com gen. com —a. geralmente Mc 3.5; 10.30; At 13.17; 2 Co 7.15;

8.4; Ef 6.7; 1 Tm 2.9; 1 Pe 3.16.—**b**. *com, em companhia de, junto com* Mt 2.3; 8.11; 20.20; 26.18, 38, 40; Mc 11.11; Lc 22.59; Jo 11.54; Gl 2.1; 4.25; 2 Tm 4.11; 1 Jo 2.19; Ap 22.12.—**c**. *entre* Mt 24.51; Mc 1.13; 14.54; Lc 22.37; 24.5; Jo 6.43; Ap 1.7.—**d**. estar *com* alguém, para ajudar ou socorrer Lc 1.28; Jo 3.2; At 11.21; 1 Co 16.24; 2 Co 13.11; Gl 6.18;—**e**. *com,* de associação hostil ou amigável Lc 23.12; Jo 16.19; Rm 12.18; 1 Co 6.6; 1 Jo 1.3a, 7; Ap 2.16; 11.7.—**2**. com ac. *depois, após* Mt 17.1; 25.19; 26.32; Mc 1.14; 8.31; 13.24; At 20.29; 27.14. *Atrás* Hb 9.3. [*meta-,* prefixo em várias palavras, e.g. *metáfora*]

μετάβα 2 pes. sing. 2 aor. imperativo at de μεταβαίνω.

μεταβαίνω—**1**. lit. *ir.* ou *passar (de um lugar para outro)* Mt 8.34; 17.20; Jo 7.3; 13.1; At 18.7; *mudar-se, mudar de residência* Lc 10.7.—**2**. fig. *passar, mudar* Jo 5.24; 1 Jo 3.14.

μεταβάλλω méd. *mudar de idéia* At 28.6.* [*metabólico*]

μεταβαλόμενος part. 2 aor. méd. de μεταβάλλομαι.

μεταβάς, μεταβέβηκα, μεταβήσομαι part. 2 aor. at., perf. ind. at., e fut. ind. de μεταβαίνω.

μετάβηθι 2 pes. sing. 2 aor. imperativo at. de μεταβαίνω.

μετάγω *guiar, dirigir, controlar* Tg 3.3s; pass. *ser trazido de volta* At 7.16 v.l.*

μεταδιδόναι, μεταδιδούς inf. at., e part. do pres. at de μεταδίδωμι.

μεταδίδωμι *impartir, dar, compartilhar* Lc 3.11; Rm 1.11; 12.8; Ef 4.28; 1 Ts 2.8.*

μεταδότω, μεταδοῦναι, μεταδῶ imperativo 2 aor. at., inf. e subj. de μεταδίδωμι.

μετάθεσις, θέσεως, ἡ *remoção* Hb 12.27. *O ato de ser tomado, transladado* 11.5. *Mudança, transformação* 7.12.*

μεταίρω *ir embora* Mt 13.53; 19.1.*

μετακαλέω méd. *chamar-se, convocar* At 7.14; 10.32; 20.17; 24.25.*

μετακινέω *mudar, remover* fig. Cl 1.23.*

μεταλαβεῖν inf. 2 aor. at. de μεταλαμβάνω.

μεταλαμβάνω *receber sua parte, comparti-*

lhar de, receber At 2.46; 27.33s; 2 Tm 2.6; Hb 6.7; 12.10. καιρὸν μ. *achar tempo* At 24.25.*

μετάλημψις, εως, ἡ *partilha, recebimento* 1 Tm 4.3.*

μεταλλάσσω *trocar* Rm 1.25s.*

μεταμέλομαι *arrepender-se sentir pesar* ou *remorso* Mt 21.29. 32; 27.3; 2 Co 7.8; Hb 7.21.

μεταμορφόω pass. *ser mudado em forma, ser transformado* Rm 12.2; 2 Co 3.18. *Ser transfigurado* Mt 17.2; Mc 9.2. [*metamorfose*]

μετανοέω *sentir remorso, arrepender-se,* lit. 'mudar a mente' Mt 11.21; 12.41; Mc 1.15; Lc 11.32; 13.3, 5; At 3.19; 8.22; 2 Co 12.21; Ap 9.20s; 16.9.

μετάνοια, ας, ἡ *remorso, arrependimento, conversão,* lit. 'mudança de mente' Mt 3.8, 11; Mc 1.4; Lc 15.7; At 5.31; 20.21; 26.20; 2 Co 7.9s; Hb 6.1; 12.17.

μεταξύ adv.—**1**. *entre,* ἐν τῷ μεταξύ *entrementes* Jo 4.31. *Logo depois, próximo* At 13.42.—**2**. funciona como prep. com gen. *entre* Mt 18.15; 23.35; Lc 16.26; At 12.6; 15.9; Rm 2.15.

μεταπέμπω méd. e pass. *enviar, mandar chamar, mandar trazer* At 10.5, 22, 29; 11.13; 20.1; 24.24, 26; 25.3.*

μετάπεμψαι 2 pes. sing. 1 aor. imperativo méd. de μεταπέμπω.

μεταστρέφω *mudar* At 2.20; Tg 4.9 v.l. *Perverter* Gl 1.7.*

μετασχηματίζω *mudar (a forma de), transformar* Fp 3.21. Méd. *disfarçar-se* 2 Co 11.13-15. O at. em 1 Co 4.6 significa algo como *aplicar.**

μετατίθημι *mudar (a posição de)*—**1**. lit. *levar de volta* At 7.16. *Ser tomado, transladado* Hb 11.5.—**2**. não-literalmente *mudar, alterar* Hb 7.12. *Perverter* Jd 4. Méd. *desviar* Gl 1.6.*

μετατρέπω *tornar, voltar, mudar* Tg 4.9.*

μεταφυτεύω *transplantar* Lc 17.6 v.l.*

μετέβη 3 pes. 2 aor. ind. de μεταβαίνω.

μετέπειτα adv. *depois* Hb 12.17.*

μετέχω *compartilhar, ter uma parte, participar* com gen. 1 Co 10.21; Hb 2.14; *per* tencer a 7.13. Comer, beber, desfrutar 1 Co 9.10, 12; 10.17; 30; Hb 5.13; Ter Lc 1.34 v.l.*

μετεωρίζομαι estar ansioso, preocupado Lc 12.29.*

μετήλλαξα. 1 aor. ind. at. de μεταλάσσω.

μετήρα 1 aor. ind. at. de μεταίρω.

μετοικεσία, ας, ἡ deportação, cativeiro Mt 1.11s, 17.*

μετοικίζω remover (para morar em outro lugar) At 7.4. Deportar 7.43.*

μετοικιῶ fut. ind. at. de μετοικίζω.

μετοχή, ῆς, ἡ partilha, participação 2 Co 6.14.*

μέτοχος, ον partilhando, ou participando de com gen. Hb 3.1, 14; 6.4; 12.8. Como subst. ὁ μ. o parceiro, companheiro Lc 5.7; Hb 1.9.*

μετρέω medir—1. tomar as dimensões de, medir—a. lit. Ap 11.1s; 21.15-17.—b. fig. 2 Co 10.12.—2. repartir, dar, aporcionar Mt 7.2; Mc 4.24; Lc 6.38.* [métrica]

μετρητής, οῦ, ὁ medida líquida, de cerca de 40 litros Jo 2.6.*

μετριοπαθέω compadecer-se com dat. Hb 5.2.*

μετρίως adv. moderadamente οὐ μ. grandemente At 20.12.*

μέτρον, ου, τό medida Mc 4.24; Rm 12.3; Ef 4.7, 13, 16; Ap 21.15. κατὰ τὸ μέτρον τοῦ κανόνος dentro dos limites 2 co 10.13; οὐκ ἐκ μέτρου sem medida Jo 3.34. [metro]

μετῴκισα 1 aor. ind. at de μετοικίζω.

μέτωπον, ου, τό frente Lc 23.48 v.l.; Ap 7.3; 14.1, 9; 22.4.

μέχρι ou μέχρις até —1. prep. com gen. Mt 11.23; 28.15; Lc 16.16; At 10.30; 20.7; Hb 3.6 v.l., 14; 9.10; Rm 15.19; ao ponto de 2 Tm 2.9; Hb 12.4; até Fp 2.8, 30.—2. conjunção até que Mc 13.30; Gl 4.19; Ef 4.13.

μή adv. de negação não—1. como adv. negação Mt 5.20; 18.25; 24.22; Mc 3.9; Lc 20.27; Jo 20.17; At 23.8; Rm 5.13; 14.21; 2 Co 3.7; Gl 5.26; 6.14; Ef 4.26; Cl 2.21; 1 Pe 3.10.—2. como conj. a menos que, que... (não) Mc 13.5, 36; Gl 6.1; Cl 2.8; Hb 12.15.—3. como partícula interrogativa quando se espera uma resposta negativa μή τινος ὑστερήσατε Faltou-vos alguma coisa? Lc 22.35; cf. Mt 7.9s; Jo 3.4; At 7.28; 1 Co 1.13; freqüentemente pode deixar de ser traduzida.—4. οὐ μή fortalece a negação nunca, jamais, certamente que não, etc. Mt 5.18, 20.26; 16.22; Lc 6.37; Jo 13.8; 18.11; 1 Co 8.13; Hb 13.5. Por outro lado, na combinação μή οὐ, μή é uma palavra interrogativa e οὐ nega a palavra; daí, espera-se uma resposta positiva Rm 10.18s; 1 Co 9.4s.

μήγε = μή + γε.

μηδαμῶς adv. de modo nenhum, certamente que não At 10.14; 11.8.*

μηδέ partícula negativa e não, mas não Mt 22.29; Mc 6.11; Jo 14.27; Rm 9.11; 1 Co 5.8; 1 Pe 3.14. Nem mesmo Mc 2.2; 3.20; 8.26; 1 Co 5.11; Ef 5.3.

μηδείς, μηδεμία, μηδέν ou μηθείς, etc.—1. adv. não At 13.28; 25.17; 28.18; 1 Co 1.7; 1 Tm 5.14; Hb 10.2; com outro adv. de negação não, de modo nenhum 2 Co 6.3; 13.7; 1 Pe 3.6.—2. μηδείς ninguém Mt 8.4; Mc 7.36; At 9.7; 11.19; Rm 12.17; 1 Co 10.24; Ap 3.11. μηδέν nada Mc 1.44; Lc 9.3; At 8.24; Rm 13.8; 1 Co 10.25; Gl 6.3; não, de modo nenhum; de forma nenhuma Mc 5.26; Lc 4.35; At 4.21; Fp 4.6; Tg 1.6.

μηδέποτε adv. nunca 2 Tm 3.7.*

μηδέπω adv. ainda não Hb 11.7.*

Μῆδος, ου, ὁ meda, habitante da Média At 2.9.*

μηθαμῶς ver μηδαμῶς.

μηθέν ver μηδείς.

μηκέτι adv. não mais, nunca mais Mc 1.45; 11.14; Jo 5.14; At 13.34; 25.24; Rm 6.6; 2 Co 5.15; 1 Pe 4.2.

μῆκος, ους, τό comprimento Ef 3.18; Ap 21.16.*

μηκύνω alongar, crescer Mc 4.27.*

μηλωτή, ῆς, ἡ pele de ovelha Hb 11.37.*

μήν partícula, ver εἰ μήν.

μήν, μηνός, ὁ mês Lc 1.24, 26, 56; At 7.20; 18.11; Tg 5.17; Ap 9.5; 13.5; 22.2. Lua nova (festival) Gl 4.10.*

μηνύω *dar a conhecer, revelar* Lc 20.37; At 23.30; *reportar* Jo 11.57; *informar* 1 Co 10.28.*

μή οὐ ver μή 4.

μήποτε—1. partícula negativa *nunca* Hb 9.17.—2. conjunção *que... não, a menos que* Lc 21.34; Hb 3.12; 4.1; *(a fim de) que... não* Mt 5.25; Mc 4.12; At 5.39; Hb 2.1.—3. partícula interrogativa *se talvez, será que* Jo 7.26; 2 Tm 2.25.

μήπου ou μή που conj. *a menos que* ou *que* At 27.29.*

μήπω adv. *ainda não* Rm 9.11; Hb 9.8.*

μήπως ou μή πως conj.—1. denotando propósito, etc, *de modo que... (talvez) não, não... de algum modo; que talvez* 1 Co 8.9; 9.27; 2 Co 2.7; 9.4; Gl 4.11; 1 Ts 3.5.—2. introduzindo uma questão indireta *para que não* Gl 2.2.

μηρός, οῦ, ὁ *coxa, perna* Ap 19.16.*

μήτε cópula negativa *e não,* após μή *não... e não; nem... nem,* etc. Lc 7.33; 9.3; At 23.8, 12, 21; Hb 7.3; Tg 5.12; Ap 7.1, 3.

μήτηρ, τρός, ἡ *mãe* lit. Mt 1.18; 2.11, 13s, 20; 10.37; 12.46; Mc 5.40; 6.24; 28; 2 Tm 1.5. Fig. Mt 12.49s; Jo 19.27; Gl 4.26; Ap 17.5. [Cf. *maternal*]

μήτι partícula interrogativa em questões que esperam uma resposta negativa, freqüentemente deixada sem tradução, mas cf. μήτι συλλέγουσιν colhem-se, porventura... Mt 7.16; também cf. 26.22, 25; Mc 14.19; Jo 18.35; At 10.47; 2 Co 12.18. *Talvez* Mt 12.23; Jo 4.29.

μήτιγε = μήτι γε *para não falar de; quanto mais* 1 Co 6.3.*

μήτρα, ας, ἡ *madre, útero, ventre* Lc 2.23; Rm 4.19.*

μητραλῷας ou μητρολῷας, ου, ὁ *matricida* 1 Tm 1.9.*

μητρόπολις, εως, ἡ *capital* 1 Tm subscr.* [*metrópole*]

μιαίνω *contaminar, manchar* fig. de contaminação moral ou cerimonial Jo 18.28; Tt 1.15; Hb 12.15; Jd 8; At 5.38 v.l.*

μιανθῶ 1 aor. subj .pass. de μιαίνω.

μίασμα, ατος, τό *ato vergonhoso, erro, crime* 2 Pe 2.20.*

μιασμός, οῦ, ὁ *impureza, corrupção* 2 Pe 2.10.*

μίγμα, ατος, τό *mistura, composto* Jo 19.39.*

μίγνυμι ver μείγνυμι.

μικρός, ά, όν *pequeno* Mt 13.32; Lc 12.32; Tg 3.5; Ap 3.8. *Pequeno* ou *jovem* Mc 15.40. *Pequenino, criança* Mt 18.6, 10, 14; cf. At 8.10; Ap 11.18. ὁ μικρότερος *o de menor importância* Mt 11.11. *Pouco* Jo 7.33. *Um pouco* 1 Co 5.6. O neutro (τὸ) μικρόν; μικρόν τι *um pouco* 2 Co 11.1, 16. (ἔτι) μικρὸν καί *logo* Jo 16.16-19. μικρόν, sozinho, *uma pequena distância* Mt 26.39; *pouco tempo* Mc 14.70; Jo 13.33. [*micróbio, micro-*, prefixo de várias palavras]

Μίλητος, ου, ἡ *Mileto,* uma cidade marítima na costa oeste da Ásia Menor, 60 kms ao sul de Éfeso At 20.15, 17; 2 Tm 4.20.*

μίλιον, ου, τό (palavra latina: mille) uma *milha* romana, 1.478,5m Mt 5.41.*

μιμέομαι *imitar, emular, seguir, usar como modelo* 2 Ts 3.7, 9; Hb 13.7; 3 Jo 11.* [*mímica*]

μιμητής, οῦ, ὁ *imitador* com referência ao uso de um modelo de vida exemplar 1 Co 4.16; 11.1; Ef 5.1; 1 Ts 1.6; 2.14; Hb 6.12; 1 Pe 3.13 v.l.* [*mimético*]

μιμνῄσκομαι—1. reflexivo *lembrar-se; relembrar-se* com gen. Mt 5.23; 27.63; Lc 24.6, 8; Jo 2.17, 22; At 11.16; 1 Co 11.2; 2 Tm 1.4. *Lembrar* no sentido *pensar acerca de, estar preocupado* Lc 1.72; 23.42; Hb 2.6; 8.12.—2. pass. *ser mencionado* ou *ser trazido à memória* At 10.31; Ap 16.19.

μισέω *odiar, detestar, aborrecer* Mt 5.43; 24.10; Mc 13.13; Lc 1.71; 14.26; Jo 3.20; 15.18s, 23s, 25; Rm 7.15; 9.13; Ef 5.29; Hb 1.9; Jd 23; Ap 2.6; 18.2.

μισθαποδοσία, ας, ἡ *recompensa* Hb 10.35; 11.26; *punição, penalidade* 2.2.*

μισθαποδότης, ου, ὁ *recompensador* Hb 11.6.*

μίσθιος, ου, ὁ *trabalhador diário, diarista* Lc 15.17, 19, 21 v.l.*

μισθός, οῦ, ὁ *pagamento, salário* lit. Mt 20.8; Lc 10.7; Jo 4.36; At 1.18; 1 Tm 5.18; 2 Pe 2.13, 15. Personificado Tg 5.4.

μισθοῦ *pelo lucro* Jd 11. Fig. *recompensa* Mt 5.46; 6.2, 5, 16; Mc 9.41; Lc 6.23, 35; Rm 4.4; 1 Co 3.8, 14; Ap 11.18; *retribuição* ou *punição* 22.12.

μισθόω méd. *contratar, empregar* Mt 20.1, 7.*

μίσθωμα, ατος, τό em At 28.30 a palavra pode significar ou *despesa* ou *casa alugada*.*

μισθωτός, οῦ, ὁ *assalariado, jornaleiro* Mc 1.20; Jo 10.12s.*

Μιτυλήνη, ης, ἡ *Mitilene*, principal cidade da ilha de Lesbos, At 20.14.*

Μιχαήλ, ὁ indecl. *Miguel*, um arcanjo Jd 9; Ap 12.7.*

μνᾶ, μνᾶς, ἡ (palavra semítica) *mina,* uma unidade monetária grega = 100 dracmas Lc 19.13, 16, 18, 20, 24s.*

μνάομαι *cortejar;* part. perf. μεμνησμένη *noivo, compromissado* Lc 1.27 v.l.*

Μνάσων, ωνος, ὁ *Mnasom* At 21.16.*

μνεία, ας, ἡ—1. *lembrança, memória* Rm 12.13 v.l.; 2 Tm 1.3; μνείαν ἔχειν *pensar bem, afetuosamente* 1 Ts 3.6—2. *mencionar* Rm 1.9; Ef 1.6; Fp 1.3; 1 Ts 1.2; Fm 4.*

μνῆμα, ατος, τό *túmulo, tumba, sepulcro* Mc 5.3, 5; Lc 8.27; 23.53; 24.1; At 2.29; 7.16; Ap 11.9; v.l. em Mc 15.46 e 16.2.*

μνημεῖον, ου, τό *monumento, memorial* Lc 11.47. *Túmulo, sepulcro* Mt 23.29; 27.52s; Mc 5.2; 6.29; 15.46; 16.2, 3, 5, 8; Lc 11.44; 24.2, 9, 12; Jo 11.17, 31, 38; 20.1-4, 6, 8, 11; At 13.29.

μνήμη, ης, ἡ *lembrança, memória* μνήμην ποιεῖσθαι *chamar à mente; trazer à mente* 2 Pe 1.15.*

μνημονεύω *lembrar, guardar em mente, pensar de, mencionar* com gen. ou ac. Mt 16.9; Lc 17.32; Jo 15.20; At 20.31, 35; Gl 2.10; Ts 1.3; 2 Tm 2.8; Hb 13.7; Ap 2.5. [*mnemônico*]

μνημόσυνον, ου, τό *memória, lembrança* Mt 26.13; Mc 14.9. *Oferta memorial* At 10.4.*

μνησθήσομαι, μνήσθητι 1 fut. ind. e 1 aor. imperativo de μιμνήσκομαι.

μνηστεύω *estar compromissado, estar noivo* Mt 1.16 v.l., 18; Lc 1.27; 2.5.*

μογγιλάλος, ον *falar com voz rouca* Mc 7.32 v.l.*

μογιλάλος, ον *falando com dificuldade, gago, mudo* Mc 7.32, 33 v.l.*

μόγις adv. *raramente, com dificuldade* Lc 9.39; 23.53 v.l.; At 14.18 v.l.; Rm 5.7 v.l.*

μόδιος, ίου, ὁ *almude,* uma medida de grãos contendo cerca de 8,75 litros Mt 5.15; Mc 4.21; Lc 11.33.*

μοί dat. de ἐγώ.

μοιχαλίς, ίδος, ἡ *adúltera* lit. Rm 7.3; 2 Pe 2.14. Fig. Tg 4.4; como adj. *adúltera (o)* Mt 12.39; 16.4; Mc 8.38.*

μοιχάω *fazer cometer adultério,* pass. *cometer adultério, adulterar* Mt 5.32 no texto e v.l.; 19.9 no texto e v.l.; Mc 10.11s.*

μοιχεία, ας, ἡ *adultério* Mt 15.19; Mc 7.22; Jo 8.3.*

μοιχεύω *adulterar, cometer adultério* Mt 5.27s, 32; Mc 10.19; Lc 16.18; Jo 8.4; Rm 2.22; Ap 2.22.

μοιχός, οῦ, ὁ *adúltero* lit. Lc 18.11; 1 Co 6.9; Hb 13.4; fig. Tg 4.4 v.l.*

μόλις adv. *raramente, com dificuldade* Lc 9.39 v.l; At 14.18; 23.29 v.l.; 27.7s, 16; 1 Pe 4.18; *dificilmente, raramente, arduamente* Rm 5.7.*

Μόλοχ, ὁ indecl. *Moloque* o deus cananita-fenício do céu e do sol At 7.43.*

μολύνω *manchar, contaminar, tornar impuro* 1 Co 8.7; Ap 3.4; 14.4; At 5.38 v.l.*

μολυσμός, οῦ, ὁ *impureza, contaminação* 2 Co 7.1.*

μομφή, ῆς, ἡ *motivo de queixa, queixa* Cl 3.13.*

μονή, ῆς, ἡ *morada, moradia* μονὴν ποιεῖσθαι *viver, permanecer* Jo 14.23. *Habitação, lugar, quarto* 14.2.*

μονογενής, ές *único,* Lc 7.12; 8.42; 9.38; Jo 1.14, 18; 3.16, 18; Hb 11.17; 1 Jo 4.9.*

μόνον ver μόνος 2.

μόνος, η, ον *único, somente*—**1.** adj. Mt 4.4; 14.23; Mc 9.8; Lc 9.36; 24.12, 18; Jo 8.9; Hb 9.7; Ap 15.4; *solitário, deserto* Jo 8.29; 16.32.—**2.** adv., o neut. μόνον Mt 9.21; Lc 8.50; Gl 1.23; Hb 9.10.—**3.** κατὰ μόνας *só, somente* Mc 4.10; Lc 9.18. [*mono-*, prefixo de várias palavras] μονόφθαλμος, ον com um olho só Mt 18.9; Mc 9.47.*

μονόω deixar sozinho, solitário; pass. ser deixado sozinho 1 Tm 5.5*

μορφή, ῆς, ἡ forma, aparência exterior, molde Mc 16.12; Fp 2.6s.* [morfologia]

μορφόω formar, moldar pass. tomar a forma de, ser formado Gl 4.19.*

μόρφωσις, εως, ἡ—1. formulação, expressão máxima Rm 2.20.—2. forma exterior, aparência 2 Tm 3.5.* [metamorfose]

μοσχοποιέω fazer um bezerro At 7.41.*

μόσχος, ου, ὁ bezerro, novilho Lc 15.23, 27, 30; Hb 9.12, 19; Ap 4.7.*

μοῦ gen. de ἐγώ.

μουσικός, ή, όν relativo à música ὁ μουσικός como subst. o musicista Ap 18.22.*

μόχθος, ου, ὁ trabalho, labor, fadiga 2 Co 11.27; 1 Ts 2.9; 2 Ts 3.8*

μυελός, οῦ, ὁ medula Hb 4.12*

μυέω iniciar (aos mistérios) pass. ser iniciado, aprender o segredo Fp 4.12.*

μῦθος, ου, ὁ fábula, estória, com referência especial ao seu caráter fantasioso ou não-verídico 1 Tm 1.4; 4.7; 2 Tm 4.4; Tt 1.14; 2 Pe 1.16.* [mito]

μυκάομαι rugir Ap 10.3.*

μυκτηρίζω tratar com desprezo, rir-se de Gl 6.7.*

μυλικός, ή, όν relativo a um moinho, pedra de moinho Mc 9.42 v.l.; Lc 17.2; Ap 18.21 v.l.*

μύλινος, η, ον relativo a um moinho, pedra de moinho Ap 18.21.*

μύλος, ου, ὁ—1. moinho Mt 24.41; Ap 18.22.—2. pedra de moinho Mt 18.6; Mc 9.42; Ap 18.21 v.l.*

μυλών, ῶνος, ὁ casa do moinho Mt 24.41 v.l.*

μυλωνικός, ή, όν relativo à casa do moinho Mc 9.42 v.l.*

Μύρα, ων, τά Mira, uma cidade na costa sul da Ásia Menor At 27.5; 21.1 v.l.*

μυριάς, άδος, ἡ miríade (dez mil) lit., como um número At 19.19. Um número muito grande, não definido exatamente, pl. miríades Lc 12.1; At 21.20; Hb 12.22; Jd 14; Ap 5.11; 9.16.*

μυρίζω ungir, perfumar, embalsamar Mc 14.8.*

μύριοι, αι, α dez mil Mt 18.24.*

μύριος, α, ον inumerável, incontável 1 Co 4.15; 14.19.*

μύρον, ου, τό ungüento, perfume Mc 14.3-5; Jo 11.2; 12.3, 5; Ap 18.13. [mirra, de origem semítica]

Μύρρα uma forma variante de Μύρα.

Μυσία, ας, ἡ Mísia, uma província na Ásia Menor, noroeste At 16.7s.*

μυστήριον, ου, τό segredo, ensino secreto, mistério com referência a alguma coisa previamente desconhecida mas agora revelada Mc 4.11; Rm 11.25; 1 Co 2.7; 13.2; 15.51; Ef 3.3s, 9; Cl 1.26s; 4.3; Ap 10.7. Verdades secretas 1 Co 14.2. Significado alegórico, mistério Ap 1.20; 17.7. τὸ τ. εὐσεβείας μ. a religião cristã, o mistério da piedade 1 Tm 3.16.

μυωπάζω enxergar pouco fig. 2 Pe 1.9.*

μώλωψ, ωπος, ὁ ferida, machucado 1 Pe 2.24.*

μωμάομαι méd. defectivo achar falta em; envergonhar 2 Co 8.20; pass. ser achado em falta, criticado 6.3.*

μῶμος, ου, ὁ mancha 2 Pe 2.13.*

μωραίνω—1. mostrar ser tolo 1 Co 1.20; Pass. tornar-se tolo Rm 1.22.—2. tornar insípido Mt 5.13; Lc 14.34.*

μωρία, ας, ἡ loucura, insensatez 1 Co 1.18, 21, 23; 2.14; 3.19.*

μωρολογία, ας, ἡ conversa torpe, tola Ef 5.4.*

μωρός, ά, όν louco, insensato Mt 27.26; 23.17; 25.2s.; 1 Co 1.25, 27; 3.18; 4.10; 2 Tm 2.23, Tt 3.9. μωρέ tolo Mt 5.22.*

Μωσῆς forma variante de Μωϋσῆς.

Μωϋσῆς, έως, ὁ Moisés Mt 19.7s; Mc 1.44; Lc 20.37; Jo 7.19; At 7.20ss; 2 Co 3.7; Hb 3.5; Jd 9. Livro de Moisés 2 Co 3.15.

N

Ναασσών, ὁ indecl. *Nasom* Mt 1.4; Lc 3.32.*

Ναγγαί, ὁ indecl. *Nagai* Lc 3.25.*

Ναζαρά, Ναζαρέτ, Ναζαρέθ, ἡ indecl. *Nazaré,* uma vila na Galiléia, lar dos pais de Jesus Mt 2.23; 4.13; 21.11; Mc 1.9; Lc 1.26; 2.4, 39, 51; 4.16; Jo 1.45s; At 10.38.*

Ναζαρηνός, ή, όν *proveniente de Nazaré,* somente como subst. ὁ Ν. *nazareno* Mc 1.24; 10.47; 14.67; 16.6; Lc 4.34; 24.19; Jo 18.5 v.l.*

Ναζωραῖος, ου, ὁ *nazareu, nazareno* Mt 2.23; 26.69 v.l., 71; Lc 18.37; Jo 18.5, 7; 19.19; At 2.22; 3.6; 4.10; 6.14; 22.8; 24.5; 26.9.*

Ναθάμ, ὁ indecl. *Natã* Lc 3.31.*

Ναθαναήλ, ὁ indecl. *Natanael,* um discípulo de Jesus Jo 1.45-49; 21.2.*

ναί adv. de afirmação *sim; sim, de fato* Mt 5.37; 11.9, 26; 17.25; Lc 7.26; 12.5; Jo 11.27; 21.15s; At 22.27; 2 Co 1.17-20.; Fm 20: Tg 5.12. *Certamente, de fato* Mt 15.27; Mc 7.28 v.l.; Ap 14.13; *seguramente, certamente* 22.20.

Ναιμάν, ὁ indecl. *Naamã* (2 Rs 5.1ss) Lc 4.27.*

Ναΐν, ἡ indecl. *Naim,* uma cidade na Galiléia Lc 7.11.*

ναός, οῦ, ὁ *templo* lit. Mt 23.17, 35; Mc 14.58; Lc 1.21s; Jo 2.20; At 17.24; 19.24 (aqui talvez *santuário*); Ap 11.2, 19; 15.6, 8; 21.22. Fig. Jo 2.19-21; 1 Co 3.16, 17; 6.19.

Ναούμ, ὁ indecl. *Naum* Lc 3.25.*

νάρδος, ου, ἡ *óleo de nardo,* extraído da raiz da planta do nardo, usado como perfume Mc 14.3; Jo 12.3.*

Νάρκισσος, ου, ὁ *Narciso* Rm 16.11.*

ναυαγέω *naufragar* lit. 2 Co 11.25; fig. 1 Tm 1.19.*

ναύκληρος, ου, ὁ *dono de navio,* ou *capitão* At 27.11.*

ναῦς, ac. **ναῦν, ἡ** *navio* At 27.41.*

ναύτης, ου, ὁ *marinheiro* At 27.27, 30; Ap 18.17.*[*náutico*]

Ναχώρ, ὁ indecl. *Naor* Lc 3.34.*

νεανίας, ου, ὁ *jovem* At 7.58; 20.9; 23.17, 18 v.l., 22 v.l.*

νεανίσκος, ου, ὁ *jovem* Mt 19.20, 22; Mc 14.51; Lc 7.14; At 23.18, 22; 1 Jo 2.13s.

Νεάπολις ver νέος, fim.

Νεεμάν forma variante de Ναιμάν.

νεῖκος em 1 Co 15.54s v.l., é forma variante de νῖκος, q.v.

νεκρός, ά, όν *morto*—1. adj. lit. Mt 28.4; Mc 9.26; At 5.10; 28.6; Ap 1.17s. Fig. Rm 6.11; Ef 2.1, 5; Hb 6.1; Tg 2.17, 26; Ap 3.1.—2. como susbst. ὁ νεκρός *o morto, cadáver* lit. Mt 10.8; Mc 9.9; Lc 7.15; Jo 2.22; At 10.42; Rm 10.7; 1 Co 15.20s; Cl 2.12; 2 Tm 4.1; Hb 13.20; Ap 16.3. Fig. Mt 8.22; Ef 5.14. [*necrologia*]

νεκρόω *mortificar* Cl 3.5. Pass. *gasto, usado, perto da morte* Rm 4.19; Hb 11.12.*

νέκρωσις, εως, ἡ—1. *morte* 2 Co 4.10.—2. *esterilidade* Rm 4.19; Mc 3.5 v.l.*

νενικήκατε 2 pes. pl. perf. ind. at. de νικάω.

νενομοθέτητο 3 pes. sing. mais-que-perf. pass., sem aumento, de νομοθετέω.

νεομηνία, ας, ἡ *festa da lua nova, primeira do mês* Cl 2.16.*

νέος, α, ον comparativo νεώτερος—1. adv. *novo, recente* Lc 5.37-39; 1 Co 5.7; Cl 3.10; Hb 12.24. *Jovem,* comp. *mais jovem* Lc 15.12s; 1 Tm 5.11.—2. como subst. (οἱ) νέοι *o povo jovem,* fem. Tt 2.4. Comp., com pouca força comparativa At 5.6; 1 Tm 5.1, 2; 1 Pe 5.5, mas igual ao superlativo Lc 22.26.—3. Νέα πόλις *Neápolis* (Nova Cidade), o porto de Filipos na Macedônia At 16.11. [*neo-*, prefixo em várias palavras]

νεοσσός outra forma de νοσσός.

νεότης, τητος, ἡ *mocidade, juventude* Mc 10.20; Lc 18.21; At 26.4; 1 Tm 4.12.*

νεόφυτος, ον *recém-convertido*, lit. "recém-plantado" 1 Tm 3.6.* [*neófito*]

Νέρων, ωνος, ὁ *Nero,* imperador romano 54-68 d.C. 2 Tm subscr.*

Νεύης nome do homem rico Lc 16.19 v.l.*

νεύω *fazer sinal* Jo 13.24; At 24.10.*

νεφέλη, ης, ἡ *nuvem* Mt 17.5; Mc 13.26; Lc 12.54; At 1.9; 1 Co 10.1s; Jd 12; Ap 14.14-16.

Νεφθαλίμ, ὁ indecl. *Neftali*, uma tribo hebraica e seu ancestral Mt 4.13, 15; Lc 4.31 v.l.; Ap 7.6.*

νέφος, ους, τό *nuvem,* fig. *hoste* Hb 12.1.*

νεφρός, οῦ, ὁ *rim*, fig. da vida interior, *mente* Ap 2.23.* [*nefrite*]

νεωκόρος, ου, ὁ lit. *guarda do templo,* em At 19.35 *guardião do templo.*

νεωτερικός, ή, όν *juvenil* 2 Tm 2.22.*

νεώτερος ver νέος.

νή partícula para afirmação firme, juramento *por* com ac 1 Co 15.31.*

νέθω *fiar* Mt 6.28; Lc 12.27.*

νηπιάζω *ser (como) uma criança* 1 Co 14.20.*

νήπιος, ία, ιον *infante, menor*—1. lit de crianças bem jovens: *criança, criancinha* Mt 21.16; 1 Co 13.11 (cinco vezes). Fig. *imaturo* Rm 2.20; 1 Co 3.1; Ef 4.14; Hb 5.13. *Infantil, inocente* Mt 11.25; Lc 10.21.—2. *menor, ainda não adulto* Gl 4.1, 3; 1 Ts 2.7 v.l.*

Νηρεύς, έως, ὁ *Nereu* Rm 16.15.*

Νηρί, ὁ indecl. *Neri* Lc 3.27.*

νησίον, ου, τό *ilhota* At 27.16.*

νῆσος, ου, ἡ *ilha* At 13.6; 27.26; 28.1, 7, 9, 11; Ap 1.9; 6.14; 16.20.*

νηστεία, ας, ἡ *jejum, abstenção de alimentos*—1. por necessidade, *fome* 2 Co 6.5; 11.27.—2. como um rito cultual Mt 17.21; Mc 9.29 v.l.; Lc 2.37; At 14.23; 27.9; 1 Co 7.5 v.l.*

νηστεύω *jejuar* como um rito cultual Mt 4.2; 6.16-18; Mc 2.18-20; Lc 18.12; At 13.2s.

νῆστις, ὁ, ἡ gen. ιος ou ιδος, ac. pl. νήστεις *com fome, faminto* Mt 15.32; Mc 8.3.*

νηφαλέος, α, ον forma variante de νηφάλιος.

νηφάλιος, ία, ον *moderado* no uso de bebidas alcoólicas, *sóbrio, com auto-controle* 1 Tm 3.2, 11; Tt 2.2.*

νήφω *ser sóbrio, ser equilibrado, auto-controlado* 1 Ts 5.6, 8; 2 Tm 4.5; 1 Pe 1.13; 4.7; 5.8.*

νήψατε 2 pes. pl. 1 aor. imperativo at. de νήφω.

Νίγερ, ὁ *Níger* (de cor negra), sobrenome de Simeão At 13.1.

Νικάνωρ, ορος, ὁ *Nicanor* At 6.5.*

νικάω—1. *ser vitorioso, prevalecer, conquistar* Ap 2.7; 6.2; em uma ação legal Rm 3.4.—2. *conquistar, vencer* Lc 11.22; Jo 16.33; Rm 12.21b; 1 Jo 5.4s; Ap 11.7. Pass. *deixar-se ser* vencido Rm 12.21a.

νίκη, ης, ἡ *vitória* 1 Jo 5.4.*

Νικόδημος, ου, ὁ *Nicodemos* Jo 3.1, 4, 9; 7.50; 19.39.*

Νικολαΐτης, ου, ὁ *Nicolaíta,* um seguidor de Nicolau, o fundador desconhecido de uma seita Ap 2.6, 15.*

Νικόλαος, ου, ὁ *Nicolau* At 6.5.*

Νικόπολις, εως, ἡ *Nicópolis;* mais provavelmente a cidade com esse nome no Épiro (noroeste da Grécia) Tt 3.12; subscrições de 1 Tm e Tt.*

νῖκος, ους, τό *vitória* Mt 12.20; 1 Co 15.54s, 57.*

νικοῦντι = νικῶντι, part. dat. do pres. at.

Νινευή, ἡ indecl. *Nínive,* capital do império assírio posterior Lc 11.32 v.l.*

Νινευίτης, ου, ὁ *ninivita,* habitante de Nínive Mt 12.41; Lc 11.30, 32.*

νιπτήρ, ῆρος, ὁ *bacia* Jo 13.5.*

νίπτω *lavar* at. Jo 13.5s; 1 Tm 5.10. Méd. *lavar-se* Jo 9.7b, 11, 15; *banhar* 9.7a; *lavar (para si mesmo)* Mt 6. 17; 15.2; Mc 7.3; Jo 13.10 (se εἰ μὴ τ. πόδας é aceito).*

νίψαι 2 pes. sing. 1 aor. imperativo méd. de νίπτω.

νοέω—1. *perceber, entender,* "pegar" Mt

16.9, 11; Mc 7.18; Jo 12.40; Rm 1.20; 1 Tm 1.7; Hb 11.3.—**2**. *considerar, tomar nota de, pensar sobre* Mc 13.14; 2 Tm 2.7.—**3**. *pensar, imaginar* Ef 3.20. [*noético*]

νόημα, ατος, τό—1. *pensamento, mente* 2 Co 3.14; 4.4; 11.3; Fp 4.7.—**2**. *propósito, trama, intenção* 2 Co 2.11; 10.5.*

νόθος, η, ον *bastardo, ilegítimo* Hb 12.8.*

νομή, ῆς, ἡ—1. *pasto* Jo 10.9.—**2**. fig. *alastrar-se* (como gangrena) 2 Tm 2.17.*

νομίζω—1. *ter em uso comum,* pass. *ser o costume* At 16.13 v.l.—**2**. *pensar, crer, supor, considerar* Mt 5.17; 10.34; Lc 2.44; At 7.25; 8.20; 16.13, 27; 1 Co 7.26, 36.

νομικός, ή, όν *relativo à lei* Tt 3.9. ὁ νομικός *perito legal, jurista, legislador* Mt 22.35; Lc 7.30; 10.25; 11.45s, 52, 53 v.l.; 14.3; Tt 3.13.*

νομίμως adv. *de acordo com regras* 2 Tm 2.5. *Legalmente* 1 Tm 1.8.*

νόμισμα, ατος, τό *moeda* Mt 22.19.* [*numismática*]

νομοδιδάσκαλος, ου, ὁ *professor-da lei* Lc 5.17; At 5.34; 1 Tm 1.7.*

νομοθεσία, ας, ἡ *legislação, lei* Rm 9.4.*

νομοθετέω *funcionar como legislador,* pass. *receber lei (s)* Hb 7.11 *Ser firmado* 8.6.*

νομοθέτης, ου, ὁ *legislador* Tg 4.12.*

νόμος, ου, ὁ *lei—***1**. *regra, princípio, norma* Rm 7.21, 23; 8.2b; Hb 7.16.—**2**. *de qualquer tipo de lei* Rm 3.27; talvez 7.1s.—**3**. *da lei mosaica* Mt 22.36; Lc 2.22; 16.17; Jo 7.23, 51; 18.31; At 13.38; 18.13; 21.24; Rm 2.25; 3.19; 4.14; 7.2; Gl 3.12s, 17, 19; 5.23; 1 Tm 1.9; Hb 7.19. Quase equivalente a *religião (judaica)* At 23.29. Especificamente da lei escrita, o Pentateuco Mt 7.12; 12.5; Lc 2.23; 24.44; 1 Co 9.9; Gl 3.10; 4.21b. Das Escrituras em geral Mt 5.18; Jo 10.34; Rm 3.19.—**4**. *do cristianismo como uma 'nova lei'* Rm 3.27b; 8.2a; Gl 6.2; Tg 1.25; 2.8s, 12. [*nomia,* sufixo de várias palavras]

νοσέω *estar doente, ter mau desejo* 1 Tm 6.4.*

νόσημα, ατος, τό *doença, enfermidade* Jo 5.4 v.l.*

νόσος, ου, ἡ *doença, enfermidade* Mt 8.17; 9.35; Mc 1.34; Lc 7.21; 9.1; At 19.12.

νοσσιά, ᾶς, ἡ *ninhada, cria* Lc 13.34.*

νοσσίον, ου, τό *pintinhos, cria* Mt 23.37.*

νοσσός, οῦ, ὁ *filhote de ave* Lc 2.24.*

νοσφίζω méd. *separar para si mesmo, reter, fraudar* At 5.2s; Tt 2.10.*

νότος, ου, ὁ *vento sul ou sudoeste* Lc 12.55; At 27.13; 28.13; *Sul* Lc 13.29; Ap 21.13. *Um país no sul* Mt 12.42; Lc 11.31.*

νουθεσία, ας, ἡ *admoestação, instrução, recomendação* 1 Co 10.11; Ef 6.4; Tt 3.10.*

νουθετέω *admoestar, instruir, aconselhar* At 20.31; Rm 15.14; 1 Co 4.14; Cl 1.28; 3.16; 1 Ts 5.12, 14; 2 Ts 3.15; Tt 1.11 v.l.*

νουμηνία forma contracta de νεομηνία.

νουνεχῶς adv. *sabidamente, pensadamente* Mc 12.34.*

νοῦς, gen. **νοός,** dat. **νοΐ,** ac. **νοῦν, ὁ—1**. *a compreensão, a mente* como a faculdade do pensamento Lc 24.45; 1 Co 14.14, 15, 19; Fp 4.7; Ap 13.18; 17.9; *modo de pensar, postura* 2 Ts 2.2; *intelecto* Rm 7.23, 25.—**2**. *mente, atitude, modo de pensar* Rm 1.28; 12.2; 1 Co 1.10; Ef 4.17, 23; Cl 2.18; 1 Tm 6.5; 2 Tm 3.8; Tt 1.15.—**3**. *mente,* como o resultado do pensamento, *pensamento* Rm 11.34; 14.5; 1 Co 2.16 (nesta última passagem νοῦς é provavelmente equivalente a πνεῦμα, vv. 14s).*

Νύμφαν é uma forma acusativa em Cl 4.15; não é claro se provém do nome feminino **Νύμφα, ας,** *Ninfa,* ou nome masculino **Νυμφᾶς, ᾶ** *Ninfas.* *

νύμφη, ης, ἡ—1. *noiva* Mt 25.1 v.l.; Jo 3.29; Ap 18.23; 21.2, 9; 22.17.—**2**. *nora* Mt 10.35; Lc 12.53.*

νυμφίος, ου, ὁ *noivo* Mt 25.1, 5s, 10; Mc 2.19s; Lc 5.34s; Jo 2.9; 3.29; Ap 18.23. [Cf *nupcial*]

νυμφών, ῶνος, ὁ—1. *salão do casamento* Mt 22.10 v.l.—**2**. *câmara nupcial* οἱ υἱοὶ τοῦ νυμφῶνος *os amigos do noivo* Mt 9.15; Mc 2.19; Lc 5.34.*

νῦν adv. *agora*—**1**. lit. *de tempo* Mt 27.42s;

Lc 16.25; 22.36; Jo 9.21; 13.31; At 12.11; 16.36; Rm 5.11; 8.1; 1 Co 3.2; Ef 5.8; 1 Pe 2.10, 25. *Há pouco, agorinha mesmo* Jo 11.8; At 7.52; Fp 1.20.—2. *agora pois* At 15.10; 1 Ts 3.8. νῦν δέ algumas vezes contrasta o estado real das coisas com algo irreal, *mas, agora* Lc 19.42; Jo 8.40; 9.41; 1 Co 5.11; 12.20; Hb 11.16; Tg 4.16.—3. usado com o artigo: ὁ, ἡ, τὸ νῦν *o presente* como adj. Rm 3.26; 8.18; 2 Co 8.14; Gl 4.25; 1 Tm 4.8; 2 Tm 4.10; Tt 2.12; 2 Pe 3.7. Como subst. τὸ νῦν *o tempo presente, agora* Mt 24.21; Lc 1.48; 5.10; At 18.6; Rm 8.22; Fp 1.5. Como adv. τὰ νῦν *no que concerne à situação atual* = *agora* At 4.29; 17.30; 27.22. τὸ νῦν ἔχον *por ora* At 24.25.

νυνί adv., forma enfática de νῦν *agora*—1. lit., de tempo At 22.1; 24.13; Rm 3.21; 15.23; 2 Co 8.22; Ef 2.13; Cl 3.8; Fm 9.—2. com a idéia de tempo enfraquecida ou totalmente ausente νυνί δέ *agora, porém; mas, ora, agora* Rm 7.17; 1 Co 5.11 v.l.; 12.18; 13.13; 15.20; Hb 9.26.

νύξ, νυκτός, ἡ *noite*—1. lit. Mt 4.2; 14.25; 28.13; Mc 5.5; 14.30; Lc 5.5; 21.37; Jo 13.30; 19.39; At 16.33; 20.31; 23.11; Ap 8.12.—2. fig. Jo 9.4; Rm 13.12; 1 Ts 5.5.

νύσσω *furar (com lança), ferir* Jo 19.34; Mt 27.49 v.l. *Cutucar* At 12.7 v.l.*

νυστάζω *adormecer, tornar-se sonolento* lit. Mt 25.5; fig. *ser dorminhoco, preguiçoso* 2 Pe 2.3.*

νυχθήμερον, ου, τό *um dia e uma noite* = 24 horas 2 Co 11.25.*

Νῶε, ὁ indecl. *Noé* Mt 24.37s; Lc 3.36; 17.26s; 17.26s; Hb 11.7; 1 Pe 3.20; 2 Pe 2.5.*

νωθρός, ά, όν *preguiçoso, indolente* Hb 6.12. ν. ταῖς ἀκοαῖς *duro em ouvir* 5.11.*

νῶτος, ου, ὁ *costas* Rm 11.10.*

Ξ

ξαίνω *cardar, escovar* (lã) Mt 6.28 v.l.*

ξενία, ας, ἡ *hospitalidade,* ou mais provavelmente, *quarto de hóspedes* At 28.23; Fm 22.*

ξενίζω—1. *receber como convidado, entreter* At 10.23; 28.7; Hb 13.2. Pass. *ser entretido, ficar* At 10.6, 18, 32; 21.16; 1 Co 16.19 v.l.—2. *surpreender-se, maravilharse; surpreender* At 17.20; 1 Pe 4.4, 12.*

ξενοδοχέω *mostrar hospitalidade* 1 Tm 5.10*

ξένος, η, ον—1. adj. *estranho, estrangeiro* At 17.18; Hb 13.9; *surpreendente, nunca ouvido* 1 Pe 4.12. ξ. τῶν διαθηκῶν *alheio às alianças* Ef 2.12.—2. como subst. ὁ ξένος *o estrangeiro, alienígena* Mt 25.35, 38, 43s; 27.7; At 17.21; Ef 2.19; Hb 11.13; 3 Jo 5. *Anfitrião*, aquele que manifesta hospitalidade Rm 16.23.* [*xenofobia*]

ξέστης, ου, ὁ *jarro, cântaro* Mc 7.4, 8 v.l.*

ξηραίνω *secar, enxugar* Tg 1.11. *Tornar-se seco, secar, murchar* Mt 21.19s; Mc 3.1, 3 v.l.; 4.6; 5.29; Lc 8.6; Jo 15.6; 1 Pe 1.24; Ap 14.15; 16.12; *tornar-se rígido* Mc 9.18.

ξηρός, ά, όν *seco, enxuto* Lc 23.31; Hb 11.29; *terra seca* Mt 23.15. *Paralisado, paralítico* 12.10; Mc 3.3; Lc 6.6, 8; Jo 5.3.*

ξύλινος, η, ον *de madeira* 2 Tm 2.20; Ap 9.20.*

ξύλον, ου, τό—1. *madeira* 1 Co 3.12; Ap 18.12.—2. de objetos feitos de madeira:

cepo, tronco At 16.24. *Varapaus* Mt 26.47, 55; Mc 14.43, 48; Lc 22.52. *Cruz* At 5.30; 10.39; 13.39; Gl 3.13; 1 Pe 2.24.—3. *árvore* Lc 23.31; Ap 2.7; 22.2, 14, 19.* [*xilogravura*]

ξυν forma alternativa de συν-.

ξυράω, ξυρέω, ξύρω méd. *barbear-se* At 21.24; 1 Co 11.5s.*

O

ὁ, ἡ, τό pl. οἱ, αἱ τά o artigo definido *o,a* —1. como pronome demonstrativo *este, aquele* τοῦ γὰρ καὶ γένος ἐσμέν *pois nós também somos sua descendência* At 17.28.— ὁ μὲν ... ὁ δέ *um ... o outro*, pl. οἱ μὲν ... οἱ δέ *alguns ... outros* At 14.4; 17.32; 1 Co 7.7; Hb 7.5s, 20s. ὁ δέ, οἱ δέ freqüentemente indica uma mudança no sujeito *e ele, e eles* Mt 2.9, 14; algumas vezes com sugestão de contraste, *mas ele, mas eles* 4.4; 9.31.—2. como artigo definido, em uma grande variedade de usos. Será suficiente dizer aqui que o art. def. é omitido na tradução das seguintes expressões—a. quando é usado entre um pronome demonstrativo (οὗτος, *este;* ἐκεῖνος, *aquele*) e um subst, ou quando esse pronome segue um substantivo Mt 15.8; Mc 7.6; 14.71; Lc 14.30; Jo 9.24.—b. quando é colocado antes do nominativo de um subst. fazendo-o um vocativo ὁ πατήρ *Pai!* Mt 11.26; cf. 7.23; Lc 8.54; 18.11, 13; Jo 19.3.—c. quando o neutro do artigo é usado com um infinitivo τὸ φαγεῖν *comer, comendo* Mt 15.20; cf. Mc 12.33; Rm 7.18; 2 Co 8.10.s. No caso genitivo com uma variedade de usos, incluindo propósito Mt 13.3; Lc 1.77; Rm 6.6; Fp 3.10, ou resultado Mt 21.32; At 7.19; Rm 7.3.—d. quando precede nomes de pessoas Mt 27.21; Mc 1.14.

ὀγδοήκοντα indecl. *oitenta* Lc 2.37; 16.7.*

ὄγδοος, η, ον *o oitavo* Lc 1.59; At 7.8; 2 Pe 2.5; Ap 17.11; 21.20.*

ὄγκος, ου, ὁ *peso, impedimento* Hb 12.1.*

ὅδε, ἥδε, τόδε *este, esta, isto* Lc 10.39; At 21.11; Ap 2.1, 8, 12, 18; 3.1, 7, 14. εἰς τήνδε τὴν πόλιν *a tal e tal cidade* Tg 4.13.*

ὁδεύω *viajar* Lc 10.33.*

ὁδηγέω *liderar, guiar* Mt 15.14; Lc 6.39; Ap 7.17. Fig. *liderar, guiar, instruir* Jo 16.13; At 8.31.*

ὁδηγός, οῦ, ὁ *líder, guia* Mt 15.14; 23.16, 24; At 1.16; Rm 2.19.*

ὁδοιπορέω *viajar, estar a caminho* At 10.9.*

ὁδοιπορία, ας, ἡ *jornada, caminhada* Jo 4.6; 2 Co 11.26.*

ὁδοποιέω *fazer uma caminhada* Mc 2.23 v.l.*

ὁδός, οῦ, ἡ *caminho*—1. lit.—a. como um lugar, *caminho, estrada* Mt 2.1; 3.3; Mc 10.46; Lc 8.5; At 8.26, 36. ὁδόν com gen. *para, em direção a* Mt 4.15.—b. como uma ação, *caminhada, jornada* Mt 10.10; Mc 8.3; Lc 12.58; 24.35; At 9.27. σαββάτου ὁδός *a jornada de um sábado* At 1.12.—2. fig. —a. *caminho,* Mt 7.13s; 10.5; Lc 1.79; Jo 14.6; At 2.28; 16.17; Rm 3.17;—b. *modo, estilo de vida, conduta* Mt 21.32; Lc 20.21; Rm 11.33; Tg 5.20; Hb 3.10; 2 Pe 2.21; Ap 15.3.—c. *O Caminho,* do cristianismo At 9.2; 19.9, 23; 22.4; 24.14, 22; 1 Co 4.17; 2 Pe 2.2.

ὀδούς, ὀδόντος, ὁ *dente* Mt 5.38; 8.12, 13.42, 50; Mc 9.18; Lc 13.28; At 7.54; Ap 9.8. [*odontologia*]

ὀδυνάω *causar sofrimento, sofrer* Lc 16.24s; At 20.38; *estar ansioso* Lc 2.48.*

ὀδύνη, ης, ἡ *dor, sofrimento* Rm 9.2; 1 Tm 6.10; Mt 24.8 v.l.*

ὀδυρμός, οῦ, ὁ *lamento, pranto* Mt 2.18; 2 Co 7.7.*

'Οζίας, ου, ὁ *Uzias*, rei judeu Mt 1.8s; Lc 3.23ss v.l.*

ὄζω *cheirar mal* Jo 11.39.*

ὅθεν adv. *de onde, pelo que* Mt 12.44; 25.24, 26; Lc 11.24; At 14.26; 28.13. *Pelo fato de que* 1 Jo 2.18. *Portanto, por esta razão* Mt 14.7; At 26.19; Hb 2.17; 3.1; 11.19.

ὀθόνη, ης, ἡ *lençol* At 10.11; 11.5.*

ὀθόνιον, ου, τό *lençol, bandagem* Jo 19.40; 20.5ss; Lc 24.12.*

οἶδα—**1.** *conhecer (acerca de)* Mt 6.32; 20.22; 25.13; Mc 1.34; 6.20; Lc 4.41; 11.44; Jo 4.25; 9.25; At 2.22; 3.16; Rm 8.27; 1 Co 13.2; 16.15; 2 Co 12.2; Gl 4.8; Cl 4.6; 1 Tm 1.8; 2 Pe 1.2. ἴστε Jo 1.19 pode ser ou indicativo ou imperativo—**2.** *estar* (intimamente) *ligado a, conhecer* (alguém), *relacionar-se* Mt 26.72, 74; Lc 22.57; Jo 8.19; 2 Co 5.16; 2 Ts 1.8; Tt 1.16.—**3.** *saber como, compreender, poder, ser capaz* Mt 7.11; 27.65; Lc 12.56; Fp 4.12; 1 Ts 4.4; 1 Tm 3.5; Tg 4.17.—**4.** *entender, reconhecer, vir a conhecer* Mt 26.70; Mc 4.13; 12.15; Lc 22.60; Jo 6.61; 16.18; 1 Co 2.11; Ef 1.18.—**5.** vários outros usos: *lembrar* 1 Co 1.16. *Respeitar* ou *interessar-se* 1 Ts 5.12.

οἴεσθω 3 pes. sing. pres. imperativo de οἴομαι.

οἰκεῖος, (α), ον *relativo à casa* οἱ οἰκεῖοι *membros da casa* Gl 6.10; Ef 2.19; 1 Tm 5.8.*

οἰκετεία, ας, ἡ *os escravos numa casa* Mt 24.45.*

οἰκέτης, ου, ὁ *escravo do lar, empregado doméstico, escravo* de modo geral Lc 16.13; At 10.7; Rm 14.4; 1 Pe 2.18.*

οἰκέω *habitar, morar, viver* Rm 7.17s, 20; 8.9, 11; 1 Co 3.16; 7.12s; 1 Tm 6.16.— Para οἰκουμένη, q.v.*

οἴκημα, ατος, τό *quarto* eufemisticamente para *prisão* At 12.7.*

οἰκητήριον, ου, τό *morada, habitação* lit. Jd 6; fig. 2 Co 5.2.*

οἰκία, ας, ἡ—**1.** *casa* lit. Mt 7.24-27; 9.28; 19.29; Mc 1.29; 6.10; 13.34s; Lc 18.29; 20.47; Jo 8.35; 12.3; At 4.34; 10.6; 1 Co 11.22. Fig. Jo 14.2; 2 Co 5.1.—**2.** *família, a casa* Mt 12.25; Mc 3.25; 6.4; Jo 4.53; 1 Co 16.15.—**3.** uma espécie de posição intermediária entre os sentidos 1 e 2 é presente em Mt 10.12s e Fp 4.22; na última passagem οἰκία refere-se aos servos e escravos na corte imperial.

οἰκιακός, οῦ, ὁ *membro de uma casa* Mt 10.25, 36.*

οἰκοδεσποτέω *dirigir uma casa, administrar* 1 Tm 5.14.*

οἰκοδεσπότης, ου, ὁ *mestre, chefe, proprietário da casa* Mt 10.25; 13.52; 20.1; 21.33; 24.43; Mc 14.14; Lc 13.25; 22.11.

οἰκοδομέω *construir, edificar*—**1.** lit., *eregir, construir* Mt 7.24, 26; 23.29; Mc 12.1; Lc 6.48; 12.18; 1 Pe 2.7. *Reconstruir, reedificar, restaurar* Mt 27.40; Mc 15.29.—**2.** fig. Mt 16.18; Rm 15.20; Gl 2.18; 1 Pe 2.5.—**3.** também em um sentido não-literal, com pouca consciência do sentido central *edificar, fortalecer, beneficiar* At 9.31; 20.32; 1 Co 8.1, 10; 10.23; 14.4, 17; 1 Ts 5.11.

οἰκοδομή, ῆς, ἡ—**1.** lit. *edifício, prédio* Mt 24.1; Mc 13.1s—**2.** fig. *edifício* 1 Co 3.9; 2 Co 5.1; Ef 2.21. *Edificação, edificando, crescimento* 1 Co 14.3, 12; 2 Co 12.19; 13.10; Rm 15.2; Ef 4.12, 16.

οἰκοδομία, ας, ἡ *edificação* 1 Tm 1.4 v.l.;*

οἰκοδόμος, ου, ὁ *construtor* At 4.11.*

οἰκονομέω *administrar, ser mordomo, administrador* Lc 16.2.*

οἰκονομία, ας, ἡ *mordomia, administração, ofício* Lc 16.2-4; Cl 1.25; *comissão* 1 Co 9.17; *mordomia* Ef 3.2. *Plano de salvação* 1.10; 3.9. *Treinamento* no caminho da salvação 1 Tm 1.4.* [*economia*]

οἰκονόμος, ου, ὁ *mordomo, administrador*—**1.** lit. Lc 12.42; 16.1, 3, 8; 1 Co 4.2; Gl 4.2. ὁ οἰκ. τῆς πόλεως *o tesoureiro da cidade* Rm 16.23.—**2.** Fig. *administrador* 1 Co 4.1; Tt 1.7; 1 Pe 4.10.*

οἶκος, ου, ὁ—**1.** *casa, lar*—a. lit. Mt 9:7; 11.8; 21.13; Mc 2.1; 5.38; 8.3; Lc 6.4; 11.17; 15.6; At 2.2; 7.47, 49; Rm 16.5; Fm 2. κατ' οἶκον *nas várias casas (lares)*

At 2.46; 5.42. οἶκος = *cidade* Mt 23.38; Lc 13.35.—**b.** fig. 1 Pe 2.5; talvez 1 Tm 3.15; 1 Pe 4.17. *Morada, habitação* Mt 12.44; Lc 11.24.—**2.** *família, casa* Lc 10.5; 19.9; At 10.2; 16.31; 1 Co 1.16; 1 Tm 3.4s; 2 Tm 1.16; 4.19; Tt 1.11; Hb 3.2-6.—**3.** *casa = descendentes, nação* Mt 10.6; 15.24; Lc 1.27, 69; 2.4; At 2.36; 7.42; Hb 8.8, 10.—**4** *propriedade, posses* At 7.10. [*ecologia*]

οἰκουμένη, ης, ἡ lit. 'habitado,' com γῆ suprido—**1.** *a terra habitada, o mundo* Mt 24.14; Lc 4.5; 21.26; At 11.28; Rm 10.18; Hb 1.6; Ap 3.10; 16.14. *Mundo, no sentido de humanidade* Lc 2.1; At 17.31; 19.27; Ap 12.9.—**2.** *O império romano* At 24.5; *seus habitantes* 17.6.—**3.** ἡ οἰκ. ἡ μέλλουσα *o mundo por vir* Hb 2.5.* [*ecumênico*]

οἰκουργός, όν *trabalhador do lar, doméstico* Tt 2.5.*

οἰκουρός, όν *estando no lar, doméstico* Tt 2.5 v.l.*

οἰκτείρω forma variante de οἰκτίρω.

οἰκτιρμός, οῦ, ὁ *piedade, misericórdia, compaixão* Rm 12.1; 2 Co 1.3; Cl 3.12; Fp 2.1; Hb 10.28.*

οἰκτίρμων, ον *misericordioso, compassivo* Lc 6.36; Tg 5.11.*

οἰκτίρω *ter compaixão* Rm 9.15.*

οἶμαι ver οἴομαι.

οἰνοπότης, ου, ὁ *bebedor de vinho, bêbado* Mt 11.19; Lc 7.34.*

οἶνος, ου, ὁ *vinho*—**1.** lit. Mt 9.17; Mc 15.23; Lc 1.15; 7.33; 10.34; Jo 2.3, 9s; Rm 14.21; Ef 5.18; 1 Tm 3.8; 5.23; Tt 2.3; Ap 18.13.—**2.** fig. Ap 14.8, 10; 18.3; 19.15.—**3.** *vinha 6.6.*

οἰνοφλυγία, ας, ἡ *bebedice* 1 Pe 4.3.*

οἴομαι forma contracta οἶμαι *pensar, supor, esperar* Jo 21.25; Fp 1.17; Tg 1.7.*

οἷος, α, ον pron. rel. *de tal tipo, tal como* Mt 24.21; Mc 9.3; 13.19; 2 Co 12.20; 2 Tm 3.11; Ap 16.18. οἷος ... τοιοῦτος 1 Co 15.48; cf. 2 Co 10.11. *Qual* Fp 1.30. οὐχ οἷον ὅτι *não como se* Rm 9.6. οἵῳ δηποτοῦν κατείχετο νοσήματι *não importa que mal ele tenha tido* Jo 5.4 v.l.

οἱοσδηποτοῦν ver οἷος.

οἴσω fut. ind. at. de φέρω.

ὀκνέω *hesitar, adiar* At 9.38.*

ὀκνηρός, ά, όν *indolente, preguiçoso, mole* Mt 25.26; Rm 12.11. *Problemático, penoso* Fp 3.1.*

ὀκταήμερος, ον *no oitavo dia* Fp 3.5.*

ὀκτώ *oito* Lc 2.21; 13.16; Jo 20.26; 1 Pe 3.20. [*octa-,* prefixo]

ὀλεθρευτής, ὀλεθρεύω formas variantes de ὀλοθρευτής, ὀλοθρεύω.

ὀλέθριος, ον *mortal, destrutivo* 2 Ts 1.9 v.l.*

ὄλεθρος, ου, ὁ *destruição, ruína, morte* 1 Co 5.5; 1 Ts 5.3; 2 Ts 1.9; 1 Tm 6.9.*

ὀλιγοπιστία, ας, ἡ *pequenez* ou *pobreza de fé* Mt 17.20.*

ὀλιγόπιστος, ον *de pouca fé* ou *confiança* Mt 6.30; 8.26; 14.31; Lc 12.28.*

ὀλίγος, η, ον—**1.** plural *poucos, um pouco, punhado* Mt 9.37; 22.14; 25.21, 23; Mc 8.7; Lc 12.48; 13.23; At 17.4; Hb 12.10; 1 Pe 5.12; Ap 2.14; 3.4. —**2.** singular *pequeno, curto, pouco* Lc 7.47; At 12.18; 15.2; 19.24; 2 Co 8.15; 1 Tm 5.23; Ap 12.12.—**3.** o neutro ὀλίγον em expressões adverbiais *um pouco* Mc 1.19; 6.31; Lc 5.3; 7.47b; 1 Pe 1.6; 5.10; Ap 17.10. ἐν ὀλίγῳ *em breve* Ef 3.3, mas *em pouco tempo* At 26.28; cf. v. 29. πρὸς ὀλίγον *por pouco tempo* Tg 4. 14, mas *por um pouco* 1 Tm 4.8. [*oligarquia*]

ὀλιγόψυχος, ον *assustado, desencorajado* 1 Ts 5.14.*

ὀλιγωρέω *menosprezar* Hb 12.5.*

ὀλίγως adv. *raramente* 2 Pe 2.18.*

ὀλοθρευτής, οῦ, ὁ *destruidor* 1 Co 10.10.*

ὀλοθρεύω *destruir* Hb 11.28.*

ὁλοκαύτωμα, ατος, τό *oferta totalmente queimada, holocausto* Mc 12.33; Hb 10.6, 8.*

ὁλοκληρία, ας, ἡ *integridade, perfeição* At 3.16.*

ὁλόκληρος, ον *total, completo, íntegro, intacto* 1 Ts 5.23; Tg 1.4.*

ὀλολύζω *gritar, lamentar-se* Tg 5.1.*

ὅλος, η, ον *todo, inteiro, completo* Mt 14.35; 16.26; Mc 6.55; Lc 5.5; 13.21; Jo 4.53; 7.23; At 11.26; Rm 1.8; 8.36; Tt 1.11; 1 Jo 5.19; *todos* At 21.31 δι' ὅλου *totalmente* Jo 19.23.

ὁλοτελής, ές um termo quantitativo completo; em 1 Ts 5.23 totalmente.*

Ὀλυμπᾶς, ᾶ, ὁ Olimpas Rm 16.15.*

ὄλυνθος, ου, ὁ tardio ou verão fig. Ap 6.13.*

ὅλως adv. falando geralmente, por todo lugar, realmente 1 Co 5.1; 6.7; com neg. de modo nenhum Mt 5.34; 1 Co 15.29.*

ὄμβρος, ου, ὁ aguaceiro, tempestade Lc 12.54.*

ὁμείρομαι ter um sentimento agradável por, ansiar, esperar com gen. 1 Ts 2.8.*

ὁμιλέω falar, conversar Lc 24.14s; At 20.11; 24.26.* [homilia, homilética]

ὁμιλία, ας, ἡ associação, companhia 1 Co 15.33.*

ὅμιλος, ου, ὁ multidão, turma Ap 18.17 v.l.*

ὁμίχλη, ης, ἡ neblina, névoa 2 Pe 2.17.*

ὄμμα, ατος, τό olho Mt 20.34; Mc 8.23.*

ὀμνύναι inf. pres. at. de ὄμνυμι (ver ὀμνύω) Mc 14.71.

ὄμνυμι ver a forma derivada ὀμνύω.

ὀμνύω jurar, prestar juramento; a pessoa ou coisa pela qual se jura pode ser expressa por: o ac. simples Tg 5.12; ἐν com dat. Mt 5.34; 36; Ap 10.6; κατά com gen. Hb 6.13. Em outras construções Mc 6.23; Lc 1.73; At 2.30; Hb 3.18.

ὁμοθυμαδόν adv. com uma mente, ou propósito, ou impulso At 1.14; 4.24; 8.6; 15.25; 19.29; Rm 15.6; juntos At 5.12.

ὁμοιάζω ser igual, parecido, semelhante somente como v.l. em Mt 23.27; 26.73; e Mc 14.70.*

ὁμοιοπαθής, ές com a mesma natureza, sujeito às mesmas condições, com dat. At 14.15; Tg 5.17.* [homeopatia]

ὅμοιος, οία, οιον da mesma natureza, igual, similar. com a pessoa ou coisa comparada no dativo: Mt 11.16; 13.31, 33, 44s; Lc 6.47-49; Jo 8.55; 9.9; At 17.29; Gl 5.21; 1 Jo 3.2; Ap 4.3, 6s; 21.11, 18. Com o genitivo Jo 8.55 v.l. Em uma construção extraordinária com o acusativo Ap 1.13; 14.14. Em um sentido especial tão poderoso como, igualmente importante, igual a com dat. Mt 22.39; Mc 12.31 v.l.; Ap 13.4; 18.18.

ὁμοιότης, ητος, ἡ semelhança, similaridade καθ' ὁμοιότητα à semelhança de, do mesmo modo Hb 4.15; 7.15.*

ὁμοιόω—1. igualar, fazer igual; pass. tornar-se igual, semelhante, ser semelhante, igual Mt 7.24, 26; 22.2; At 14.11; Rm 9.29; Hb 2.17.—2. comparar Mt 11.16; Mc 4.30; Lc 7.31; 13.20.

ὁμοίωμα, ατος, τό—1. semelhança Rm 5.14; 6.5; 8.3; Fp 2.7.—2. imagem, cópia Rm 1.23.—3. forma, aparência Ap 9.7.*

ὁμοίως adv. semelhantemente, similarmente, assim, dessa maneira Mt 22.26; Mc 4.16 v.l.; Lc 3.11; 5.10; 13.3; Rm 1.27; 1 Co 7.3s; 1 Pe 3.1, 7; Jd 8. Também Jo 5.19; 6.11; 21.13.

ὁμοίωσις, εως, ἡ semelhança Tg 3.9.*

ὁμολογέω—1. prometer, assegurar Mt 14.7; At 7.17.—2. concordar, admitir Hb 11.13.—3. confessar Jo 1.20; At 24.14; 1 Jo 1.9.—4. declarar (publicamente), reconhecer, confessar Lc 12.8; Jo 9.22; At 23.8; Rm 10.9; 1 Tm 6.12; 1 Jo 4.2s, 15; Ap 3.5; dizer claramente Mt 7.23; reivindicar Tt 1.16.—5. louvar com dat. Hb 13.15. [homologar]

ὁμολογία, ας, ἡ confessando 2 Co 9.13. Confissão, reconhecimento 1 Tm 6.12s; Hb 3.1; 4.14; 10.23.*

ὁμολογουμένως adv. confessadamente, inegavelmente, certamente 1 Tm 3.16.*

ὀμόσαι inf. 1 aor. at. de ὀμνύω.

ὁμόσε adv. junto At 20.18 v.l.*

ὁμότεχνος, ον praticando o mesmo negócio, do mesmo ofício At 18.3.*

ὁμοῦ adv. junto, juntos Jo 4.36; 20.4; 21.2; At 2.1.*

ὁμόφρων, ον de mente semelhante, com a mesma mente 1 Pe 3.8.*

ὅμως adv. ainda, sem embargo, mesmo assim, todovia Jo 12.42. Este também pode ser o sentido em 1 Co 14.7 e Gl 3.15, mas semelhantemente, também, é possível.* [homo-, prefixo de várias palavras].

ὀναίμην 2 aor. opt. méd. de ὀνίνημι.

ὄναρ, τό (achado apenas no nom. e ac. sing.) sonho κατ' ὄναρ em um sonho Mt 1.20; 2.12s, 19, 22; 27.19.* [Cf. onírico] ὀνάριον, ου, τό *jumento (filhote), jumentinho* Jo 12.14.*

ὀνειδίζω *reprovar, insultar, injuriar* Mt 5.11; 27.44; Mc 15.32; 16.14; Lc 6.22; Rm 15.3; Tg 1.5; 1 Pe 4.14; *reprovar justificavelmente, censurar* Mt 11.20; Mc 16.14.*

ὀνειδισμός, οῦ, ὁ *injúria, insulto, desonra, descrédito* Rm 15.3; 1 Tm 3.7; Hb 10.33; 11.26; 13.13.*

ὄνειδος, ους, τό *desgraça* Lc 1.25.*

'Ονήσιμος, ου, ὁ *Onésimo*, escravo de Filemon Cl 4.9; Fm 10; subscr. de Cl e Fm.*

'Ονησίφορος, ου, ὁ *Onesíforo* 2 Tm 1.16; 4.19.*

ὀνικός, ή, όν *relativo ao jumento* μύλος ὀν. *um moinho movido por um jumento* Mt 18.6; Mc 9.42; Lc 17.2 v.l.*

ὀνίνημι 2 aor. opt. méd. ὀναίμην, como uma fórmula, *que eu me alegre, que eu me beneficie*, em um jogo de palavras Fm 20.*

ὄνομα, ατος, τό—1. *nome*—a. geralmente Mt 10.2; Mc 14.32; Lc 8.30, 41; 10.20; Hb 1.4; Ap 9.11; ὀνόματι *pelo nome, nomeado* Mt 27.32; Lc 5.27; At 5.1, 34.— b. em combinação com Deus ou Jesus Mt 6.9; Lc 1.49; Rm 2.24; 2 Ts 1.12; Hb 2.12; 13.15; Ap 2.13; 11.18. Os seguintes usos, com preposições, são dignos de nota: ἐν τῷ ὀνόματι *com* ou *à menção do nome* Mc 9.38; Lc 10.17; At 4.7, 10; 10.48; Fp 2.10; Tg 5.14, mas *ao comando de, comissionado por* Mt 21.9; Jo 5.43; 12.13.— ἐπὶ τῷ ὀνόματι *quando o nome é mencionado, usando o nome* Mt 24.5; Mc 9.39; Lc 24.47; At 2.38; 4.17s. πρὸς τὸ ὄνομα *em oposição ao nome* At 26.9.—2. *título, categoria* ὁ δεχόμενος προφήτην εἰς ὄνομα προφήτου *quem quer que recebe um profeta na categoria 'profeta'*, i.e. *como um profeta* Mt 10.41a; cf. 41b, 42; Mc 9.41. *Por amor a* 1 Pe 4.14. *Na capacidade de* 4.16.—3. *pessoa* At 1.15; 18.15; Ap 3.4; 11.13.—4. *reputação, fama* Mc 6.14; Ap 3.1. [Cf. *onomástico,* coletânea sistemática de nomes e substantivos]

ὀνομάζω *dar um nome, chamar, nomear* Mc 3.14; Lc 6.13s; 2.21 v.l.; 1 Co 5.11; Ef 3.15. *usar um nome* ou *palavra* At 19.13; Ef 1.21; 5.3; 2 Tm 2.19; Pass. *ser nomeado,* no sentido de *ser conhecido* Rm 15.20; 1 Co 5.1 v.l.*

ὄνος, ου, ὁ e ἡ *jumento (macho ou fêmea), burro, mula* Mt 21.2, 5, 7; Lc 13.15; 14.5; v.l.; Jo 12.15.*

ὄντοως adv. *realmente, certamente, em verdade* Mc 11.32; Lc 23.47; 24.34; Jo 8.36; 1 Co 14.25; Gl 3.21. Como adj. *real* 1 Tm 5.3, 5, 16; 6.19; 2 Pe 2.18 v.l.*[Cf. *ontologia*]

ὄξος, ους, τό *vinho azedo, vinagre* Mt 27.48; Mc 15.36; Lc 23.36; Jo 19.29s.*

ὀξύς, εῖα, ύ—1. *agudo, afiado* Ap 1.16; 2.12; 14.14, 17s; 19.15.—2. *ligeiro, veloz* Rm 3.15.*

ὀπή, ῆς, ἡ *abertura, buraco* Hb 11.38; Tg 3.11.*

ὄπισθεν adv.—1. como adv. *detrás* Mt 9.20; Mc 5.27; Lc 8.44. *Atrás* Ap 4.6; *nas costas* 5.1.—2. funciona como prep. com gen. *depois, atrás de* Mt 15.23; Lc 23.26; Ap 1.10 v.l.*

ὀπίσω adv.—1. como adv. *atrás, detrás* Lc 7.38. τὰ ὀπίσω *o que jaz atrás* Fp 3.13. εἰς τὰ ὀπ. *para trás, 'recuar'* Jo 18.6; 20.14; Lc 9.62.—2. funciona como prep. com gen. *depois, após* Mt 3.11; 16.24; Mc 8.34; Lc 9.23; 14.27; Jo 1.15; 27, 30; Jd 7; Ap 12.15. δεῦτε ὀπ. μου *vem, segue-me* Mc 1.17.

ὁπλίζω *equipar, armar,* fig. *armar-se com,* com ac. 1 Pe 4.1.*

ὅπλον, ου, τό *arma*—1. lit. Jo 18.3; Rm 6.13 (aqui *ferramenta* é possível, *instrumento*).—2. fig. Rm 13.12; 2 Co 6.7; 10.4.*

ὁποῖος, οία, οῖον pronome correlativo *do mesmo tipo que, como tal, tal* At 26.29; 1 Co 3.13; Gl 2.6; 1 Ts 1.9; Tg 1.24.*

ὁπότε partícula *quando* Lc 6.3 v.l.*

ὅπου partícula *onde* Mt 6.19s; 26.57; Mc 9.48; Jo 1.28; 6.62; 8.21s; Rm 15.20; Cl 3.11; Hb 9.16; Tg 3.16; Ap 2.13; *enquanto* 1 Co 3.3. ὅπου ἄν ou ἐάν *sempre que, por onde quer que* Mt 26.13; Lc 9.57; Ap 14.4.

ὀπτάνομαι *aparecer* At 1.3.*

ὀπτασία, ας, ἡ visão Lc 1.22; 24.23; At 26.19; 2 Co 12.1.* [ótica]

ὀπτός, ή, όν assado, cozido Lc 24.42.*

ὀπώρα, ας, ἡ fruto Ap 18.14.*

ὅπως conjunção, indicando propósito, etc. que, afim de que Mt 5.45; 23.35; Lc 2.35; 16.26, 28; At 9.17, 24; 15.17; 2 Co 8.11; Hb 9.15. Depois de verbos de questionamento que Mt 8.34; 9.38; At 25.3; Tg 5.16.

ὅραμα, ατος, τό visão, aparição, oposto a algo imaginado Mt 17.9; At 7.31; 10.3, 17, 19; 18.9.

ὅρασις, εως, ἡ aparição Ap 4.3. Visão At 2.17; Ap 9.17.*

ὁρατός, ή, όν visível Cl 1.16.*

ὁράω—1. trans. —a. ver, notar, perceber Mt 24.30; 28.7, 10; Mc 14.62; Lc 1.22; Jo 1.18; At 2.17; 22.15; 1 Co 9.1; Cl 2.1, 18; 1 Jo 1.1-3; 3.2; visitar Hb 13.23. Pass. tornar-se visível, aparecer At 2.3; 7.2; 16.9; 1 Tm 3.16; Ap 11.19.—b. experienciar, testemunhar Lc 3.6; 17.22; Jo 1.50; 3.36—c. mental e espiritualmente ver, olhar, perceber At 8.23; Rm 15.21; Hb 2. 8; Tg 2.24.—2. intrans. olhar Jo 19.37. Cuidar, estar de guarda, vigiar Mt 16.6; 27.4, 24; Lc 12.15; At 18.15; Hb 8.5; Ap 19.10.

ὀργή, ῆς, ἡ ira, raiva, indignação Mc 3.5; Jo 3.36; Rm 12.19; 13.4s; Ef 4.31; 1 Tm 2.8; Hb 3.11; Tg 1.19. Juízo, julgamento Lc 21.23; Rm 5.9; Ef 2.3; Cl 3.6; Ap 6.16s; 14.10; punição Rm 3.5.

ὀργίζω pass. estar irado, ficar irado Mc 1.41 v.l.; Mt 5.22; 18.34; 22.7; Lc 14.21; 15.28; Ef 4.26; Ap 11.18; 12.17.*

ὀργίλος, η, ον inclinado a ira, de temperamento explosivo Tt 1.7.*

ὀργυιά, ᾶς, ἡ braça (= 1,83 m.) At 27.28.*

ὀρέγω méd. aspirar a, desejar, lutar por com gen. 1 Tm 3.1; 6.10; Hb 11.16.*

ὀρεινός, ή, όν região montanhosa ἡ ὀρεινή o país montanhoso Lc 1.39, 65.*

ὄρεξις, εως, ἡ desejo Rm 1.27.*

ὀρθοποδέω agir retamente, ser correto Gl 2.14, embora progresso, avanço também sejam possíveis.*

ὀρθός, ή, όν reto, direito Hb 12.13; reto, correto At 14.10.* [orto-, prefixo de várias palavras]

ὀρθοτομέω guiar por uma estrada reta 2 Tm 2.15.*

ὀρθρίζω chegar de madrugada Lc 21.38.*

ὀρθρινός, ή, όν cedo de manhã, de madrugada Lc 24.22.*

ὄρθριος, ία, ιον cedo na manhã, de madrugada Lc 24.22 v.l.*

ὄρθρος, ου, ὁ aurora, de manhã cedo Lc 24.1; Jo 8.2; At 5.21.*

ὀρθῶς adv. retamente, corretamente Lc 7.43; 10.28; 20.21 normalmente Mc 7.35.*

ὁρίζω determinar, fixar, colocar At 2.23; 11.29; 17.26; Hb 4.7. τὸ ὡρισμένον Lc 22.22 Apontar, designar, declarar At 10.42; 17.31; Rm 1.4.* [Cf. aoristo, horizonte]

ὅριον, ου, τό fronteira, pl. fronteiras = região, distrito Mt 2.16; 4.13; 8.34. 15.22, 39; 19.1; Mc 5.17; 7.24, 31; 10.1; At 13.50.*

ὁρκίζω conjurar, implorar Mc 5.7; At 19.13; Mt 26.63 v.l.; 1 Ts 5.27 v.l.*

ὅρκος, ου, ὁ juramento Mt 5.33; 14.7, 9; 26.72; Mc 6.26; Lc 1.73; At 2.30; Hb 6.16s; Tg 5.12.*

ὁρκωμοσία, ας, ἡ juramento, a tomada, a prestação de um juramento Hb 7.20s, 28.*

ὁρμάω arrojar-se, precipitar-se, lançar-se Mt 8.32; Mc 5.13; Lc 8.33; At 7.57; 19.29.*

ὁρμή, ῆς, ἡ impulso, inclinação, desejo At 14.5; Tg 3.4.*

ὅρμημα, ατος, τό ímpeto Ap 18.21.*

ὄρνεον, ου, τό pássaro Ap 18.2; 19.17, 21.* [ornitologia]

ὄρνιξ v.l. de ὄρνις Lc 13.34.*

ὄρνις, ιθος, ὁ e ἡ pássaro, especificamente galinha Mt 23.37; Lc 13.34.* [ornitólogo]

ὁροθεσία, ας, ἡ fronteira fixa At 17.26.*

ὄρος, ους, τό montanha, colina Mt 5.1, 14; 17.1; 28.16; Mc 5.5, 11; 14.26; Lc 3.5; Jo 4.20; At 7.30, 38; 1 Co 13.2; Hb 11.38; 12.22; Ap 6.15s; 8.8. [orologia]

ὅρος, ου, ὁ limite final de Mc no manuscrito Freer 7.*

ὀρύσσω—ὀστράκινος 149

ὀρύσσω *cavar* Mt 25.18. *Cavar, preparar ao cavar, furar* 21.33; Mc 12.1. *Cavar, cavocar* Mt 25.18 v.l.*

ὀρφανός, ή, όν *órfão, orfanado* lit. *privado de um dos pais* Mc 12.40 v.l.; Tg 1.27. Fig. Jo 14.18.*

ὀρχέομαι *dançar* Mt 11.17; 14.6; Mc 6.22; Lc 7.32.* [Cf. *orquestra*]

ὅς, ἥ, ὅ pronome relativo *que, quem, o qual* usualmente concorda com seu antecedente em gênero e número; seu caso é determinado pela construção dentro de sua própria oração Mt 2.9; Lc 9.9; Jo 1.47; At 13.6; 17.3; Rm 2.29. Às vezes, entretanto, o relativo é atraído ou assimilado ao caso de seu antecedente Mt 18.19; 24.50b; Lc 2.20; Jo 7.31; At 1.22; 3.25; 1 Co 6.19.— Com preposições: ἀντί: ἀνθ' ὧν *porque, por causa de* Lc 1.20; 19.44; At 12.23; 2 Ts 2.10, mas *portanto* Lc 12.3. εἰς: εἰς ὅ *para este fim* 2 Ts 1.11. ἐπί: ἐφ' ᾧ *por causa de, sob que termos* Rm 5.12; 2 Co 5.4; Fp 3.12, mas *por, pois* 4.10. χάριν: οὗ χάριν *portanto* Lc 7.47. —Às vezes há um pron. demonstrativo "oculto" dentro do pronome relativo, de modo que ele significa: *aquele que*, etc. Mt 10.27, 38; Mc 9.40; 15.12; Jo 5.21; 18.26; Rm 6.16; 1 Co 10.30; Gl 1.8. Em outras ocasiões, ainda, o pronome relativo funciona como um demonstrativo ὃς δέ *mas ele* (lit. *aquele*) Mc 15.23; Jo 5.11. ὃς μὲν ... ὃς δέ *um ... o outro*, etc. Mt 22.5; Lc 23.33; At 27.44; Rm 14.5; 1 Co 11.21; 2 Co 2.16; Jd 22s ὃ μὲν ... ὃ δέ *este ... aquele, isto ... aquilo* Rm 9.21 ἃ μὲν ... ἃ δέ *uns ... outros* 2 Tm 2.20.

ὁσάκις adv. *tão freqüentemente como* 1 Co 11.25s; Ap 11.6.*

ὅσγε = ὅς γε.

ὅσιος, ία, ον *devoto, santo, agradável a Deus, pio* 1 Tm 2.8. De Deus ou Cristo, *santo* At 2.27; 13.35; Hb 7.26; Ap 15.4; 16.5. τά ὅσια *decretos divinos* At 13.34.*

ὁσιότης, τητος, ἡ *santidade* de vida Lc 1.75; Ef 4.24.*

ὁσίως adv. *de modo santo, de maneira santa, de forma santa* 1 Ts 2.10.*

ὀσμή, ῆς, ἡ *fragrância, odor* lit. Jo 12.3. Fig. 2 Co 2.14, 16; Ef 5.2; Fp 4.18.* [*osmium*, um elemento metálico do grupo da platina]

ὅσος, η, ον *tão grande, quão grande, tão longo, quão longo, tanto, tanto como* correlativo com πόσος, τοσοῦτος.—**1.** de espaço e tempo: τὸ μῆκος αὐτῆς (τοσοῦτόν ἐστιν), ὅσον τὸ πλάτος *seu comprimento era igual à sua largura* Ap 21.16. ἐφ' ὅσ. χρόνον *durante o tempo que* Rm 7.1; 1 Co 7.39; Gl 4.1; também ἐφ' ὅσον Mt 9.15; 2 Pe 1.13 e ὅσον χρόνον Mc 2.19 com o mesmo significado. ἔτι μικρὸν ὅσον ὅσον *em bem pouco tempo* Hb 10.37. ὅσον ὅσον *uma curta distância* Lc 5.3 v.l.—**2.** de quantidade e número *quanto(s), tanto como* ὅσον ἤθελον *o tanto que eles queriam* Jo 6.11. Com πάντες (ἅπαντες) *todos que* Lc 4.40; Jo 10.8; At 3.24; 5.36a. πάντα ὅσα *tudo que* Mt 13.46; Mc 11.24; Lc 18.12, 22. Mesmo sem πάντες, ὅσοι tem o significado *tudo que* ou *todos que* Jo 1.12; At 9.13. 39; At 10.45; Rm 8.14; Gl 6.12, 16; Fp 4.8. ὅσοι sozinho *todos aqueles que* Mt 14.36; Mc 6.56; At 4.6, 34; Rm 2.12 ὅσα *tudo que, qualquer que* Mt 17.12; Mc 5,19s; Lc 8.39; At 14.27; 2 Tm 1.18.—**3.** de medida e grau: ὅσον ... μᾶλλον περισσότερον *quanto mais ... tanto mais* Mc 7.36. πλείονος ... καθ' ὅσον πλείονα *tanto maior ... quanto maior* Hb 3.3. τοσούτῳ ... ὅσῳ *tanto mais ... do que* 1.4. ὅσα ... τοσοῦτον *à medida em que ... na mesma medida* Ap 18.7.

ὅσπερ uma forma ligeiramente mais forte de ὅς.

ὀστέον, ου contracto ὀστοῦν, οῦ, τό *osso* Mt 23.27; Lc 24.39; Jo 19.36; Hb 11.22; Ef 5.30 v.l.* [*osteo*-, prefixo]

ὅστις, ἥτις, ὅ τι *quem quer que, qualquer que, todos que, tudo que* Mt 5.39, 41; 13.12; 23.12; Lc 14.27; Rm 11.4; Gl 5.4, 10; Tg 2.10. Freqüentemente equivalente a ὅς, ἥ, ὅ *quem* Mt 27.62; Mc 15.7; Lc 2.4; 8.26; At 16.12; 21.4; 23.14, 21, 33; Hb 9.2, 9, embora às vezes enfatize uma qualidade característica οἵτινες μετήλλαξαν *pois visto que eles trocaram* Rm 1.25; cf. 2.15; 6.2. οἵτινες οὐκ ἔγνωσαν *os que, decerto, não aprenderam* Ap 2.24.

ὀστράκινος, η, ον *feito de terra* ou cerâmica

ou *barro* 2 Co 4.7; 2 Tm 2.20.*

ὄσφρησις, εως, ἡ *olfato* 1 Co 12.17.*

ὀσφῦς, ύος, ἡ—1. *cinto, cinturão* Mt 3.4; Mc 1.6; Lc 12.35; Ef 6.14; 1 Pe 1.13—2. *lombos* como o local dos órgãos de reprodução At 2.30; Hb 7.5, 10.*

ὅταν partícula temporal *no tempo que, quando, sempre que* Mt 5.11; 24.15; 26.29; Mc 3.11; Jo 8.28; 2 Co 12.10; 1 Ts 5.3; Ap 4.9. *Sempre que, tão freqüentemente quanto, toda vez que* Mt 6.2, 5s, 16; Mc 13.11; 14.7; Lc 12.11; 14.12s.

ὅτε partícula temporal *quando, enquanto, tanto quanto* Mt 9.25; 21.34; Mc 1.32; 14.12; 15.41; Lc 6.3; 13.35; 17.22; Jo 4.21, 23; At 12.6; Rm 13.11; 1 Co 13.11; Gl 1.15; Hb 9.17.

ὅτι conjunção—1. *que*, introduzindo uma declaração indireta, etc. Mt 26.54; 28.7; Mc 11.32; At 20.26; 27.10; 1 Co 1.15; 16.15; 2 Co 1.23; 1 Jo 4.9, 10, 13. *De modo que*, expressando resultado Jo 7.35; 14.22; 1 Tm 6.7; Hb 2.6. τί ὅτι; *aquilo que, por quê?* Lc 2.49; At 5.4, 9; Mc 2.16 v.l. οὐχ ὅτι *não que, não como se* Jo 6.46; 7.22; 2 Co 1.24; Fp 3.12; 2 Ts 3.9.—2. introduzindo discurso direto. Neste caso, pode deixar de ser traduzida, mas deve ser representada por um sinal de citação: ὁμολογήσω αὐτοῖς ὅτι οὐδέποτε ἔγνων ὑμᾶς *Eu declarei a eles, "Nunca vos conheci"* Mt 7.23. Cf. Mt 26.72, 74s; Mc 1.37; 2.16; Lc 1.25, 61; Jo 1.20, 32; At 15.1; Rm 3.8; 1 Jo 4.20.—3. como uma conjunção causal *porque, por causa de, visto que, desde que* Mt 5.3ss; Mc 5.9; Lc 10.13; Jo 1.30, 50a; 20.29; Rm 6.15; 9.32; 1 Co 12.15s. *Pois, porque* Mt 7.13; Lc 9.12; Jo 1.16s; 1 Co 1.25; 4.9; 2 Co 4.6; 7.8, 14.

ὅτου gen, sing. masc. e neutro de ὅστις.

οὗ o gentivo de ὅς, funcionando como um adv. *onde, aonde* Mt 2.9; 18.20; Lc 4.16s; 10.1; 23.53; At 1.13; 16.13; Rm 4.15; 5.20; 2 Co 3.17; *para o qual* Mt 28.16; Lc 24.28.

οὐ (antes de consoantes), οὐκ (antes de uma vogal com aspiração branda) οὐχ (antes de uma vogal com aspiração áspera), advérbio de negação.—1. οὔ com um acento significa *não* Mt 5.37; Mc 12.14; Lc 14.3; Jo 1.21; 7.12; 21.5; 2 Co 1.17-19; Tg 5.12; cf. Rm 7.18.—2. οὐ como uma palavra enclítica significa *não*, numa grande variedade de usos, exemplos dos quais podem ser localizados nas seguintes passagens: Mt 1.25; 7.21; Mc 4.25; At 12.9; 13.10; 17.4, 12; Rm 7.7; 1 Co 15.51; 2 Co 2.11; Hb 12.25.—οὐ é usado regularmente com o indicativo, mas é achado com o particípio nas seguintes passagens: Mt 22.11; Lc 6.42; Gl 4.8, 27; Hb 11.1, 35;1 Pe 2.10.—3. οὐ é usado em perguntas diretas quando se espera uma resposta positiva οὐκ ἀκούεις: *não ouvistes? certamente o ouvistes, não?* Mt 27.13. Cf. 6.26, 30; 17.24; Mc 6.3; Lc 11.40; Jo 6.70; At 9.21.—4. em combinação com outros advérbios de negação—a. fortalecendo a negação Mt 22.16; Mc 5.37; especialmente Lc 23.53; Jo 6.63; 15.5; At 8.39; 2 Co 11.19. Para οὐ μή ver μή 4.—b. anulando a força da negação. Em questões, se o verbo já é negativo (por οὐ), a negação pode ser invalidada por μή usado como uma partícula interrogativa (ver μή 3); prepara-se assim o terreno para uma resposta afirmativa: μὴ οὐκ ἤκουσαν *certamente eles ouviram, não?* Rm 10.18, cf. μὴ οἰκίας οὐκ ἔχετε: *tendes casas, não?* 1 Co 11.22; cf. 9.4s.

οὐά interjeição *ah! ah, ah!* como uma expressão de desdenho Mc 15.29. Cf. Mt 11.26 v.l.*

οὐαί interjeição *ai! uai!*, etc. Mt 11.21; Mc 14.21; Lc 6.24s; 17.1; 21.23; Jd 11; Ap 12.12; 18.10, 16, 19. Como subst. 1 Co 9.16; Ap 9.12; 11.14.

οὐδαμῶς adv. *de jeito nenhum* Mt 2.6.*

οὐδέ conjunção negativa—1. *e não, nem* Mt 6.20, 26, 28; Mc 8.17; Lc 6.43s; Jo 8.42; At 4.12, 34; Ap 5.3.—2. *também não, e nem, muito menos* Mt 6.15; Mc 16.13; Lc 16.31; 23.15; Jo 15.4; Rm 4.15; 1 Co 15.13, 16.—3. *nem mesmo* Mt 6.29; 24.36; Lc 12.26; 18.13; Jo 1.3; 21.25; At 19.2; 1 Co 5.1; 14.21; Hb 8.4.

οὐδείς, οὐδεμία, οὐδέν—1. como um adv. *não* Lc 4.24; 16.13; Jo 16.29; 18.38; At 25.18; 27.22; 1 Co 8.4a; Fp 4.15.—2. como um pronome—a. *ninguém* (οὐδείς) Mt 6.24; Mc 7.24; Lc 5.36s, 39; 23.53; Jo 1.18; 13.28; 16.5; At 5.13.—b. *nada* (οὐδέν) Mt 5.13; 17.20; Mc 7.15; 14.60s; Lc 18.34; Jo 3.27 v.l.; At 18.17; 1 Co

9.15a.— O ac. οὐδέν *de modo nenhum* At 15.9; 25.10; 1 Co 13.3; 2 Co 12.11a; Gl 4.1, 12.— No sentido *sem valor, insignificante, inválido* Mt 23.16, 18; Jo 8.54; At 21.24; 1 Co 7.19; 2 Co 12.11b.

οὐδέποτε adv. *nunca* Mt 7.23; 21.16, 42; 26.33; Mc 2.12; Lc 15.29; Jo 7.46; At 10.14; 1 Co 13.8; Hb 10.1, 11.

οὐδέπω adv. *ainda não* Jo 7.39; 20.9. οὐ ... οὐδεὶς οὐδέπω *ninguém jamais* Lc 23.53 v.l. οὐδέπω οὐδείς Jo 19.41; cf. At 8.16.*

οὐθείς uma forma grega posterior de οὐδείς.

οὐκέτι adv. *não mais, nem mais, já não mais*—1. lit. de tempo Mt 19.6; Mc 9.8; Lc 15.19, 21; Jo 4.42; 6.66; 14.19; *nunca mais* Rm 6.9a; At 20.25, 38; 2 Co 1.23. οὐκέτι οὐ μή *nunca mais* Mc 14.25; Ap 18.14.—2. em um uso não temporal *então não, daí não* Rm 11.6a; 14.15; Gl 3.18. Semelhantemente νυνὶ οὐκέτι Rm 7.17.

οὐκοῦν adv. introduzindo uma questão *assim, então* Jo 18.37.*

Οὐλαμμαούς v.l. de Ἐμμαοῦς em Lc 24.13; influenciada pelo antigo nome de Betel na LXX de Gn 28.19.*

οὐ μή ver μή 4.

οὖν partícula pospositiva, nunca achada no início de uma oração; seu sentido é inferencial e transicional. Seu significado varia de acordo com o contexto, e, algumas vezes, οὖν pode ser deixada sem tradução.—1. inferencial *portanto, conseqüentemente, então* Mt 1.17; Mc 10.9; Lc 11.35; Jo 6.13; At 5.41; 21.22; Rm 3.9; 1 Co 3.5; Hb 4.16; 3 Jo 8.—2. Em narrativa histórica οὖν serve para —**a**. resumir um assunto, *assim, dessa forma, portanto* Lc 3.7 (ligando ao v. 3). Cf. 19.12; Jo 4.6, 28; At 8.25; 12.5; 1 Co 8.4; 11.20.—**b**. indicar uma transição para algo novo, *ora, então* Jo 1.22; At 25.1.— **c**. indicar uma resposta *em réplica, por sua vez* é possível em Jo 4.9, 48; 6.53 e em outros lugares.—3. Outros significados possíveis são: *certamente, realmente*, etc. Mt 3.10; Jo 20.30; 1 Co 3.5 e *mas, porém* Jo 9.18; At 23.21; 25.4; 28.5; Rm 10.14.

οὔπω adv. de tempo *ainda não, não ainda* Mt 24.6; Jo 2.4; 6.17; 8.20, 57; 1 Co 3.2; Fp 3.13 v.l.; Hb 2.8; Ap 17.10, 12. οὐδείς οὔπω ninguém mais Mc 11.2; Lc 23.53.

οὐρά, ᾶς, ἡ *cauda* Ap 9.10, 19; 12.4.*

οὐράνιος, ον *celestial, proveniente do céu* ou *vivendo no céu* Mt 5.48; 6.14, 26, 32; 15.13; 18.35; 23.9; Lc 2.13; At 26.19; 1 Co 15.47 v.l.*

οὐρανόθεν adv. de lugar *do céu* At 14.17; 26.13.*

οὐρανός, οῦ, ὁ *céu, céus* Mt 5.16, 18, 45; 23.22; Mc 1.10; 13.31; Lc 2.15; Jo 3.13, 31; At 7.55s; Hb 12.23; Cl 1.5; Ap 3.12; de mais do que um céu 2 Co 12.2; Ef 4.10; Hb 1.10. *Céu, firmamento* Mt 11.23; 16.2s; Lc 4.25; 10.18; 17.29; At 2.19; Ap 16.21. Fig. sinônimo de Deus Mt 3.2; 21.25; 22.2; Lc 15.18, 21. [*urânio*]

Οὐρβανός, οῦ, ὁ *Urbano* Rm 16.9.*

Οὐρίας, ου, ὁ *Urias* (2 Sm 11; 12.24) Mt 1.6.*

οὖς, ὠτός, τό *ouvido*—1. lit. Mc 7.33; Lc 12.3; 22.50; At 7.57; 1 Co 2.9; Tg 5.4; 1 Pe 3.12.—2. no sentido de compreensão mental ou espiritual τοῖς ὠσὶ βαρέως ἀκούειν *ser duro de ouvir* = *compreender vagarosamente, de modo nenhum* Mt 13.15. Cf. 11.15; Mc 8.18; Lc 9.44; At 7.51; Ap 2.7, 11. [*otorrino*]

οὐσία, ας, ἡ *propriedade, riqueza* Lc 15.12s.*

οὔτε adv. *e não*. οὔτε ... οὔτε *nem ... nem* Mt 6.20; 12.32; Mc 12.25; Lc 20.35; Jo 5.37; At 25.8; Rm 8.38s; 1 Ts 2.5s; Ap 9.20. οὔτε ἄντλημα ἔχεις *não tem com que tirar* Jo 4.11; cf. 3 Jo 10.

οὗτος, αὕτη, τοῦτο pronome demonstrativo, usado como adjetivo e substantivo *este, esta, isto*—1. como subst. Mt 3.17; 26.26, 28; Lc 5.21; Jo 6.29, 39s; At 7.35; 9.21; 25.25; 1 Co 1.12; Gl 4.24; Ef 3.14; Hb 2.14; Tg 1.23; 1 Pe 5.12. *Este, ele*, etc. Mt 3.3; Lc 1.32; Jo 1.2, 41; At 21.24; 1 Co 2.2; 2 Tm 3.5s,8; Hb 8.3. *Este mesmo* Jo 9.9; At 4.10; 9.20; 1 Jo 5.6; 2 Pe 2.17. καὶ τοῦτο *e especialmente* Rm 13.11; 1 Co 6.6, 8; Ef 2.8. Elipticamente, τοῦτο δέ *o ponto é este* 2 Co 9.6. τοῦτο μὲν ... τοῦτο δέ *algumas vezes ... outras; não*

οὗτω—ὄψιμος

somente ... mas também Hb 10.33.—2. como um adj., vindo antes do substantivo, com o artigo entre eles ἐν. τούτῳ τῷ αἰῶνι *nesta era* Mt 12.32. Cf. 16.18; Lc 7.44; Jo 4.15; At 1.11; Hb 7.1; Ap 20.14. Seguindo um substantivo que tem um artigo ἐκ τῶν λίθων τούτων *destas pedras* Mt 3.9. Cf. 5.19; Mc 12.16; Lc 11.31; 21.3; Rm 15.28; 1 Co 11.26; Ef 3.8; Ap 2.24.— Quando falta o artigo, ou o demonstrativo ou o substantivo pertencem ao predicado τρίτην ταύτην ἡμέραν *este é o terceiro dia* Lc 24.21. Cf. 1.36; Jo 2.11; 4.54; 2 Co 13.1.

οὕτω e οὕτως adv. *desta maneira, assim, portanto, dessa forma* Mt 5.16, 19; 12.40; Mc 7.18; 10.43; 14.59; Lc 11.30; 24.24; Jo 3.8; 11.48; 21.1; At 8.32; Rm 1.15; 12.5; Gl 3.3; Ap 16.18. *Como a seguir* Mt 2.5. *Sem mais, simplesmente* Jo 4.6, talvez ὁ μὲν οὕτως, ὁ δὲ οὕτως *um de um jeito, outro de outro* 1 Co 7.7.

οὐχ ver οὐ.

οὐχί (forma fortalecida de οὐ) adv. de negação—1. *não* Jo 13.10s; 14.22; 1 Co 5.2; 6.1; 10. 29.—2. *não, de jeito nenhum* Lc 1.60; 12.51; 13.3, 5; 16.30; Jo 9.9; Rm 3.27.—3. palavra interrogativa em questões que esperam uma resposta afirmativa *não* Mt 5.46; 6.25; 10.29; Lc 6.39; 12.6; 17.8; Jo 11.9; Rm 3.29.

ὀφειλέτης, ου, ὁ *devedor*—1. lit. Mt 18.24.—2. fig. *alguém que tem uma obrigação, compromisso* ὀφειλέτην εἶναι *estar sob obrigação* Rm 1.14; 8.12; 15.27; Gl 5.3. *Alguém que é culpado* de um ato falho, errado, *alguém que é culpável*, ou está em falta Mt 6.12; *pecador* Lc 13.4.*

ὀφειλή, ῆς, ἡ *débito, dívida*—1. lit. Mt 18.32.—2. fig. *obrigação, dever* 1 Co 7.3. Pl. de taxas, etc. Rm 13.7.*

ὀφείλημα, ατος, τό *débito, o que é devido, o dever* Rm 4.4. *Débito* = pecado Mt 6.12.*

ὀφείλω *dever, estar em débito*—1. lit., de dívidas financeiras Mt 18.28, 30, 34; Lc 7.41; 16.5, 7; Fm 18.—2. fig.—a. geralmente, *dever, estar endividado* Rm 13.8.— *Estar obrigado, dever, dever-se-ia* Lc 17.10; Jo 19.7; At 17.29; Rm 15.1; 1 Co 9.10; 11.7; 2 Co 12.11, 14; 2 Ts 1.3.—b. ὀφείλει *ele está obrigado, com*-*prometido* (por seu juramento) Mt 23.16. 18. *Cometer um pecado* Lc 11.4.

ὄφελον (part. 2 aor. at. de ὀφείλω) uma forma fixa, funcionando como uma partícula introdutora de desejos inatingíveis *Oxalá! Tomara!* 1 Co 4.8; 2 Co 11.1; Gl 5.12; Ap 3.15.*

ὄφελος, ους, τὸ *benefício, bem* 1 Co 15.32; Tg 2.14, 16.*

ὀφθαλμοδουλία, ας, ἡ *'serviço a olho'*, serviço executado meramente para atrair a atenção Ef 6.6; Cl 3.22.*

ὀφθαλμός, οῦ, ὁ *olho*—1. lit. Mt 6.23; Lc 11.34; 1 Co 2.9; 12.16s; 15.52; Hb 4.13; 1 Jo 1.1; 2.16; Ap 4.6, 8; 19.12.—2. transferido para compreensão mental e espiritual: Mt 13.16; Mc 8.18; Lc 19.42; Rm 11.8; Ef 1.18. [*oftalmologia*]

ὀφθείς, ὀφθήσομαι part. 1 aor. pass. e fut. ind. pass. de ὀράω.

ὄφις, εως, ὁ *cobra, serpente*—1. lit. Mt 7.10; 10.16; Mc 16.18; Lc 10.19; 11.11; 13.14; 1 Co 10.9; Ap 9.19.—2. fig. e simbólico Mt 23.33; 2 Co 11.3; Ap 12.9, 14s; 20.2.* [*ofídico*]

ὀφρῦς, ύος, ἡ lit. *sobrancelha*, daí *cume, pico* de um monte ou colina Lc 4.29.*

ὀχετός, οῦ, ὁ *esgoto, canal de esgoto* Mc 7.19 v.l.*

ὀχλέω *atormentar, criar problemas* At 5.16; Lc 6.18 v.l.*

ὀχλοποιέω *armar um tumulto* At 17.5.*

ὄχλος, ου, ὁ—1. *multidão, turba* Mt 9.23, 25; 21.8; Mc 2.4, 13; 6.34; Lc 5.1; 12.13; 19.3; At 8.6; 14.11, 13, 18s; 21.27; Ap 17.15—2. *o povo (comum), 'povão'* Mt 14.5; 15.10; 21.26, 46; Mc 11.18; 12.12; At 24.12; *turba* Jo 7.49.—3. *grande número* Lc 5.29; 6.17; At 1.15; 6.7.

Ὀχοζίας, ου, ὁ *Acazias* (2 Rs 8.24) Mt 1.8 v.l.; Lc 3.23ss v.l.*

ὀχύρωμα, ατος, τό *fortaleza* 2 Co 10.4.*

ὀψάριον, ου, τό *peixe* Jo 6.9. 11; 21.9, 13.*

ὀψέ adv. *tarde, à tarde* Mc 11.19; 13.35. Funciona como prep. com gen. *no fim, após* Mt 28.1.*

ὄψια, ας, ἡ ver ὄψιος 2.

ὄψιμος, ον *tarde, tardio* ὑετὸς ὄψιμος *a chuva tardia* (i.e. de primavera) Tg 5.7

v.l. O texto tem o substantivo (ὁ) ὄψιμος, com o mesmo significado.

ὄψιος, α, ον *tarde*—1. adj. Mc 11.11.—2. como substantivo ἡ ὀψία *fim da tarde, noitinha* Mt 8.16; Mc 1.32; Jo 6.16; 20.19.

ὄψις, εως, ἡ—1. *aparência exterior, aspecto* Jo 7.24.—2. *face* Jo 11.44. Tanto *aparência* como *face* são possíveis em Ap 1.16.*

ὄψομαι fut. ind. méd. de ὁράω.

ὀψώνιον, ου, τό *salário, paga, sustento, compensação* Lc 3.14; Rm 6.23; 1 Co 9.27; 2 Co 11.8.*

Π

παγιδεύω *surpreender, fazer cair em armadilha* Mt 22.15.*

παγίς, ίδος, ἡ *armadilha, rede* lit. Lc 21.35. Fig. Rm 11.9; 1 Tm 3.7; 6.9; 2 Tm 2.26.*

πάγος ver Ἄρειος πάγος.

παθεῖν, παθών inf. e part. do 2 aor. de πάσχω.

πάθημα, ατος, τό—1. *sofrimento, infortúnio* Rm 8.18; 2 Co 1.5-7; Fp 3.10; Cl 1.24; 2 Tm 3.11; Hb 2.9s; 10.32; 1 Pe 4.13; 5.1, 9. τὰ εἰς Χριστὸν παθήματα *os sofrimentos de Cristo* 1.11.—2. *paixão* Rm 7.5; Gl 5.24.*

παθητός, ή, όν *sujeito a sofrimento* At 26.23.*

πάθος, ους, τό *paixão,* especialmente de uma natureza sexual Rm 1.26; Cl 3.5; 1 Ts 4.5.*

παθοῦσα, παθών part. fem. e masc. do 2 aor. de πάσχω.

παιδαγωγός, οῦ, ὁ *atendente (escravo), guardião, guia,* lit. 'guia-de-crianças,' cujo dever era supervisionar a conduta das crianças na família à qual ele estava ligado e conduzi-las para a escola (freqüentemente visto como uma figura repressiva) 1 Co 4.15; Gl 3.24s.* [*pedagogo*]

παιδάριον, ου, τό *pequena criança, criança, menino* Mt 11.16 v.l. Para Jo 6.9 *rapaz, jovem escravo* também são possíveis.*

παιδεία, ας, ἡ *treinamento, disciplina* Ef 6.4; 2 Tm 3.16; Hb 12.5, 7, 8, 11.*

παιδευτής, οῦ, ὁ *instrutor, professor* Rm 2.20; *alguém que disciplina,* corregedor Hb 12.9.*

παιδεύω—1. *instruir, treinar, educar* At 7.22; 22.3.—2. *corrigir, dar direção a* 2 Tm 2.25; Tt 2.12.—3. *disciplina* com punição 1 Co 11.32; 2 Co 6.9; 1 Tm 1.20; Hb 12.6s, 10; Ap 3.19. *Castigar* Lc 23.16, 22 (dar uma lição a Jesus).*

παιδιόθεν adv. *desde a infância* Mc 9.21.*

παιδίον, ου, τό—1. *criança muito nova, infante, nenê* Mt 2.8s, 11; Lc 1.59, 66; 2.17; Jo 16.21; Hb 11.23.—2. *criança* Mt 14.21; 18.2, 4s; Mc 5.39-41; 9.24, 36s; Lc 18.17; Jo 4.49.—3. fig. *criança* Mt 18.3; Jo 21.5; 1 Co 14.20; Hb 2.13s; 1 Jo 2.18.

παιδίσκη, ης, ἡ *empregada, serva, escrava* Mt 26.69; Mc 14.66, 69; Lc 12.45; 22.56; Jo 18.17; At 12.13; 16.16, 19 v.l.; Gl 4.22s, 30s.*

παιδόθεν adv. *desde a infância* Mc 9.21 v.l.*

παίζω *jogar, divertir-se, dançar* 1 Co 10.7.*

παῖς, παιδός, ὁ ou ἡ *criança*—1. ὁ παῖς— a. com referência a uma relação entre dois seres humanos *jovem, menino* Mt

2.16; 17.18; 21.15; Mc 9.21 v.l.; Lc 2.43; 9.42; At 20.12. *Filho* Jo 4.51; *filho* também é possível para Mt 8.6, 8, 13, mas é ainda mais provável *servo, escravo* Lc 7.7; 12.45; 15.26. *Cortesão, atendente* Mt 14.2.—b. em relação com Deus; dos homens como *servos, escravos* de Deus Lc 1.54, 69; At 4.25.—De Cristo: *servo* Mt 12.18. Para At 3.13, 26; 4.27, 30 ou *servo* ou *filho* são possíveis.—2. ἡ παῖς *garota* Lc 8.51, 54.* [*pedo(a)-*, prefixo de várias palavras]

παίω *bater, golpear, ferir* Mt 26.68; Mc 14.47; Lc 22.64; Jo 18.10; *ferroar, picar* Ap 9.5.*

Πακατιανός, ή,όν *pacatiano, na Pacatia* um nome posterior para a parte da Frígia na qual estava localizada Laodicéia, 1 Tm subscr.*

πάλαι adv. *há muito tempo* Mt 11.21; Lc 10.13; Hb 1.1; Jd 4; *anterior* 2 Pe 1.9. *Por um longo tempo* 2 Co 12.19. *Já* Mc 15.44.

παλαιός, ά, όν *velho* Mt 13.52; Mc 2.21s; Lc 5.39; Rm 6.6; 1 Co 5.7s; 2 Co 3.14; Ef 4.22; Cl 3.9; 1 Jo 2.7. [*paleo-*, prefixo de várias palavras]

παλιότης, ητος, ἡ *de idade, ser obsoleto* Rm 7.6.*

παλαιόω at. *declarar* ou *tratar como obsoleto* Hb 8.13a. Pass. *tornar-se velho* Lc 12.33; Hb 1.11; 8.13b.*

πάλη, ης, ἡ *luta, pugna* fig. Ef 6.12.*

παλιγγενεσία, ας, ἡ *renascimento, regeneração* Mt 19.28; Tt 3.5.*

πάλιν adv.—1. *de novo, outra vez, outro lado* Mc 5.21; 14.39; Jo 6.15; 11.7; At 18.21; 2 Co 1.16; Gl 1.17; 4.9; Fp 1.26.—2. *uma vez mais, de novo, novamente* Mt 4.8; 20.5; 26.42; 27.50; Mc 2.13; Lc 23.20; At 17.32; Rm 8.15; 1 Co 7.5; Gl 2.18.—3. *além disso, daí, logo* Mt 5.33; 19.24; Lc 13.20; Jo 12.39; 19.37; Rm 15.10-12; Hb 1.5; 2.13.—4. *por outro lado, por sua vez* Mt 4.7; Lc 6.43; 1 Co 12.21; 2 Co 10.7.—5. πάλιν em Mc 15.13, Jo 18.40 refere-se à respostas dadas, *em réplica, em troca*. [*Como prefixo em palimpseto*, etc.]

παλιγγενεσία ver παλιγγενεσία.

παμπληθεί adv. *todos juntos* Lc 23.18.*

πάμπολυς, παμπόλλη, πάμπολυ *muito grande* Mc 8.1 v.l.*

Παμφυλία, ας, ἡ *Panfília*, uma província ao longo da costa mediterrâneo da Ásia Menor At 2.10; 13.13; 14.24; 15.38; 16.6 v.l.; 27.5.*

πανδοκεῖον ver πανδοχεῖον.

πανδοκεύς ver πανδοχεύς.

πανδοχεῖον, ου, τό *pousada, alojamento* Lc 10.34.*

πανδοχεύς, έως, ὁ *estalajadeiro, pensioneiro* Lc 10.35.*

πανήγυρις, εως, ἡ *reunião festiva* Hb 12.22.*

πανοικεί ou πανοικί *com toda a casa* ou *família* At 16.34.*

πανοπλία, ας, ἡ *armadura* de um soldado fortemente armado, *panóplia* lit. Lc 11.22. Fig. Ef 6.11, 13.*

πανουργία, ας, ἡ *astúcia, artimanha, engano* Lc 20.23; 1 Co 3.19; 2 Co 4.2; 11.3; Ef 4.14.*

πανπῦργος, ον *astuto, sagaz, enganador* 2 Co 12.16.*

πανπληθεί ver παμπληθεί.

πανταχῇ adv. *em todo lugar* At 21.28.*

πανταχόθεν adv. *de todas as direções* Mc 1.45 v.l.*

πανταχοῦ adv. *todo lugar* Mc 16.20; Lc 9.6; At 17.30; 24.3; 28.22; 1 Co 4.17. *Em Todas as direções* Mc 1.28.*

παντελής, ές *completo, perfeito, absoluto*; εἰς τὸ παντελές pode significar *completamente, totalmente*, ou *para sempre, por todos os tempos* em Hb 7.25. Em Lc 13.11 pode significar *completamente* ou *de modo algum*.*

πάντῃ adv. *de todos os modos* At 24.3.*

πάντοθεν adv. *de todas as direções* Mc 1.45; Lc 19.43; *em todos os lados; inteiramente* Hb 9.4.*

παντοχράτωρ, ορος, ὁ *o Todo-Poderoso, Supremo-Regente*. Usado somente para Deus 2 Co 6.18; Ap 1.8; 4.8; 11.17; 15.3; 16.7, 14; 19.6; 15; 21.22.*

πάντοτε adv. *sempre, em todos os tempos, em todas as épocas* Mt 26.11; Lc 15.31; Jo 7.6; Rm 1.10; 1 Co 1.4; 2 Co 2.14; Hb 7.25.

πάντως adv.—1. *de todos os modos, certamente, provavelmente, sem dúvida* Lc 4.23; At 18.21 v.l.; 21.22; 28.4; 1 Co 9.10.—2. *pelo menos* ou *por todo e qualquer meio* 1 Co 9.22.—3. com um negativo *não, de modo nenhum* Rm 3.9; 1 Co 16.12; 5.10.*

παρά prep. com três casos—1. com genitivo *do (lado de)* Mt 18.19; Mc 12.2; 14.43; Lc 2.1; Jo 6.46; 8.26, 40; 16.27; At 9.2, 14, Gl 1.12; Ef 6.8; 2 Tm 3.14; Tg 1.5; Ap 3.18. παρὰ κυρίου *sob a ordem do Senhor* Lc 1.45. παρὰ θεοῦ *por Deus* Jo 1.6. τὰ παρ' αὐτῆς *sua propriedade, o que ela possuía* Mc 5.26; τὰ παρ' αὐτῶν *seus dons, o que eles dão* Lc 10.7. οἱ παρ' αὐτοῦ *sua família, seus parentes* Mc 3.21.—2. com dativo *ao lado de, pelo lado de, perto, próximo de, com* Mt 6.1; 22.25; Lc 2.52; 9.47; 11.37; Jo 14.25; 19.25; At 9.43; 21.7, 16; Rm 2.11; 1 Co 16.2; Ef 6.9; Cl 4.16. *Pois* Mt 19.26. *Na opinião* ou *julgamento de* Rm 2.13; 12.16; 1 Pe 2.4, 20.—3. com acusativo—a. de espaço *para (o lado de)* Mt 15.29; Mc 2.13; At 16.13. *Por, ao longo de* Mt 4.18; Mc 4.1; At 10.6, 32. *Perto de, em, a* Lc 7.38; 17.16; At 5.2; 22.3. *Em, sobre* Mt 13.4, 19; Mc 4.15; Lc 18.35; Hb 11.12.—b. em um sentido comparativo: *em comparação com, mais que, além de* Lc 3.13; 13.2, 4; Rm 14.5; Hb 2.7, 9; 9.23; 12.24. *Ao invés de, pelo contrário, excluindo-se* Lc 18.14; Rm 1.25; Hb 1.9. *Além de* Co 8.3.—c. outros usos: *por causa de* 1 Co 12.15s. *Contra, contrário a, contrariamente* At 18.13; Rm 1.26; 4.18; 11.24; 16.17; Gl 1.8s. *Menos* 2 Co 11.24. [*para-*, prefixo de várias palavras, e.g. *parábola, paródia*]

παραβαίνω—1. *desviar* At. 1.25.2. *transgredir, quebrar* Mc 15.2s; 2 Jo 9 v.l.*

παραβάλλω—1. *comparar* Mc 4.30 v.l.—2. *chegar perto, aproximar-se* (de navio) At 20.15.* [Ver παραβολή.]

παράβασις, εως, ἡ *transgressão, violação, desobediência* Rm 2.23; 4.15; 5.14; Gl 3.19; 1 Tm 2.14; Hb 2.2; 9.15.*

παραβάτης, ου, ὁ *transgressor* Rm 2.25, 27; Gl 2.18; Tg 2.9, 11.*

παραβιάζομαι *insistir, obrigar, persuadir, prevalecer* Lc 24.29; At 16.15.*

παραβολεύομαι *expor-se a perigos, arriscar com dat.* Fp 2.30.*

παραβολή, ῆς, ἡ—1. *símbolo, tipo, figura* Hb 9.9; 11.19.—2. *parábola, ilustração* Mt 13.18; 21.45; Mc 4.2; 7.17; Lc 8.9; 13.6; 18.1.

παραβουλεύομαι *ser descuidado, não ter preocupação* Fp 2.30 v.l.*

παραγγείλας part. 1 aor. at. de παραγγέλω.

παραγγελία, ας, ἡ *ordem, mandamento, comando* At 5.28; 16.24. *Instrução* 1 Ts 4.2; 1 Tm 1.5, 18.*

παραγγέλλω *dar ordens, ordenar, mandar, comandar, instruir, dirigir* Mt 10.5; Mc 6.8; 8.6; At 15.5; 16.18, 23; 23.22; 1 Co 11.17; 1 Ts 4.11; 2 Ts 3.4; 1 Tm 6.13.

παραγένωμαι 2 aor. subj. méd. de παραγίνομαι.

παραγίνομαι—1. *vir, chegar, estar presente* Mt 2.1; 3.13; Lc 11.6; 22.52; At 9.26, 39; 20.18; 24.17, 24; 1 Co 16.3.—2. *aparecer, fazer uma aparição pública* Mt 3.1; Lc 12.51; Hb 9.11.—3. *estar ao lado de, ajudar* 2 Tm 4.16.

παράγω *passar, passar por* Mt 20.30; Mc 1.16; 2.14; 15.21; Jo 9.1. *Ir embora* Mt 9.9, 27; Jo 8.59 v.l. *Passar, desvanecer,* at. 1 Co 7.31; passivo 1 Jo 2.8, 17.*

παραδέδομαι, παραδεδώκεισαν perf. ind. méd., e 3 pes. do mais-que-perf. ind. at. de παραδίδωμι, sem aumento.

παραδειγματίζω *expor ao desprezo público* Hb 6.6; *expor, fazer um exemplo de* Mt 1.19 v.l.* [*paradigma*]

παράδεισος, ου, ὁ *paraíso, um lugar de bênção acima da terra* Lc 23.43; 2 Co 12.4; Ap 2.7.*

παραδέχομαι *receber, aceitar, reconhecer (como correto)* Mc 4.20; At 15.4; 16.21; 22.18; 1 Tm 5.19. *Receber favoravelmente* = *amar* Hb 12.6.*

παραδιατριβή, ῆς, ἡ *ocupação inútil* 1 Tm 6.5 v.l.*

παραδιδοῖ, παραδιδόναι, παραδιδούς 3 pes. sing. pres. subj. at., inf. pres. at., e part. pres. at. de παραδίδωμι.

παραδίδωμι—1. *entregar, dar, passar para* Mt 10.19; 25.20, 22; 26.2, 15; Mc 13.11s; 15.15; Lc 4.6; 21.12; 22.22; Jo 19.11, 30; At 3.13; 12.4; 28.17; Rm 1.24,

26, 28; 1 Co 5.5; 13.3; Ef 4.19. *Arriscar-se* At 15.26. ὁ παραδιδούς *o traidor* Mt 26.25, 46, 48; Lc 22.21; Jo 18.2, 5.—**2.** *comissionar, recomendar* At 14.26; 15.40; 1 Pe 2.23.—**3.** *passar, transmitir; relatar, ensinar* tradição oral ou escrita Mc 7.13; Lc 1.2; At 6.14; 16.4; 2 Pe 2.21; Jd 3.—**4.** *deixar, permitir* Mc 4.29.

παραδίδως, παραδοθείς, παραδοθῆναι, παραδοθήσομαι, παραδοῖ, παραδοθῶ 2 pes. sing. pres. ind. at., part. 1 aor. pass., inf. 1 aor. pass., 1 fut. pass., 3 pes. sing. 2 aor. subj. at., e 1 aor. subj. pass. de παραδίδωμι.

παράδοξος, ον *estranho, admirável, digno de nota* Lc 5.26.* [*paradoxo*]

παράδοσις, εως, ἡ *tradição* Mt 15.2s, 6; Mc 7.3, 5, 8s, 13; 1 Co 11.2; Gl 1.14; Cl 2.8; 2 Ts 2.15; 3.6.*

παραδοῦναι, παραδούς, παραδῷ, παραδώσω inf. 2 aor. at., part. 2 aor. at. 3 pes. sing. 2 aor. subj. at., e fut. ind. at. de παραδίδωμι.

παραζηλόω *provocar a inveja* Rm 10.19; 11.11, 14; 1 Co 10.22.*

παραθαλάσσιος, ία, ον *perto do mar* ou *lago* Mt 4.13; Lc 4.31 v.l.*

παραθεῖναι inf. 2 aor. at. de παρατίθημι.

παραθεωρέω *negligenciar, descuidar* At 6.1.*

παραθήκη, ης, ἡ *depósito, propriedade confiada a outrem* fig. 1 Tm 6.20; 2 Tm 1.12, 14.*

παραθήσω, παράθου, παραθῶσιν fut. ind. at., 2 pes. sing. imperativo 2 aor. méd., e 3 pes. pl. 2 aor. subj. at. de παρατίθημι.

παραινέω *recomendar, avisar, insistir* At 27.9, 22; Lc 3.18 v.l.*

παραιτέομαι—1. *pedir, requisitar, interceder por* Mc 15.6. *Desculpar* ἔχε με παρῃτημένον *considere-me desculpado* Lc 14.18b, 19; cf. 18a.—**2.** *declinar*—**a.** *rejeitar, recusar* 1 Tm 5.11; Tt 3.10; Hb 12.25.—**b.** *rejeitar, evitar* At 25.11; 1 Tm 4.7; 2 Tm 2.23.—**c.** *pedir, implorar* Hb 12.19.*

παρακαθέζομαι *sentar-se ao lado* Lc 10.39.*

παρακαθίζω *sentar-se abaixo, aos pés* Lc 10.39 v.l.*

παρακαλέω—1. *chamar ao lado, convocar, convidar* Lc 8.41; At 8.31; 9.38; 16.9, 15. *Convocar para auxílio, chamar para socorrer* Mt 26.53; 2 Co 12.8.—**2.** *apelar, exortar, encorajar* At 14.22; 16.40; 20.1s; Rm 12.1, 8; 1 Co 4.16; 2 Co 10.1; 1 Ts 5.11; Hb 3.13; 1 Pe 5.1.—**3.** *requisitar, implorar, apelar, rogar, suplicar* Mt 8.5; Mc 1.40; Lc 7.4; 8.31s; At 19.31; 2 Co 12.8; Fm 9.—**4.** *confortar, consolar, encorajar* Mt 5.4; Lc 16.25; 2 Co 1.4; 7.6; Ef 6.22; 1 Ts 3.2; 4.18; Tt 1.9.—**5.** Em algumas passagens π. pode significar *tentar consolar* ou *conciliar* At 16.39; 1 Co 4.13; 1 Ts 2.12 e, possivelmente outras também. [Ver παράκλητος]

παρακαλύπτω *ocultar, esconder* Lc 9.45.*

παρακαταθήκη, ης, ἡ *depósito* v.l. em 1 Tm 6.20 e 2 Tm 1.14.*

παράκειμαι *estar à mão, estar pronto* Rm 7.18, 21.*

παρακέκλημαι, παρακληθῶ perf. ind. méd. e pass., e 1 aor. subj. at. de παρακαλέω.

παράκλησις, εως, ἡ—1. *encorajamento, exortação* At 13.15; Rm 12.8; 1 Co 14.3; Fp 2.1; 1 Ts 2.3; 1 Tm 4.13; Hb 6.18; 12.5; 13.22.—**2.** *apelo, requisição, pedido* 2 Co 8.4, 17.—**3.** *conforto, consolação* Lc 2.25; 6.24; At 4.36; 9.31; 15.31; Rm 15.4s; 2 Co 1.3-7; 7.4, 7, 13; Fp 2.1; 2 Ts 2.16; Fm 7.*

παράκλητος, ου, ὁ *Ajudador, Intercessor, Advogado* Jo 14.16, 26; 15.26; 16.7; 1 Jo 2.1.* [*Parácleto*]

παρακοή, ῆς, ἡ *indisposição para ouvir, desobediência* Rm 5.19; 2 Co 10.6; Hb 2.2.*

παρακολουθέω *seguir, acompanhar, atender* Mc 16.17.—**2.** *compreender, seguir fielmente, tornar-se parceiro* com dat. 1 Tm 4.6; 2 Tm 3.10.—**3.** *seguir, traçar, investigar* com dat. Lc 1.3.*

παρακούω *ouvir casualmente* Mc 5.36. *Recusar-se a prestar atenção* com gen. Mt 18.17.*

παρακύπτω *curvar-se* lit. Lc 24.12; Jo 20.5; *curvar-se e olhar* 20.11. Fig. *olhar, contemplar* Tg 1.25; 1 Pe 1.12.*

παράλαβε 2 pes. sing. 2 aor. imperativo de παραλαμβάνω.

παραλαμβάνω—1. tomar (para si mesmo), tomar consigo, carregar Mt 1.20, 24; 21.3s, 20s; 12.45; 24.40s; Mc 4.36; Lc 9.28; 11.26; Jo 14.3; At 15.39; 21.24, 26, 32. Tomar em custódia, arrestar At 16.35 v.l.—2. tomar, receber Mc 7.4; 1 Co 11.23; 15.3; Gl 1.9; Cl 4.17; 1 Ts 4.1; Hb 12.28.—3. receber com favor, aceitar Jo 1.11; 1 Co 15.1; Fp 4.9.

παραλέγομαι costear, navegar pela costa At 27.8, 13.*

παραλημφθήσομαι, παραλήμψομαι 1 fut. ind. pass., e fut. ind. méd. de παραλαμβάνω.

παράλιος, ον perto do mar, ἡ παράλιος (χώρα) a costa do mar (distrito) Lc 6.17.*

παραλλαγή, ῆς, ἡ mudança, variação Tg 1.17.*

παραλογίζομαι enganar, iludir Cl 2.4; Tg 1.22.*

παραλυτικός, ή, όν aleijado, coxo, somente como subst. (ὁ) π. o coxo, o paralítico Mt 4.24; 8.6; 9.2, 6; Mc 2.3-5, 9s; Lc 5.24 v.l.; Jo 5.3 v.l.*

παράλυτος, ον coxo como subst. ὁ π. o paralítico Mc 2.9 v.l.*

παραλύω enfraquecer, incapacitar, paralisar Lc 5.18; At 9.33; Hb 12.12. ὁ παραλελυμένος o paralítico Lc 5.24; At 8.7.*

παραμείνας part. 1 aor. at. de παραμέω.

παραμένω permanecer, ficar ao lado de alguém) 1 Co 16.16. Continuar Fp 1.25; Hb 7.23; Tg 1.25.*

παραμυθέομαι encorajar, consolar 1 Ts 2.12; 5.14. Consolar, confortar Jo 11.19, 31.*

παραμυθία, ας, ἡ conforto, consolação 1 Co 14.3.*

παραμύθιον, ου, τό consolo, incentivo Fp 2.1.*

παράνοια, ας, ἡ loucura, insensatez 2 Pe 2.16 v.l.* [paranoia]

παρανομέω agir de modo contrário à lei At 23.3.*

παρανομία ilegalidade, prática do mal 2 Pe 2.16.*

παραπικραίνω ser desobediente, rebelde Hb 3.16.*

παραπικρασμός, οῦ, ὁ ressentimento, daí, revolta, rebelião Hb 3.8, 15.*

παραπίπτω cair, cometer apostasia Hb 6.6.*

παραπλεῦσαι inf. 1 aor. at. de παραπλέω.

παραπλέω costear com ac. At 20.16.*

παραπλήσιος, ία, ιον semelhante, parecido. O neutro παραπλήσιον como adv. ἠσθένησεν παραπλήσιον θανάτῳ ele estava tão mal que quase morreu Fp 2.27.*

παραπλησίως adv. justamente da mesma maneira Hb 2.14.*

παραπορεύομαι ir ou passar por Mt 27.39; Mc 11.20; 15.29. Apenas ir Mc 2.23; 9.30.*

παράπτωμα, ατος, τό passo em falso, transgressão, pecado Mt 6.14s; Mc 11.25; Rm 4.25; 5.15-18, 20; 11.11s; 2 Co 5.19; Gl 6.1; Ef 1.7; 2.1, 5; Cl 2.13..*

παραρρέω ir pela corrente, arrastar-se, fig. extraviar-se, desviar-se Hb. 2.1*

παραρυῶμεν 1 pes. pl. 2 aor. subj. pass. de παραρρέω.

παράσημος, ον distinto, marcado παρασήμῳ Διοσκούροις marcado pelo Dióscuro, i.e. com o D. como a insígnia do navio At 28.11.*

παρασκευάζω preparar at. At 10.10; 1 Pe 2.8 v.l. Méd. preparar-se 1 Co 14.8; perf. estar pronto 2 Co 9.2s.*

παρασκευή, ῆς, ἡ preparação, i.e. dia da preparação para uma festa. Sexta-feira Mt 27.62; Mc 15.42; Lc 23.54; Jo 19.14, 31, 42.*

παραστάτις, ιδος, ἡ uma ajudadora, de Febe Rm 16.2 v.l.*

παραστήσομαι 1 fut. ind. méd. de παρίστημι.

παρασχών part. 2 aor. at. de παρέχω.

παρυτείνω estender, prolongar At 20.7.*

παρατηρέω vigiar cuidadosamente, observar atentamente—1. vigiar (maliciosamente), esperar por Mc 3.2; Lc 6.7; 14.1. Esperar uma oportunidade 20.20. Vigiar, guardar At 9.24.—2. observar culticamente Gl 4.10.*

παρατήρησις, εως, ἡ observação Lc 17.20.*

παρατίθημι *colocar ao lado, colocar antes*—**1**. at. *preparar, colocar diante de, distribuir* Mc 6.41; 8.6; Lc 9.16; 10.8; 11.6; At 16.34; 1 Co 10.27. *Propôr* Mt 13.24, 31.—**2**. méd. *confiar, encomendar, transferir* Lc 12.48; 23.46; At 14.23; 20.32; 1 Tm 1.18; 2 Tm 2.2; 1 Pe 4.19. *Demonstrar, apontar* At 17.3; 28.23 v.l.*

παρατυγχάνω *acontecer de estar lá, ali* At 17.17.*

παραυτίκα adv. *imediatamente, pelo presente*, como adj. *momentâneo* 2 Co 4.17.*

παραφέρω *tirar, ou levar* Hb 13.9; Jd 12. *Remover, tirar* Mc 14.36; Lc 22.42.*

παραφρονέω *estar fora de si, delirar* 2 Co 11.23.*

παραφρονία, ας, ἡ *loucura, insanidade* 2 Pe 2.16.*

παραφροσύνη, ης, ἡ *loucura, insanidade* 2 Pe 2.16 v.l.*

παραχειμάζω *passar o inverno, invernar* At 27.12; 28.11; 1 Co 16.6; Tt 3.12.*

παραχειμασία, ας, ἡ *invernada* At 27.12.*

παραχράομαι *usar mal, maltratar* 1 Co 7.31 v.l.*

παραχρῆμα adv. *de vez, imediatamente* Mt 21.19s; Lc 1.64; 13.13; At 3.7; 13.11.

πάρδαλις, εως, ἡ *leopardo* Ap 13.2.*

παρέβαλον 2 aor. ind. at. de παραλαμβάνω.

παρέβην 2 aor. ind. at. de παραβαίνω.

παρεγενόμην 2 aor. ind. méd. de παραγίνομαι.

παρεδίδοσαν e **παρεδίδουν** 3 pes. pl. imperf. ind. at. de παραδίδωμι.

παρεδόθην, παρέδοσαν 1 aor. ind. pass., e 2 aor. ind. at. de παραδίδωμι.

παρεδρεύω *atender, servir regularmente* 1 Co 9.13.*

παρέδωκα 1 aor. ind. at. de παραδίδωμι.

παρέθηκα, παρεθέμην 1 aor. ind. at., e 2 aor. méd. de παρατίθημι.

παρεῖδον 2 aor. ind. at. de παροράω.

παρειμένος part. perf. pass. de παρίημι.

πάρειμι—**1**. *estar presente* Jo 7.6; 11.28; At 10.33; 24.19; 1 Co 5.3; Gl 4.18, 20; Cl 1.16; Ap 17.8.—O pres. 'estar aqui' pode adquirir um sentido do perfeito *'ter chegado'* Mt 26.50; Lc 13.1; At 10.21; 12.20; 17.6.—τὸ παρόν *o presente* Hb 12.11.—**2**. πάρεστίν τί μοι *alguma coisa está à minha disposição, eu tenho alguma coisa* 2 Pe 1.9, 12. τὰ παρόντα *as posses de alguém* Hb 13.5.

παρεῖναι serve como inf. pres. de πάρειμι (At 24.19; Gl 4.18, 20) e como inf. do 2 aor. de παρίημι (Lc 11.42).

παρεισάγω *introduzir secretamente ou maliciosamente* 2 Pe 2.1.*

παρείσακτος, ον *infiltrado sorrateiramente, intruso* Gl 2.4.*

παρεισδύ(ν)ω *infiltrar-se fraudulentamente ou introduzir-se inadvertidamente* Jd 4.*

παρεισενέγκας part. 1 aor. at. de παρεισφέρω.

παρεισέρχομαι *entrar, infiltrar-se* Rm 5.20; Gl 2.4.*

παρεισῆλθον 2 aor. ind. at. de παρεισέρχομαι.

παρειστήκειν mais-que-perf. at. de παρίστημι.

παρεισφέρω *esforçar-se, aplicar-se* 2 Pe 1.5.*

παρεῖχαν 3 pes. pl. imperf. at. de παρέχω.

παρεκλήθην 1 aor. ind. pass. de παρακαλέω

παρεκτός adv.—**1**. usado como adv. *do lado de fora* 2 Co 11.28.—**2**. usado como prep. com gen. *aparte de, exceto* Mt 5.32; 19.9 v.l.; At 26.29.*

παρέλαβον, παρελάβοσαν formas do 2 aor. ind. at. de παραλαμβάνω.

παρελεύσομαι, **παρεληλυθέναι, παρεληλυθώς, παρεθλεῖν** fut. ind. méd., inf. perf. at., part. perf. at., e inf. 2 aor. at. de παρέρχομαι.

παρεμβάλλω, fut. **παρεμβαλῶ** *vir sobre, cercar* Lc 19.43.*

παρεμβολή, ῆς, ἡ—**1**. *um campo* (fortificado) Hb 13.11, 12 v.l., 13; Ap 20.9.—**2**. *barracas, acampamento* At 21.34; 37; 22.24; 23.10, 16, 32; 28.16 v.l.—**3**. *exército, linha de batalha* Hb 11.34.*

παρένεγκε imperativo aor. at. de παραφέρω.

παρενοχλέω *causar dificuldades a, atormentar* com dat. At 15.19.*

παρέξῃ 2 pes. sing. fut. ind. de παρέχω.

παρεπίδημος, ον *forasteiro, exilado, estranho, peregrino* Hb 11.13; 1 Pe 1.1; 2.11.*

παρεπίκρανα 1 aor. ind. at. de παραπικραίνω Hb 3.16.

παρέρχομαι—1. *ir por, passar por*—a. lit. Mt 8.28; Mc 6.48; Lc 18.37. *Passar* Mt 14.15; At 27.9; 1 Pe 4.3.—b. fig. *passar, chegar a um fim, desaparecer* Mt 5.18a; Mc 13.31; Lc 21.32; 2 Co 5.17; Tg 1.10; 2 Pe 3.10; no sentido de *perder forças, tornar-se inválido* Mt 5.18b; Lc 21.33b. *Passar por, negligenciar, desobedecer* Lc 11.42; 15.29. *Passar* Mt 26.39; Mc 14.35.—2. ir através, passar através de At 16.8; 17.15 v.l.—3. *chegar a, chegar, chegar aqui* Lc 12.37; 17.7; At 24.7 v.l.

πάρεσις, εως, ἡ *passado por cima, debaixo sem punição* Rm 3.25.*

παρέστηκα, παρέστην, παρέστησα, παρεστώς, παρεστηκώς perf. ind. at., 2 aor. ind. at., 1 aor. ind. at., e duas formas do part. perf. at. de παρίστημι.

παρέσχον 2 aor. ind. de παρέχω.

παρέτεινεν 3 pes. sing. 1 aor. at. de παρατείνω At 20.7.

παρέχω—1. at.—a. *dar, oferecer, apresentar* Lc 6.29.—b. *mostrar, dar* At 17.31; 22.2; 28.2; 1 Tm 6.17.—c. *causar, fazer acontecer* Mt 26.10; Mc 14.6; Lc 11.7; 18.5; At 16.16; Gl 6.17; 1 Tm 1.4.—2. méd. ἑαυτόν τι π. *mostrar ser alguma coisa* Tt 2.7. *Dar* Lc 7.4; Cl 4.1. *Conseguir* At 19.24.*

παρήγγειλα 1 aor. ind. at. de παραγγέλω.

παρηγορία, ας, ἡ *conforto* Cl 4.11.*

παρηκολουθηκώς part. perf. at. de παρακολουθέω.

παρῆλθον 2 aor. ind. at. de παρέρχομαι.

παρήνει 3 pes. sing. imperf. at. de παραινέω At 27.9.

παρῆσαν 3 pes. pl. imperf. de πάρειμι.

παρητημένος, παρητούντο part. perf. pass. (Lc 14.18s) e 3 pes. pl. imperf. méd. (Mc 15.6) de παραιτέομαι.

παρθενία, ας, ἡ *virgindade* Lc 2.36.*

παρθένος, ου, ἡ—1. *virgem* Mt 1.23; 25.1, 7, 11; Lc 1.27; At 21.9; 1 Co 7.25, 28, 34, 36-38; 2 Co 11.2.—2. *homem casto, sem mancha, não casado* Ap 14.4.*

Πάρθοι, ων, οἱ *partos* (A Pártia estava ao leste do Eufrates) At 2.9.*

παρίημι *deixar sem fazer, negligenciar* Lc 11.42. *enfraquecer, debilitar, desfalecer* part. perf. pass. παρειμένος *enfraquecido, vacilante, trôpego* Hb 12.12.*

παριστάνω ver παρίστημι.

παρίστημι e παριστάνω—1. trans.—a. *apresentar, colocar à disposição* Mt 26.53; At 23.24; Rm 6.13, 16,19.—b. *apresentar* Lc 2.22; At 1.3; 9.41; 23.33; 2 Co 11.2. *Oferecer, apresentar* Rm 12.1.—c. *fazer, entregar* Ef 5.27; Cl 1.22, 28; 2 Tm 2.15. *Provar, demonstrar* At 24.13.—2. intrans. (todas as formas do méd., também perf., mais-que-perf., e 2 aor. at.)—a. pres., fut., aor. *abordar, estar à frente* com dat. At 9.39; 27.23s; Rm 14.10. *Ajudar, auxiliar, apoiar* Rm 16.2; 2 Tm 4.17.—b. perf. e mais-que-perf. *estar, estar presente, permanecer* Mc 15.39; Lc 1.19; Jo 18.22; 19.26. *Ter vindo, ter chegado* Mc 4.29.

Παρμενᾶς, ᾶ, ὁ ac. -ᾶν *Pármenas* At 6.5.*

πάροδος, ου, ὁ *de passagem* 1 Co 16.7.*

παροικέω *viver como um estranho, peregrino* Lc 24.18 v.l., seguido por en. *Migrar, imigrar* Hb 11.9. Simplesmente *habitar, viver* Lc 24.18.*

παροικία, ας, ἡ *residência alheia, a estadia* ou *peregrinação* de alguém que não é um cidadão, *num lugar estranho* At 13.7; 1 Pe 1.17.*[paróquia]

πάροικος, ον *estranho* At 7.6. o p. como subst. *estranho, estrangeiro* 7.29; Ef 2.19; 1 Pe 2.11. [*pároco*]

παροιμία, ας, ἡ *provérbio, máxima* 2 Pe 2.22. *Figura* de linguagem Jo 10.6; 16.25, 29.*

πάροινος, ον *bêbado, viciado em vinho* 1 Tm 3.3; Tt 1.7.*

παροίχομαι *passados, idos* At 14.16.*

παρομοιάζω *ser semelhante, assemelhar-se, parecer* Mt 23.27.*

παρόμοιος, (α), ον *similar, semelhante* Mc 7.8 v.l., 13.*

παρόν, τό ver πάρειμι. 2.

παροξύνω *invocar, provocar à ira, irritar,* pass. *tornar-se irritado, irar-se* 1 Co 13.5. *Revoltar-se* At 17.16.*

παροξυσμός, οῦ, ὁ *encorajante, estimulante* Hb 10.24. *Irritação, discórdia* At 15.39.* [*paroxismo*]

παροράω *deixar passar, não reparar* At 17.30 v.l.*

παροργίζω *irar* Rm 10.19; Ef 6.4; Cl 3.21 v.l.*

παροργισμός, οῦ, ὁ *ira, irritação* Ef 4.26.*

παροργιῶ fut. ind. at. de παροργίζω.

παροτρύνω *incitar, estimular* At 13.50.*

παρουσία, ας, ἡ—1. *presença* 1 Co 16.17; 2 Co 10.10; Fp 2.12.—2. *vinda, advento*—a. de seres humanos 2 Co 7.6s; Fp 1 26.—b. de Cristo e seu Advento Messiânico no fim desta era Mt 24.3, 27, 37, 39; 1 Co 1.8 v.l.; 15.23; 1 Ts 2.19; 3.13; 4.15; 5.23; 2 Ts 2.1, 8s; Tg 5.7s; 2 Pe 1.16; 3.4, 12; 1 Jo 2.28.—c. do Anticristo 2 Ts 2.9.*[*parusia*]

παροψίς, ίδος, ἡ *prato* Mt 23.25, 26 v.l.*

παρρησία, ας, ἡ—1. *ousadia, franqueza no falar* Jo 16.29; At 2.29; 2 Co 3.12. παρρησία *claramente, abertamente* Mc 8.22; Jo 7.13; 10.24; 11.14; 16.25, 29 v.l. —2. *abertura ao público* παρρησία *em público, publicamente* Jo 7.26; 11.54; 18.20. Semelhantemente Jo 7.4; At 14.19 v.l.; 28.31; Fp 1.20; Cl 2.15.—3. *coragem, confiança, ousadia, destemor* At 2.29; 4.13, 29, 31; 6.10 v.l.; 16.4 v.l.; 2 Co 7.4; Ef 6.19; Fm 8. *Alegria, confiança* Ef 3.12; 1 Tm 3.13; Hb 3.6; 4.16; 10.19, 35; 1 Jo 2.28; 3.21; 4.17; 5.14.*

παρρησιάζομαι—1. falar livremente, abertamente, destemidamente; expressar-se livremente At 9.27s; 13.46; 14.3; 18.26; 19.8; 26.26; Ef 6.20.—2. *ter a coragem de, aventurar-se* 1 Ts 2.2.*

παρών part. pres. de πάρειμι.

παρωχημένος part. perf. de παροίχομαι.

πᾶς, πᾶσα, πᾶν gen. παντός, πάσης, παντός—1. adj. e pron. indefinido, usado com um subst.—a. com o subst. no singular, sem o artigo *todo, cada* πᾶν δένδρον *toda árvore* Mt 3.10; Lc 3.9. Semelhantemente Mt 15.13; Lc 3.5; Jo 1.9; At 5.42; Rm 3.4; 1 Co 15.24; Hb 3.4; Ap 1.7a. *Todos, toda* Mc 13.20; Lc 3.6; Hb 12.11.— *Todos os tipos de, toda a* sorte de Mt 4.23; 23.27; At 2.5; 7.22; Rm 1.18; 1 Co 6.18; Ef 1.3, 8; Tt 1.16; Tg 1.17.— *Todo, todo e qualquer, qualquer um* Mt 4.4; 18.19; 2 Co 1.4b; Ef 4.14; 1 Jo 4.1; *qualquer um, de qualquer modo* Mt 19.3.— *Pleno, maior, todo* At 4.29; 5.23; 23.1; 2 Co 12.12; Ef 6.18c; 1 Tm 3.4; 5.2; Tg 1.2.— Antes de nomes próprios *todo, completo, o todo, toda a* Mt 2.3; At 17.26b; Rm 11.26.—b. com um subst. no plural, sem o artigo πάντες ἄνθρωποι *o povo todo, todos, cada um, sem exceção* At 22.15; Rm 5.18; 12.17s; 1 Co 15.19; Tt 2.11. Cf. Hb 1.6.—c. com um subst. no sing., com o artigo *o todo, todo, toda a* πᾶσα ἡ Ἰουδαία καὶ πᾶσα ἡ περίχωρος *toda a Judéia e toda a região em derredor* Mt 3.5. Cf. 8.32, 34; 27.25; 45; Mc 5.33; 16.15; At 3.9, 11; Rm 8.22; 9.17; 1 Co 13.2b, c; Hb 9.19b, c.— *Todos* 2 Co 1.4a; 7.4; Fp 1.3; 1 Ts 3.7; 1 Pe 5.7.— πᾶς com o artigo freqüentemente é usado com um particípio *todo aquele que, quem quer que* Mt 5.22; cf. 7.8, 26; Lc 19.26; Jo 3.8, 15s, 20; At 13.39; Rm 2.1, 10; Hb 5.13. πᾶν τό *tudo que* Mt 15.17; Mc 7.18; 1 Co 10.25, 27; 1 Jo 5.4. Também πᾶς ὅς, etc. *todo aquele que, qualquer que* Mt 7.24; 19.29; Lc 14.33; Jo 6.37, 39; Rm 14.23.—d. com um subst., pronome, particípio, etc. no plural, com o artigo *todos* Mt 1.17; 4.24; 25.7; Mc 4.13, 31s; Lc 2.47; Jo 10.8; At 1.18; 2.7, 14, 32; 16.32; Rm 1.7s; 9.6; 1 Co 12.26; Fp 1.4, 7s; Hb 11.13, 39; Ap 7.11; 13.8.—e. πᾶς entre o artigo e o subst. sing. *todo o* At 20.18; Gl 5.14; pl. *todos os* At 21.21; Rm 16.15; Gl 1.2.—2. substantivo—a. sem o artigo πᾶς *todos* i.e., *sem exceção* Lc 16.16. διὰ παντός *sempre, continuamente* Mt 18.10; Mc 5.5. ἐν παντί *de todos os modos, em tudo* 1 Co 1.5; 2 Co 7.5, 11, 16; 1 Ts 5.18.— πάντες, πᾶσαι *todos, cada um* Mt 10.22; Mc 1.37; Lc 1.63; Rm 5.12.— πάντα, *todas as coisas, tudo* Mt 11.27; 18.26; Jo 1.3; 3.35; 1 Co 2.10; 3.21. πάντα como ac. de especificação *em todos os aspectos, de todos os modos, totalmente* At 20.35; 1 Co 9.25b. Cf. 2 Co 2.9.—b. com o artigo οἱ πάντες *todos (eles, deles, entre eles)* Rm 11.32a, b; 1 Co 9.22; Fp 2.21. (*Nós, eles) todos* Mc 14.64; 1 Co 10.17; Ef 4.13.— τά πάντα *todas as coisas, o universo* Rm 11.36; 1 Co 8.6; Ef 1.10; 3.9; Hb 1.3; 2.10; Ap 4.11. *Tudo, tudo isto* 2 Co 4.15; Cl 3.8. Como um acusativo de especificação Ef 4.15. [*pan-, panto-,* prefixo de várias palavras]

πάσχα, τό indecl. *a Páscoa*—**1.** a festa judaica Mt 26.2; Mc 14.1; Lc 2.41; 22.1; Jo 2.13; 23; 6.4; 11.55; 12.1; 13.1; 18.39; 19.14; At 12.4.—**2.** *o cordeiro pascal* Mt 26.17; Mc 14.12, 14; Lc 22.7, 11, 15; Jo 18.28. Fig. 1 Co 5.7.—**3.** *a refeição* pascal Mt 26.18s; Mc 14.16; Lc 22.8, 13; Hb 11.28.*

πάσχω—**1.** *ter uma experiência* Gl 3.4; cf. Mt 17.15.—**2.** *sofrer, suportar*—**a.** *sofrer,* algumas vezes *sofrer a morte, morrer* Mt 17.12; Lc 22.15; 24.46; At 1.3; 17.3; 1 Co 12.26; Fp 1.29; 2 Ts 1.5; Hb 2.18; 9.26; 1 Pe 2.19-21, 23; 3.14, 17; 4.19. *Receber, suportar punição* 1 Pe 4.15.—**b.** *suportar, passar por* Mt 27.19; Mc 8.31; 9.12; Lc 9.22; 17.25; At. 9.16; 28.5; 2 Co 1.6; 1 Ts 2.14; 2 Tm 1.12; Hb 5.8; Ap 2.10.

Πάταρα, ων, τά *Patara,* uma cidade na Lícia, na costa sudoeste da Ásia Menor At 21.1.*

πατάσσω *bater, golpear* Mt 26.51; Lc 22.49s; At 12.7, 23; Ap 11.6; 19.5. *Bater, derrubar* Mt 26.31; Mc 14.27; At 7.24.*

πατέω *pisar, pisotear*—**1.** trans. *pisar* Ap 14.20; 19.15. *Pisar, pisotear* Lc 21.24; Ap 11.2.—**2.** intrans. *caminhar, pisar* Lc 10.19.

πατήρ, πατρός, ὁ *pai, papai*—**1.** lit.—**a.** do ancestral imediato Mt 2.22; 10.21; Mc 5.40; 15.21; Jo 4.53; At 7.14; 1 Co 5.1; Hb 12.9a. Plural *pais* 11.23.—**b.** *avô, ancestral, patriarca, progenitor* Mt 3.9; 23.30, 32; Mc 11.10; Lc 1.73; 16.24; Jo 4.20; 8.39, 53, 56; At 3.13, 25; Rm 9.10; Hb 1.1.—**2.** fig. da paternidade espiritual, ou usado como modo respeitoso de saudação, etc. At 7.2a; Rm 4.11, 12a; 1 Co 4.15; 10.1; 2 Pe 3.4.—**3.** de Deus— **a.** como Pai da humanidade Mt 6.4; Lc 6.36; Jo 8.41s; 20.17c; Rm 1.7; 2 Co 1.2, 3b; Cl 1.2; Tt 1.4.—**b.** como Pai de Jesus Cristo Mt 7.21; Mc 8.38; 14.36; Lc 2.49; Jo 4.21; 6.40; Rm 15.6; 2 Co 11.31; Ef 1.3; Ap 2.28.**c.** Freqüentemente Deus é chamado simplesmente (ὁ) πατήρ *(o) Pai* Gl. 1.1; Ef 1.17; 2.18; 3.14; Fp 2.11; 1 Jo 1.2; 2.1, 15.—**4.** de Satanás Jo 8.44.

Πάτμος, ου, ὁ *Patmos,* uma pequena ilha rochosa, no Mar Egeu Ap 1.9.*

πατραλῴας uma forma variante de πατρολῴας.

πατριά, ᾶς, ἡ *família, clã* Lc 2.4; Ef 3.15. *Povo, nação* At 3.25.*

πατριάρχης, ου, ὁ *pai de uma nação, patriarca* At 7.8s; Hb 7.4. *Ancestral* At 2.29.*

πατρικός, ή, όν *derivado de* ou *entregue pelo pai, paternal* Gl 1.14.*

πατρίς, ίδος, ἡ—**1.** *terra natal* Jo 4.44; fig. Hb 11.14.—**2.** *cidade materna, parte de 'sua' própria terra* Mt 13.54, 57; Mc 6.1, 4; Lc 2.3 v.l.; 4.23; At 18.25 v.l., 27 v.l.*

Πατροβᾶς, ᾶ, ὁ *Pátrobas* Rm 16.14.*

πατρολῴας, ου, ὁ *parricida, quem mata seu próprio pai* 1 Tm 1.9.*

πατροπαράδοτος, ον *herdado do pai* ou *ancestrais* 1 Pe 1.18.*

πατρῷος, α, ον *paternal, pertencente ao pai* ou *ancestrais* At 22.3; 28.17. ὁ π. θεός *o Deus de meus ancestrais* 24.14.*

Παῦλος, ου, ὁ *Paulo,* um nome romano—**1.** Sérgio Paulo, ver Σέργιος.—**2.** Paulo, um apóstolo de Jesus Cristo, At caps. 13-28 in passim; Rm 1.1; 1 Co 1.1, 12s; 3.4s, 22; 16.21; 2 Co 1.1; 10.1; Gl 1.1; 5.2; Ef 1.1; 3.1; Fp 1.1; Cl 1.1, 23; 4.18; 1 Ts 1.1; 2.18; 2 Ts 1.1; 3.17; 1 Tm 1.1; 2 Tm 1.1; Tt 1.1; Fm 1, 9, 19; 2 Pe 3.15.*

παύω—**1.** at. *parar, fazer parar, impedir, guardar* 1 Pe 3.10.—**2.** méd. *parar (a si mesmo), cessar* Lc 5.4; 8.24; 11.1; At 5.42; 6.13; 13.10; 20.1, 31; 21.32; 1 Co 13.8; Ef 1.16; Cl 1.9; Hb 10.2. *Cessar de* com gen. 1 Pe 4.1.* [*pausa*]

Πάφος, ου, ἡ *Pafos,* uma cidade na costa oeste de Chipre At 13.6, 13.*

παχύνω *cevar,* fig. pass. *tornar-se tolo* Mt 13.15; At 28.27.* [*paquiderme*]

πέδη, ης, ἡ *cadeia, algema* (para os pés) Mc 5.4; Lc 8.29.*

πεδινός, ή, όν plano Lc 6.17.*

πεζεύω viajar por terra ou a pé At 20.13.*

πεζῇ adv. por terra, lit. 'a pé' Mt 14.13; Mc 6.33.*

πεζός, ή, όν indo por terra Mt 14.13 v.l.*

πειθαρχέω obedecer com dat. At. 5.29, 32; seguir o conselho de 27.21. Ser obediente Tt 3.1.*

πειθός, ή, όν persuasivo 1 Co 2.4.*

πειθώ, οῦς, ἡ dat. pl. πειθοῖς; ἐν πειθοῖ[ς] σοφίας [λόγοις] com palavras persuasivas de sabedoria 1 Co 2.4.*

πείθω—1. at. exceto no 2 perf. e mais-que-perf.—a. convencer At 18.4; 19.8, 26; 28.23.—b. persuadir, apelar a Mt 27.20; At 13.43; 2 Co 5.11. A passagem difícil At 26.28 ἐν ὀλίγῳ με πείθεις Χριστιανὸν ποιῆσαι pode ser traduzida você está perto de me persuadir e me fazer um cristão.—c. ganhar, buscar o favor At 12.20; 14.19; Gl 1.10.—d. conciliar, facilitar 1 Jo 3.19. Conciliar, satisfazer Mt 28.14.—2. O 2 perf. πέποιθα e o mais-que-perf. ἐπεποίθειν têm significado do pres. e passado—a. depender, confiar em com dat. Mt 27.43; Lc 11.22; 18.9; 2 Co 1.9; 2.3; Fp 1.14; 3.3s; 2 Ts 3.4; Fm 21; Hb 2.13.—b. ser convencido, estar certo, ter certeza Rm 2.19; 2 Co 10.7; Fp 1.6, 25.—3. pass., exceto no perf.—a. ser persuadido, ser convencido, chegar a crer, crer Lc 16.31; At 17.4; 21.14; 26.26; 28.24.—b. obedecer, seguir com dat. Rm 2.8; Gl 5.7; Hb 13.17; Tg 3.3.—c. Algumas passagens ficam entre os sentidos a e b e admitem qualquer das traduções At 5.36s; 23.21; 27.11; ἐπείσθησαν δὲ αὐτῷ assim eles seguiram o conselho de Gamaliel 5.39.—4. perf. pass. πέπεισμαι estar convencido, estar certo Lc 20.6; Rm 8.38; 15.14; 2 Tm 1.5, 12; Hb 6.9.

Πειλᾶτος uma forma variante de Πιλᾶτος.

πεῖν inf. 2 aor. at. de πίνω.

πεινάω ter fome, estar faminto lit. Mt 4.2; 12.1; Mc 11.12; Lc 6.3; 1 Co 11.21, 34; Fp 4.12; Ap 7.16. Fig. Mt 5.6; Jo 6.35.

πεῖρα, ας, ἡ tentativa, experiência Hb 11.29. Experiência 11.36.*

πειράζω—1. tentar, experimentar At 9.26; 16.7; 24.6.—2. tentar, testar—a. geral mente Mt 16.1; 22.18, 35; Mc 10.2; Jo 6.6; 1 Co 10.13; 2 Co 13.5; Hb 2.18; 11.17; Ap 2.2; 3.10. Da tentação a Deus At 5.9; 15.10; 1 Co 10.9; Hb 3.9.—tentar, levar ao pecado Mt 4.1, 3; Mc 1.13; Lc 4.2; Gl 4.2; Gl 6.1; 1 Ts 3.5; Tg 1.13s; Ap 2.10.

πειρασμός, οῦ, ὁ—1. teste, prova 1 Pe 4.12. De testar a Deus Hb 3.8.—2. tentação, incitação ao pecado Mt 6.13; 26.41; Mc 14.38; Lc 8.13; 11.4; 22.40, 46; At 15.26 v.l.; 1 Tm 6.9; 2 Pe 2.9; Ap 3.10; modo de tentação Lc 4.13.

πειράω méd. πειράομαι, tentar, experimentar At 26.21; 9.26 v.l. πεπειραμένος κατὰ πάντα que foi experimentado em todos os aspectos Hb 4.15 v.l.*

πεισθήσομαι 1 fut. pass. de πείθω.

πεισμονή, ῆς, ἡ persuasão Gl 5.8.*

πέλαγος, ους, τό o mar aberto, as profundezas (do mar) Mt 18.6. Mar At 27.5.* [pelágico, pertencente ao oceano]

πελεκίζω degolar Ap 20.4.*

πεμπταῖος, α, ον no quinto dia At 20.6 v.l.*

πέμπτος, η, ον quinto Ap 6.9; 9.1; 16.10; 21.20.*

πέμπω enviar Mt 2.8; Mc 5.12; Lc 4.26; Jo 1.22; At 10.5, 32s; Rm 8.3; Ef 6.22; Fp 4.16; Tt 3.12; 1 Pe 2.14; Ap 1.11.

πένης, ητος, ὁ pessoa pobre 2 Co 9.9.*

πενθερά, ᾶς, ἡ sogra Mt 8.14; 10.35; Mc 1.30; Lc 4.38; 12.53.*

πενθερός, οῦ, ὁ sogro Jo 18.13.*

πενθέω—1. intrans. estar triste, aflito, chateado Mt 5.4; 9.15; Mc 16.10; Lc 6.25; 1 Co 5.2; Tg 4.9; Ap 18.11, 15, 19.—2. trans. afligir-se 2 Co 12.21.*

πένθος, ους, τό tristeza, lamento Tg 4.9; Ap 18.7s; 21.4.*

πενιχρός, ά, όν pobre, necessitado Lc 21.2.*

πεντάκις adv. cinco vezes 2 Co 11.24.*

πεντακισχίλιοι, αι, α cinco mil Mt 14.21; 16.9; Mc 6.44; 8.19; Lc 9.14; Jo 6.10.*

πεντακόσιοι, αι, α quinhentos Lc 7.41; 1 Co 15.6.*

πέντε indecl. cinco Mt 14.17, 19; 16.9.

πεντεκαιδέκατος, η, ον *décimo quinto* Lc 3.1.*

πεντήκοντα indecl. *cincoenta* Mc 6.40; Lc 7.41; 9.14; 16.6; Jo 8.57; 21.11; At 13.20.*

πεντηκοστή, ῆς, ἡ *pentecostes,* lit. 'quinquagésimo' i.e. a festa celebrada no quinquagésimo dia após a Páscoa At 2.1; 20.16; 1 Co 16.8.*

πέπεισμαι perf. ind. pass. de πείθω.

πεπιστεύκεισαν 3 pes. pl. mais-que-perf. ind. at. de πιστεύω, sem aumento.

πέποιθα 2 perf. ind. at. de πείθω.

πεποιήκεισαν 3 pes. pl. mais-que-perf. ind. at. de ποιέω, sem aumento.

πεποίθησις, εως, ἡ *confiança* 2 Co 1.15; 3.4; 8.22; 10.2; Ef. 3.12; Fp 3.4.*

πέπονθα 2 perf. ind. at. de πάσχω.

πέπρακα e πεπραμένος 1 perf. ind. at. e part. pass. de πιπράσκω.

πέπραχα 1 perf. ind. at. de πράσσω.

πέπτωκα 1 perf. ind. at. de πίπτω.

πέπωκα 1 perf. ind. at. de πίνω.

περ partícula enclítica, com força intensiva e extensiva, fortalecendo a palavra à qual adere; ver διόπερ, ἐάνπερ, εἴπερ, ἐπειδήπερ, ἐπείπερ, ἤπερ, καθάπερ, καίπερ, ὅσπερ, ὥσπερ, ὡσπερεί.

Πέραια, ας, ἡ *Peréia,* parte da Palestina, a leste do Jordão Lc 6.17 v.l.*

περαιτέρω adv. *além, mais* At 19.39.*

πέραν adv. *do outro lado*—1. subst. τὸ πέραν *a praia* ou *terra do outro lado* Mt 8.18, 28; Mc 6.45; 8.13.—2. funciona como prep. como gen. *para o outro lado* Jo 6.1, 17; 10.40. *Ao outro lado* Mt 19.1; Mc 5.1; Jo 1.28; 6.22, 25. πέραν τοῦ 'Ιορδάνου *do outro lado do Jordão,* i.e. *Peréia* Mt 4.15, 25; Mc 3.8; 10.1.

πέρας, ατος, τό *fim, limite, fronteira* Mt 12.42; Lc 11.31; Rm 10.18; Hb 6.16; At 13.33 v.l.*

Πέργαμος, ου, ἡ ou Πέργαμον, ου, τό *Pérgamo,* uma importante cidade no noroeste da Ásia Menor Ap 1.11; 2.12.*

Πέργη, ης, ἡ *Perge,* uma cidade na Panfília, perto da costa central sul da Ásia Menor At 13.13s; 14.25.*

περί prep. com gen. e ac.—1. com o genitivo *acerca de, concernente a* Mt 18.19; 22.42; Lc 2.17; 9.9; Jo 8.13s, 18; At 17.32; 24.24; 1 Co 7.1; 2 Co 9.1; Jd 3.— *Por causa de, devido a* Lc 3.15; 19.37; 24.4; Jo 8.26; 10.33.—*Com respeito a, com referência a* At 15.2; 1 Co 7.37; Cl 4.10; Hb 11.20.—*Por* Lc 6.28; At 12.5; Rm 8.3; Cl 1.3; 2 Ts 1.11; 3.1; Hb 10.18, 26; 13.18; 1 Pe 3.18.—2. com o acusativo *acerca de, ao redor, perto de* Mt 8.18; 18.6; 20.3, 5s, 9; Mc 1.6; 3.34; 4.10; Lc 13.8; At 10.3; 28.7 οἱ περὶ Παῦλον *Paulo e seus companheiros* At 13.13.—*Com* Lc 10.40s; At 19.25.—*Com respeito a* 1 Tm 6.21; 2 Tm 2.18; Tt 2.7.—τὰ περὶ ἐμέ *conforme há de ser comigo, conforme o que vai me acontecer* Fp 2.23. [*peri-,* prefixo de várias palavras, e.g. *peripatético*]

περιάγω—1. trans. *levar, ter alguém consigo* ou *acompanhando* 1 Co 9.5.—2. intrans. *Percorrer* Mt 4.23; 9.35; 23.15; Mc 6.6; At 13.11.*

περιαιρέω *remover, tirar* 2 Co 3.16; Hb 10.11. *Lançar uma âncora* At 27.40. Pass. *ser abandonado* 27.20.

περιάπτω *acender* Lc 22.55.*

περιαστράπτω trans. *brilhar ao redor* At 9.3; 22.6 v.l. Intrans. *brilhar* 22.6.*

περιβάλλω *lançar, colocar ao redor* Lc 19.43 v.l. *Vestir* Mt 6.31; Mc 14.51; Lc 12.27; Jo 19.2; At 12.8; Ap 19.8. περιβέβλημαί τι *ter alguma coisa sobre si, vestir* Mc 16.5; Ap 7.9, 13; 11.3.

περιβαλοῦ, περιβαλῶ, περιβέβλημαι imperativo 2 aor. méd. fut. ind. at. e perf. ind. pass. de περιβάλλω.

περιβλέπω *olhar ao redor* Mc 3.5, 34; 5.32; 9.8; 10.23; 11.11; Lc 6.10.*

περιβόλαιον, ου, τό *cobertura, manto, veste* Hb 1.12; *cobertura* 1 Co 11.15.*

περιδέω *envolver* Jo 11.44.*

περιέβαλον 2 aor. ind. at. de περιβάλλω.

περιεδέδετο 3 pes. sing. mais-que-perf. ind. pass. de περιδέω.

περιέδραμον 2 aor. ind. at. de περιτρέχω.

περιεζωσμένος part. perf. pass. de περιζώννυμι.

περιέθηκα 1 aor. ind. at. de περιτίθημι.

περιελεῖν, περιελεών inf. e part. do 2 aor. de περιαιρέω.

περιέπεσον 2 aor. ind. at. de περιπίπτω.

περιεργάζομαι *ser um intrometido* 2 Ts 3.11.*

περίεργος, ον *curioso, bisbilhoteiro*, como subst. *intrometido* 1 Tm 5.13. τὰ περίεργα *magia* At 19.19.*

περέρχομαι *ir de lugar a lugar* At 19.13; *vaguear, perambular* Hb 11.37; cf. At 13.6 v.l. π. τὰς οἰκίας *passar de casa em casa* 1 Tm 5.13. *Navegar ao redor* At 28.13.*

περιέστησαν, περιεστώς 3 pes. pl. 2 aor. ind. at., e part. perf. at. de περιίστημι.

περιέσχον 2 aor. ind. at. de περιέχω.

περιέτεμον, περιετμήθην 2 aor. ind. at. e 1 aor. ind. pass. de περιτέμνω.

περιέχω—1. *pegar, apoderar-se* lit. 'circundar' Lc 5.9.—2. *conter, incluir* At 15.23 v.l.; 23.25 v.l. Intrans. περιέχει *diz* 1 Pe 2.6.*

περιζώννυμι e περιζωννύω *envolver*—1. at. com ac. duplo *envolver alguém com alguma coisa* pass. Lc 12.35; Ap 1.13; 15.6.—2. méd. *envolver-se, cingir-se* Lc 12.37; 17.8; At 12.8 v.l. Fig. Ef 6.14.*

περιζωσάμενος, περιζώσομαι part. 1 aor. méd. e fut. ind. méd. de περιζώννυμι.

περιῆλθον 2 aor. ind. at. de περιέρχομαι.

περιῃρεῖτο 3 pes. sing., imperf. pass. de περιαιρέω.

περιθείς part. 2 aor. at. de περιτίθημι.

περίθεσις, εως, ἡ *adorno, enfeite* 1 Pe 3.3.*

περιίστασο 2 pes. sing. imperativo pres. méd. (2 Tm 2.16; Tt 3.9) de περιίστημι.

περιίστημι.—1. *estar em redor* Jo 11.42; At 25.7.—2. *evitar, esquivar* 2 Tm 2.16; Tt 3.9.*

περικάθαρμα, ατος, τό *desperdício, refugo, lixo* 1 Co 4.13.*

περικαθίζω *sentar em derredor* Lc 22.55 v.l.*

περικαλύπτω *cobrir, ocultar* Mc 14.65; Lc 22.64; Hb 9.4.*

περίκειμαι—1. *estar* ou *ser colocado ao redor* Mc 9.42; Lc 17.2. *Rodear* Hb 12.1.—2. περίκειμαί τι *vestir algo, ter algo sobre si* At 28.20. fig. *Estar sujeito a* Hb 5.2.*

περικεφαλαία, ας, ἡ *capacete* fig. Ef. 6.17; 1 Ts 5.8.*

περικρατής, ές *tendo poder, estar no comando* περικρατεῖς γενέσθαι τῆς σκάφης *ter o barco sob controle* At 27.16.*

περικρύβω *ocultar, esconder* Lc 1.24.*

περικυκλόω *rondar, envolver* Lc 19.43.*

περιλάμπω *brilhar em redor* Lc 2.9; At 26.13.*

περιλείπομαι *permanecer, ser deixado atrás* 1 Ts 4.15, 17.*

περιλείχω *lamber* Lc 16.21 v.l.*

περίλυπος, ον *muito triste, profundamente aflito* Mt 26.38; Mc 6.26; 14.34; Lc 18.23s.*

περιμένω *esperar por* At 1.4; *esperar* 10.24 v.l.*

πέριξ adv. *ao redor* At 5.16.*

περιοικέω *viver na vizinhança de* Lc 1.65.*

περίοικος, ον *vivendo ao redor* οἱ π. *os vizinhos* Lc 1.58.*

περιούσιος, ον *escolhido, especial* Tt 2.14.*

περιοχή, ῆς, ἡ em At 8.32 pode significar ou *conteúdo* ou *passagem*, ou *porção*.

περιπατέω *ir, andar em redor*—1. lit. *andar em redor, dar voltas, ir, andar* Mt 9.5; Mc 11.27; Lc 11.44; Jo 6.19; 1 Pe 5.8; Ap 2.1; 3.4.—2. fig. *andar no sentido de viver, comportar-se* Mc 7.5; Jo 8.12; At 21.21; Rm 6.4; 8.4; 1 Co 7.17; 2 Co 5.7; Gl 5.16;. Ef 4.1; Cl 3.7; 1 Ts 2.12; 2 Ts 3.6; Hb 13.9; 1 Jo 2.6; 2 Jo 4; 3 Jo 4. [*peripatético*]

περιπείρω *atravessar, traspassar*, fig. 1 Tm 6.10.*

περιπεσών part. 2 aor. at. de περιπίπτω.

περιπίπτω *cair com, encontrar* com dat., lit. *cair nas mãos de* Lc 10.30; *bater* At 27.41. Fig. *envolver-se* Tg 1.2.*

περιποιέω méd—1. *manter, preservar* Lc 17.33.—2. *adquirir, obter, ganhar* At 20.28; 1 Tm 3.13.*

περιποίησις, εως, ἡ *conservação* Hb 10.39. *Ganho* 1 Ts 5.9; 2 Ts 2.14. *Posse, propriedade* Ef 1.14; 1 Pe 2.9.*

περιρεραμμένον, περιρεραντισμένον formas variantes do part. perf. pass. de περι(ρ)ραίνω e περι(ρ)ραντίζω, respectivamente Ap 19.13 v.l.*

περι(ρ)ραίνω e περι(ρ)ραντίζω *aspergir (em derredor)* Ap 19.13. v.l.*

περι(ρ)ρήγνυμι *arrancar* At 16.22.*

περισπάω *estar* ou *tornar-se distraído, sobrecarregado* Lc 10.40.*

περισσεία, ας, ή *abundância, excesso* Rm 5.17; 2 Co 8.2; 10.15; Tg 1.21.*

περίσσευμα, ατος, τό—1. *abundância, plenitude* Mt 12.34; Lc 6.45; 2 Co 8.14.—2. *o que permanece, sobras* Mc 8.8.*

περισσεύω—1. intrans.—a. de coisas *ser mais do que suficiente, abundar* Mt 14.20; 15.37; Lc 9.17; Jo 6.12s.— *Estar presente em abundância* Mt 5.20; Mc 12.44; Lc 21.4; Rm 5.15; 2 Co 1.5; Fp 1.26.— *Ser extremamente rico* ou *abundante, sobrar* Rm 3.7; 2 Co 3.9; 8.2; 9.12.— *Crescer* At 16.5; Fp 1.9.—b. de pessoas *ter em abundância, abundar, ser rico* com gen. *de* ou *em alguma coisa* Rm 15.13; 1 Co 8.8; 2 Co 9.8b; Fp 4.12, 18.— *Ser proeminente, exceder* 1 Co 14.12; 15.58; 2 Co 8.7; Cl 2.7. *Progredir* 1 Ts 4.1, 10.—2. trans. *fazer abundar, tornar extremamente rico* Mt 13.12; 25.29; Lc 15.17; 2 Co 4.15; 9.8a; Ef 1.8; 1 Ts 3.12.

περισσός, ή, όν *excedendo o número* ou *tamanho usual*—1. *extraordinário, digno de nota* Mt 5.47. τὸ περισσόν *a vantagem* Rm 3.1.—2. *abundante, profuso* Jo 10.10. *Supéfluo, desnecessário* 2 Co 9.1.—3. no sentido comparativo τὸ περισσόν τούτων *qualquer coisa é mais do que isso* Mt 5.37.— ἐκ περισσοῦ *extremamente* Mc 6.51.*

περισσότερος, τέρα, ον *maior, mais*—1. como um subst. Mc 12.40; 20.47; 1 Co 12.23s; 2 Co 2.7.— 2. *ainda mais* Lc 12.48; 1 Co 15.10, Cf. Mt 11.9; Mc 12.33; Lc 7.26; 12.4; 2 Co 10.8.—3. o neutro singular, como advérbio Hb 6.17; 7.15; Mc 7.36.

περισσοτέρως adv.—1. *(ainda, muito) mais* Mc 15.14 v.l.; *muito mais, a um grau muito maior* 2 Co 11.23; Gl 1.14; cf. 2 Co 12.15. *Muito mais; mais ainda* Fp 1.14; Hb 2.1; 13.19.—2. *especialmente* 2 Co 1.12; 2.4; 7.13; 15; 1 Ts 2.17.*

περισσῶς adv. *excedentemente, além das medidas, muito* At 26.11.— *Mais, muito mais, ainda mais* Mt 27.23; Mc 10.26; 15.14.*

περιστερά, ᾶς, ή *pomba, pombo* Mt 3.16; Mc 11.15; Lc 3.22; Jo 1.32.

περιτεμεῖν inf. 2 aor. at. de περιτέμνω.

περιτέμνω *circuncidar*—1. lit. Lc 1.59; 2.21; Jo 7.22; At 7.8; 15.1. 5; 16.3; 21.21; 1 Co 7.18; Gl 2.3; 5.2s; 6.12s.—2. fig. do batismo Cl 2.11.*

περιτέτμημαι perf. ind. pass de περιτέμνω.

περιτιθέασιν 3 pes. pl. pres. ind at. de περιτίθημι.

περιτίθημι *colocar* ou *por ao redor, em* Mt 21.33; 27.28, 48; Mc 12.1; 15.17, 36; Jo 19.29. Fig. *dar, mostrar* 1 Co 12.23.*

περιτμηθῆναι inf. 1 aor. pass. de περιτέμνω.

περιτομή, ῆς, ή *circuncisão*—1. lit. Jo 7.22s; At 7.8; Rm 3.11; 1 Co 7.19; Gl 5.11.—2. fig., da circuncisão espiritual Rm 2.29; Cl 2.11.—3. *os circuncidados,* lit., *os judeus* At 10.45; Rm 3.30; Gl 2.7-9; Cl 3.11. Fig., dos cristãos Fp 3.3.

περιτρέπω *tornar, voltar,* π. εἰς μανίαν *tornar louco* At 26.24.*

περιτρέχω *correr* Mc 6.55.*

περιφέρω *levar de um lado a outro, carregar* Mc 6.55; 2 Co 4.10. Fig., pass. Ef 4.14; Hb 13.9 v.l.*[*periferia*]

περιφρονέω *menosprezar, desprezar* com gen. Tt 2.15.*

περίχωρος, ον *vizinha,* como subst. ή περίχωρος (γῆ) *a região circunvizinha* com seus habitantes Mt 14.35; Mc 1.28; Lc 4.14, 37; 8.37; At 14.6.

περίψημα, ατος, τό *sujeira, porcaria* fig. 1 Co 4.13.*

περπερεύομαι *jactar-se, ser presunçoso* 1 Co 13.4.*

Περσίς, ίδος, ή *Pérside* Rm 16.12.*

πέρυσι adv. *no ano passado, há um ano atrás* ἀπὸ πέρυσι *há um ano atrás, desde o último ano* 2 Co 8.10; 9.2.*

πεσεῖν, πεσῶν, πεσοῦμαι inf. e part. do 2 aor. at., e fut. ind. méd. de πίπτω.

πετεινόν, οΰ, τό *pássaro, passarinho* Mt 6.26; 13.32; Mc 4.4; Lc 12.24; 13.19; At 10.12; Rm 1.23; Tg 3.7.

πέτομαι *voar* Ap 4.7; 8.13; 12.14; 14.6; 19.17.*

πέτρα, ας, ή *pedra, rocha* lit. Mt 7.24s; 27.51, 60; Lc 8.6, 13; Rm 9.33; 1 Co 10.4; 1 Pe 2.8; Ap 6.15s. Fig. Mt 16.18.

Πέτρος, ου, ό *Pedro,* sobrenome do líder dos doze discípulos, seu nome era, originalmente, Simão q.v. O nome Π. aparece 156 vezes. As seguintes passagens ilustram alguns aspectos do seu papel no N.T.: Mt 16.16, 18; Mc 3.16; Lc 5.8; Jo 18.10; At 15.7; Gl 2.8; 1 Pe 1.1; 2 Pe 1.1.

πετρώδης, ες *rochoso* τό πετρῶδες e τὰ πετρώδη *terreno rochoso* Mt 13.5, 20; Mc 4.5, 16.*

πεφίμωσο 2 pes. sing. imperativo perf. de φιμόω.

πήγανον, ου, τό *arruda* (Ruta graveolens), uma erva de jardim Lc 11.42.*

πηγή, ῆς, ή *fonte, olho d'água*—1. lit. Mc 5.29; Tg 3.11; 2 Pe 2.17; Ap 8.10; 14.7; 16.4. Poço Jo 4.6.—2. simbólico Jo 4.14; Ap 7.17; 21.6.*

πήγνυμι *estabelecer, fundar* Hb 8.2.*

πηδάλιον, ου, τό *leme* At 27.40; Tg 3.4.*

πηλίκος, η, ον pron. interrogativo, usado em declarações exclamativas: *quão grande* Gl 6.11; Hb 7.4.*

πηλός, οῦ, ό *lodo, barro* Rm 9.21., Jo 9.6, 11, 14s.*

πήρα, ας, ή *alforje* Mt 10.10; Mc 6.8; Lc 9.3; 10.4; 22.35s.*

πηρόω *mutilar* somente como v.l. nas seguintes passagens: Mc 8.17; Jo 12.40; At 5.3; Rm 11.7.*

πήρωσις, εως, ή *cegueira* Mc 3.5 v.l.*

πῆχυς, εως, ό *côvado,* uma medida de extensão, de cerca de 46,2 cm. Jo 21.8; Ap 21.17. Para o uso em Mt 6.27 e Lc 12.25 ver ήλικία 1.*

πιάζω *agarrar, tomar* At 3.7. *Arrestar, levar em custódia* Jo 7.30, 32, 44; 8.20; 10.39; 11.57; At 12.4; 2 Co 11.32. *Pegar* Jo 21.3, 10; Ap 19.20.*

πίε, πιεῖν imperativo e inf. do 2 aor. at. de πίνω.

πιέζω *apertar, pressionar* Lc 6.38.*

πίεσαι 2 pes. sing. fut. ind. méd. (Lc 17.8) de πίνω.

πιθανολογία, ας, ή *fala persuasiva, argumento plausível* (mas falso) Cl 2.4.*

πιθός outra forma de πειθός.

πικραίνω *amargar* lit. Ap 8.11; 10.9s; Fig. *amargar, irar* Cl 3.19.*

πικρανῶ fut. ind. at. de πικραίνω.

πικρία, ας, ή *amargura* lit. At 8.23; Hb 12.15. Fig. *amargura, ira, animosidade* Rm 3.14; Ef 4.31.*

πικρός, ά, όν *amargo* lit. Tg 3.11; fig. 3.14.*

πικρῶς adv. *amargamente* Mt 26.75; Lc 22.62.*

Πιλᾶτος, ου, ό Pôncio *Pilatos,* prefeito romano da Judéia, 26-36 d.C. Mt 27 e Mc 15 passim; Lc 3.1; cap. 23 passim; Jo 18-19 passim; At 3.13; 4.27; 13.28, 29 v.l.; 1 Tm 6.13.*

πίμπλημι *encher* lit. Mt 22.10; Lc 1.15, 41, 67; At 3.10; Fig. *ser cheio* Lc 21.22; *chegar ao fim* Lc 1.23, 57; 2.6, 21s.

πίμπρημι em At 28.6 o inf. pres. pass. πίμπρασθαι pode significar ou *arder em febre* ou *tornar-se inchado, inchar-se.**

πινακίδιον, ου, τό *tábua* (pequena) para escrever Lc 1.63.*

πινακίς, ίδος, ή pequeno *tablete* para escrita Lc 1.63 v.l.*

πίναξ, ακος, ή *prato, bandeja* Mt 14.8, 11; Mc 6.25, 28; Lc 11.39.*

πίνω *beber*—1. lit. Mt 6.25, 31; 11.18; Mc 16.18; Lc 1.15; Jo 6.53s, 56; 1 Co 10.21.—2. fig. Mc 10.38s; Jo 7.37; Hb 6.7; Ap 14.10.

πιότης, τητος, ή *riqueza, seiva* Rm 11.17.*

πιπράσκω *vender* Mt 13.46; 18.25; 26.9; At 2.45; 4.34; 5.4. Fig. Rm 7.14.

πίπτω *cair,* o passivo da idéia expressa por βάλλω.—1. lit. Mt 15.27; Mc 9.20; Lc 8.7; 21.24; At 20.9; Ap 1.17. *Cair, prostrar-se* como um sinal de devoção Mt 2.11; 18.26, 29; Ap 5.14. *Cair em pedaços, ter um colapso* Mt 7.25, 27; Lc 13.4; Hb 11.30; Ap 11.13.—2. fig. At 1.26; 13.11; Ap 7.6. *Tornar-se inválido, falhar* Lc 16.17; 1 Co 13.8. *Ser destruído* Ap

14.8; 18.2. Em um sentido moral ou cúltico *desviar-se, cair, arruinar-se* Rm 11.11, 22; Hb 4.11; 1 Co 10.12; Ap 2.5.

Πισιδία, ας, ή *Pisídia*, uma região no centro da Ásia Menor At 14.24; 13.14 v.l.*

Πισίδιος, ία, ιον *da Pisídia, pisídio* At 13.14.*

πιστεύω—1. *crer, crer em, estar convencido de, dar crédito a* Mt 21.25, 32; Mc 16.14; Lc 1.20; Jo 2.22; 8.24; At 8.37b; Rm 4.18; 1 Co 13.7; Gl 3.6; 2 Ts 1.10b.—2. *crer (em), confiar*, em um sentido especial, com Deus ou Cristo como objeto: Jo 6.30; 14.1; 16.9; At 5.14; 16.34; Rm 4.5, 24; 1 Co 14.22; Gl 2.16; 3.22; 1 Tm 3.16; Hb 4.3; 1 Pe 2.7. *Ter confiança* Mt 8.13; 9.28; 21.22; Mc 9.23s; 2 Co 4.13.—3. *Confiar* Lc 16.11; Jo 2.24. Pass. Rm 3.2; 1 Co 9.17; Gl 2.7.—4. *pensar, sustentar, considerar (possível)* Jo 9.18; Rm 14.2; cf. 1 Co 13.7.

πιστικός, ή, όν pode significar *genuíno, não adulterado*, ou pode designar um certo tipo de ungüento, nardo, e.g. *pistácia* Mc 14.3; Jo 12.3.*

πίστις, εως, ή *fé, confiança, compromisso*—1. como uma característica ou qualidade *fidelidade, confiabilidade, lealdade, comprometido* Mt 23.23; Rm 3.3; Gl 5.22; Tt 2.10.—2. aquilo que evoca confiança, *promessa solene, juramento* 1 Tm 5.12; *promessa, penhor* At 17.31; τὴν π. τετήρηκα *tenho honrado minha obrigação* 2 Tm 4.7.—3. *confiança, certeza, fé* no sentido ativo = 'crendo' especialmente da relação com Deus ou Cristo Mt 9.2; Mc 11.22; Lc 18.42; At 14.9; 26.18; Rm 4.5, 9, 11-13; Gl 2.16; Ef 1.15; Cl 2.12; Hb 12.2; Tg 1.6; 1 Pe 1.21. *Fé* como comprometimento, dedicação, Cristianismo Lc 18.8; Rm 1.5, 8; 1.Co 2.5; 13.13; 2 Co 1.24; Gl 3 passim; Tg 1.3; 1 Pe 1.9. *Convicção* Rm 14.22s. A fé definida Hb 11.1—4. Aquilo que é crido, *fé, corpo de doutrina, crença, teologia* Gl 1.23; Jd 3, 20; cf. 1 Tm 1.19.

πιστός, ή, όν—1. *fiel, confiável, digno de confiança* Mt 25.21, 23; Lc 16.10-12; 1 Co 1.9; 7.25; Cl 4.7; 1 Tm 1.12, 15; 2 Tm 2.2, 13; Tt 3.8; Hb 2.17; 10.23; Ap 2.13.—2. *crente, confiante, fiel* Jo 20. 27; At 16.15; Gl 3.9; Ef 1.1. Dos cristãos *crentes, fiéis* At 10.45; 16.1; 1 Tm 4.3, 12; 6.2.

πιστόω *estar convicto, sentir confiança* 2 Tm 3.14.*

πίω 2 aor. subj. at. de πίνω.

πλανάω—1. *desviar, enganar, fazer vagar* Mt 24.4s, 11; Jo 7.12; 1 Jo 1.8; Ap 2.20; 20.3, 8, 10.—2. *desviar-se, ser enganado* ou *iludido* lit. e fig. Mt 18.12s; Lc 21.8; 1 Co 15.33; 2 Tm 3.13; Tt 3.3; Hb 11.38; Tg 5.19; 1 Pe 2.25; 2 Pe 2.15; Ap 18.23. *Enganar-se, estar confuso* Mc 12.24, 27; Gl 6.7.

πλάνη, ης, ή *desvio* do caminho da verdade, *erro, ilusão, engano* Mt 27.64; Rm 1.27; Ef 4.4; 1 Ts 2.3; 2 Ts 2.11; Tg 5.20; 2 Pe 2.18; 3.17; 1 Jo 4.6; Jd 11.*

πλάνης, ητος, ὁ v.l. em Jd 13, no lugar de πλανήτης, com o mesmo significado.*

πλανήτης, ου, ὁ *errante* ἀστέρες πλανῆται *estrelas errantes* Jd 13.* [planeta]

πλάνος, ον *enganoso, desviador* 1 Tm 4.1. ὁ πλάνος como subst. *enganador, impostor* Mt 27.63; 2 Co 6.8; 2 Jo 7.*

πλάξ, πλακός, ἡ *tábua, tablete* 2 Co 3.3; Hb 9.4.*

πλάσας part. 1 aor. at. de πλάσσω.

πλάσμα, ατος, τό *aquilo que é formado* ou *moldado* Rm 9.20.*

πλάσσω *formar, moldar* Rm 9.20; 1 Tm 2.13.*

πλαστός, ή, όν *feito, fabricado, falso* 2 Pe 2.3.* [plástico]

πλατεῖα, ας, ή *rua, caminho* Mt 6.5; 12.19; Lc 10.10; 13.26; 14.21; At 5.15; Ap 11.8; 21.21; 22.2.*

πλάτος, ους, τό *largura* Ef 3.18; Ap 20.9; 21.16.*

πλατύνω *alargar* lit. Mt 23.5. Fig. 2 Co 6.11, 13.*

πλατύς, εῖα, ύ *amplo, largo* Mt 7.13.*

πλέγμα, ατος, τό *penteado* 1 Tm 2.9.*

πλείων, πλειόνως, πλεῖστος ver πολύς.

πλέκω *tecer, trançar* Mt 27.29; Mc 15.17; Jo 19.2.*

πλέον ver πολύς. [pleonasmo]

πλεονάζω—1. instrans. *ser* ou *tornar-se maior, mais, estar presente em abundân-*

cia, crescer, aumentar Rm 5.20; 6.1; 2 Co 4.15; Fp 4.17; 2 Ts 1.3; 2 Pe 1.8. *Ter mais do que o necessário* 2 Co 8.15.—**2**. trans. *fazer crescer* 1 Ts 3.12.*

πλεονάσαι 3 pes. sing. 1 aor. opt. at. de πλεονάζω.

πλεονεκτέω *levar vantagem sobre, defraudar, aproveitar-se de* 2 Co 2.11; 7.2; 12.17s; 1 Ts 4.6.*

πλεονέκτης, ου, ὁ *avarento, ambicioso, pessoa cobiçosa* 1 Co 5.10s; 6.10; Ef 5.5.*

πλεονεξία, ας, ἡ *avareza, insaciabilidade, ambição* Mc 7.22; Lc 12.15; Rm 1.29; 2 Co 9.5; Ef 4.19; 5.3; Cl 3.5; 1 Ts 2.5; 2 Pe 2.3, 14.*

πλευρά, ᾶς, ἡ *lado, costado* Mt 27.49; v.l.; Jo 19.34; 20.20, 25, 27; At 12.7.* [*pleura*]

πλέω *viajar pelo mar, navegar* Lc 8.23; At 21.3; 27.2, 6, 24; Ap 18.17.*

πληγή, ῆς, ἡ *golpe, açoite*—**1**. lit. Lc 12.48; At 16.23; 2 Co 11.23.—**2**. *ferida* At 16.33; Ap 13.12, 14.—**3**. *praga, infortúnio, desgraça* Ap 9.18, 20; 18.4, 8; 22.18.

πλῆθος, ους, τό—**1**. *quantidade* ou *número* Hb 11.12.—**2**. *grande número, multidão*—a. de coisas com gen. Lc 5.6; *feixe* At 28.3; *porção, grande número* Tg 5.20.—b. de pessoas—α. *multidão, turma* Mc 3.7s; Lc 2.13; 6.17; At 5.14; 21.36.—β. *reunião, assembléia* Lc 23.1; At 23.7.—γ. *povo, população, povaréu* Lc 8.37; At 2.6; 5.16; 14.14; 25.24.—δ. *comunidade, igreja, fraternidade* Lc 1.10; 19.37; At 4.32; 6.5; 15.12, 30; 19.9. [*pletora*]

πληθύνω—**1**. trans., at. e pass., *aumentar, multiplicar* Mt 24.12; At 6.7; 9.31; 12.24; 2 Co 9.10; Hb 6.14; 1 Pe 1.2.—**2**. intrans. *crescer, aumentar* At 6.1.

πλήκτης, ου, ὁ *pessoa colérica, irritadiça, afeita a brigas* 1 Tm 3.3; Tt 1.7.*

πλήμμυρα, ης, ἡ *inundação, dilúvio* Lc 6.48.*

πλήν adv.—**1**. usado como conjunção *mesmo assim, porém, todavia,* etc. Mt 11.22, 24; 26.39; Lc 6.24, 35; 11.41; 22.21s, 42; 23.28.— *Mas, porém, de qualquer modo, somente* 1 Co 11.11; Ef 5.33; Fp 3.16; 4.14; Ap 2.25.— πλὴν ὅτι *exceto que* At 20.23.—**2**. usado como prep. com genitivo *exceto* Mc 12.32; At 8.1; 15.28; 20.23; 27.22.

πλήρης, ες—**1**. *cheio, pleno* Mt 15.37; Mc 8.19; Lc 4.1; 5.12; Jo 1.14; At 7.55; 9.36; 11.24; 13.10—**2**. *completo, cheio, plenamente* 2 Jo 8. πλήρης σῖτος, grão amadurecido Mc 4.28.

πληροφορέω—**1**. *encher (completamente), preencher* 2 Tm 4.5, 17; *cumprir* Lc 1.1.—**2**. *convencer* pass. Rm 4.21; 14.5; Cl 4.12.*

πληροφορία, ας, ἡ *plena segurança, certeza* Cl 2.2; 1 Ts 1.5; Hb 6.11; 10.22. Para as passagens de Cl e Hb e Rm 15.29 v.l. *plenitude* também é possível.*

πληρόω—**1**. *encher, completar* Mt 13.48; Lc 3.5; Jo 12.3; 16.6; At 2.2, 28; 5.28; Rm 1.29; Ef 5.18; Fp 4.18; 2 Tm 1.4.—**2**. de tempo, *passar, completar, atingir seu fim* pass. Mc 1.15; Jo 7.8; At 7.23, 30; 9.23; 24.27.**3**. *terminar, completar* alguma coisa já iniciada Jo 3.29; 17.13; 2 Co 10.6; Fp 2.2; Cl 1.25. Gl 5.14 pode ser colocado aqui ou sob 4, abaixo.—**4**. *cumprir* uma profecia, promessa, etc. Mt 1.22; 5.17; 13.35; 26.54; 56; Mc 14.49; Lc 9.31; 22.16; Jo 18.9, 32; 19.24, 36; Rm 13.8; Gl 5.14 (ver 3 acima); Cl 4.17.—**5**. *completar, terminar, levar ao fim* Lc 7.1; 21.24; At 12.25; 13.25; 14.26; 19.21.

πλήρωμα, ατος, τό—**1**. *aquilo que enche, preenche*—a. *aquilo que enche, conteúdo* ou *conteúdos*. ἡ γῆ καὶ πλ. αὐτῆς *a terra e tudo que nela há* 1 Co 10.26. κλάσματα δώδεκα κοφίνων πληρώματα *pedaços (o bastante) para encher doze cestos* Mc 6.43; cf. 8.20.—b. *aquilo que faz algo pleno, completo, suplemento complemento* lit. *remendo* Mt 9.16; Mc 2.21. Talvez *complemento* para Ef 1.23, embora o sing. 2 seja mais provável.—**2**. *aquilo que é cheio de alguma coisa;* neste caso Ef 1.23 significaria *(aquilo) que está cheio dele.*—**3**. *aquilo que é levado à plenitude* ou *completado*—a. *número completo* Rm 11.25. A palavra em Rm 11.12 pode ser classificada aqui ou sob 4 abaixo.—b. *soma total, abundância, plenitude* Rm 15.29. πᾶν τὸ πλ. τῆς θεότητος *a plena divindade* Cl 2.9; cf. 1.19.— Jo 1.16; Ef 3.19. Para Ef 4.13 ver μέτρον e ἡλικία.—**4**. *cumprimento,* *cumprindo* Rm 13.10; talvez 11.12 (ver 3a acima).—5. *o estado de estar cheio, completo* do tempo Gl 4.4; Ef 1.10.* [*pleroma*]

πλήσας, πλησθείς, πλησθῆναι, πλησθήσομαι particípios at. e pass. do 1 aor., inf. 1 aor. pass., e 1 fut. pass. de πίμπλημι.

πλησίον adv. *perto de, próximo a*—1. como subst. (ὁ) πλησίον *o próximo, vizinho, quem está perto, companheiro* Mt 5.43; Mc 12.31, 33; Lc 10.27, 29, 36; At 7.27; Rm 13.9s; 15.2; Gl 5.14; Tg 4.12.—2. como prep. com gen. *perto, junto* Jo 4.5.

πλησμονή, ῆς, ἡ *gratificação, indulgência* Cl 2.23.*

πλήσσω *ferir* pass. Ap 8.12.*

πλοιάριον, ου, τό diminutivo de πλοῖον, embora o sentido de diminuição não esteja sempre presente: *pequeno navio, barquinho, bote* Mc 3.9 (cf. 4.1); 4.36 v.l; Lc 5.2 v.l.; Jo 6.22-24; 21.8.*

πλοῖον, ου, τό *navio, barco* de grandes vasos usados no mar At 20.13, 38; 21.2s, 6; 27 passim; Tg 3.4; Ap 8.9; 18.19. *Bote* de pescaria no Lago de Genesaré Mt 4.21s; 9.1; Mc 1.19s; 6.51, 54;.Jo 6.19, 21s; 21.3.

πλοκή, ῆς, ἡ *enfeite, trança* 1 Pe 3.3 v.l.*

πλόος, contracto πλοῦς, gen, πλοός, ac. πλοῦν, ὁ *viagem, navegação* At 21.7; 27.9s.*

πλούσιος, ία, ιον *rico, opulento*—1. lit. Mt 19.23s; 27.57; Mc 12.41; Lc 12.16; 16.1, 19; 18.23; 19.2. Como subst. *homem rico* Lc 16.21s; 21.1; Tg 1.10s; 2.6; 5.1; Ap 6.15.—2. fig. 2 Co 8.9; Ef 2.4; Tg 2.5; Ap 2.9.

πλουσίως adv. *ricamente, abundantemente* Cl 3.16; 1 Tm 6.17; Tt 3.6; 2 Pe 1.11.*

πλουτέω *ser rico*, aor. *tornar-se rico;* perf. *ter-se tornado rico*—1. lit. Lc 1.53; 1 Tm 6.9; Ap 18.3, 15, 19.—2. fig. Lc 12.21; Rm 10.12; 1 Co 4.8; 2 Co 8.9; 1 Tm 6.18; Ap 3.17s.*

πλουτίζω *enriquecer* fig. 1 Co 1.5; 2 Co 6.10; 9.11.*

πλοῦτος, ου, ὁ ou no nom. ou no ac., somente. πλοῦτος, τό *riqueza, opulência*—1. lit. Mt 13.22; Mc 4.19; Lc 8.14; 1 Tm 6.17; Tg 5.2; Ap 18.17.—2. fig. *riqueza, abundância* Rm 9.23; 11.12, 33; 2 Co 8.2; Ef 1.7, 18; 3.8, 16; Fp 4.19; Hb 11.26; Ap 5.12. [*plutocrata*]

πλύνω *lavar* lit. e simbolicamente Lc 5.1; Ap 7.14; 22.14.*

πνεῦμα, ατος, τό—1. *respiração, movimento de ar*—a. *vento* Jo 3.8a; Hb 1.7.—b. *sopro, respiração* 2 Ts 2.8.—2. *alento, alma, espírito (de vida)*, aquilo que dá vida ao corpo Mt 27.50; Lc 8.55; 23.46; Jo 19.30; At 7.59; Tg 2.26; Hb 12.23; 1 Pe 3.19; Ap 11.11.—3. *espírito* como parte da personalidade humana—a. a parte imaterial 1 Co 5.3-5; 7.34; 2 Co 7.1; Cl 2.5; 1 Ts 5.23; Hb 4.12.—b. a parte representativa da vida interior Mt 5.3; 26.41; Mc 2.8; 8.12; Lc 1.47; Jo 4.23; 11.33; 13.21; Rm 1.9; 2 Co 2.13. *O próprio eu, a pessoa em si* Rm 8.16; Fp 4.23.—c. *estado espiritual, estado de mente, disposição* 1 Co 4.21; Gl 6.1; Ef 4.23; 1 Pe 3.4.—4. *um espírito* como um ser independente que não pode ser percebido pelos sentidos físicos—a. como uma descrição de Deus Jo 4.24a.—b. bons *espíritos* ou *seres espirituais, anjos* At 23.8s; Hb 1.14; 12.9; Ap 1.4; 5.6.—*Fantasma* Lc 24.37, 39.—c. maus *espíritos, demônios* Mc 1.23; 26s; Lc 11.24, 26; At 5.16; 16.18; 19.15s; Ap 18.2.—5. *o Espírito* como aquilo que diferencia Deus de tudo que não é Deus—a. *o Espírito* de Deus ou de Cristo Mt 3.16; Lc 4.18; At 5.9; 16.7; Rm 8.9s; 1 Co 2.11b, 12 b, 14; Gl 4.6; Ef 3.16; 1 Pe 1.11.—b. *o Espírito (Santo)* Mt 3.11; 12.32; Mc 1.8, 10, 12; 3.29; Lc 2.26; 10.21; 12.10; Jo 1.32s; 3.34; 14.17; 16.13; At 1.8, 16; 8.15, 17; 19.2; Rm 5.5; 1 Co 3.16; 6.19; Ef 4.30; Cl 1.8; 1 Ts 1.6; Hb 10.15; 2 Pe 1.21.— Claramente com independente Mt 28.19; cf. 2 Co 13.13.—c. de um *espírito* que não é de Deus 1 Co 12.10; 2 Co 11.4; 2 Ts 2.2; 1 Jo 4.1-3. [*pneumatologia*]

πνευματικός, ή, όν *relativo ao espírito, espiritual*—1. *causado por* ou *cheio com o Espírito* (divino), *pertencente* ou *correspondente ao Espírito* (divino)—a. como adj. Rm 1.11; 7.14; 1 Co 10.3s; 15.44; Ef 1.3; 5.19; Cl 1.9; 3.16; 1 Pe 2.5. ὁ πνευματικὸς (ἄνθρωπος) em 1 Co 2.15 pode significar *a pessoa espiritual,* cujos poderes de julgamento são dirigidos pelo Espírito de Deus. Cf. também 1 Co 15.47 v.l.—b. subst. τὰ πνευματικά coisas ou assuntos espirituais Rm 15.27; 1 Co 2.13; 9.11; 15.46. *Dons espirituais* 1 Co 12.1; 14.1. ὁ πνευματικός *aquele que possui o Espírito* 1 Co 3.1; 14.37; Gl 6.1.—2. *pertencente a (maus) espíritos, poderes espirituais* Ef 6.12.* [*pneumático*]

πνευματικῶς adv. *espiritualmente, de uma maneira consistente com o Espírito* (divino) 1 Co 2.14; 2.13 v.l. *De modo espiritual* (alegórico) Ap 11.8.*

πνέω *soprar* do vento Mt 7.25, 27; Lc 12.55; Jo 3.8; 6.18; At 27.15 v.l., 27.40; Ap 7.1.*

πνίγω *estrangular, sufocar* Mt 13.7; 18.28. *Afogar* Mc 5.13.*

πνικτός, ή, όν *estrangulados, sufocados até à morte* de animais mortos sem derramamento de sangue At 15.20, 29; 21.25.*

πνοή, ῆς, ἡ *vento* At 2.2. *Respiração* 17.25.*

ποδαπός uma forma arcaica de ποταπός.

ποδήρης, ες *alcançando os pés*, como subst. ὁ π. *o roupão chegando até os pés* Ap 1.13.*

ποδονιπτήρ, ῆρος, ὁ *bacia para lavar os pés* Jo 13.5 v.l.*

πόθεν adv. *de onde, de quem, do qual?*—1. *de que lugar? de onde?* Mt 15.33; Mc 8.4; Lc 13.25, 27; Jo 3.8; 9.29s; 19.9; Ap 2.5.—2. *de que fonte? trazido ou dado por quem? gerado de quem?* Mt 13.27, 54, 56; Lc 20.7; Jo 2-9; 7.27; Tg 4.1.—3. *como, por que, de que modo?* Mc 12.37; Lc 1.43; Jo 1.48; 6.5.

ποία, ας, ἡ *grama, erva*. Este significado foi, anteriormente, assumido por alguns para Tg 4.14; a forma é melhor entendida como feminino de ποῖος.*

ποιέω I. at. —1. *fazer, construir, fabricar*—a. de coisas externas *fazer, produzir, manufaturar* Jo 18.18; At 7.40; 9.39; Rm 9.21; Hb 8.5. *Criar* Mc 10.6; At 7.50; 17.24; Ap 14.7.—b. *fazer, causar, realizar*, também *manter, praticar, efetuar*, etc. Mt 7.22; Mc 1.17; 2.23; 11.3; Lc 19.18; Jo 2.23; 3.21; 8.39, 41; 12.16; At 3.12; 24.12; Rm 13.3s; 1 Co 6.18; 2 Tm 4.5.—*Fazer de, com* Mt 27.22. *Estabelecer* Ef 2.15. *Dar* Lc 14.12, 16.*Celebrar* Hb 11.28.*Produzir, frutificar* Mt 3.10; Ap 22.2. *Reivindicar, pretender* Jo 19.7, 12. *Exercer* Ap 13.12a.— c. expressões especializadas: *obter, ganhar* Lc 12.33; 16.9; Jo 4.1.— *Assumir, supôr* Mt 12.33.— *Sair* At 5.34.— *Demorar, passar tempo* At 15.33; 18.23; 20.3; 2 Co 11.25; Tg 4.13.2. *fazer agir, proceder* Mt 12.12; 20.5; Mc 15.8; Lc 2.27; 16.8; At 10.33. *Trabalhar, ser ativo* Mt 20.12a; Ap 13.5.—II. méd. *fazer algo para si mesmo* ou *de si mesmo* Lc 5.33; Jo 14.23; Rm 1.9; Fp 1.4; 2 Pe 1.10. *Formar* At 23.13. σπουδὴν π. *estar ansioso* Jd 3.

ποίημα, ατος, τό *o que é feito, criação* Rm 1.20; Ef 2.10.* [*poema*]

ποίησις, εως, ἡ *executor, trabalhador* Tg 1.25.* [*poesia*]

ποιητής, οῦ, ὁ *ator, agente* Rm 2.13; Tg 1.22s, 25; 4.11.*Poeta* At 17.28.*

ποικίλος, η, ον *de vários tipos, diversificado, múltiplo* Mc 1.34; 2 Tm 3.6; Tg 1.2; 1 Pe 4.10. Com a conotação de *ambíguo, enganoso, ilusivo* Hb 13.9.

ποιμαίνω *pastorear, levar ao pasto*—1. lit. 1 Co 9.7; *apascentar* Lc 17.7.—2. fig. — a. no sentido de 'liderar', 'guiar', 'governar' Mt 2.6; Jo 21.16; At 20.28; 1 Pe 5.2; Ap 2.27; 12.5; 19.15.—b. *cuidar de, vigiar* Jd 12; Ap 7.17.*

ποιμάνατε 2 pes. pl. imperativo 1 aor. at. de ποιμαίνω.

ποιμήν, ένος, ὁ *pastor*—1. lit. Mt 9.36; 25.32; Mc 6.34; 14.27; Lc 2.8, 15,18, 20; como um símbolo Mt 26.31; Jo 10.2, 11s, 14, 16.—2. fig. Hb 13.20; 1 Pe 2.25. *Pastor* (pároco) Ef 4.11.* [*poimênico*]

ποίμνη, ης, ἡ *rebanho* lit. Lc 2.8; 1 Co 9.7; como um símbolo Mt 26.31; Jo 10.16.*

ποίμνιον, ου, τό *rebanho* fig. Lc 12.32; At 20.28s; 1 Pe 5.2s.*

ποῖος, α, ον—1. *de que tipo, gênero?* Lc 6.32-34; Jo 12.33; 21.19; At 7.49; Rm 3.27; 1 Co 15.35; Tg 4.14; 1 Pe 1.11.—2. *qual, que, o quê?* Mt 19.18; 21.23s, 27; 22.36; Mc 11.28; Lc 5.19; 12.39; Jo 10.32; At 23.34; Ap 3.3.

πολεμέω *lutar, guerrear* lit. Ap 2.16; 12.7; 13.4; 17.14; 19.11. Fig. Tg 4.2.*

πόλεμος, ου, ὁ—1. lit. *conflito armado*— a. *guerra* Mt 24.6; Lc 14.31; Hb 11.34; Ap 11.7; 13.7.—b. *batalha, luta* 1 Co 14.8; Ap 9.7, 9; 16.14.—2. fig. *briga, conflito, discórdia* Tg 4.1. [*polêmica*]

πόλις, εως, ἡ *cidade, cidade-estado* Mt 8.33; Lc 10.8, 10; Jo 4.8, 28, 30. *Capital, cidade principal* At 8.5; Lc 8.27. A *cidade celestial, a Nova Jerusalém* Hb 11.10, 16; Ap 21.2, 10, 14-16, 18s. Fig., *cidade* = *os seus habitantes* Mt 8.34; Mc 1.33; Lc 4.43; At 14.21; 21.30. [*pole*, sufixo de várias palavras, e.g. *metrópole, acrópole*]

πολιτάρχης, ου, ὁ *magistrado cívivo, politarca*, cinco ou seis dos quais formavam o concílio da cidade em Tessalônica At 17.6, 8.*

πολιτεία, ας, ἡ *cidadania* At 22.28, mas *estado, corpo político, comunidade* Ef 2.12.*[*política*]

πολίτευμα, ατος, τό *estado, comunidade, nação*, talvez com alusão aos veteranos realocados Fp 3.20.*

πολιτεύομαι *viver, conduzir-se, levar a vida* At 23.1; Fp 1.27.*

πολίτης, ου, ὁ *cidadão* Lc 15.15; At 21.39. *Concidadão* Lc 19.14; Hb 8.11.*[*político*]

πολλά ver πολύς.

πολλάκις adv. *muitas vezes, freqüentemente* Mt 17.15; Mc 5.4; At 26.11; Rm 1.13; 2 Co 8.22; Hb 6.7; 9.25s.

πολλαπλασίων, ον gen. ονος neut. pl. *muitas vezes mais* Mt 19.29 v.l.; Lc 18.30.*

πολυεύσπλαγχνος, ον *rico em compaixão* Tg 5.11 v.l.*

πολύλαλος, ον *falador; tem se suspeitado que* πολύλαλοι *foi lido no lugar de* πολλοί em Tg 3.1.*

πολυλογία, ας, ἡ *muito falar, abundância de palavras* Mt 6.7; Lc 11.2 v.l.*

πολυμερῶς adv. *de muitas maneiras* Hb 1.1.*

πολυπλήθεια, ας, ἡ *grande multidão* At 14.7 v.l.*

πολυποίκιλος, ον (muito) *multifacetado* Ef 3.10.*

πολύς, πολλή, πολύ gen. πολλοῦ, ῆς, οῦ—1. *grau positivo muito, muitos*—1. adj. —a. com um subst., etc. no plural *muitos, numerosos, grandes* Mt 4.25; 7.13, 22; Mc 6.13; Lc 15.13; Jo 20.30; At 1.3; 24.10; Rm 4.17s; 1 Co 8.5; Hb 2.10; Ap 5.11. κτήματα πολλά *muitas posses* Mc 10.22. πολλοὶ χρόνοι *longos períodos de tempo* Lc 8.29.—b. com um subst. no singular *muito, grande, forte, severo* Mt 20.29; At 6.7; 11.21; 18.10; 23.10; 27.21; Rm 9.22; Ef 2.4; 1 Ts 2.2. *Muito, longo* Jo 5.6; At 15.32. ὥρα πολλή *última hora* Mc 6.35,—2. substantivamente —a. πολλοί *muitas pessoas* Mc 2.2; 10.45; Lc 1.1, 14, 16; Gl 3.16; 2 Co 12.21; 2 Pe 2.2. οἱ πολλοί *os muitos* Mc 6.2; Rm 12.5; 1 Co 10.33; *a maioria, a maior parte* Mt 24.12; Hb 12.15; *a multidão* 2 Co 2.17.—b. πολλά *muitas coisas, muito, extenso* Mt 13.3; Mc 4.2; Lc 9.22; 2 Co 8.22a.—πολλά no ac. como adv. *grandemente, estritamente, freqüentemente, altamente*, etc. Mc 5.38,43; 6.20; 1 Co 16.12, 19; Tg 3.2; *duro* Rm 16.6, 12.— c. πολύ *muito* Mt 6.30; Lc 12.48; At 28.6; Rm 3.2; Fp 2.12; Hb 12.9, 25. πολλοῦ gen. de preço *por uma grande soma de dinheiro* Mt 26.9. πολύ ac. como adv. *grandemente, muito* Mc 12.27; Lc 7.47b.—II. grau comparativo πλείων, neut. πλεῖον ou πλέον, genitivo de todos os gêneros πλείονος; nom. pl. masc. e fem. πλείονες, contracto πλείους;, neutro πλείονα, contracto πλείω; *mais, quanto mais, muito mais*—1. adj. Mt 21.36; Jo 4.1; 7.31; At 15.2; At 2.40; 4.22; Hb 3.3; Ap 2.19; *maior* At 18.20; *muitos* 13.31.—2. subst.—a. (οἱ) πλείους *a maioria, a maior parte* At 19.32; 27.12; 1 Co 10.5; 15.6.— *(Ainda) mais* Jo 4.41; At 28.23.—b. πλεῖον, πλέον *mais* τὸ πλεῖον *a maior quantia*, etc. Mt 6.25; Mc 12.43; Lc 7.43; 9.13.—Ac. como adv. *mais, em maior grau, extensão, maior* Mt 5.20; Lc 7.42; Jo 21.15.— III. superlativo πλεῖστος, η, ον *muitíssimo, a maioria*—1. adj. *a maior parte de, a maioria* Mt 11.20. *Muito grande, muito amplo* Mt 21.8; Mc 4.1.—2. subst. οἱ πλεῖστοι *a maioria* At 19.32 v.l. Neut. ac. como adv. τὸ πλεῖστον *quando muito, no máximo* 1 Co 14.27. [*poli-*, prefixo de várias palavras.]

πολύσπλαγχνος, ον compassivo, misericordioso Tg 5.11.*

πολυτελής, ές (muito) caro, custoso Mc 14.3; 1 Tm 2.9; 1 Pe 3.4.*

πολύτιμος, ον muito precioso, valioso Mt 13.46; 26.7 v.l.; Jo 12.3; 1 Pe 1.7.*

πολυτρόπως adv. de várias maneiras Hb 1.1.*

πόμα, ατος, τό bebida Hb 9.10. Simbolicamente 1 Co 10.4; 12.13 v.l.*

πονηρία, ας, ἡ iniqüidade, baixeza, maliciosidade, pecaminosidade Mt 22.18; Lc 11.39; At 3.26; Rm 1.29; 1 Co 5.8; Ef 6.12; pl. atos maliciosos Mc 7.22.*

πονηρός, ά, όν—1. adj.—a. no sentido físico em más condições, doente Mt 6.23; Lc 11.34 (para outras possibilidades ver ὀφθαλμός). Doloroso, sério Ap 16.2. Mal, expoliado Mt 7.17s.—b. no sentido ético ímpio, mal, mau, viciado, degenerado Mt 12.35; 16.4; Lc 19.22; Jo 3.19; At 19.15s; Gl 1.4; 2 Tm 4.18; Hb 3.12; 10.22; Tg 2.4. Arrogante Tg 4.16. Invejoso Mt 20.15—2. subst.—a. pessoa ímpia ou mal-intencionada, malfeitor Mt 5.39, 45; Lc 6.35; 1 Co 5.13.—ὁ πονηρός o maligno = o diabo Mt 13.19; Jo 17.15; Ef 6.16; 1 Jo 3.12; 5.18s. Os genitivos em Mt 5.37 e 6.13 podem ser masculinos, o maligno, ou neutros, mal—τὸ πονηρόν (aquilo que é) mau Mt 5.11; Mc 7.23; Lc 6.45c; At 25.18; Rm 12.9 (ver Mc 5.37 e 6.13 acima).

πόνος, ου, ὁ trabalho, esforço (árduo) Cl 4.13. Dor, aflição, sofrimento Ap 16.10s; 21.4.*

Ποντικός, ή, όν do Ponto (ver Πόντος) At 18.2.*

Πόντιος, ου, ὁ Pôncio, o nome tribal (médio) de Pilatos Mt 27.2 v.l.; Lc 3.1; At 4.27; 1 Tm 6.13.*

πόντος, ου, ὁ o (alto) mar Ap 18.17 v.l.*

Πόντος, ου, ὁ Ponto, um distrito no nordeste da Ásia Menor At 2.9; 1 Pe 1.1.*

Πόπλιος, ου, ὁ Públio, um nome pessoal romano At 28.7s.*

πορεία, ας, ἡ jornada, viagem Lc 13.22; Tg 1.11; para a última passagem estilo de vida, conduta são possíveis.*

πορεύω somente no méd. e pass. πορεύομαι ir, proceder, viajar—1. lit. Mt 2.20; 22.15; 25.41; Lc 7.50; 9.56; At 8.39; 20.1, 22; 25.12; Rm 15.24s; 1 Co 10.27; 16.6. Estou a ponto de ir Jo 14.12, 28.—2. fig.—a. como eufemismo de morrer Lc 22.22.—b. π. ὀπίσω seguir, i.e., ceder com gen. 2 Pe 2.10.—c. conduzir-se, viver, andar, comportar-se Lc 1.6; At 9.31; 14.16; 1 Pe 4.3; 2 Pe 3.3; Jd 11, 16, 18.—d. passar por Lc 8.14.

πορθέω pilhar, destruir, aniquilar At 9.21; Gl 1.13, 23.*

πορία uma forma variante de πορεία.

πορισμός, οῦ, ὁ fonte de lucro, de ganho 1 Tm 6.5, 6.*

Πόρκος, ου, ὁ Pórcio nome tribal de Festo At 24.27.*

πορνεία, ας, ἡ incastidade, prostituição, fornicação, de vários tipos de relação sexual ilícita—1. lit. Mt 5.32; 19.9; Mc 7.21; Jo 8.41; At 15.20; 1 Co 6.13, 18; 7.2; 2 Co 12.21; Gl 5.19; Cl 3.5.—2. fig. de idolatria, imoralidade Ap 2.21; 14.8; 17.2, 4; 19.2.

πορνεύω prostituir, praticar a prostituição ou imoralidade sexual em geral—1. lit. Mc 10.19 v.l.; 1 Co 6.18; 10.8; Ap 2.14, 20.—2. fig. da idolatria Ap 17.2; 18.3, 9.*

πόρνη, ης, ἡ prostituta, meretriz—1. lit. Mt 21.31s; Lc 15.30; 1 Co 6.15s.; Hb 11.31; Tg 2.25.—2. fig. Ap 17.1, 5, 15s.; 19.2.* [porno-, prefixo de várias palavras]

πόρνος, ου, ὁ alguém que pratica imoralidade sexual, fornicador 1 Co 5.9-11; Ef 5.5; 1 Tm 1.10; Hb 12.16; Ap 22.15.

πόρρω adv. distante Mt 15.8; Mc 7.6; Lc 14.32.— Como grau comparativo nós temos no texto de Lc 24.28 πορρώτερον e como v.l. πορρωτέρω muito mais longe.*

πόρρωθεν adv. de longe Hb 11.13. à distância Lc 17.12.*

πορρώτερον e πορρωτέρω ver πόρρω.

πορφύρα, ας, ἡ púrpura (roupa) Lc 16.19; púrpura (adorno) Ap 18.12; cf. 17.4 v.l. D manto púrpura do soldado romano Mc 15.17, 20.* [Porfírio] πορφυρόπωλις, ιδος, ἡ *uma mulher de negócios com roupas púrpuras* At 16.14.*

πορφυροῦς, ᾶ, οῦν *púrpura* Jo 19.2, 5. *(roupa) púrpura* Ap 17.4; 18.16.*

ποσάκις adv. *quantas vezes? com que freqüência?* Mt 18.21; 23.37; Lc 13.34.*

πόσις, εως, ἡ *(o ato de) beber* Rm 14.17; Cl 2.16. *Uma bebida* Jo 6.55.*

πόσος, η, ον pron.—1. *quão grande (?)* Mt 6.23; 7.11; Mc 9.21; Lc 11.13; Rm 11.12, 24; 2 Co 7.11; Hb 10.29.—2. *quantos (?)* Mt 27.13; Mc 6.38; Lc 15.17; 16.5, 7; At 21.20.

ποταμός, οῦ, ὁ, *rio, corrente* Mt 3.6; Lc 6.48s; Jo 7.38; At 16.13; 2 Co 11.26; Ap 9.14; 22.1s. *Torrente* Mt 7.25, 27.

ποταμοφόρητος, ον *levado por um rio* Ap 12.15.*

ποταπός, ή, όν *de que classe,* tipo Mt 8.27; Lc 1.29; 7.39; 2 Pe 3.11. *Quão grande* Mc 13.1; *quão glorioso* 1 Jo 3.1.*

ποταπῶς adv. *de que maneira, como* At 20.18 v.l.*

πότε adv. *quando(?)* Mt 25.37-39, 44; Mc 13.4, 35; Lc 17.20; Jo 6.25. ἕως π. *até quando? quanto tempo?* Mt 17.17; Lc 9.41; Jo 10.24; Ap 6.10.

ποτέ partícula enclítica *num tempo ou em outro*, do passado, *então, anteriormente* Jo 9.13; Rm 7.9; 11.30; 1 Co 9.7; Gl 1.13, 23; Ef 2.2s; do fut. *quando* Lc 22.32. ἤδη ποτέ *afinal* Rm 1.10; Fp 4.10.

πότερον palavra interrogativa *se* Jo 7.17.*

ποτήριον, ου, τό *copo, cálice*—1. lit. Mt 10.42; 26.27; Mc 7.4; 9.41; 14.23; Lc 11.39; 22.17, 20a; 1 Co 10.16, 21; 11.25a, 27s; Ap 17.4. O copo, por metonímia, representa o seu conteúdo Lc 22.20b; 1 Co 11.25b, 26.—2. fig., de sofrer uma morte violenta Mt 20.22s; 26.39, 42 v.l.; Mc 10.38s; 14.36; Lc 22.42; Jo 18.11; Ap 14.10: 16.19; 18.6.

ποτίζω—1. de pessoas *dar de beber, fazer beber* Mt 10.42; 25.35; Mc 15.36; 1 Co 3.2; 12.13; Ap 14.8.—2. de animais e plantas Lc 13.15; 1 Co 3.6-8. [Cf. *poção*]

Ποτίολοι, ων, οἱ *Puteóli*, uma cidade no Golfo de Nápoles At 28.13.*

πότος, ου, ὁ *orgia* 1 Pe 4.3.*

ποῦ adv.—1. *onde(?) em que lugar(?)* Mt 2.2, 4; 8.20; Mc 14.12, 14; 15.47; Lc 17.17, 37; Jo 20.2, 13, 15; Rm 3.27; 1 Co 1.20; 2 Pe 3.4; Ap 2.13.—2. *para onde, para que lugar(?)* Jo 3.8; 7.35; 8.14; 13.36; Hb 11.8.

πού adv. enclítico *algum lugar* Hb 2.6; 4.4. *Cerca de, aproximadamente* Rm 4.19.*

Πούδης, εντος, ὁ *Prudente*, um nome pessoal romano 2 Tm 4.21.*

πούς, ποδός, ὁ *pé*—1. lit. Mt 7.6; Lc 7.46; 8.35; 24.39s; Jo 13.5s; 20.12; At 4.35, 37; 5.10; Ef 6.15; Ap 3.9; 19.10. *Perna* Ap 10.1. O *pé* como medida de extensão, distância At 7.5.—2. fig. Mt 5.35; 22.44; Lc 1.79; Rm 3.15; 16.20; 1 Co 15.25, 27; Hb 1.13. [*pódium*]

πρᾶγμα, ατος, τό—1. *ato, coisa, evento, ocorrência* Lc 1.1; At 5.4; Hb 6.18; *assunto, negócio* 2 Co 7.11.—2. *ocupação, tarefa* Rm 16.2.—3. *coisa, assunto, negócio* Mt 18.19; Hb 10.1; 11.1; Tg 3.16.—4. *processo judicial* 1 Co 6.1.—5. talvez como um eufemismo para *relação sexual ilícita* 1 Ts 4.6. [*pragmatismo*]

πραγματεία, ας, ἡ *negócios, ocupação* 2 Tm 2.4.*

πραγματεύομαι *conduzir* ou *estar engajado em negócios* Lc 19.13.*

πραθείς, πραθῆναι part. e inf. do 1 aor. pass. de πιπράσκω.

πραιτώριον, ου, τό (palavra latina) *o pretório, a residência oficial do governador* Mt 27.27; Mc 15.16; Jo 18.28, 33; 19.9; At 23.35. Este também pode ser o significado em Fp 1.13, mas aqui, *guarda pretoriana* também é provável.*

πράκτωρ, ορος, ὁ *pretor, oficial da corte* Lc 12.58.*

πρᾶξις, εως, ἡ—1. *atividade, função* Mt 16.27; Rm 12.4—2. *ato, ação* geralmente no título de Atos. *Ato ruim* ou *desgraçado* Lc 23.51; At 19.18; Rm 8.13; Cl 3.9.* [*práxis*]

πρᾶος variante de πραΰς.

πραότης forma variante de πραΰτης.

πρασιά, ᾶς, ἡ *quadro de jardim* fig. πρασιαί πρασιαί *grupo por grupo* Mc 6.40.*

πράσσω—1. transf.—a. *fazer, realizar* At 5.35; 26.20, 26; 2 Co 5.10. *Fazer, cometer* Lc 22.23; 23.15; At 16.28; 19.36; Rm 2.1-3; 7.19; 1 Co 5.2. *Praticar, ocupar-se com* At 19.19; 1 Ts 4.11; *observar* Rm 2.25.—b. *coletar* impostos, etc. Lc 3.13; 19.23.—2. intrans.—a. *agir* At 3.17; 17.7.—b. *ser, estar situado* Ef 6.21; εὖ πράξετε um termo burocrático *que te vás bem*, i.e. o endereçado da carta irá partilhar no bem estar da liderança em Jerusalém.

πραϋπαθία, ας, ἡ *gentileza, amabilidade* 1 Tm 6.11.*

πραΰς, πραεῖα, πραΰ *gentil, humilde, bondoso, amável* Mt 5.5; 11.29; 21.5; 1 Pe 3.4.*

πραΰτης, ητος, ἡ e πραότης, ητος, ἡ *gentileza, humildade, cortesia, consideração, amabilidade* 1 Co 4.21; 2 Co 10.1; Gl 5.23; 6.1; Ef 4.2; Cl 3.12; 2 Tm 2.25; Tt 3.2; Tg 1.21; 3.13; 1 Pe 3.15.*

πρέπω *ser apropriado, ser conveniente* Mt 3.15; 1 Co 11.13; 1 Tm 2.10; Tt 2.1; Hb 7.26. Construção impessoal com dat. *convém* Ef 5.3; Hb 2.10.*

πρεσβεία, ας, ἡ *embaixada, embaixador(es)* Lc 14.32; 19.14.*

πρεσβευτής, οῦ, ὁ ver πρεσβύτης.

πρεσβεύω *ser um embaixador, viajar* ou *trabalhar como embaixador* 2 Co 5.20; Ef 6.20.*

πρεσβυτέριον, ου, τό *concílio de anciãos*—1. *o Sinédrio*, a mais alta corte judaica em Jerusalém Lc 22.66; At 22.5.—2. *o presbitério*, um concílio da igreja cristã, incluindo todos os anciãos 1 Tm 4.14.*

πρεσβύτερος, α, ον—1. *velho*, freqüentemente subst. *ancião* Lc 15.25; Jo 8.9; At 2.17; 1 Tm 5.1s. De um período de tempo *os homens da antigüidade, nossos ancestrais* Mt 15.2; Mc 7.3, 5; Hb 11.2.—2. como designação de um oficial *presbítero, ancião*—a. entre os judeus Mt 16.21; 27.41; Mc 14.43, 53; Lc 7.3; 9.22; At 4.23; 6.12.—b. entre os cristãos At 11.30; 14.23; 1 Tm 5.17, 19; Tt 1.5; Tg 5.14; 1 Pe 5.1, 5; 2 Jo 1; 3 Jo 1; Ap 4.4; 7.11.

πρεσβύτης, ου, ὁ *ancião, velho* Lc 1.18; Tt 2.2; Fm 9. Nesta última passagem alguns preferem a emenda πρεσβευτής *embaixador.*

πρεσβῦτις, ιδος, ἡ *idosa, velha* Tt 2.3.*

πρηνής, ές gen. οὖς *cair de cabeça, precipitar-se* At 1.18.*

πρησθείς part. 1 aor. pass. de πίμπραμαι (πίμπρημι)

πρίζω ou πρίω *serrar (em dois)* Hb 11.37.*

πρίν—1. conj. *antes* Mt 1.18; 26.34, 75; Lc 2.26; 22.61; Jo 8.58; 14.29; At 7.2.—2. com ἤ funciona como prep. com gen. *antes que* Mt 26.34 v.l.

Πρίσκα e seu diminutivo Πρίσκιλλα, ης, ἡ *Prisca, Priscila*, fabricante de tendas e, junto com seu marido Áquila, instrutora de Apolo. A forma Πρίσκιλλα At 18.2, 18, 26; Πρίσκα Rm 16.3; 1 Co 16.19; 2 Tm 4.19.*

πρίω ver πρίζω.

πρό prep. com gen. *antes*—1. de lugar *antes, perante, em frente a, em* Mt 11.10; Lc 9.52; At 12.6; 14.13; Tg 5.9.—2. de tempo Mt 6.8; 24.38; Lc 11.38; Jo 11.55; At 23.15; Rm 16.7; 1 Co 4.5; Gl 1.17; Ef 1.4; Cl 1.17; 2 Tm 4.21.—3. de precedência Tg 5.12; 1 Pe 4.8 [*pro-*, prefixo de várias palavras]

προαγαγεῖν inf. 2 aor. at. de προάγω.

προάγω—1. trans. *apresentar, levar* ou *trazer para fora* At 12.6; 16.30; 17.5; 25.26.—2. intrans. *preceder, ir antes, preparar o caminho*—a. em espaço Mt 2.9; Mc 11.9; *andar na frente de* Mc 10.32.—b. em tempo *ir* ou *vir antes* Mt 14.22; Mc 6.45; 14.28; 1 Tm 1.18; 5.24; Hb 7.18; *entrar antes* Mt 21.31.

προαιρέω méd. *escolher (para si mesmo), determinar, decidir* 2 Co 9.7.*

προαιτιάομαι *acusar, fazer uma acusação* Rm 3.9.*

προακούω *ouvir de antemão* Cl 1.5.*

προαύλιον, ου, τό *pórtico, entrada* Mc 14.68.*

προβαίνω *ir antes, ir adiante* lit. Mt 4.21; Mc 1.19. Fig. *estar avançado* Lc 1.7, 18; 2.36.*

προβάλλω adiantar, fazer antecipar At 19.33. Colocar fora Lc 21.30.* [problema]

προβάς part. 2 aor. at. de προβαίνω.

προβατικός, ή, όν relativo ao rebanho ή προβατική a porta do rebanho Jo 5.2.*

προβάτιον, ου, ό ovelha ou cordeiro Jo 21.16s v.l.*

πρόβατον, ου, τό ovelha—1. lit. Mt 7.15; 12.11s; Mc 14.27; Lc 15.4, 6; Jo 2.14s; Rm 8.36; Ap 18.13.—2. simbólica e alegoricamente Mt 25.32s; Jo 10.1-16, 26s; Hb 13.20; 1 Pe 2.25.

προβεβηκώς part. perf. at. de προβαίνω.

προβιβάζω fazer acontecer antes, antecipar Mt 14.8; At 19.33 v.l.*

προβλέπω ver antes, méd. selecionar Hb 11.40.*

προγίνομαι acontecer ou ser feito antes Rm 3.25.*

προγινώσκω conhecer antes ou adiantadamente, ter um pré-conhecimento 1 Pe 1.20; 2 Pe 3.17. Escolher de antemão Rm 8.29; 11.2. Conhecer desde o passado At 26.5.*

πρόγνωσις, εως, ή preconhecimento, presciência At 2.23; 1 Pe 1.2.;* [prognóstico]

πρόγονος, ον nascido anteriormente οί πρόγονοι pais, patriarcas, ancestrais 1 Tm 5.4; 2 Tm 1.3.*

προγράφω escrever de antemão Rm 15.4; Ef 3.3. marcar Jd 4. Proclamar, advertir Gl 3.1.* [Cf. programa]

πρόδηλος, ον claro, evidente, conhecido de todos 1 Tm 5.24s; Hb 7.14.*

προδίδωμι dar adiantadamente Rm 11.35. Trair, entregar Mc 14.10 v.l.*

προδότης, ου, ό traidor Lc 6.16; At 7.52; 2 Tm 3.4.*

προδραμών part. 2 aor. at. de προτρέχω.

πρόδρομος, ον indo antes subst. precursor Hb 6.20.*

προέγνων 2 aor. ind. at. de προγινώσκω.

προέδωκα 1 aor. ind. at. de προδίδωμι.

προεθέμην 2 aor. ind. méd. de προτίθημι.

προεΐδον 2 aor. ind. at. de προοράω.

προεΐπον, προείρηκα contar antes, preanunciar—1. de declarações proféticas Mt 24.25; Mc 13.23; At 1.16; Rm 9.29; 2 Co 13.2; Gl 5.21; 2 Pe 3.2; Jd 17.—2. ter dito antes ou previamente, já ter dito ou mencionado 2 Co 7.3; Gl 1.9; 1 Ts 4.6; Hb 4.7; 10.15 v.l. Ver também προλέγω.*

προείρηκα, προείρημαι perf. ind. at. e méd. de προεΐπον.

προέλαβον 2 aor. ind. at. de προλαμβάνω.

προελθών, προελεύσομαι part. 2 aor. at. e fut. ind. méd. de προέρχομαι.

προελπίζω esperar de antemão, ser o primeiro a esperar, no primeiro estágio da expectativa Ef 1.12.*

προενάρχομαι começar (antes) 2 Co 8.6, 10.*

προεπαγγέλλω méd. e pass. prometer antes, previamente Rm 1.2; 2 Co 9.5.*

προεπηγγείλατο (Rm 1.2), προεπηγγελμένη (2 Co 9.5) 3 pes. sing. 1 aor. ind. méd. e part. fem. perf. pass. de προεπαγγέλλω.

προέρχομαι—1. ir adiante, avançar, proceder Mt 26.39; Mc 14.35; At 12.10.—2. ir adiante como precursor ou líder Lc 1.17; 22.47;—3. ir ou vir antes de alguém ou adiante de alguém Mc 6.33; At 20.5, 13; 2 Co 9.5. Sair At 12.13 v.l.*

προεστώς part. perf. at. de προΐστημι.

προετοιμάζω preparar de antemão Rm 9.23; Ef 2.10.

προευαγγελίζομαι proclamar boas novas (de antemão, antes) Gl 3.8.*

προέχω em Rm 3.9 προεχόμεθα, se méd., pode significar ter uma vantagem ou proteger-se. Se pass., ser melhor.*

προήγαγον 2 aor. ind. at. de προάγω.

προηγέομαι ir antes; em Rm 12.10 considerar melhor, estimar mais.*

προήλθον 2 aor. ind. at. de προέρχομαι.

προήλπικα perf. ind. at. de προελπίζω.

προημαρτηκόσιν, προημαρτηκότωο dat. e gen. pl., part. perf. at. de προαμαρτάνω.

προήρηται 3 pes. sing. perf. ind. méd. de προαιρέω.

πρόθεσις, εως, ή—1. apresentação, colocação οί άρτοι τής προθέσεως pães da apresentação, pão sagrado Mt 12.4; Mc

2.26; Lc 6.4; cf. Hb 9.2.—2. *plano, propósito, resolução, vontade* At 11.23; 27.13; Rm 8.28; 9.11; Ef 1.11; 3.11; 2 Tm 1.9; 3.10.*

προθεσμία, ας, ἡ *dia designado, tempo fixado* Gl 4.2.*

προθυμία, ας, ἡ *prontidão, disposição, boa-vontade* At 17.11; 2 Co 8.11s, 19; 9.2.*

πρόθυμος, ον *pronto, disposto, decidido* Mt 26.41; Mc 14.38. τὸ πρόθυμον *desejo, ansiedade* Rm 1.15.*

προθύμως adv. *livremente, voluntariamente*, 1 Pe 5.2.*

προϊδών part. 2 aor. at. de προοράω.

πρόϊμος, ον *cedo*, como subst. *primeiras chuvas* (cerca de outubro) Tg 5.7.*

προϊνός uma forma variante de πρωϊνός.

προΐστημι—1. *estar à frente (de), liderar, dirigir* com gen. 1 Tm 3.4s; 12; 5.17. Talvez Rm 12.8; 1 Ts 5.12.—2. *estar preocupado com, cuidar de, ajudar* talvez Rm 12.8; 1 Ts 5.12. *Ocupar-se com, engajar-se em* Tt 3.8, 14.*

προκαλέω méd. *provocar, desafiar* Gl 5.26.*

προκαταγγείλαντας (At 7.52), προκατήγγειλαν (At 3.18) ac. masc. pl. do part. 1 aor. at., e 3 pes. sing. 1 aor. ind. at. de προκαταγγέλλω.

προκαταγγέλλω *anunciar de antemão, preanunciar* At 3.18, 24 v.l.; 7.52; 2 Co 9.5 v.l.*

προκαταρτίζω *fazer preparativos* 2 Co 9.5.*

προκατέχω *ganhar a posse de* ou *ocupar previamente* προκατέχομεν περισσόν *será que temos uma vantagem prévia?* Rm 3.9 v.l.*

πρόκειμαι *ser posto antes*—1. *ser exposto ao público* Jd 7.—2. *estar presente, jazer à frente de, ser colocado perante* 2 Co 8.12; Hb 6.18; 12.1s.*

προκηρύσσω *proclamar de antemão* At 13.24; pass. 3.20 v.l.*

προκοπή, ῆς, ἡ *progresso, avanço* Fp 1.12, 25; 1 Tm 4.15.*

προκόπτω *ir adiante, fazer progressos, avançar, prosseguir* Lc 2.52; Gl 1.14; 2 Tm 2.16; 3.9, 13. *Estar avançado, já ter passado* Rm 13.12.*

πρόκριμα, ατος, τό *pré-julgamento, discriminação* 1 Tm 5.21.*

προκυρόω *ratificar previamente* Gl 3.17.*

προλαμβάνω *tomar antes. Fazer alguma coisa antes do tempo normal* προέλαβεν μυρίσαι *ela o ungiu antes do tempo* Mc 14.8. Simplesmente *tomar* 1 Co 11.21. *Detectar, surpreender* Gl 6.1.* [*prolepse, proléptico*]

προλέγω *contar de antemão* ou *adiantadamente* 2 Co 13.2; Gl 5.21; 1 Ts 3.4. Veja, também, προεῖπον. [*prólogo*]

προλημφθῇ 3 pes. sing. 1 aor. subj. pass. de προλαμβάνω.

προμαρτύρομαι *testemunhar previamente, predizer* 1 Pe 1.11.*

προμελετάω *praticar de antemão, preparar* Lc 21.14.*

προμεριμνάω *preocupar-se* ou *estar ansioso antes* do tempo Mc 13.11.*

προνοέω *pensar antes acerca de, preocupar-se*—1. *cuidar de, providenciar* com gen. 1 Tm 5.8.—2. *levar em consideração, ter respeito (consideração) por* com gen. Rm 12.17; 2 Co 8.21.*

πρόνοια, ας, ἡ *previsão, cuidado, provisão* At 24.2; Rm 13.14.*

πρόοιδα *conhecer antes* ou *previamente* At 2.31 v.l.*

προοράω—1. *ver previamente* At 21.29.—2. *prever* At 2.31; Gl 3.8.—3. méd., *ver diante de si, ter à frente dos olhos* At 2.25.*

προορίζω *decidir previamente, predestinar* At 4.28; Rm 8.29s; 1 Co 2.7; Ef 1.5, 11.*

προπάσχω *sofrer previamente* προπαθόντες part. masc. pl. 2 aor. at. 1 Ts. 2.2.*

προπάτωρ, ορος, ὁ *ancestral* Rm 4.1.*

προπέμπω—1. *acompanhar, fazer companhia* At 20.38; 21.5.—2. *ajudar alguém em sua viagem, ser acompanhado pelo caminho* At 15.3; Rm 15.24; 1 Co 16.6, 11; 2 Co 1.16; Tt 3.13; 3 Jo 6.*

προπετής, ές gen. οῦς *insensato, imprudente* At 19.36; 2 Tm 3.4.*

προπορεύομαι *ir adiante* com gen. Lc 1.76; At 7.40.*

πρός prep. com gen., dat. ou ac.—I. com o genitivo *necessário para, para; a fim de*

At 27.34.—II. com o dativo *perto, em, por* Mc 5.11; Lc 19.37; Jo 18.16; 20.11s; *ao redor* Ap 1.13.—III. com o acusativo—1. de lugar *para, a* Mt 26.57; Mc 1.33; Lc 16.26; Jo 11.15; At 25.21; Rm 10.1; 1 Co 12.2; Ef 2.18; *com* At 3.25.—2. de tempo *para* Lc 24.29. *Por* Lc 8.13; Jo 5.35; 1 Co 7.5; Gl 2.5a; Hb 12.10; Tg 4.14.—3. de alvo *para, a fim de, a favor de, para o propósito de* Mt 23.5; Mc 13.22; At 3.10; 27.12; Rm 3.26; 1 Co 7.35a; 2 Co 1.20; Ef 4.29; 1 Pe 4.12. De resultado, *assim que, de modo que* Jo 4.35; 1 Co 14.26; 1 Jo 5.16s—4. denotando um relacionamento, hostil ou amigável—a. hostil *com, contra* At 11.2; 24.19; 1 Co 6.1; Ef 6.12; Cl 3.13; Ap 13.6.—b. amigável Rm 5.1; 2 Co 6.14s; 7.4; Gl 6.10; Fm 5; 1 Jo 3.21; 2 Tm 2.24.—5. para indicar uma conexão—a. *com referência a* Mt 19.8; Mc 12.12; Lc 12.41; 18.1; Jo 13.28; At 24.16; Hb 1.7s.—b. *no que concerne a, com respeito a* Rm 15.17; 2 Co 4.2; Hb 6.11. τὰ πρός τι *aquilo que pertence a algo* ou *é necessário para alguma coisa* Lc 14.32; At 28.10; 2 Pe 1.3.—c. elipticamente τί πρὸς ἡμᾶς *Que tem isso a ver conosco?* Mt 27.4. τί πρὸς σέ; *que tens tu com isso?* Jo 21.22s.—d. *de acordo com, em conformidade (a/com)* Lc 12.47; 2 Co 5.10; Gl 2.14; Ef 3.4 *Em comparação com* Rm 8.18.—6. expressão adverbial πρὸς φθόνον *ciumentamente* Tg 4.5.—7. *(em companhia) de* Mt 13.56; Mc 14.49; Jo 1.1s; Gl 1.18; 4.18, 20; Fp 1.26; 1 Ts 3.4; 2 Ts 3.10; Fm 13; 1 Jo 1.2. πρὸς ἑαυτούς *entre* ou *para eles mesmos* Mc 9.10; cf. Lc 18.11.

προσάββατον, ου, τό *o dia anterior ao sábado*, i.e. *sexta-feira* Mc 15.42.*

προσαγαγεῖν inf. 2 aor. at. de προσάγω.

προσαγορεύω *chamar, nomear, designar* pass. Hb 5.10.*

προσάγω—1. trans. *apresentar, levar (a)* lit. Lc 9.41; At 12.6 v.l.; 16.20; pass. Mt 18.24. Fig. 1 Pe 3.18.—2. intrans. *chegar perto, aproximar-se* At 27.27.*

προσαγωγή, ῆς, ἡ *acesso, meio de aproximação* Rm 5.2; Ef 2.18; 3.12.*

προσαιτέω *mendigar* Jo 9.8; Mc 10.46 v.l.; Lc 18.35 v.l.*

προσαίτης, ου, ὁ *mendigo* Mc 10.46; Jo 9.8.*

προσαναβαίνω *subir, mover-se para cima* προσανάβηθι imperativo 2 aor. Lc 14.10.*

προσαναλαμβάνω *dar boas vindas, recepcionar* At 28.2 v.l.*

προσαναλίσκω ou προσαναλόω *gastar (muito)* Lc 8.43.*

προσαναπληρόω *suprir, preencher* 2 Co 9.12; 11.9.*

προσανατίθημι méd. *acrescentar* ou *contribuir* Gl 2.6. *Consultar* com dat. 1.16.*

προσανεθέμην 2 aor. ind. méd. de προσανατίθημι.

προσανέχω *chegar perto (de alguém), acercar-se* com dat. At 27.27 v.l.*

προσαπειλέω *ameaçar mais* (ainda) At 4.21.*

προσαχέω *ressoar, ressonar* At 27.27 v.l.*

προσδαπανάω *gastar a mais, gastar mais* Lc 10.35.*

προσδέομαι *necessitar* com gen. At 17.25.*

προσδέχομαι—1. *tomar, receber, recepcionar* Lc 15.2; Rm 16.2; Fp 2.29. *Receber voluntariamente, acolher* Hb 10.34; *aceitar* Hb 11.35.—2. *esperar por, antecipar* Mc 15.43; Lc 2.25, 38; 12.36; 23.51; At 23.21; 24.15; Tt 2.13; Jd 21; Lc 1.21 v.l.; At 10.24 v.l.*

προσδίδωμι *dar* Lc 24.30 v.l.*

προσδοκάω *esperar por, ansiar, ter expectativa* Mt 11.3; 24.50; Lc 7.19s; 12.46; At 10.24; 27.33; 2 Pe 3.12-14.

προσδοκία, ας, ἡ *expectativa* Lc 21.26; At 12.11.*

προσδραμών part. 2 aor. de προστρέχω.

προσεάω *permitir ir além* At 27.7*

προσεγγίζω *aproximar-se, chegar perto* Mc 2.4 v.l.; At 10.25 v.l.; 27.27 v.l.*

προσεδρεύω *servir* com dat. 1 Co 9.13 v.l.*

προσεθέμην, προσέθηκα 2 aor. méd. e 1 aor. ind. at. de προστίθημι.

προσεκλίθη 3 pes. sing. 1 aor. ind. pass. de προσκλίνω.

προσελαβόμην 2 aor. ind. méd. de προσλαμβάνω.

προσελεύσομαι, προσελήλυθα, πρόσελθε fut. ind. méd., perf. ind. at., e imperativo do 2 aor. at. de προσέρχομαι.

προσενέγκαι, προσένεγκε, προσενεγκεῖν, προσένεγκον, προσενεχθείς, προσενήνοχα inf. 1 aor. at., imperativo 2 aor. at., inf. 2 aor. at., imperativo 1 aor. at., part. 1 aor. pass., e 2 perf. ind. at. de προσφέρω.

προσέπεσον 2 aor. ind. at. de προσπίπτω.

προσεργάζομαι *produzir mais, fazer mais, render mais* Lc 19.16.*

προσέρχομαι *ir* ou *vir para, aproximar-se*—1. lit. Mt 4.3, 11; 5.1; 9.14; 24.1; Mc 6.35; Lc 23.52; Jo 12.21; At 9.1; Hb 12.18, 22.—2. fig.—a. de aproximar-se de uma divindade Hb 4.16; 7.25; 10.1, 22; 11.6; 1 Pe 2.4.—b. *concordar, aceder* 1 Tm 6.3.

προσέρηξα 1 aor. ind. at. de προσρήσσω (προσρήγνυμι).

προσέσχηκα, προσέρχον perf. ind. at., e 2 aor. ind. at. de προσέχω.

προσέταξα 1 aor. ind. at. de προστάσσω.

προσετέθην, προσετίθει 1 aor. ind. pass., e 3 pes. sing. imperf. at. de προστίθημι.

προσευχή, ῆς, ἡ—1. *oração* Mt 17.21; Mc 9.29; Lc 6.12; At 3.1; Rm 12.12; Fp 4.6; Ap 8.3s.—2. *lugar de oração, capela* At 16.13, 16.

προσεύχομαι *orar, rezar* Mt 5.44; 6.5-7; Mc 1.35; 14.38; Lc 1.10; 20.47; At 6.6; Rm 8.26; 1 Co 11.4s, 13; 14.14a, 15; Hb 13.18; Tg 5.17.

προσέχω—1. at. *prestar atenção*—a. *prestar atenção, seguir, acompanhar* com dat. At 8.6, 10s; 16.14; 1 Tm 1.4; 4.1; Tt 1.14; Hb 2.1; 2 Pe 1.19.—b. *estar preocupado com, cuidar de, dar atenção a* com dat. At 20.28. προσέχειν ἑαυτῷ *ser cuidadoso, estar vigilante* Lc 12.1; 17.3; At 5.35; cf. Mt 7.15; 10.17.—c. *ocupar-se com, devotar-se* ou *aplicar-se em* com dat. 1 Tm 4.13; Hb 7.13; *ser viciado* 1 Tm 3.8.—2. méd. *conformar-se com, aderir a* com dat. 1 Tm 6.3 v.l.

προσῆλθον 2 aor. ind. at. de προσέρχομαι.

προσηλόω *pregar, cravar* Cl 2.14.*

προσήλυτος, ου, ὁ *prosélito, convertido* Mt 23.15; At 2.11; 6.5; 13.43.*

προσήνεγκα, προσηνέχθην 1 aor. ind. at. e 1 aor. ind. pass. de προσφέρω.

προσήχθειν 1 aor. ind. pass. de προσάγω.

προσθεῖναι, προσθείς, πρόσθες inf. 2 aor. at., part. 2 aor. at., e 2 pes. sing. imperativo 2 aor. at. de προστίθημι.

πρόσθεσις, εως, ἡ somente como v.l. de πρόθεσις *apresentação*, com o mesmo sentido Mt 12.4; Mc 2.26; Lc 6.4.*

προσθῶ subj. 2 aor. de προστίθημι.

πρόσκαιρος, ον *temporário, transitório* Mt 13.21; Mc 4.17; 2 Co 4.18; Hb 11.25.*

προσκαλέω méd. *convocar, chamar*—1. lit. *chamar, convocar, convidar* Mt 10.1; Mc 3.13, 23; Lc 15.26; At 5.40; 23.17s, 23; Tg 5.14.—2. fig. At 2.39; 13.2; 16.10.

προσκαρτερέω *aderir a, persistir em*—1. com dat. *aderir, ser fiel a, ligar-se a* At 8.13; 10.7; *preparar* Mc 3.9.—2. com dat.—a. *ocupar-se com, estar engajado ativamente, devotar-se a* At 1.14; 6.4; Rm 12.12; Cl 4.2.— Com εἰς τι Rm 13.6.—b. *manter-se firme, continuar, perseverar* At 2.42.—3. *gastar muito tempo com* ἐν At 2.46.*

προσκαρτέρησις, εως, ἡ *perseverança, paciência* Ef 6.18.*

προσκέκλημαι perf. ind. méd. de προσκαλέω.

προσκεφάλαιον, ου, τό *almofada* Mc 4.38.*

προσκληρόω *alocar, designar a*, pass. *unir-se a, juntar-se a* com dat. At 17.4.*

πρόσκλησις, εως, ἡ *convite, convocação* 1 Tm 5.21 v.l.*

προσκλίνω pass. intrans. *inclinar-se para*, com dat. *juntar-se a, aderir* At 5.36.*

πρόσκλισις, εως, ἡ *parcialidade* 1 Tm 5.21.*

προσκολλάω pass. fig. *aderir firmemente a, devotar-se a, unir-se a* Ef 5.31; Mt 19.5 v.l.; Mc 10.7; At 5.36 v.l.*

πρόσκομμα, ατος, τό *tropeço, ofensa*—1. *tropeço* λίθος προσκόμματος *uma pedra que faz pessoas tropeçarem* Rm 9.32s; 1 Pe 2.8. διὰ προσκόμματος *com ofensa* Rm 14.20.—2. *a oportunidade de ofender, obstáculo, empecilho* Rm 14.13; 1 Co 8.9.*

προσκοπή, ῆς, ἡ *ocasião para ofender* 2 Co 6.3.*

προσκόπτω—1. lit.—a. trans. *lançar* Mt 4.6; Lc 4.11.—b. intrans. *tropeçar* Jo 11.9s. *Bater contra* Mt 7.27.—2. fig. *ofender-se, sentir repugnância, rejeitar* Rm 9.32; 14.21; 1 Pe 2.8.*

προσκυλίω *rolar (até), fazer rolar* Mt 27.60; Mc 15.46; Lc 23.53 v.l.*

προσκυνέω *(prostrar-se e) adorar, prostrar-se perante, reverenciar, receber respeitosamente*, dependendo do objeto—1. a seres humanos Mt 18.26; At 10.25; Ap 3.9.—2. a Deus Mt 4.10; Jo 4.20s, 23s; 12.20; At 24.11; 1 Co 14.25; Hb 11.21; Ap 4.10; 14.7; 19.4.—3. a deidades estrangeiras At 7.43.4. ao Diabo e aos demônios Mt 4.9; Lc 4.7; Ap 9.20; 13.4; 14.9, 11.—5. a anjos Ap 22.8.—6. a Cristo Mt 2.2, 8, 11; 8.2; 9.18; 14.33; 20.20; 15.25; 28.9, 17; Mc 5.6; 15.19; Lc 24.52.

προσκυνητής, οῦ, ὁ *adorador* Jo 4.23.*

προσλαβοῦ imperativo méd. 2 aor. de προσλαμβάνω.

προσλαλέω *falar para* ou *com* At 13.43; 28.20.*

προσλαμβάνω—1. at. *tomar, participar com* gen. At 27.34 v.l.—2. méd.—a. *tomar de lado, à parte* Mt 16.22; Mc 8.32; At 18.26.—b. *receber* ou *aceitar na sociedade, lar* ou *círculo de amizades* Rm 14.1; 15.7a. De Deus ou Cristo *aceitando* o crente 14.3; 15.7b.— At 28.2; Fm 12 v.l., 17.—c. *tomar consigo* At 17.5.— d. *comer* 27.33, 36.*

προσλέγω *responder, replicar* término de Mc no ms. Freer 6.*

πρόσλημψις ou πρόσληψις, εως, ἡ *aceitação* Rm 11.15.*

προσμεῖναι inf. 1 aor. at. de προσμένω.

προσμένω—1. *permanecer* ou *ficar com* com dat., lit. Mt 15.32; Mc 8.2. Fig. At 11.23. *Continuar* At 13.43; 11.23 v.l.; 1 Tm 5.5.—2. *ficar mais tempo, permanecer* At 18.18; 1 Tm 1.3.*

προσορμίζω pass. *chegar ao porto, ancorar* Mc 6.53.*

προσοφείλω *dever, ser devedor* Fm 19.*

προσοχθίζω *estar irado, ofendido, provocado* com dat. Hb 3.10, 17.*

προσπαίω *lançar-se* ou *bater contra* com dat.; o aor. προσέπαισαν é uma emenda conjectural para προσέπεσαν em Mt 7.25.*

πρόσπεινος, ον *faminto* At 10.10.*

προσπεσοῦσα part. fem 2 aor. at. (Lc 8.47) de προσπίπτω.

προσπήγνυμι *fixar a, pregar a (uma cruz)* προσπήξαντες (part. pl. 1 aor. at.) At 2.23.*

προσπίπτω—1. *cair perante* ou *aos pés de* com dat. Mc 3.11; 5.33; 7.25; Lc 5.8; 8.28, 47; At 16.29.—2. *cair sobre, lançar-se contra* com dat. Mt 7.25.*

προσποιέω méd.—1. *fazer como que, dar a impressão* Lc 24.28.—2. *tomar nota de* Jo 8.6 v.l.*

προσπορεύομαι *chegar a, aproximar-se* Mc 10.35.*

προσρήγνυμι ε προσρήσσω com dat. *irromper contra* Lc 6.48; cf. 49; Mt 7.27 v.l.*

προστάσσω *mandar, ordenar, prescrever* Mt 1.24; 8.24; 21.6 v.l.; Mc 1.44; Lc 5.14; At 10.33, 48; 17.26.*

προστάτις, ιδος, ἡ *protetor, patrono, ajudador* de Febe Rm 16.2.*

προστεθῆναι, προστεθήσομαι inf. 1 aor. pass. e 1 fut. ind. pass. de προστίθημι.

προστεταγμένος part. perf. pass. de προστάσσω.

προστῆναι inf. 2 aor. at. de προΐστημι.

προστίθημι—1. *acrescer, adicionar*—a. genericamente Mt 6.27; Mc 4.24; Lc 3.20; 12.25; At 2.41, 47 v.l.; 5.14; 13.36; Gl 3.19; Hb 12.19; pass. *ser trazido, unir-se* At 11.24.—b. de acordo com o uso hebraico, π. é usado como paráfrase para *outra vez, mais, de novo,* etc. προσθεὶς εἶπεν παραβολὴν *ele contou uma outra parábola* ou *ele começou a contar uma parábola* Lc 19.11. Cf. 20.11s; At 12.3; Mc 14.25 v.l.—2. *prover, dar, conceder* Mt 6.33; Lc 12.31; 17.5.*

προστρέχω *correr (para)* Mc 9.15; 10.17; At 8.30; Jo 20.16 v.l.*

προσφάγιον, ου, τό *peixe* Jo 21.5.*

πρόσφατος, ον *novo* Hb 10.20.*

προσφάτως adv. *recentemente* At 18.2.*

προσφέρω—1. at. e pass. *trazer, levar* Mt 4.24; 9.2, 32; 17.16; 19.13; 25.20; Mc 2.4; Lc 18.15; 23.14, 36; Jo 19.29; At 8.18.—2. *trazer, ofertar, presentear, oferecer* —a. lit. Mt 2.11; 5.23s; Mc 1.44; At 7.42; Hb 5.1, 3; 8.3s; 9.7, 9, 14, 25, 28; 11.4, 17.—b. fig. Jo 16.2; Hb 5.7.—3. pass. *tratar* Hb 12.7.

προσφιλής, ές *agradável, amável* Fp 4.8.*

προσφορά, ας, ή—1. *oferta, sacrifício, apresentação* At 24.17; Hb 10.10, 14, 18.—2. *aquilo que é trazido, ofertado, dom, oferenda* At 21.26; Rm 15.16; Ef 5.2; Hb 10.5, 8.*

προσφωνέω—1. *chamar, convocar* com dat. Mt 11.16; Lc 7.32; 23.20; At 22.2; cf. 21.40.—2. *chamar-se* Lc 6.13; 13.12; At 11.2 v.l.*

προσχαίρω *estar feliz* Mc 9.15 v.l.*

πρόσχυσις, εως, ή *aspersão* Hb 11.28.*

προσψαύω *tocar* com dat. Lc 11.46.*

προσωπολημπτέω *mostrar parcialidade* Tg 2.9.*

προσωπολήμπτης, ου, ὁ *alguém que mostra parcialidade* At 10.34.*

προσωπολημψία, ας, ή *parcialidade* Rm 2.11; Ef 6.9; Cl 3.25; Tg. 2.1.*

πρόσωπον, ου, τό—1. *face, aparência*—a. lit. Mt 6.16s; 26. 67; Mc 14.65; Lc 9.29; At 6.15; 1 Co 14.25; 2 Co 3.7, 13, 18; Tg 1.23; Ap 4.7; 9.7; 10.1.—b. fig., em expressões mais ou menos simbólicas Mt 18.10; Lc 9.51, 53; 24.5; 1 Co 13.12; At 20.25, 38; Gl 1.22; Hb 9.24; 1 Pe 3.12; Ap 22.4. προσώπῳ *de vista, exteriormente, 'geograficamente'* 1 Ts 2.17. θαυμάζειν πρόσωπον *adular as pessoas* Jd 16. λαμβάνειν πρόσωπον *mostrar parcialidade* ou *favoritismo* Lc 20.21; cf. Gl 2.6.—c. governado por preposições, onde π. pode ser traduzido por *presença* ou, até mesmo, totalmente omitido Mt 11.10; Lc 2.31; At 3.13, 20; 5.41; 13.24; 2 Ts 1.9. εἰς π. *na presença de* 2 Co 8.4. κατὰ π. *face a face* At 25.16; 2 Co 10.1; 'na cara', 'de frente' Gl 2.11.—d. *aparência* Mt 16.3; Lc 12.56; 2 Co 5.12; Tg 1.11.—e. *face = superfície* Lc 21.35; At 17.26.—2. *pessoa* ἐκ πολλῶν προσώπων *por muitas pessoas* 2 Co 1.11. [*prosopopéia*]

προτάσσω *fixar, determinar, designar (de antemão)* At 17.26 v.l.*

προτείνω *atar, prender* (com correias) At 22.25.*

πρότερος, α, ον—1. adj. *anterior, antigo* Ef 4.22.—2. neut. πρότερον como adv. *anteriormente, nos tempos antigos, mais cedo*—a. sem o artigo Jo 7.50, 51 v.l.; 2 Co 1.15; 1 Tm 1.13 v.l.; Hb 4.6; 7.27.—b. com o art.— como adj. *anterior, primeiro;* Hb 10.32; 1 Pe 1.14.— Como adv. τὸ πρ. *antes, anteriormente, primeiramente* Jo 6.62; 9.8; 1 Tm 1.13. Para Gl 4.13 *pela primeira vez* e *primeiramente* são ambos possíveis.*

προτίθημι méd.—1. *expor publicamente* Rm 3.25.—2. *planejar, ter propósito, intenção* 1.13; Ef 1.9.*

προτρέπω *encorajar, persuadir* At 18.27.*

προτρέχω *correr adiante* Lc 19.4; Jo 20.4; At 10.25 v.l.*

προυπάρχω *ser, existir antes* προυπῆρχεν μαγεύων *ele tinha praticado magia* At 8.9.— Lc 23.12.*

πρόφασις, εως, ή—1. *motivo real, desculpa válida* Jo 15.22.—2. *motivo falsamente alegado, pretexto, desculpa* Mt 23.14 v.l.; Mc 12.40; Lc 20.47; At 27.30; Fp 1.18; 1 Ts 2.5.*

προφέρω *realizar, produzir* Lc 6.45.*

προφητεία, ας, ή *profecia*—1. *atividade profética* Ap 11.6.—2. *o dom de profetizar* Rm 12.6; 1 Co 12.10; 13.2, 8; 14.22; 1 Ts 5.20; Ap 19.10.—3. *a fala do profeta, profecia* Mt 13.14; 1 Co 14.6; 1 Ts 5.20; 1 Tm 1.18; 4.14; 2 Pe 1.20s; Ap 1.3; 22.7, 10, 18s.*

προφητεύω *profetizar*—1. *proclamar* ou *interpretar uma revelação divina* Mt 7.22; 11.13; Jo 11.51; At 2.17s; 19.6; 21.9; 1 Co 11.4s; 13.9; 14.1, 3-5, 24, 31, 39; Ap 10.11; 11.13.—2. *revelar profeticamente* Mt 26.68; Mc 14.65; Lc 22.64.—3. *prever o futuro, predizer, profetizar* Mt 15.7; Mc 7.6; Lc 1.67; 1 Pe 1.10; Jd 14.

προφήτης, ου, ὁ *profeta*—1. no Antigo Testamento Mt 2.17, 23; Mc 1.2; 6.15; Lc 13.28; 24.44; Jo 1.23; At 2.16; 7.48; Rm 1.2; 3.21; Hb 11.32; 1 Pe 1.10 (pode ser também da época neo-testamentária, ver o comentário de E.G. Selwyn, *1 Peter*, Baker Book House); 2 Pe 2.16.—2. João

Batista é chamado de profeta e de maior que profeta Mt 11.9; 14.5; 21.26; Mc 11.32; Lc 1.76; 7.26; 20.6.—3. Jesus é chamado de profeta Mt 13.57; 16.14; 21.11, 46; Mc 6.4, 15; 8.28; Lc 4.24; 7.16, 39; 9.8, 19; 24.19; Jo 4.19, 44; 6.14; 7.40, 52; 9.17; cf. 1.21, 25.—At 3.22s; 7.37.—4. genericamente, de pessoas que proclamam uma mensagem divina Mt 11.9; 13.57; 23.30, 34, 37; Lc 10.24; 11.49; 13.33s; At 7.52; Ap 11.10.—5. de profetas cristãos At 11.27; 13.1; 15.32; 21.10; 1 Co 12.28s; 14.29, 32, 37; Ef 2.20; 3.5; 4.11; Ap 11.18; 16.6; 18.20, 24; Ap 22.6; 9.—6. de um poeta cretense Tt 1.12.

προφητικός, ή, όν profético Rm 16.26; 2 Pe 1.19.*

προφῆτις, ιδος, ἡ profetisa Lc 2.36; Ap 2.20.*

προφθάνω chegar antes, antecipar Mt 17.25.*

προχειρίζω méd. escolher para si mesmo, selecionar, indicar At 22.14; 26.16. Pass. 3.20.*

προχειροτονέω escolher ou indicar de antemão At 10.41.*

Πρόχορος, ου, ὁ Prócoro At 6.5.*

πρύμνα, ης, ἡ a popa (de um navio) Mc 4.38; At 27.29, 41*

πρωΐ adv. cedo, cedo de manhã, de madrugada Mt 16.3; 20.1; Mc 1.35; 16.2, 9; Jo 18.28; 20.1; At 28.23. Em Mc 13.35 π. refere-se à quarta e última vigília da noite, 3-6 da manhã.

πρωΐα, ας, ἡ (cedo) manhã, madrugada Mt 27.1; 21.18 v.l.; Jo 21.4; 18.28 v.l.*

πρώϊμος uma forma variante de πρόϊμος.

πρωϊνός, ή, όν cedo, pertencente à manhã ὁ ἀστὴρ ὁ πρ. a estrela da manhã, Vênus Ap 2.28; 22.16.*

πρῷρα, ης, ἡ a proa de um navio At 27.30, 41.*

πρωτεύω ser primeiro, ter o primeiro lugar Cl 1.18.*

πρωτοκαθεδρία, ας, ἡ lugar de honra, melhor assento Mt 23.6; Mc 12.39; Lc 11.43; 20.46.*

πρωτοκλισία, ας, ἡ o lugar de honra num jantar Mt 23.6; Mc 12.39; Lc 14.7s; 20.46.*

πρωτόμαρτυς, υρος, ὁ primeiro mártir At 22.20 v.l.*

πρῶτος, η, ον—1. primeiro—a. primeiro, mais cedo, anterior Mt 12.45; 21.28; Mc 12.20; Lc 2.2; 20.29; Jo 1.15, 30; 5.4 v.l.; 20.4; At 1.1; 20.18; 26.63; Fp 1.5; 2 Tm 4.16; Hb 9.15; 10.9; Ap 1.17.—b. primeiro, mais importante, proeminente Mt 20.27; Mc 6.21; 12.28; Lc 13.30; At 25.2; 1 Co 15.3; Ef 6.2; 1 Tm 1.15.—c. anterior, mais antigo Hb 9.2, 6, 8.—2. o neutro πρῶτον como adv.—a. de tempo ou seqüência primeiro, em primeiro lugar, antes, mais cedo, para começar Mt 5.24; 8.21; Mc 4.28; 13.10; Lc 12.1; Jo 15.18; 18.13; At 7.12; Rm 1.8; 15.24; 1 Co 12.28; 15.46.—b. de grau em primeiro lugar, acima de tudo, especialmente Mt 6.33; At 3.26; Rm 2.9s; 2 Co 8.5; 1 Tm 2.1; 1 Tm 2.1; 2 Pe 1.20. [proto-, prefixo de várias palavras, e.g. protozoários]

πρωτοστάτης, ου, ὁ líder, cabeça At 24.5.*

πρωτοτόκια, ων, τά o direito de nascimento do filho mais velho, direito da primogenitura Hb 12.16.*

πρωτότοκος, ον primogênito—1. lit. Mt 1.25 v.l.; Lc 2.7; Hb 11.28.—2. fig. de Cristo Rm 8.29; Cl 1.15, 18; Hb 1.6; Ap 1.5; 2.8 v.l.— Do povo Hb 12.23.*

πρώτως adv. pela primeira vez At 11.26.*

πταίω tropeçar, equivocar-se, daí pecar Rm 11.11; Tg 2.10; 3.2; ser arruinado ou estar perdido também é possível para 2 Pe 1.10.*

πτέρνα, ης, ἡ calcanhar Jo 13.18.*

πτερύγιον, ου, τό pináculo, parte mais alta, fim Mt 4.5; Lc 4.9.*

πτέρυξ, υγος, ἡ asa Mt 23.37; Lc 13.34; Ap 4.8; 9.9; 12.14.*

πτηνός, (ή), όν com asas τὰ πτηνά os pássaros 1 Co 15.39.*

πτοέω terrificar, pass. ser terrificado, alarmado Lc 12.4 v.l.; 21.9; 24.37.*

πτόησις, εως, ἡ terrificante, intimidativo ou medo, terror; qualquer desses significados é possível em 1 Pe 3.6.*

Πτολεμαΐς, ιδος, ἡ Ptolemaida, uma cidade marítima na Fenícia At 21.7.*

πτύξας part. 1 aor. at. de πτύσσω.

πτύον, ου, τό pá Mt 3.12; Lc 3.17.*

πτύρω *assustar* pass. *deixar-se ser intimidado* Fp 1.28.*

πτύσμα, ατος, τό *saliva* Jo 9.6.*

πτύσσω *enrolar* ou *desenrolar* (um manuscrito) Lc. 4.20.*

πτύω *cuspir* Mc 7.33; 8.23; Jo 9.6.*

πτῶμα, ατος, τό *corpo (morto), cadáver* Mt 14.12; 24.28; Mc 6.29; 15.45; Ap 11.8s.*

πτῶσις, εως, ἡ *queda, tombo* Mt 7.27; Lc 2.34.*

πτωχεία, ας, ἡ *pobreza (extrema), miséria* 2 Co 8.2, 9; Ap 2.9.*

πτωχεύω *ser* ou *tornar-se extremamente pobre, miserável* 2 Co 8.9.*

πτωχός, ή, όν—1. *pobre* relativo aos bens deste mundo, lit. *pedinte*, que algumas vezes desempenha um papel no significado da palavra no N.T.: Mc 12.42s. Como um subst. Mc 10.21; 14.7; Lc 6.20; 14.13, 21; 16.20, 22; Jo 12.6, 8; Rm 15.26; 2 Co 6.10; Gl 2.10; Tg 2.2s, 5s.— *Pobre, oprimido* Mt 11.5; Lc 4.18; 7.22.— Fig. Mt 5.3; Ap 3.17.—2. *pobre, miserável, impotente, mendigante* Gl 4.9; 1 Co 15.10 v.l.

πυγμή, ῆς, ἡ *punho.* Em Mc 7.3 πυγμῇ *com punho* é interpretado de várias maneiras.*

Πύθιος uma variante de Pirro At 20.4.

πυθόμενος part. 2 aor. méd. de πυνθάνομαι.

πύθων, ωνος, ὁ *um espírito de adivinhação* ou *profecia, quem conta o destino* At 16.16.*

πυκνός, ή, όν *freqüente, numeroso* 1 Tm 5.23. Neut. pl. πυκνά como adv. *freqüentemente* Mc 7.3 v.l. (de πυγμῇ); Lc 5.33.— Neut. do comparativo πυκνότερον como adv. *mais freqüentemente* At 24.26.*

πυκτεύω *lutar com os punhos, boxear* simbolicamente 1 Co 9.26.*

πύλη, ης, ἡ *porta, portão*—1. lit. Mt 16.18; Lc 7.12; At 3.10; 9.24; 12.10; 16.13; Hb 13.12.—2. fig. e simbolicamente Mt 7.13s; Lc 13.24 v.l.*

πυλών, ῶνος, ὁ—1. *porta, portão* esp. de um palácio ou templo Lc 16.20; At 14.13; Ap 21.12s, 15, 21, 25; 22.14.—2. *portal; vestíbulo* At 10.17; 12.13s.—3. *entrada, acesso* separada da casa por um quintal Mt 26.71.*

πυνθάνομαι—1. *inquirir, perguntar, tentar aprender* Mt 2.4; Lc 15.26; 18.36; Jo 4.52; At 4.7; 10.18, 29; 21.33; 23.19s.—2. *aprender* perguntando At 23.34.*

πῦρ, ός, τό *fogo*—1. lit. Mt 13.40; 17.15; Lc 17.29; At 2.3; 7.30; 28.5; 1 Co 3.15; Tg 5.3; Hb 12.18; Ap 4.5; 17.16; 19.20.—2. metaforicamente Mt 5.22 = *inferno;* Mc 9.49; Lc 12.49; Tg 3.6.

πυρά, ᾶς, ἡ *fogo, pilha de combustível* ou *material inflamável* At 28.2s; Lc 22.55 v.l.*

πύργος, ου, ὁ *torre* Mt 21.33; Mc 12.1; Lc 13.4; para 14.28 ou *torre* ou *silo* são possíveis.*

πυρέσσω *sofrer com uma febre* Mt 8.14; Mc 1.30.*

πυρετός, οῦ, ὁ *febre* Mt 8.15; Mc 1.31; Lc 4.38s; Jo 4.52; At 28.8.*

πύρινος, η, ον *fogoso, da cor do fogo* Ap 9.17.*

πυρόω *queimar, colocar fogo* pass.—1. *queimar*—a. lit. 2 Pe 3.12; simbolicamente Ef 6.16—b. fig. *queimar, inflamar-se* 1 Co 7.9; 2 Co 11.29.—2. *refinar no fogo* Ap 1.15; 3.18.*

πυρράζω *estar vermelho* (referente ao céu) Mt 16.2s.*

πυρρός, ά, όν *vermelho (como fogo)* Ap 6.4; 12.3.*

Πύρρος, ου, ὁ *Pirro* At 20.4.

πύρωσις, εως, ἡ lit. *o processo de queima* Ap 18.9, 18. *Provação ardente* 1 Pe 4.12.*

πωλέω *vender* Mt 10.29; 13.44; 25.9; Mc 10.21; 11.15; Lc 17.28; 18.22; 22.36; At 5.1; 1 Co 10;25; Ap 13.17. [*monopólio*]

πῶλος, ου, ὁ *jumento, burrinho* Mt 21.2, 5, 7, Mc 11.2, 4s, 7; Lc 19.30, 33, 35; Jo 12.15. O significado *cavalo* é possível para as passagens em Mc e Lc.*

πώποτε adv. *sempre, em qualquer tempo* Lc 19.30; Jo 1.18; 5.37; 6.35; 8.33; 1 Jo 4.12.*

πωρόω *endurecer, tornar insensível, embotar* Mc 6.52; 8.17; Jo 12.40; Rm 11.17; 2 Co 3.14.*

πώρωσις, εως, ἡ *dureza, obstinação, insensibilidade, ter a mente fechada* Mc 3.5; Rm 11.25; Ef 4.18.*

πῶς *partícula interrogativa como? de que maneira?* Mt 23.33; 26.54; 11.18; Lc 1.34; Rm 4.10; 10.14s; 1 Co 7.32-34; Ef 5.15; Ap 3.3.— *Com que direito? Em que sentido?* Mt 22.12, 43; Mc 12.35; Jo 12.34.— *Como é (possível) que?* Mt 16.11; Mc 4.40 v.l; Jo 4.9; At 2.8; Gl 4.9.— *Como (poderia ou deveria)?* = *de modo algum* Mt 12.26, 29, 34; Rm 3.6; 1 Co 14.7, 9, 16; 2 Co 3.8; Hb 2.3.— *Em exclamações como!* Mc 10.23s; Lc 12.50; 18.24; Jo 11.36.

πώς *partícula enclítica de algum modo, de alguma maneira, talvez,* em combinação com εἰ em At 27.12; Rm 1.10 (ver εἰ, fim). Ver também μήπως.

P

'Ραάβ, ἡ indecl. *Raabe* (Js 2 e 6.17, 25) Hb 11.31; Tg 2.25.*

ῥαββί (hebraico = *meu senhor*) *rabi,* uma forma de trato, um título honorífico para mestres da lei de expoência; genericamente Mt 23.7s. De João Batista Jo 3.26. No mais, sempre se refere a Jesus Mt 26.25, 49; Mc 9.5; 10.51 v.l.; 11.21; 14.45; Jo 1.38 (traduzido *mestre*), 49; 3.2; 4.31; 6.25; 9.2; 11.8.*

ῥαββουνί (hebraico, forma acentuada de ῥαββί *meu senhor, meu mestre* como uma forma de trato, em relação a Jesus Mc 10.51; Jo 20.16.*

ῥαβδίζω *bater com uma vara* At 16.22; 2 Co 11.25.*

ῥάβδος, ου, ὁ *vara, cetro, bastão, cajado* Mt 10.10; Mc 6.8; Lc 9.3; 1 Co 4.21; Hb 1.8; 9.4; 11.21; Ap 2.27; 11.1; 12.5; 19.15.* [*rabdomancia,* adivinhação por meio de varas]

ῥαβδοῦχος, ου, ὁ *o lictor romano, policial* At 16.35, 38.*

ῥαβιθά Em Mc 5.41 codex D lê-se ραββι ταβιτα, no lugar de ῥαβιθά *garota* (ver ταλιθά).*

'Ραγαύ, ὁ indecl. *Ragaú* Lc 3.35.*

ῥαδιουργία, ας, ἡ *inescrupulosidade, iniqüidade* At 13.10.*

ῥαίνω *aspergir* pass. Ap 19.13 v.l.*

'Ραιφάν, ὁ indecl. *Renfã* uma divindade antiga At 7.43.*

ῥακά um termo abusivo, entre os significados mais prováveis estão: *tolo, cabeçaoca; burro* Mt 5.22.*

ῥάκος, ους, τό *pedaço de tecido, remendo* Mt 9.16; Mc 2.21.*

'Ραμά, ἡ indecl. *Ramá,* uma cidade a cerca de 10 km. norte de Jerusalém Mt 2.18.*

ῥαντίζω—1. *(ser) aspergido* com propósitos de purificação Hb 9.13, 19, 21; Ap 19.13 v.l.—2. méd. *limpar, purificar; lavar-se* Mc 7.4 v.l.; *purificar para si mesmo* Hb 10.22.*

ῥαντισμός, οῦ, ὁ *aspersão* Hb 12.24; 1 Pe 1.2.*

ῥαπίζω *golpear, bater* Mt 5.39; 26.67.*

ῥάπισμα, ατος, τό *golpe, bofetada* Mc 14.65; Jo 18.22; 19.3.*

ῥάσσω *bater, golpear* Mc 9.18 v.l.*

ῥαφίς, ίδος, ἡ *agulha* Mt 19.24; Mc 10.25; Lc 18.25 v.l.*

ῥαχά uma forma variante de ῥακά.

Ῥαχάβ, ἡ indecl. *Raabe* Mt 1.5.*

Ῥαχήλ, ἡ indecl. *Raquel,* esposa de Jacó Mt 2.18.*

Ῥεβέκκα, ας, ἡ *Rebeca,* esposa de Isaque Rm 9.10.*

ῥέδη, ης, ἡ *carruagem* de quatro rodas Ap 18.13.*

Ῥεμφάν, Ῥεφάν, Ῥομφά formas variantes de Ῥαιφάν.

ῥέραμμαι perf. ind. pass. de ῥαίνω.

ῥεραντισμένος part. perf. pass. (Ap 19.13 v.l.) de ῥαντίζω.

ῥεριμμένος part. perf. méd. e pass. de ῥίπτω.

ῥεύσω fut. ind. at. de ῥέω.

ῥέω *fluir* simbolicamente Jo 7.38.* [cf. *ritmo*]

Ῥήγιον, ου, τό *Régio,* uma cidade na Itália At 28.13.*

ῥῆγμα, ατος, τό *ruína, colapso, naufrágio* Lc 6.49.*

ῥήγνυμι e sua forma derivada ῥήσσω—1. *cortar (em pedaços), quebrar, romper* Mt 7.6; 9.17; Mc 2.22; Lc 5.6 v.l., 37.—2. *irromper, prorromper* Gl 4.27.*

ῥηθείς part. 1 aor. pass. de εἶπον.

ῥῆμα, ατος, τό—1. *aquilo que é dito, palavra, dito, expressão* Mt 12.36, Mc 9.32; Lc 2.17, 50; Jo 5.47; 6.68; At 2.14; 28.25; Rm 10.8, 17; 2 Co 12.4; Ef 6.17; Hb 1.3; 12.19; Jd 17. *Ameaça* At 6.13.—2. *Coisa, objeto, assunto, evento* Mt 18.16; Lc 1.37, 65; 2.15, 19, 51; At 5.32; 10.37; 13.42; 2 Co 13.1.

ῥῆξον imperativo 1 aor. at. de ῥήγνυμι.

Ῥησά, ὁ indecl. *Resa* Lc 3.27.*

ῥήσσω—1. forma derivada de ῥήγνυμι—2. ο épico ῥήσσω (cf. προσρήσσω) *lançar abaixo, deitar ao pó* Mc 9.18; Lc 9.42.*

ῥήτωρ, ορος, ὁ *orador, advogado* At 24.1.*

ῥητῶς adv. *expressamente, explicitamente* 1 Tm 4.1.*

ῥίζα, ης, ἡ—1. *raiz*—a. lit. Mt 3.10; 13.6; Mc 4.6; 11.20; Lc 3.9.—b. fig. Mt 13.21; Mc 4.17; Lc 8.13; Rm 11.16-18; 1 Tm 6.10; Hb 12.15.—2. *raiz, renovo* Rm 15.12; Ap 5.5; 22.16.*

ῥιζόω *enraizar, arraigar,* fig. pass. *ser ou tornar-se firmemente arraigado, sólido, firme, irremovível* Ef 3.17; Cl 2.7.*

ῥιπή, ῆς, ἡ *movimento rápido, abrir e fechar de olhos* 1 Co 15.52.*

ῥιπίζω *ser levado de um lado para o outro,* pass. Tg. 1.6.*

ῥίπτω e ῥιπτέω—1. *lançar* Mt 27.5; Lc 17.2; At 27.19, 29; *arrojar* 22.23; *lançar abaixo* Lc 4.35.—2. *colocar abaixo, arrojar* Mt 15.30. Part. perf. pass. ἐρριμμένοι *desgarradas* 9.36.

ῥίψας part. 1 aor. at. de ῥίπτω.

Ῥοβοάμ, ὁ indecl. *Roboão,* filho e sucessor de Salomão Mt 1.7; Lc 3.23ss v.l.*

Ῥόδη, ης, ἡ *Rode,* uma serva At 12.13.*

Ῥόδος, ου, ἡ *Rodes,* uma ilha no extremo sudoeste da Ásia Menor At 21.1.

ῥοιζηδόν adv. *com um estrondo, com um grande sonido* 2 Pe 3.10.*

Ῥομφά, ὁ indecl. *Ronfã,* uma forma variante de Ῥαιφάν, uma divindade antiga At 7.43 v.l.*

ῥομφαία, ας, ἡ *espada* Lc 2.35; Ap 1.16; 2.12, 16; 6.8; 19.15, 21; Lc 21.24 v.l.

ῥοπή, ῆς, ἡ *movimento em direção para baixo* 1 Co 15.52 v.l.*

Ῥουβήν, ὁ indecl. *Rúbem* (Gn 29.32) Ap 7.5.*

Ῥούθ, ἡ indecl. *Rute* Mt 1.5.*

Ῥοῦφος, ου, ὁ *Rufos*—1. filho de Simão de Cirene Mc 15.21.—2. recebeu uma saudação Rm 16.13.*

ῥύμη, ης, ἡ *rua (estreita), viela, beco* Mt 6.2; Lc 14.21; At 9.11; 12.10.*

ῥύομαι *salvar, libertar, resgatar* Mt 6.13; 27.43; Lc 1.74; 11.4 v.l.; At 5.15 v.l.; Rm 7.24; 11.26; 15.31; 2 Co 1.10; Cl 1.13; 1 Ts 1.10; 2 Ts 3.2; 2 Tm 3.11; 4.17s; 2 Pe 2.7, 9.*

ῥυπαίνω *manchar,* fig. *manchar, tornar impuro, profanar* ῥυπανθήτω 3 pes. sing. imperativo 1 aor. pass. Ap 22.11.*

ῥυπαρεύω *manchar, sujar* Ap 22.11 v.l.*

ῥυπαρία, ας, ἡ *sujeira* fig. *impureza moral, avareza sórdida* Tg 1.21.*

ῥυπαρός, ά, όν *sujo* lit. Tg 2.2. Fig. *impuro, imundo* Ap. 22.11.*

ῥύπος, ου, ὁ *sujeira* 1 Pe 3.21.*

ῥυπόω manchar, *sujar, tornar impuro* Ap 22.11 v.l.*

ῥῦσαι, ῥυσάσθω, ῥυσθῶ imperativo 1 aor. méd. (Mt 6.13), 3 pes. sing. imperativo 1 aor. méd. (Mt 27.43) e 1 pes. sing. 1 aor. subj. pass. de ῥύομαι.

ῥύσις, εως, ἡ *fluxo* Mc 5.25; Lc 8.43s.*

ῥυτίς, ίδος, ἡ *ruga* Ef 5.27.*

Ῥωμαϊκός, ή, όν *romano, latino* Lc 23.38 v.l.*

Ῥωμαῖος, α, ον *romano* ὁ Ῥ. subst. *cidadão romano, o romano* Jo 11.48; At 2.10; 16.21, 37s; 22.25-27, 29; 23.27; 25.16; 28.17; Fm subscr. *cristãos romanos* Rm inscr.*

Ῥωμαϊστί adv. *no latim (no uso latino)* Jo 19.20; subscr. após Mc no minúsculo 13 et al.*

Ῥώμη, ης, ἡ *Roma* At 18.2; 19.21; 23.11; 28.14, 16; Rm 1.7, 15; 2 Tm 1.17; 1 Pe 5.13 v.l.; subscrições de Gl, Ef, Fp, Cl, 2 Ts, 2 Tm, Fm e Hb.*

ῥώννυμι *ser forte,* imperativo perf. pass. ἔρρωσο, ἔρρωσθε *adeus, até logo* At 15.29; 23.30 v.l.*

Σ

σαβαχθάνι (aramaico) *tens me abandonado* Mt 27.46; Mc 15.34.*

Σαβαώθ indecl. (heb) *Sabaote,* i.e. *dos exércitos* Rm 9.29; Tg 5.4.*

σαββατισμός, οῦ, ὁ *descanso do sábado, observância do sábado* fig. Hb 4.9.*

σάββατον, ου, τό—1. *Sábado,* o sétimo dia da semana, considerado sagrado pelos judeus—a. sing. Mt 12.8; Mc 2.27s; Lc 6.7, 9; Jo 5.9s, 18; At 1.12; 13.27, 44.—b. pl., de mais que um sábado At 17.2.— τὰ σάββατα para um único sábado Mt 28.1a; Mc 1.21; 2.23s; Lc 4.16; 13.10; At 16.13.—2. *semana*—a. sing. Mc 16.2 v.l.; Lc 18.12; 1 Co 16.2.—b. pl., de uma única semana Mt 28.1b; Mc 16.2; Lc 24.1; Jo 20.1, 19; At 20.7; 1 Co 16.2 v.l.

σαγήνη, ης, ἡ *rede varredeira* Mt 13.47.*

Σαδδουκαῖος, ου, ὁ *saduceu,* membro de um partido judaico Mt 3.7; 16.1, 6, 11s; 22.23, 34; Mc 12.18; Lc 20.27; At 4.1; 5.17; 23.6-8.*

Σαδώκ, ὁ indecl. *Zadoque* Mt 1.14; Lc 3.23ss v.l.*

σαίνω *inquietar-se, perturbar-se.* O pass. em 1 Ts 3.3. pode ser traduzido *ser incomodado;* menos provavelmente *ser enganado.*

σάκκος, ου, ὁ *saco, sacola* Mt 11.21; Lc 10.13; Ap 6.12; 11.3.*

Σαλά, ὁ indecl. *Salá*—1. Lc 3.32.—2. 3.35.*

Σαλαθιήλ, ὁ indecl. *Salatiel, Sealtiel,* pai de Zorobabel Mt 1.12; Lc 3.27.*

Σαλαμίς, ῖνος, ἡ *Salamina,* uma cidade na costa leste de Chipre At 13.5.*

σαλεύω *sacudir, balançar, agitar*—1. lit. Mt 11.7; 24.29; Mc 13.25; Lc 6.38, 48; 7.24; 21.26; At 4.31; 16.26; Hb 12.26; Ap 6.13 v.l.—2. fig. At 2.25; 2 Ts 2.2; Hb 12.27. *Incitar, revoltar* At 17.13.*

Σαλήμ, ἡ *Salém* (hebraico = paz) Hb 7.1s.*

Σαλίμ, τό indecl. *Salim,* uma localidade na Samaria Jo 3.23.*

Σαλμών, ὁ indecl. *Salmão* Mt 1.4s.; Lc 3.32 v.l.*

Σαλμώνη, ης, ἡ Salmone, um promontório no extremo nordeste de Creta At 27.7.*

σάλος, ου, ὁ ondas (no mar encrespado) Lc 21.25.*

σάλπιγξ, ιγγος, ἡ trombeta—1. o próprio instrumento 1 Co 14.8; Hb 12.19; Ap 1.10; 4.1; 8.2, 6, 13; 9.14; Mt 24.31 v.l.—2. o som da trombeta Mt 24.31; 1 Co 15.52; 1 Ts 4.16.

σαλπίζω soar, tocar a trombeta Mt 6.2; 1 Co 15.52; Ap 8.6-8, 10, 12s; 9.1, 13; 10.7; 11.15.*

σαλπιστής, οῦ, ὁ quem toca a trombeta Ap 18.22.*

Σαλώμη, ης, ἡ Salomé, uma mulher galiléia que seguiu Jesus Mc 15.40; 16.1; ver também Mt 27.56. Salomé também era o nome da filha de Herodias, mencionada, mas não nomeada, em Mc 6.22ss; Mt 14.6ss.*

Σαλωμών uma forma variante de Σολομών, At 7.47.*

Σαμάρεια, ας, ἡ Samaria, a província no oeste central da Palestina Lc 17.11; Jo 4.4s, 7; At 1.8; 8.1, 5, 9, 14; 9.31; 15.3.*

Σαμαρία uma forma variante de Σαμάρεια.

Σαμαρίτης, ου, ὁ samaritano Mt 10.5; Lc 9.52; 10.33; 17.16; Jo 4.9, 39s; 8.48; At 8.25.*

Σαμαρῖτις, ιδος, ἡ adj. e subst. samaritana ἡ γυνὴ ἡ Σ. a mulher samaritana Jo 4.9.*

Σαμοθράκη, ης, ἡ Samotrácia, uma ilha no norte do Mar Egeu At 16.11.*

Σάμος, ου, ὁ Samos, uma ilha no extremo da costa oeste da Ásia Menor At 20.15.*

Σαμουήλ, ὁ indecl. Samuel (1 Sam 1-25) At 3.24; 13.20; Hb 11.32.*

Σαμφουρειν indecl. Jo 11.54 v.l. = Séforis.*

Σαμψών, ὁ indecl. Sansão (Jz 13 -16) Hb 11.32.*

σανδάλιον, ου, τό sandália Mc 6.9; At 12.8.*

σανίς, ίδος, ἡ tábua, placa At 27.44.*

Σαούλ, ὁ indecl. Saul—1. primeiro rei de Israel At 13.21.—2. nome judaico do apóstolo Paulo At 9.4, 17; 22.7, 13; 26.14. Ver Σαῦλος.*

σαπρός, ά, όν caída, podre—1. lit. Mt 7.17s; 12.33; Lc 6.43. Inútil Mt 13.48.—2. fig. mau, ruim, imprestável Ef 4.29.*

Σάπφιρα, gen. ης, dat. ῃ, ἡ Safira, membro da igreja de Jerusalém, esposa de Ananias At 5.1.*

σάπφιρος, ου, ὁ safira (pedra preciosa) Ap 21.19.*

σαργάνη, ης, ἡ cesta, cesto 2 Co 11.33.*

Σάρδεις, εων, αἱ Sardes, a capital da Lídia, no oeste da Ásia Menor Ap 1.11; 3.1, 4.*

σάρδινος, ου, ὁ forma posterior de σάρδιον Ap 4.3 v.l.*

σάρδιον, ου, τό cornalina, sárdio, uma pedra preciosa avermelhada Ap 4.3; 21.20.*

σαρδόνυξ, υχος, ὁ sardônio, uma variedade de ágata Ap 21.20.*

Σάρεπτα, ων, τά Sarepta, uma cidade na costa fenícia Lc 4.26.*

σαρκικός, ή, όν carnal, carnalmente—1. relativo à ordem das coisas terrenas, material Rm 15.27; 1 Co 9.11.—2. pertencente à esfera da carne, i.e., fraco, pecaminoso, transitório 1 Co 3.3; 2 Co 1.12; 10.4; 1 Pe 2.11. Também como v.l. em Rm 7.14; 1 Co 3.1; Hb 7.16.*

σάρκινος, η, ον—1. carnal, (feito de) carne 2 Co 3.3.—2. carnal, relativo à carne, i.e. fraco, pecaminoso, transitório Rm 7.14; 1 Co 3.1; Hb 7.6; 2 Co 1.12 v.l.*

σάρξ, σαρκός, ἡ carne—1. lit. Lc 24.39; Jo 6.51-56; Rm 2.28; 1 Co 15.39; 2 Co 12.7; Gl 6.13; Tg 5.3; Ap 19.18, 21.—2. o corpo Mc 10.8; At 2.26, 31; Gl 4.13; Ef 5.29; Cl 2.5; Hb 9.10; 10.20; 1 Pe 4.1.—3. quem tem carne e osso, ser humano, pessoa Mt 16.17; Lc 3.6; Jo 1.14; Rm 3.20; Gl 1.16; 2.16.—4. natureza humana ou mortal, descendência terrena Rm 1.3; 4.1; 9.3, 5, 8; 1 Co 10.18; Hb 2.14; 12.9.—5. corporeidade, limitações físicas, vida aqui na terra 1 Co 7.28; Gl 2.20; Fp 1.22, 24; Cl 1.22, 24; 1 Pe 4.2.—6. o lado exterior ou externo da vida, aquele que é natural ou terreno Jo 8.15; 1 Co 1.26; 2 Co 5.16; 11.18; Ef 6.5; Fp 3.3s. ἐν σαρκί como um *homem* Fm 16.—7. *a carne*, esp. em Paulo, é freqüentemente o instrumento voluntário do pecado Mc 14.38; Jo 3.6; Rm 6.19; 7.5, 18, 25; 8.3-9, 12s, 2 Co 1.17; Gl 5.13, 16s, 19, 24; Ef 2.3; Cl 2.11, 18; Jd 23.—8. *a carne* é a fonte do desejo sexual, sem sugestão de pecaminosidade Jo 1.13. [*sarcófago*, σάρξ + φαγεῖν] Σαρούχ forma variante de Σερούχ.

σαρόω *varrer* Mt 12.44; Lc 11.25; 15.8.*

Σάρρα, ας, ἡ *Sara*, esposa de Abraão Rm 4.19; 9.9; Hb 11.11; 1 Pe 3.6.*

Σαρών, ῶνος, ὁ (o acento é provável) *Sarom*, uma planície ao longo da costa norte da Palestina At 9.35.*

σατάν, ὁ indecl. e σατανᾶς, ᾶ, ὁ *adversário, Satanás*, o inimigo de Deus e de Seu povo Mt 4.10; 12.26; Mc 1.13; 3.23, 26; 4.15; Lc 10.18; 11.18; 13.16; 22.3, 31; Jo 13.27; At 5.3; 26.18; Rm 16.20; 1 Co 5.5; 7.5; 2 Co 2.11; 11.14; 12.7; 1 Ts 2.18; 2 Ts 2.9; 1 Tm 1.20; 5.15; Ap 2.9, 13, 24; 3.9; 12.9; 20.2, 7.— Em Mt 16.23; Mc 8.33 Pedro é chamado de Satanás por Jesus, porque ele estava tentando o Mestre a abandonar seu papel como Salvador.*

σάτον, ου, τό *medida*, uma medida hebraica para grãos, equivalente a uns 35 litros Mt 13.33; Lc 13.21.*

Σαῦλος, ου, ὁ *Saulo*, forma helenizada do nome judaico do apóstolo Paulo (ver Σαούλ) At 7.58; 8.1, 3; 9.1, 8, 11, 22, 24; 11.25, 30, 12.25; 13.1s, 7, 9; 22.7 v.l.; 26.14 v.l.*

σβέννυμι *extinguir, apagar*—1. lit. Mt 12.20; 25.8; Mc 9.44, 46, 48; Ef 6.16; Hb 11.34.—2. fig. *suprimir, extinguir, limitar* 1 Ts 5.19.* [*asbestos*]

σβέσαι, σβέσει inf. 1 aor. at., e 3 pes. sing. fut. ind. at. de σβέννυμι

σέ ac. de σύ.

σεαυτοῦ, ῆς pronome reflexivo, somente no gen., dat. e ac. *tu mesmo*—1. gen. Jo 1.22; 2 Tm 4.11.—2. dat. At. 9.34; 16.28; Rm 2.5.—3. ac. Mt 4.6; Mc 1.44; Lc 5.14; Rm 2.21; Gl 6.1.

σεβάζομαι *adorar* pass., com significado ativo Rm 1.25.*

σέβασμα, ατος, τό *um objeto de adoração, santuário* At 17.23; 2 Ts 2.4.*

σεβαστός, ή, όν *reverendo, digno de reverência, augusto*, como tradução do latim Augustus, designando o imperador romano ὁ Σεβαστός *Sua Majestade o Imperador* At 25.21, 25. σπεῖρα Σεβαστή *corte imperial* 27.1.*

σέβω méd. *adorar* Mt 15.9; Mc 7.7; At 18.13; 19.27. σεβόμενοι τὸν θεόν *tementes a Deus, adoradores de Deus*, gentios não-convertidos que foram atraídos pela religião de Israel mas não assumiam todas as obrigações da lei judaica At 16.14; 18.7; cf. 13.43, 50; 17.4, 17.*

σειρά, ᾶς, ἡ *cadeia* 2 Pe 2.4.*

σειρός uma forma variante de σιρός.

σεισμός, οῦ, ὁ *terremoto, maremoto* Mt 8.24. Terremoto 24.7; 27.54; 28.2; Mc 13.8; Lc 21.11; At 16.26; Ap 6.12; 8.5; 11.13, 19, 16.18.* [*Sísmico*]

σείω *sacudir, balançar, agitar*—1. lit. Hb 12.26. Pass. Mt 27.51; Ap 6.13.—2. fig. *agitar, tumultuar* Mt 21.10. Tremer 28.4.*

Σεκοῦνδος, ου, ὁ (um nome latino) *Segundo* At 20.4.*

Σελεύκεια, ας, ἡ *Selêucida*, a cidade portuária de Antioquia na Síria At 13.4.*

σελήνη, ης, ἡ *lua* Mt 24.29; Mc 13.24; Lc 21.25; At 2.20; 1 Co 15.41; Ap 8.12. [*selenita*]

σεληνιάζομαι *ser lunático, (padecer de epilepsia)* Mt 4.24; 17.15.*

Σεμεῖν, ὁ indecl. *Semei* Lc 3.26.*

σεμίδαλις, εως, ἡ *farinha fina* Ap 18.13.*

σεμνός, ή, όν *digno de respeito, sério, dignificado* 1 Tm 3.8, 11; Tt 2.2. *Honorável, digno, santo, acima de reprovação* Fp 4.8.*

σεμνότης, τητος, ἡ *reverência, dignidade, seriedade, probidade* 1 Tm 2.2; 3.4; Tt 2.7.*

Σέργιος, ου, ὁ *Sérgio*, um nome tribal romano At 13.7.*

Σερούχ, ὁ indecl. *Seruque* Lc 3.35.*

σέσηπα 2 perf. ind. at. de σήπω (Tg 5.2)

σέσωκα 1 perf. ind. at. de σῴζω.

Σήθ, ὁ indecl. *Sete* (Gn 4.25s) Lc 3.38.*

Σήμ, ὁ indecl. *Sem* (Gn 5.32) Lc 3.36.*

σημαίνω—1. *fazer conhecido, reportar, relatar, comunicar* At 25.27; Ap 1.1.—2. *indicar (de antemão), predizer* Jo 12.33; 18.32; 21.19; At 11.28.* [*semântica*]

σημᾶναι inf. 1 aor. at. de σημαίνω.

σημεῖον, ου, τό *sinal*—1. *o sinal ou marca (distintiva) pelo qual alguma coisa é conhecida, indicação* Mt 16.3; 24.3, 30; Mc 13.4; Lc 2.12, 34; 11.29s; 21.7; Rm 4.11; 1 Co 14.22; 2 Ts 3.17. *Sinal* Mt 26.48.—2. um *sinal* = *milagre* ou *maravilha*—a. milagre de origem divina Mt 12.38s; 16.1, 4; Mc 8.11s; 16.17, 20; Lc 11.16, 29; 23.8; Jo 2.11, 18; 3.2; 4.48; 6.2, 14; 7.31; 9.16; At 2.22, 43; 4.16, 22; 14.3; Rm 15.19; 1 Co 1.22; 2 Co 12.12a, Hb 2.4.—b. *milagre* de natureza demoníaca Mc 13.22; 2 Ts 2.9; Ap 13.13s; 16.14; 19.20.—c. *portento* Lc 21.11, 25; At 2.19; Ap 12.1, 3; 15.1. [*semio*-, prefixo de várias palavras, e.g. *semiótica*]

σημειόω méd. *marcar, prestar atenção especial* 2 Ts 3.14.*

σήμερον adv. *hoje* Mt 6.11; Lc 23.43; At 4.9; Tg 4.13. ἡ σήμερον ἡμέρα *hoje, neste mesmo dia* Mt 28.15; At 20.26; Rm 11.8; 2 Co 3.14.

σημικίνθιον outra forma de σιμικίνθιον.

σήπω *fazer apodrecer* 2 perf. σέσηπα *apodrecido* Tg 5.2.*

σηρικός outra forma de σιρικός.

σής, σητός, ὁ *traça*, cuja larva come roupas Mt 6.19s; Lc 12.33.*

σητόβρωτος, ον *roído pela traça* Tg 5.2.*

σθενόω *fortalecer* 1 Pe 5.10.*

σιαγών, όνος, ἡ *face* Mt 5.39; Lc 6.29.*

σιαίνομαι *ser importunado* 1 Ts 3.3 v.l.*

σιγάτωσαν 3 pes. pl. imperativo pres. at. de σιγάω.

σιγάω—1. intrans. *estar quieto, em silêncio*—a. *não falar nada, manter silêncio* Lc 20.26; At 15.12; 1 Co 14.28, 30,34.—b. *parar de falar, ficar quieto* Lc 18.39; At 15.13; 1 Co 14.30.—c. *prender a língua* Lc 9.36.—2. trans. *manter segredo, ocultar* Rm 16.25.*

σιγή, ῆς, ἡ *silêncio* At 21.40; Ap 8.1.*

σίδηρος, ου, ὁ *ferro* Ap 18.12.* [*siderúrgica*]

σιδηροῦς, ᾶ, οῦν *(feito de) ferro* At 12.10; Ap 2.27; 9.9; 12.5; 19.5.*

Σιδών, ῶνος, ἡ *Sidom,* um antiga cidade real na Fenícia Mt 11.21s; Mc 3.8; 7.31; Lc 6.17; At 27.3.

Σιδώνιος, ία, ιον *sidônio, de Sidom* At 12.20. ἡ Σιδωνία *a região ao redor de Sidom* Lc 4.26.*

σικάριος, ου, ὁ (palavra latina emprestada: *sicário*) *assassino, terrorista* At 21.38.*

σίκερα, τό indecl. palavra acadiana *bebida forte, licor* Lc 1.15.* [Cf. *cidra*]

Σίλας, α ou Σιλᾶς, ᾶ, ὁ *Silas,* amigo e companheiro de Paulo, mencionado 12 vezes At 15.22-18.5.— O mesmo que Σιλουανός.

Σιλουανός, οῦ, ὁ *Silvano* 2 Co 1.19; 1 Ts 1.1; 2 Ts 1.1; 1 Pe 5.12.— A mesma pessoa com o nome Σίλας.*

Σιλωάμ, ὁ indecl. *Siloé* um sistema de suprimento de água em Jerusalém 13.4; Jo 9.7, 11.*

Σιμαίας, ου, ὁ *Simaías* 2 Tm 4.19 v.l.*

σιμικίνθιον, ου, τό (palavra latina: *semicinctium*) *avental* (usado por trabalhadores) At 19.12.*

Σίμων, ωνος, ὁ *Simão*—1. *Simão* Pedro = Cefas Mt 4.18; Mc 1.16; Lc 4.38; e freqüentemente. Ver Πέτρος.—2. *Simão,* outro dos 12 discípulos, chamado ὁ Καναναῖος Mt 10.4; Mc 3.18 ou (ὁ) ζηλωτής Lc 6.15; At 1.13.—3. nome de um irmão de Jesus Mt 13.55; Mc 6.3.—4. *Simão* de Cirene, que carregou a cruz de Jesus Mt 27.32; Mc 15.21; Lc 23.26.—5. pai de Judas Iscariotes Jo 6.71; 12.4 v.l.; 13.2, 26.—6. *Simão* o leproso Mt 26.6; Mc 14.3.—7. *Simão* o fariseu Lc 7.40, 43s.—8. *Simão* o curtidor em Jopa At 9.43; 10.6, 17, 32b.—9. *Simão* o mágico At 8.9, 13, 18, 24.

Σινά indecl. *Sinai,* uma montanha na península do mesmo nome At 7.30, 38; Gl 4.24s.*

σίναπι, εως, τό *mostarda* Mt 13.31; 17.20; Mc 4.31; Lc 13.9; 17.6.*

σινδών, όνος, ἡ *lençol, pano de linho* Mt 27.59; Mc 15.46; Lc 23.53; *lençol* ou *túnica* Mc 14.51s.*

σινιάζω *sacudir, cirandar* fig. Lc 22.31.*

σιρικός, ή, όν *seda* subst. τὸ σιρικόν *roupas ou enfeites de seda* Ap 18.12.*

σιρός, οῦ, ὁ *caverna, abismo* 2 Pe 2.4 v.l.*

σιτευτός, ή, όν *cevado* Lc 15.23, 27, 30.*

σιτίον, ου, τό pl. *comida (feita de grãos)* At 7.12.

σιτιστός, ή, όν *engordado, cevado* subst. τὰ σιτιστά *gado cevado* Mt 22.4.*

σιτομέτριον, ου, τό *ração, porção, uma medida permitida de trigo ou alimento* Lc 12.42.*

σῖτος, ου, ὁ *trigo, grãos* em geral Mt 3.12; 13.25, 29; Mc 4.28; Lc 16.7; 22.31; Jo 12.24; 1 Co 15.37; Ap 6.6. A forma τὰ σῖτα At 7.12 v.l.

Σιχάρ uma variante de Συχάρ.

Σιών, ἡ indecl. *Sião*—**1.** *Sião,* uma colina dentro da cidade de Jerusalém Hb 12.22; Ap 14.1—**2.** em uso poético: a filha de Sião, e referência à Jerusalém e seus habitantes Mt 21.5; Jo 12.15.— do povo de Israel Rm 9.33; 11.26.— Da Nova Jerusalém do Cristianismo 1 Pe 2.6.*

σιωπάω *estar quieto*—**1.** *guardar silêncio, não dizer nada* Mt 26.63; Mc 3.4; 9.34; 14.61; At 18.9.—**2.** *parar de falar, estar ou tornar-se quieto* Mt 20.31; Mc 10.48; Lc 18.39 v.l.; 19.40. *Perder a capacidade de falar* Lc 1.20.— Simbolicamente Mc 4.39.*

σιωπῇ adv. *silenciosamente, privadamente* Jo 11.28. v.l.*

σκανδαλίζω—**1.** *fazer alguém ser apanhado* ou *cair,* i.e. *fazer pecar*—**a.** alguém Mt 5.29s; Mc 9.42s, 45, 47; 1 Co 8.13. Pass. *ser levado ao pecado* talvez 2 Co 11.29 (ver abaixo). *Ser levado ao pecado, cair* Mt 13.21; 24.10; Jo 16.1.—**b.** σκανδαλίζεσθαι ἔν τινι *ser levado ao pecado* ou *repelido por alguém, ofender-se com alguém* Mt 11.6; 26.31, 33; Mc 6.3.—**2.** *ofender, irar, chocar* Mt 17.27; Jo 6.61. Pass. Mt 15.12. τίς σκανδαλίζεται, talvez *quem tem qualquer razão para ficar ofendido?* 2 Co 11.29 (ver 1 acima). [*escandalizar*]

σκάνδαλον, ου, τό—**1.** *armadilha* simbolicamente Rm 11.9.—**2.** *tentação ao pecado, incitamento* Mt 16.23; 18.7; Lc 17.1; Rm 14.13; 16.17; Ap 2.14.—**3.** *aquilo que ofende* ou *causa repulsa, aquilo que levanta oposição, um objeto de ira* ou *desaprovação, falta,* etc. Mt 13.41; 1 Co 1.23; Gl 5.11; 1 Jo 2.10. πέτρα σκανδάλου *uma pedra que faz as pessoas caírem* 1 Pe 2.8.* [*escândalo*]

σκάπτω *cavar* Lc 6.48; 13.8; 16.3.*

Σκαριώθ é a leitura do ms. D. em Mc 3.19; Jo 6.71 e **Σκαριώτης** é a leitura do mesmo ms. em Mt 10.4; 26.14; Mc 14.10 para ᾽Ισκαριώθ ou ᾽Ισκαριώτης.*

σκάφη, ης, ἡ *barco, (pequeno), bote* At 27.16, 30, 32.*

σκέλος, ους, τό *perna* Jo 19.31-33.*

σκέπασμα, ατος, τό *cobertura, telhado, roupa, casa* 1 Tm 6.8.*

Σκευᾶς, ᾶ, ὁ *Ceva* At 19.14.*

σκευή, ῆς, ἡ *aparelhagem, equipamento* (de barcos) At 27.19.*

σκεῦος, ους, τό—**1.** lit.—**a.** genericamente *coisa, objeto* Mc 11.16; At 10.11, 16; 11.5; Hb 9.21; Ap 18.12. Pl. *propriedade* Mt 12.29; Mc 3.27; Lc 17.31. Talvez *vela* At 27.17.—**b.** *vaso, jarra, prato,* etc. Lc 8.16; Jo 19.29; Rm 9.21; 2 Tm 2.20s; Ap 2.27.—**2.** fig. freqüentemente do corpo humano *vaso,* etc. Rm 9.22s; 2 Co 4.7; 1 Pe 3.7. σκεῦος ἐκλογῆς *um instrumento escolhido* At 9.15. τὸ ἑαυτοῦ σκεῦος 1 Ts 4.4 pode referir-se ou ao *próprio corpo (de alguém)* ou *à sua esposa.* *

σκηνή, ῆς, ἡ *tenda, tabernáculo* Mt 17.4; Mc 9.5; Lc 9.33; Hb 11.9.— *A Tenda do Testemunho* ou *Tabernáculo* At 7.44; Hb 8.2, 5; 9.11, 21; 13.10; Ap 15.5. O tabernáculo consiste do Lugar Santo Hb 9.2, 6, 8 e do Santo dos Santos 9.3, cf. 7. De outro santuário At 7.43.— *Habitação,* genericamente Lc 16.9; At 15.16; Ap 13.6; 21.3.*

σκηνοπηγία, ας, ἡ *a construção de tendas,* daí *a Festa das Tendas* ou *Tabernáculos, Sucote,* celebrada no outono Jo 5.1 v.l.; 7.2.*

σκηνοποιός, οῦ, ὁ *fabricante de tendas* At 18.3.*

σκῆνος, ους, τό *tenda, barraca* fig. 2 Co 5.1, 4.*

σκηνόω *viver, morar* (em tendas) Jo 1.14; Ap 7.15; 12.12; 13.6; 21.3.*

σκήνωμα, ατος, τό *lugar de habitação, pousada* At 7.46: 2 Pe 1.13s.*

σκιά, ᾶς, ἡ—1. *sombra* lit. Mc 4.33; At 5.15. Fig. Mt 4.16; Lc 1.79; 1 Jo 2.8 v.l.—2. *sombra, prefiguração* Cl 2.17; Hb 8.5; 10.1.*

σκιρτάω *saltar, pular* (de alegria) Lc 1.41, 44; 6.23.*

σκληροκαρδία, ας, ἡ *dureza de coração, pertinácia* Mt 19.8; Mc 10.5; 16.14.*

σκληρός, ά, όν *duro* (de tocar) fig. *duro, árduo, desagradável* Jo 6.60; Jd 15; *forte, áspero* Tg 3.4; *cruel, duro* Mt 25.24. σκληρόν σοι *é difícil para ti* At 9.4 v.l.; 26.14.*

σκληρότης, ητος, τό *dureza (de coração), teimosia* Rm 2.5.*

σκληροτράχηλος, ον *obstinado, teimoso* At 7.51.*

σκληρύνω *endurecer,* fig. *tornar obstinado, empedernido* At 19.9; Rm 9.18; Hb 3.8, 13, 15; 4.7.*

σκολιός, ά, όν *torto* lit. Lc 3.5. Fig. *perverso, malvado, desonesto, inescrupuloso* At 2.40; Fp 2.15; 1 Pe 2.18.*

σκόλοψ, οπος, ὁ *espinho* 2 Co 12.7.*

σκοπέω *vigiar, observar, notar, considerar* Lc 11.35; Rm 16.17; 2 Co 4.18; Gl 6.1; Fp 2.4; 3.17.*

σκοπός, οῦ, ὁ *alvo, marca* Fp 3.14.*

σκορπίζω *espalhar, dispersar* Mt 12.30; Lc 11.23; Jo 10.12; 16.32. *Distribuir* 2 Co 9.9.*

σκορπίος, ου, ὁ *escorpião* Lc 10.19; 11.12; Ap 9.3, 5, 10.*

σκοτεινός, ή, όν *escuro* Mt 6.23; Lc 11.34, 36.*

σκοτία, ας, ἡ *trevas, escuridão* lit. ou fig. Mt 4.16 v.l.; 10.27; Lc 12.3; Jo 1.5; 6.17; 8.12; 12.35, 46; 20.1; 1 Jo 1.5; 2.8s, 11.*

σκοτίζομαι pass. *ser ou tornar-se escuro, ser escurecido* lit. ou fig. Mt 24.29; Mc 13.24; Lc 23.45 v.l.; Rm 1.21; 11.10; Ap 8.12; Ef 4.18 v.l.*

σκότος, ους, τό *trevas, escuridão—1.* lit. Mt 8.12; Mc 15.33; At 13.11; 2 Pe 2.17. Forma masculina como v.l Hb 12.18.

—2. fig. Mt 4.16; 6.23; Lc 1.79; Jo 3.19; At 26.18; Rm 13.12; 1 Co 4.5; 2 Co 6.14; Cl 1.13.

σκοτόω pass. *ser ou tornar-se escuro* lit. ou fig. Ef 4.18; Ap 9.2; 16.10.*

σκύβαλον, ου, τό *refugo, lixo, esterco* Fp 3.8.*

Σκύθης, ου, ὁ *os citas,* viviam no que é atualmente o norte da Rússia Cl 3.11.*

σκυθρωπός, (ή), όν *de aspecto sombrio, de triste semblante* Mt 6.16; Lc 24.17.*

σκύλλου 2 pes. sing. imperativo pres. méd. de σκύλλω.

σκύλλω *molestar, importunar, atormentar* Mc 5.35; Lc 8.49. Pass. *estar aflito, preocupado* Mt 9.36. Méd. *afligir-se, preocupar-se* Lc 7.6.*

σκῦλον, ου, τό pl. *despojos* Lc 11.22.*

σκωληκόβρωτος, ον *comido por vermes* At 12.23.*

σκώληξ, ηκος, ὁ *verme* Mc 9.44 v.l., 46 v.l., 48.*

σμαράγδινος, η, ον *(de) esmeralda* Ap 4.3.*

σμάραγδος, ου, ὁ *esmeralda* Ap 21.19.*

σμῆγμα, ατος, τό *óleo, ungüento* Jo 19.39. v.l.*

σμίγμα, ατος, τό v.l. de μίγμα Jo 19.39.*

σμύρνα, ης, ἡ *mirra* uma goma resinosa aromática Mt 2.11; Jo 19.39.*

Σμύρνα, ης, ἡ *Esmirna,* uma grande cidade na costa oeste da Ásia Menor Ap 1.11; 2.8.*

Σμυρναῖος, α, ον *vindo de Esmirna,* ὁ Σ. *o esmirneano* Ap 2.8 v.l.*

σμυρνίζω *tratar* ou *misturar com mirra* Mc 15.23.*

Σόδομα, ων, τά *Sodoma* (Gn 19.24) Mt 11.23s; Lc 17.29; Rm 9.29; 2 Pe 2.6; Ap 11.8.

σοί dat. de σύ.

Σολομών, ῶνος, ὁ e Σολομῶν, ῶντος, ὁ *Salomão,* filho e sucessor de Davi Mt 1.6s; 6.29; Lc 11.31; Jo 10.23; At 3.11; 7.47.

σορός, οῦ, ἡ *ataúde, caixão* Lc 7.14.*

σός, σή, σόν *teu, tua, teus, tuas* Mt 7.3, 22; Mc 2.18; Jo 4.42; 18.35; At 5.4; 1 Co

8.11; Fm 14. οἱ σοί *teu próprio povo* Mc 5.19. τὸ σόν, τά σά *o que é teu* Mt 20.14; Lc 6.30; Jo 17.10.

σοῦ gen. sing. de σύ.

σουδάριον, ου, τό (palavra latina: sudarium) *sudário, lenço* (que era colocado no rosto de um cadáver) Lc 19.20; Jo 11.44; 20.7; At 19.12.*

Σουσάννα, ης ou **ας, ἡ** *Susana* Lc 8.3.*

σοφία, ας, ἡ *sabedoria*—**1.** a *sabedoria* achada entre o povo, quer natural, quer dada por Deus Mt 12.42; At 6.3, 10; 7.10, 22; 1 Co 1.19s; 2.13; Cl 1.28; Tg 3.13, 15, 17; 2 Pe 3.15.—**2.** *sabedoria* de Cristo e de Deus Mc 6.2; Lc 2.40, 52; 1 Co 1.21a, 24, 30; Cl 2.3.—**3.** *Sabedoria*, provável personificação em Mt 11.9; Lc 7.35; 11.49. [*filosofia*]

σοφίζω *dar sabedoria, ensinar* 2 Tm 3.15. *Raciocinar, argumentar engenhosamente* 2 Pe 1.16.* [*sofisma*]

σοφός, ή, όν—**1.** *perito, habilidoso, experiente* 1 Co 3.10; 6.5.—**2.** *sábio, erudito* (de sabedoria de fonte natural ou divina) Mt 23.34; Lc 10.21; Rm 1.14, 22; 1 Co 1.19s, 26s; 3.18; Ef 5.15; Tg 3.13.—**3.** Deus é chamado *sábio* no sentido absoluto Rm 16.27; 1 Co 1.25.

Σπανία, ας, ἡ *Espanha* Rm 15.24, 28.*

σπαράσσω *saltar, pular de cá para lá, convulsionar* Mc 1.26; 9.20 v.l., 26; Lc 9.39.*

σπαργανόω *envolver em panos* Lc 2.7, 12.*

σπαρείς part. 2 aor. pass. de σπείρω.

σπαταλάω *viver luxuriosamente* ou *indulgentemente* 1 Tm 5.6; Tg 5.5.*

σπάω méd. *puxar, sacar* Mc 14.47; At 16.27.*

σπεῖρα, ης, ἡ *coorte* (normalmente cerca de 600 soldados) mt 27.27; Mc 15.16; Jo 18.3, 12; At 10.1; 21.31, 27.1*

σπείρω *semear*—**1.** lit. Mt 6.26; Mc 4.3, 31; Lc 8.5; 1 Co 15.36s.—**2.** fig. Mt 25.24, 26; Mc 4.14; Jo 4.36s; 1 Co 15.42-44; Gl 6.7; Tg 3.18.

σπεκουλάτωρ, ορος, ὁ *executor, verdugo* Mc 6.27.* [palavra latina: speculator, que significa espião, explorador; *especulador*]

σπένδω *oferecer uma libação* ou *oferta líquida*, e fig. *ser oferecido* Fp 2.17; 2 Tm 4.6.*

σπέρμα, ατος, τό *semente*—**1.** lit. Mt 13.24, 27, 37s; Mc 4.31; Jo 7.42; 1 Co 15.38; 2 Co 9.10 v.l; Hb 11.11.—**2.** fig. *sobreviventes* Rm 9.29. *Descendentes, filhos, posteridade* Mt 22.24; Mc 12.20, 22; Lc 1.55; Jo 8.33, 37; At 13.23; Rm 9.7s; 11.1; Gl 3.16, 19; Hb 2.16. *Natureza* 1 Jo 3.9. [*esperma*]

σπερμολόγος, ον *pegador de sementes*, subst. *gralha*; fig. *charlatão, falador, pessoa que recolhe fragmentos de informação aqui e acolá* At 17.18.*

σπεύδω—**1.** intrans. *correr, apressar-se* Lc 2.16; 19.5s; At 20.16; 22.18.—**2.** trans, *esforçar-se, apressar* 2 Pe 3.12.*

σπήλαιον, ου, τό *caverna, covil* (de ladrões) Mt 21.13; Mc 11.17; Lc 19.46; Jo 11.38; Hb 11.38; Ap 6.15.* [*espeleologia*]

σπιλάς, άδος, ἡ *uma rocha lavada pelo mar, um recife* (oculto), simbolicamente *perigo, ameaça* Jd 12.*

σπίλος, ου, ὁ *mancha* fig. *mancha, vergonha* Ef 5.27; 2 Pe 2.13.*

σπιλόω *manchar, tornar impuro* Tg 3.6; Jd 23.*

σπλαγχνίζομαι *ter piedade, mostrar simpatia, compaixão* Mt 14.14; 18.27; Mc 1.41; 6.34; 8.2; Lc 7.13; 15.20.

σπλάγχνον, ου, τό pl.—**1.** lit. *partes interiores, entranhas* At 1.18.—**2.** fig., da sede das emoções, em nosso uso, *coração* Lc 1.78; 2 Co 6.12; 7.15; Fp 2.1; Cl 3.12; Fm 7, 20; 1 Jo 3.17. *Amor, afeição* Fp 1.8; *objeto de afeição, amado* Fm 12.*

σπόγγος, ου, ὁ *esponja* Mt 27.48; Mc 15.36; Jo 19.29.*

σποδός, οῦ, ἡ *cinzas* Mt 11.21; Lc 10.13; Hb 9.13.*

σπορά, ᾶς, ἡ *semente* 1 Pe 1.23.*

σπόριμος, ον *semeados*, subst. τὰ σπόριμα *campos de grão* Mt 12.1; Mc 2.23; Lc 6.1.*

σπόρος, ου, ὁ *semente* Mc 4.26s; Lc 8.5, 11; 2 Co 9.10.*

σπουδάζω—**1.** *correr, apressar-se* 2 Tm 4.9, 21; Tt 3.12, embora o sign. 2 seja aceitável nessas passagens.—**2.** *ser zeloso* ou *di-*

ligente, fazer todo esforço possível Gl 2.10; Ef 4.3; 1 Ts 2.17; 2 Tm 2.15; Hb 4.11; 2 Pe 1.10; 15; 3.14.*

σπουδαίος, α, ον zeloso, diligente, esforçado 2 Co 8.22a; comp. σπουδαιότερος mais zeloso, mais diligente 8.17, 22b. Cf. 2 Tm 1.17 v.l.*

σπουδαίως adv.—**1.** com pressa comp. σπουδαιοτέρως com especial urgência Fp 2.28.—**2.** diligentemente, zelosamente, esforçadamente 2 Tm 1.17; Tt 3.13; fortemente Lc 7.4. Comp. muito diligentemente σπουδαιότερον e σπουδαιοτέρως ambos como v.l. em 2 Tm 1.17.*

σπουδή, ῆς, ἡ—1. pressa, velocidade Mc 6.25; Lc 1.39.—**2.** esforço, entusiasmo, diligência, zelo Rm 12.8, 11; 2 Co 7.11; 8.7s; Hb 6.11; 2 Pe 1.5; Jd 3. Devoção 2 Co 7.12; 8.16.*

σπυρίς, ίδος, ἡ cesta, cesto Mt 15.37; 16.10; Mc 8.8, 20; At 9.25.*

στάδιον, ου, τό—1. estádio como uma medida de distância = cerca de 192 metros Mt 14.24; Lc 24.13; Jo 6.19; 11.18; Ap 14.20; 21.16.—**2.** arena, estádio 1 Co 9.24.*

σταθείς, σταθῆναι, σταθήσομαι part. 1 aor. pass., inf. 1 aor. pass., e 1 fut. pass. de ἵστημι.

στάμνος, ου, ὁ ou **ἡ** jarra, urna Hb 9.4.*

στασιαστής, οῦ, ὁ rebelde, revolucionário Mc 15.7.*

στάσις, εως, ἡ—1. existência, continuação Hb 9.8.—**2.** revolta, rebelião, levante Mc 15.7; At 19.40.—**3.** discórdia, dissenção, contenda At 15.2, 24.5; disputa 23.7, 10.*

στατήρ, ῆρος, ὁ estáter, uma moeda de prata = quatro dracmas Mt 17.27; 26.15 v.l. do neut. pl. ἀργύρια.*

σταυρός, ου, ὁ cruz—**1.** lit. Mt 27.32, 40, 42; Mc 15.21, 30, 32; Lc 23.26; Jo 19.17, 19, 25, 31; Fp 2.8; Hb 12.2.—**2.** simbolicamente, do sofrimento e morte Mt 10.38; 16.24; Mc 8.34; 10.21 v.l.; Lc 9.23; 14.27.—**3.** a cruz de Cristo, como um dos elementos mais importantes do ensino cristão 1 Co 1.17s; Gl 5.11; 6.12, 14; Ef 2.16; Fp 2.8; 3.18; Cl 1.20; 2.14.*

σταυρόω pregar à cruz, crucificar—**1.** lit.

Mc 15 passim; 16.6; Jo 19.6, 10, 15s; At 2.36; 4.10; 1 Co 2.8; 2 Co 13.4; Ap 11.8.—**2.** fig. Gl 5.24; 6.14.

σταφυλή, ῆς, ἡ (cacho de) uvas Mt 7.16; Lc 6.44; Ap 14.18.*

στάχυς, υος, ὁ espiga (de cereais) Mt 12.1; Mc 2.23; 4.28; Lc 6.1.*

Στάχυς, υος, ὁ Estáquis Rm 16.9.*

στέγη, ης, ἡ teto, telhado Mt 8.8; Mc 2.4; Lc 7.6.*

στέγω—1. cobrir, passar em silêncio, talvez manter confidencial 1 Co 13.7, embora o sent. 2 também seja possível.—**2.** suportar, agüentar, tolerar 1 Co 9.12; talvez 13.7 (ver 1 acima); 1 Ts 3.1, 5.

στεῖρα, ας, ἡ estéril (mulher), incapaz de gerar filhos Lc 1.7, 36; 23.29; Gl 4.27; Hb 11.11.*

στέλλω méd.—**1.** apartar 2 Ts 3.6.—**2.** evitar, tentar evitar 2 Co 8.20.*

στέμμα, ατος, τό grinalda ou guirlanda At 14.13.*

στεναγμός, οῦ, ὁ gemido, lamento At 7.34; Rm 8.26.*

στενάζω gemer, lamentar Mc 7.34; Rm 8.23; 2 Co 5.2, 4; Hb 13.17; queixar-se, reclamar Tg 5.9.*

στενός, ή, όν estreito Mt 7.13s; Lc 13.24.* [estenografia]

στενοχωρέω limitar, estreitar, confinar, restringir pass., fig. 2 Co 6.12; ser despedaçado 4.8.*

στενοχωρία, ας, ἡ fig. aflição, angústia, dificuldade, problema Rm 2.9; 8.35; 2 Co 6.4; 12.10.*

στερεός, ά, όν—1. lit. firme, sólido, forte 2 Tm 2.19; Hb 5.12, 14.—**2.** fig. firme, sólido, constante 1 Pe 5.9.* [estereo-, prefixo, e.g. estereótipo]

στερεόω fortalecer, firmar—**1.** lit. At 3.7, 16.—**2.** fig. 16.5.*

στερέωμα, ατος, τό firmeza, solidez Cl 2.5.*

Στεφανᾶς, ᾶ, ὁ Estéfanas, um cristão coríntio 1 Co 1.16; 16.15, 17; subscr.*

Στέφανος, ου, ὁ Estêvão, o primeiro mártir cristão At 6.5, 8s; 7.1 v.l., 59; 8.2; 11.19; 22.20.*

στέφανος, ου, ὁ coroa—**1.** lit. Mt 27.29; Mc

15.17; Jo 19.2, 5; 1 Co 9.25; Ap 4.4. 10; 6.2; 9.7; 12.1; 14.14.—2. fig. —a. *prêmio, recompensa* 2 Tm 4.8; Tg 1.12; 1 Pe 5.4; Ap 2.10; 3.11.—b. *enfeite, adorno, motivo de orgulho* Fp 4.1; 1 Ts 2.19.*

στεφανόω *coroar* lit. 2 Tm 2.5. Fig. *honrar, recompensar, coroar* Hb 2.7, 9.*

στῆθι imperativo 2 aor. de ἵστημι.

στῆθος, ους, τό *peito, tórax* Lc 18.13; 23.48; Jo 13.25; 21.20; Ap 15.6.* [esteto-, prefixo de várias palavras, e.g. estetoscópio.]

στήκω—1. lit. *ficar, permanecer* Mc 3.31; 11.25; Jo 1.26; 8.44 é melhor entendido como uma forma de ἵστημι; Ap 12.4 v.l.—2. fig. *ficar firme, ser fiel, constante* Rm 14.4; 1 Co 16.13; Gl 5.1; Fp 1.27; 4.1; 1 Ts 3.8; 2 Ts 2.15.*

στῆναι inf. 2 aor. at. de ἵστημι.

στηριγμός, οῦ, ὁ *firmeza* 2 Pe 3.17.*

στηρίζω *fixar, estabelecer, suportar*—1. lit. Lc 16.26; *manifestar* 9.51.—2. fig. *confirmar, estabelecer, fortalecer* Lc 22.32. At 18.23 v.l.; Rm 1.11; 16.25; 1 Ts 3.2, 13; 2 Ts 2.17; 3.3; Tg 5.8; 1 Pe 5.10; 2 Pe 1.12; Ap 3.2.*

στήσομαι fut. ind. méd. de ἵστημι.

στιβάς, άδος, ἡ *ramos, ramas* Mc 11.8.*

στίγμα, ατος, τό *marca, cicatriz* Gl 6.17. [estigma]

στιγμή, ῆς, ἡ *momento, instante* Lc 4.5.*

στίλβω *brilhar, ser radiante* Mc 9.3.*

στοά, ᾶς, ἡ *pórtico* Jo 5.2; 10.23; At 3.11; 5.12.*

στοιβάς forma variante de στιβάς.

Στοϊκός, ή, όν *estóico* At 17.18.*

στοιχεῖον, ου, τό pl.—1. *elementos (de aprendizado), princípios fundamentais, abecedário* Hb 5.12. Este sign. também é possível nas passagens de Gl e Cl sob 3 abaixo.—2. *substâncias elementares, elementos* dos quais tudo é feito 2 Pe 3.10, 12.—3. *espíritos elementares, espíritos* talvez 'astros' pode ser o sentido em Gl 4.3, 9; Cl 2.8, 20, mas o signf. 1 também é possível.* (Ver a discussão no comentário de Ralph P. Martin à carta aos *Colossenses*, Ed. Vida Nova, 1984, in loco.)

στοιχέω *aceder a, concordar com, seguir* com dat. At 21.24; Rm 4.12; Gl 5.25; 6.16; Fp 3.16.*

στολή, ῆς, ἡ *túnica,* esp. *túnicas longas, amplas* Mc 12.38; Lc 15.22; Ap 6.11; 7.9; 22.14. [estola]

στόμα, ατος, τό—1. *boca* Mt 4.4; 12.34; 15.11, 17s; Lc 1.64; 4.22; 21.15; At 8.32; 2 Co 13.1; Cl 3.8; Hb 11.33; Tg 3.3. 10; Ap 9.17-19; 14.5.—2. *fio* de uma espada Lc 21.24; Hb 11.34.

στόμαχος, ου, ὁ *estômago* 1 Tm 5.23.*

στρατεία, ας, ἡ *campanha* fig. *combate* 2 Co 10.4; *luta* 1 Tm 1.18.*

στράτευμα, ατος, τό *exército* Ap 19.14, 19. De um pequeno destacamento At 23.10, 27. τὰ στρατεύματα *as tropas* Mt 22.7; Lc 23.11; Ap 9.16.*

στρατεύομαι *prestar serviço militar, servir no exército*— 1. lit. Lc 3.14; 1 Co 9.7; 2 Tm 2.4.—2. fig. 2 Co 10.3; 1 Tm 1.18; Tg 4.1; 1 Pe 2.11.*

στρατηγός, οῦ, ὁ—1. *pretor, magistrado-chefe* em Filipos At 16.20, 22, 35s, 38.—2. *capitão* Lc 22.4, 52; At 4.1; 5.24, 26.* [estratégia]

στρατιά, ᾶς, ἡ *exército,* Lc 2.13; *hoste* At 7.42. Equivalente a στρατεία *combate* 2 Co 10.4 v.l.*

στρατιώτης, ου, ὁ *soldado* lit. Mt 8.9; 27.27; 28.12; Mc 15.16; Lc 7.8; Jo 19.2; At 10.7. Fig. 2 Tm 2.3.

στρατολογέω *reunir um exército, alistar soldados* 2 Tm 2.4.*

στρατοπεδάρχης ou στρατοπέδαρχος, ου, ὁ *comandante militar, comandante de um campo* At 28.16 v.l.*

στρατόπεδον, ου, τό *exército, corpo de tropas* Lc 21.20.*

στραφείς part. 2 aor. pass. de στρέφω.

στρεβλόω *distorcer, torcer, deformar* 2 Pe 3.16.*

στρέφω—1. at.—a. trans. *voltar* Mt 5.39; *talvez* At 7.42 (ver 1b abaixo) *Voltar, mudar* Ap 11.6. *Retornar* Mt 27.3.—b. intrans. *afastar-se* At 7.42 (ver 1a acima).—2. pass.—a. *voltar-se, voltar-se para* lit. Mt 7.6; 9.22; Lc 22.61; 23.28; Jo 1.38. Fig. At 7.39; 13.46.—b. *voltar, mudar* interiormente *ser convertido* Mt 18.3; Jo 12.40.

στρέψον 2 pes. sing. imperativo 1 aor. at. de στρέφω.

στρηνιάω *viver em luxúria, viver sensualmente* Ap 18.7, 9.*

στρῆνος, ους, τό *sensualidade, luxúria* Ap 18.3.*

στρουθίον, ου, τό *pássaro, passarinho* Mt 10.29, 31; Lc 12.6s.*

στρωννύω = στρώννυμι *espalhar* Mt 21.8; Mc 11.8. O part. perf. pass. ἐστρωμένον Mc 14.15; Lc 22.12 pode significar *preparado* ou *mobiliado*. στρῶσον σεαυτῷ *fazer sua própria cama* At 9.34.*

στρῶσον 2 pes. sing. imperativo 1 aor. de στρωννύω.

στυγητός, ή, όν *odioso, abominável* Tt 3.3.*

στυγνάζω—1. *ser chocado, entristecido* talvez Mc 10.22 (ver 2 abaixo).—2. *ser ou tornar-se triste, aborrecido* talvez Mc 10.22 (ver 1 acima). *Do céu* Mt 16.3.*

στῦλος, ου, ὁ *pilar, coluna* lit. Ap 10.1. Fig. Gl 2.9; 1 Tm 3.15; Ap 3.12.*

Στωϊκός uma forma variante de Στοϊκός.

σύ, gen. σοῦ (σου), dat σοί (σοι), ac. σέ (σε); pl. ὑμεῖς, ὑμῶν, ὑμῖν, ὑμᾶς *tu*—1. o nominativo Mt 2.6; 3.14; 11.3; Jo 4.9; At 1.24; 2 Co 13.9; Tg 2.18. Para ênfase Mt 16.16, 18; Mc 14.30, 68; Lc 1.42; Rm 11.17; Gl 6.1.—2. As formas acentuadas são usadas nos casos oblíquos do sing. para ênfase ou contraste Lc 2.35; Rm 11.18; Fp 4.3; também com preposições Mt 6.23; Lc 1.35.—3. σου e ὑμῶν *teu, vosso* Mt 1.20; 4.6; 9.6; Lc 7.48; Rm 1.8; Fp 1.19; 1 Tm 4.12.

συγγένεια, ας, ἡ *relacionamento, parentesco, os parentes* Lc 1.61; At 7.3, 14.*

συγγενεῦσιν dat. pl. de συγγενής Mc 6.4; Lc 2.44.

συγγενής, ές *relativo, afim,* subst. *parente* Mc 6.4; Lc 1.36 v.l., 58; 2.44; 14.12; 21.16; Jo 18.26; At 10.24; *concidadão, compatriota* Rm 9.3; 16.7, 11, 21.*

συγγενίς, ίδος, ἡ *parenta* (feminino) Lc 1.36.*

συγγνώμη, ης, ἡ *concessão* 1 Co 7.6.*

συγκάθημαι *sentar (com)* Mc 14.54; At 26.30.*

συγκαθίζω—1. trans. *fazer sentar com* Ef 2.6.—2. intrans. *sentar-se com outros* Lc 22.55.*

συγκακοπαθέω *sofrer junto com alguém* 2 Tm 2.3; cf. 1.8.*

συγκακουχέομαι *sofrer ou ser maltratado com* Hb 11.25.*

συγκαλέω *convocar*—1. at. Mc 15.16; Lc 15.6, 9; At 5.21—2. méd. *chamar, convocar* Lc 9.1; 15.6 v.l., 9 v.l.; 23.13; At 5.21 v.l.; 10.24; 13.7 v.l.; 28.17.*

συγκαλύπτω *cobrir (completamente), ocultar* Lc 12.2.*

συγκάμπτω *(fazer) dobrar, encurvar* Rm 11.10.*

συγκαταβαίνω *descer com alguém* At 25.5.*

συγκαταβάς part. 2 aor. at de συγκαταβαίνω.

συγκατάθεσις, εως, ἡ *acordo* 2 Co 6.16.*

συγκατανεύω *concordar, consentir* (com um sinal) At 18.27 v.l.*

συγκατατίθημι méd. *concordar com, consentir* συγκατατιθειμένος part. perf. méd. Lc 23.51 (συγκατατιθέμενος part. pres. méd. v.l. aqui e em At 4.18; 15.12.).*

συγκαταψηφίζομαι pass. *ser escolhido junto com, ser acrescentado* At 1.26.*

σύγκειμαι *reclinar junto com* Mt 9.10 v.l.*

συγκεκερασμένος ou συγκεκραμένος part. perf. pass. de συγκεράννυμι.

συγκεράννυμι *misturar, unir,* fig. *compor* 1 Co 12.24; *unir* Hb 4.2.*

συγκεχυμένος part. perf. pass. de συγχέω.

συγκινέω *sublevar, amotinar* At 6.12.*

συγκλείω *fechar juntos, trancafiar*—1. lit. Lc 5.6.—2. fig. *confinar, aprisionar* Rm 11.32; Gl 3.22s.*

συγκληρονόμος, ον *co-herdeiro* Ef 3.6; Rm 8.17; Hb 11.9; 1 Pe 3.7.*

συγκοινωνέω *participar em (algo) com alguém, estar ligado com* Ef 5.11; Fp 4.14; Ap 18.4.*

συγκοινωνός, οῦ, ὁ *participante, parceiro* Rm 11.17; 1 Co 9.23; Fp 1.7; Ap 1.9.*

συγκομίζω *enterrar, sepultar* At 8.2.*

συγκρίνω *comparar* 2 Co 10.12. Para 1 Co 2.13 *comparar e explicar, interpretar* são possíveis.* [*síncrise*, comparação, especialmente de contrários ou opostos.]

συγκύπτω *estar encurvado* Lc 13.11.*

συγκυρία, ας, ἡ *coincidência, chance* Lc 10.31.*

συγχαίρω—1. *regozijar-se com, alegrar-se com* Lc 1.58 (ver 2 abaixo); 15.6, 9 (συγχάρητε 2 pl. imperativo 2 aor. pass.); 1 Co 12.26; 13.6; Fp 2.17s (ver 2 abaixo).—2. *congratular* com dat. também é possível para Lc 1.58; Fp 2.17s (ver 1 acima).*

συγχέω e συγχύ(ν)νω *confundir, aturdir, perturbar* At 9.22; 19.29 v.l., 32; 21.27, 31; pass. *ser espantado, excitado* 2.6.*

συγχράομαι *ter negócios com, associar-se amigavelmente com* Jo 4.9.*

συγχύ(ν)νω ver συγχέω.

σύγχυσις, εως, ἡ *confusão, tumulto* At 19.29.*

συγχωρέω *permitir* At 21.39 v.l.*

συζάω *viver com* Rm 6.8; 2 Co 7.3; 2 Tm 2.11.*

συζεύγνυμι *juntar, unir* (em matrimônio) Mt 19.6; Mc 10.9.*

συζητέω—1. *discutir* Mc 1.27; 9.10; Lc 24.15.—2. *disputar, debater, argumentar* com dat. Mc 8.11; 9.14, 16; 12.28; Lc 22.23; At 6.9; 9.29.*

συζήτησις, εως, ἡ *disputa, discussão* v.l. em At 15.2, 7; 28.29.*

συζητητής, οῦ, ὁ *disputante, debatedor* 1 Co 1.20.*

σύζυγος, ου, ὁ *camarada*, lit. 'companheiro de jugo' Fp 4.3.*

συζωοποιέω *dar vida juntamente com* alguém Ef 2.5; Cl 2.13.*

συκάμινος, ου, ἡ *amoreira* Lc 17.6.*

συκῆ, ῆς, ἡ *figueira* Mt 21.19-21; 24.32; Mc 11.13, 20s; Lc 13.6s; Jo 1.48, 50; Tg 3.12.

συκομορέα, ας, ἡ *sicômoro (árvore)* Lc 19.4.*

σῦκον, ου, τό *figo* Mt 7.16; Mc 11.13; Lc 6.44; Tg 3.12.*

συκοφαντέω—1. *acusar falsamente, oprimir, atormentar* Lc 3.14.—2. *extorquir* Lc 19.8.*

συλαγωγέω *levar como cativo, escravizar fig.* Cl 2.8.*

σθλάω *despojar, roubar* 2 Co 11.8 fig.*

συλλαβεῖν inf. 2 aor. at. de συλλαμβάνω.

συλλαλέω *falar ou conversar com, discutir com* Mt 17.3; Mc 9.4; Lc 4.36; 9.30; 22.4; At 18.12 v.l.; 25.12.*

συλλαμβάνω—1. at. e fut. méd.—a. *prender, arrestar, apreender* Mt 26.55; Mc 14.48; Lc 22.54; Jo 18.12; At 1.16; 12.3; 23.27. *Apoderar-se* Lc 5.9.—b. *conceber, ficar grávida* Lc 1.24, 31, 36; 2.21. Fig. Tg 1.15.—2. méd.—a. *prender, arrestar* At 26.21.—b. *vir em auxílio de, ajudar, auxiliar* com dat. Lc 5.7; Fp 4.3.*

συλλέγω *coletar, reunir, recolher, colher* Mt 7.16; 13.28-30, 40s, 48; Lc 6.44.*

συλλημφθῆναι, σθλλήμψομαι inf. 1 aor. pass., e fut. ind. pass. de συλλαμβάνω.

συλλογίζομαι *raciocinar, discutir, debater* Lc 20.5.* [*silogismo*]

συλλυπέω *afligir, molestar* pass. *ser afligido, entristecido* Mc 3.5.*

συμβαίνω *encontrar, acontecer* Mc 10.32; At 20.19; 21.35; 1 Co 10.11; 1 Pe 4.12; 2 Pe 2.22. τὸ συμβεβηκός *o que aconteceu* At 3.10; cf. Lc 24.14.*

συμβαλεῖν inf. 2 aor. at. de συμβάλλω.

συμβάλλω—1. at.—a. trans. *conversar, conferir* At 4.15; 17.18.— *Considerar, ponderar, tirar conclusões sobre* Lc 2.19.—b. intrans. *encontrar* At 20.14.— *Engajar, lutar* com dat. Lc 14.31.— *Disputar, contender* com dat. 11.53 v.l.—2. méd. *ajudar, ser de auxílio para* At 18.27.* [*símbolo*]

συμβάς part. 2 aor. at. de συμβαίνω.

συμβασιλεύω *governar (como rei), reinar com* (alguém) 1 Co 4.8; 2 Tm 2.12.*

συμβέβηκα perf. ind. at. de συμβαίνω.

συμβιβάζω—1. *reunir, unir, unificar*—a. lit. pass. *ser vinculado* Ef 4.16; Cl 2.19.—b. fig. *unir, reunir* pass. Cl 2.2.—2. *concluir, inferir* At 16.10.—3. *demostrar, provar* 9.22.—4. *instruir, ensinar, advertir* 19.33; 1 Co 2.16.*

συμβουλεύω—1. at. *avisar, dar conselhos a, advertir* Jo 18.14; Ap 3.18.—2. méd.

consultar, tramar Mt 26.4; Jo 11.53 v.l.; At 9.23.*

συμβούλιον, ου, τό—1. plano, propósito σ. λαμβάνειν ou διδόναι elaborar um plano, consultar, planejar Mt 12.14; 22.15; 27.1, 7; 28.12; Mc 3.6. σ. ἑτοιμάζειν chegar a uma decisão 15.1.—2. concílio At 25.12.*

σύμβουλος, ου, ὁ conselheiro Rm 11.34.*

Συμεών, ὁ indecl. Simeão um nome semítico.—1. filho de Jacó, ancestral da tribo de Simeão Ap 7.7.—2. Lc 3.30.—3. um velho devoto 2.25, 34.—4. Simeão, Níger At 13.1.—5. o nome original de Pedro (Σίμων) ocasionalmente é escrito dessa forma At 15.14; 2 Pe 1.1.*

συμμαθητής, οῦ, ὁ condiscípulo Jo 11.16.*

συμμαρτυρέω confirmar, testemunhar em apoio a alguém ou algo Rm 2.15; 8.16; 9.1; Ap 22.18 v.l.*

συμμερίζομαι compartilhar com 1 Co 9.13.*

συμμέτοχος, ον compartilhando com Ef 3.6; 5.7.*

συμμιμητής, οῦ, ὁ co-imitador Fp 3.17.*

συμμορφίζω dar a mesma forma pass. ser conformado a, tomar a mesma forma que Fp 3.10.*

σύμμορφος, ον tendo a mesma forma, similar em forma Rm 8.29; Fp 3.21.*

συμμορφόω dar a mesma forma Fp 3.10 v.l.*

συμπαθέω simpatizar com, ter simpatia por Hb 4.15; 10.34.*[simpatia]

συμπαθής, ές simpatético, compassivo 1 Pe 3.8.*

συμπαραγίνομαι vir junto Lc 23.48. Vir em auxílio de com dat. 2 Tm 4.16. v.l.*

συμπαρακαλέω encorajar juntamente συμπαρακληθῆναι inf. 1 aor. pass. Rm 1.12.*

συμπαραλαβεῖν inf. 2 aor. at. de συμπαραλαμβάνω.

συμπαραλαμβάνω levar (consigo) At 12.25; 15.37s; Gl 2.1.*

συμπαραμένω ficar com alguém para ajudar Fp 1.25 v.l.*

συμπάρειμι estar presente com At 25.24.*

συμπάσχω sofrer com, sofrer o mesmo que Rm 8.17; 1 Co 12.26.*

συμπέμπω enviar com 2 Co 8.18, 22.*

συμπεριέχω rondar, rodear com Lc 12.1 v.l.*

συμπεριλαμβάνω abraçar συμπεριλαβών part. 2 aor. at. At 20.10.*

συμπίνω beber com At 10.41.*

συμπίπτω cair junto Lc 6.49.*

συμπληρόω encher completamente, pass. tornar-se totalmente cheio—1. ser cheio (de água) Lc 8.23.—2. fig. estar cumprido, chegar Lc 9.51; At 2.1.*

συμπνίγω—1. (juntar e) sufocar Mt 13.22; Mc 4.7, 19; Lc 8.14.—2. apertar Lc 8.42; 12.1 v.l.*

συμπολίτης, ου, ὁ concidadão Ef 2.19.*

συμπορεύομαι—1. ir com Lc 7.11; 14.25; 24.15.—2. juntar, reunir Mc 10.1.*

συμποσία, ας, ἡ uma refeição comum Mc 6.39 v.l.*

συμπόσιον, ου, τό uma festa ou um grupo de pessoas comendo συμπόσια συμπόσια em grupos Mc 6.39.* [simpósio]

συμπρεσβύτερος, ου, ὁ co-ancião, co-presbítero 1 Pe 5.1.*

συμφέρω—1. ajuntar At 19.19.—2. ajudar, beneficiar, ser útil, vantajoso—a. construção impessoal συμφέρει é bom, etc. Mt 5.29; 19.10; Jo 11.50; 18.14; 1 Co 6.12; 2 Co 8.10.—b. o particípio συμφέρων útil, proveitoso, etc. τὰ συμφέροντα o que é bom para você At 20.20; cf. 2 Co 12.1. τὸ συμφέρον lucro, vantagem 1 Co 10.33 v.l.; 12.7; Hb 12.10.

σύμφημι concordar com Rm 7.16.*

σύμφορος, ον benefício, vantajoso τὸ σύμφορον benefício, vantagem 1 Co 7.35; 10.33.*

συμφορτίζω carregar junto com outros Fp 3.10 v.l.*

συμφυείς part. 2 aor. pass. de συμφύω.

συμφυλέτης, ου, ὁ compatriota 1 Ts 2.14.*

σύμφυτος, ον crescendo juntos Rm 6.5.*

συμφύω crescer com Lc 8.7.*

συμφωνέω concordar Mt 18.19; At 5.9; 15.15; chegar a um acordo Mt 20.2, 13. Encaixar, bater com Lc 5.36.*

συμφώνησις, εως, ή *acordo* 2 Co 6.15.*

συμφωνία, ας, ή em Lc 15.25 pode ser *música, orquestra*, ou um instrumento, talvez a flauta dupla.*[sinfonia]*

σύμφωνος, ον *concordando* em ἐκ. σύμφωνου *por acordo* 1 Co 7.5.* *[sinfônico]*

συμψηφίζω *contar, computar* At 19.19; pass. *ser contado* 1.26 v.l.*

σύμψυχος, ον *harmonioso* ou *unido em espírito* Fp 2.2.*

σύν prep. com dat. *com* Mt 27.57; 26.35; Mc 2.26; Lc 1.56; At 5.1. 26; Rm 6.8; 1 Co 15.10; Fp 1.23. Quase equivalente a καί Lc 20.1; At 3.4; Fp 1.1. *Além de, em acréscimo a* Lc 24.21.

συναγαγεῖν inf. 2 aor. at. de συνάγω.

συνάγω—1. *reunir (em), juntar* Mt 13.47; 25.24, 26; Lc 3.17; 15.13; Jo 6.12s; 15.6.—**2.** *convocar, ajuntar* Mt 22.10; 25.32; Mc 2.2; 7.1; Jo 11.47; 18.2; At 13.44; 14.27; 1 Co 5.4.—**3.** *convidar ou receber como convidado* Mt 25.35, 38, 43.—**4.** *movimentar, mover* Mt 20.28 v.l.

συναγωγή, ῆς, ή—1. *lugar de assembléia*— **a.** a *sinagoga* judaica Mt 4.23; 10.17; Mc 6.2; Lc 6.6; 21.12; Jo 18.20; At 17.1, 10, 17; 22.19.—**b.** uma *sinagoga* cristã pode estar em mente, também em Tg 2.2 (ver 4 abaixo).—**2.** *(a congregação de uma) sinagoga* At 6.9; 9.2.—**3.** συναγωγὴ τοῦ Σατανᾶ *sinagoga de Satanás* Ap 2.9; 3.9.—**4.** uma *reunião* de judeus para adoração At 13.43. A interpretação preferível de Tg 2.2. é aquela que a refere a um *encontro* de uma congregação cristã (ver 1b acima)

συναγωνίζομαι *ajudar, auxiliar* Rm 15.30.*

συναθλέω *lutar* ou *contender* Fp 1.27; 4.3.*

συναθροίζω *reunir, juntar* Lc 24.33 v.l.; At 12.12; 19.25.*

συναίρω *acertar, ajustar* (contas) Mt 18.23s; 25.19.*

συναιχμάλωτος, ου, ὁ *co-prisioneiro* Rm 16.7; Cl 4.10; Fm 23.*

συνακολουθέω *seguir, acompanhar* com dat. Mc 5.37; 14.51; Lc 23.49; Jo 13.36 v.l.*

συναλίζω em At 1.4 esta palavra é interpretada de várias maneiras: συναλίζω *comer (sal) com;* συναλίζω *reunir,* pass. *ficar juntos;* como outra forma de συναυλίζω méd. *passar a noite com, ficar com.* *

συναλίσκομαι *ser aprisionado junto com* At 1.4 v.l.*

συναλλάσσω *reconciliar* At 7.26.*

συναναβαίνω *vir* ou *ir com* Mc 15.41; At 13.31.*

συνανάκειμαι *reclinar-se (à mesa) com, comer com* Mt 9.10; 14.9; Mc 2.15; 6.22; Lc 7.49; 14.10, 15.*

συναναμείγνυμι *misturar com,* pass. *unir-se* ou *associar-se com* 1 Co 5.9, 11; 2 Ts 3.14.*

συναναπαύομαι *descansar* ou *achar descanso com* Rm 15.32.*

συναναστρέφομαι *associar, ir junto com* At 10.41 v.l.*

συναντάω *encontrar, reunir-se com* com dat., lit. Lc 9.18 v.l., 37; 22.10; At 10.25; Hb 7.1, 10. Fig. *acontecer* At 20.22.

συνάντησις, εως, ή *reunião, encontro* εἰς συνάντησίν τινι *para encontrar alguém* Mt 8.34 v.l.; Jo 12.13 v.l.*

συναντιλαμβάνομαι *ajudar, vir em socorro de* com dat. Lc 10.40; Rm 8.26.*

συναπάγω pass., fig. *ser levado* ou *ser arrastado* Gl 2.13; 2 Pe 3.17. τοῖς ταπεινοῖς συναπαγόμενοι Rm 12.16 pode significar *acomodai-vos às coisas humildes* ou *associai-vos com as pessoas humildes.* *

συναπαχθείς, συναπήχθην part. 1 aor. pass., e 1 aor. ind. pass. de συναπάγομαι.

συναπέθανον 2 aor. ind. at. de συναποθνήσκω.

συναπέστειλα 1 aor. at. de συναποστέλλω.

συναποθανεῖν inf. 2 aor. at. de συναποθνήσκω.

συναποθνήσκω *morrer com* Mc 14.31; 2 Co 7.3; 2 Tm 2.11.*

συναπόλλυμι *destruir com,* méd. *perecer com* Hb 11.31.*

συναποστέλλω *enviar ao mesmo tempo* 2 Co 12.18.*

συναπώλετο 3 pes. sing. 2 aor. ind. méd. de συναπόλλυμι.

συνᾶραι inf. 1 aor. at. de συναίρω.

συναρμολογέω *ajustar* ou *ajuntar*, pass. Ef 2.21; 4.16.*

συναρπάζω *pegar violentamente, agarrar, arrebatar* Lc 8.29; At 6.12; 19.29; 27.15.*

συναυλίζομαι ver συναλίζω.

συναυξάνω pass. *crescer junto, crescer lado a lado* Mt 13.30.*

συναχθήσομαι 1 fut. ind. pass. de συνάγω.

συνβ- ver συμβ-.

συνγ- ver συγγ-.

σύνδεσμος, ου, ὁ *aquilo que une, vincula*—1. *vínculo, ligadura* aquilo que mantém duas coisas juntas—a. lit. de ligamentos Cl 2.19.—b. fig. Ef 4.3; Cl 3.14.—2. Em At 8.23 σύνδεσμος pode significar *laço, elo,* ou *grilhão.* *

συνδέω *prender (com)* ou *aprisionar (com)* Hb 13.3*

συνδοξάζω pass. *ser glorificado com alguém, partilhar da glória de alguém* Rm 8.17.*

σύνδουλος, ου, ὁ *co-escravo* lit. e fig. Mt 18.28s, 31, 33; 24.49; Cl 1.7; 4.7; Ap 6.11; 19.10; 22.9.*

συνδρομή, ῆς, ἡ *correndo juntos, formando um tropel* At 21.30.* [síndrome]

συνεβαλόμην 2 aor. ind. méd. de συμβάλλω.

συνέβη 3 pes. sing. 2 aor. ind. at. de συμβαίνω.

συνεγείρω *fazer alguém levantar com outro* fig. Ef 2.6; Cl 2.12; 3.1.*

συνέδραμον 2 aor. ind. at. de συντρέχω.

συνέδριον, ου, τό *o alto conselho, o Sinédrio,* o mais elevado corpo de governo nativo na Judéia Mt 5.22; Mc 14.55; Lc 22.66; Jo 11.47; At 5.21, 27, 34, 41; 23.1, 6, 15, 20, 28, *Conselho local* Mt 10.17; Mc 13.9.

συνέδριος At 5.35 v.l. é provavelmente um erro, no lugar de σύνεδρος, ου, ὁ *membro de um conselho.* *

συνέζευξα 1 aor. ind. at. de συζεύγνυμι.

συνέθεντο 3 pes. pl. 2 aor. ind. méd. de συντίθημι.

συνείδησις, εως, ἡ—1. *consciência* 1 Co 8.7a v.l.; Hb 10.2; 1 Pe 2.19.—2. *cons͠iência moral, escrúpulos* Jo 8.9 v.l; At 23.1; 24.16; Rm 2.15; 9.1; 13.5; 1 Co 8.7b, 10, 12; 10.25, 27-29; 2 Co 1.12; 4.2; 5.11; 1 Tm 1.5, 19; 3.9; 4.2; 2 Tm 1.3; Tt 1.15; Hb 9.9, 14; 10.22; 13.18; 1 Pe 3.16, 21.*

συνεῖδον 2 aor. ind. at. de συνοράω.

συνειδυῖα part. fem. perf. at. de σύνοιδα.

συνείληφα perf. ind. at. de συλλαμβάνω.

I. σύνειμι (de εἰμί) *estar com* Lc 9.18; At 22.11.*

II. σύνειμι (de εἶμι) *reunir-se, juntar-se* Lc 8.4.*

συνείπετο 3 pes. sing. imperf. ind. méd. de συνέπομαι.

συνεισέρχομαι *entrar com, ir com* Mc 6.33 v.l.; Jo 6.22; 18.15.*

συνεισῆλθον 2 aor. ind. at. de συνέρχομαι.

συνείχετο 3 pes. sing. imperf. ind. pass. de συνέχω.

συνέκδημος, ου, ὁ *companheiro de viagem* At 19.29; 2 Co 8.19.*

συνεκέρασα 1 aor. ind. at. de συγκεράννυμι.

συνεκλεκτός, ή, όν *escolhido junto com,* subst. *aquele que é escolhido, o escolhido, eleito* 1 Pe 5.13.*

συνεκπορεύομαι *sair com* At 3.11 v.l.*

συνέλαβον 2 aor. ind. at. de συλλαμβάνω.

συνελαύνω *dirigir, forçar, levar* At 7.26. v.l.*

συνελήλυθα, συνελθεῖν perf. ind. at., e inf. 2 aor. at. de συνέρχομαι.

συνελογισάμην 1 aor. ind. at. de συλλογίζομαι.

συνενέγκας part. 1 aor. at. de συμφέρω.

συνεπέθεντο 3 pes. pl. 2 aor. ind. méd. de συνεπιτίθεμαι.

συνέπεσον 2 aor. ind. at. de συμπίπτω.

συνεπιμαρτυρέω *testemunhar ao mesmo tempo* Hb 2.4.*

συνέπιον 2 aor. ind. at. de συμπίνω.

συνεπίσκοπος, ου, ὁ *co-supervisor* Fp 1.1 v.l.*

συνεπιτίθεμαι *juntar-se* com outros *em um ataque* At 24.9.*

συνέπομαι *acompanhar* com dat. At 20.4.*

συνεργέω trabalhar (juntamente) com, cooperar (com), ajudar Mc 16.20; 1 Co 16.16; 2 Co 6.1; Tg 2.22. τοῖς ἀγαπῶσιν τὸν θεὸν πάντα συνεργεῖ εἰς ἀγαθόν Rm 8.28 significa tudo ajuda (ou trabalha com ou para) aqueles que O amam a obterem o que é bom ou (o Espírito) assiste... em todas as coisas para aquilo que é benéfico, a menos que ὁ θεός seja lido depois de συνεργεῖ, nesse caso, o sentido é em tudo Deus ajuda (ou trabalha para ou com) aqueles que amam a Deus a obter o que é bom.*

συνεργός, οῦ, ὁ cooperador, ajudador, coobreiro Rm 16.3; 1 Co 3.9; 2 Co 1.24; Fp 2.25; 1 Ts 3.2; Fm 1, 24. [Cf. sinergismo]

συνέρχομαι—1. reunir-se, juntar-se, fazer assembléia Mt 1.18; Mc 3.20; Lc 5.15; At 1.6; 16.13; 22.30; 1 Co 11.17s, 20; 14.26.—2. vir, ir ou viajar com Lc 23.55; Jo 11.33; At 1.21; 10.23, 45; 21.16; 25.17.

συνεσθίω comer com Lc 15.2; At 10.41; 11.3; 1 Co 5.11; Gl 2.12.*

σύνεσις, εως, ἡ—1. a faculdade da compreensão, inteligência, perspicácia Mc 12.33; Lc 2.47; 1 Co 1.19.—2. entendimento, compreensão, ter uma idéia Ef 3.4; Cl 1.9; 2.2; 2 Tm 2.7.* [sinese, construção sintática de acordo com o sentido]

συνεσπάραξα 1 aor. ind. at. de συσπαράσσω.

συνεταλμένος, συνέστειλα part. perf. pass., e 1 aor. ind. at. de συστέλλω.

συνέστηκα, συνέστησα, συνεστώς perf. ind. at., 1 aor. ind. at, e part. perf. at. de συνίστημι.

συνέσχον 2 aor. ind. at. de συνέχω.

συνετάφην 2 aor. ind. pass. de συνθάπτω.

σύνετε 2 pes. pl. imperativo 2 aor. at. de συνίημι.

συνετέθειντο 3 pes. pl. mais-que-perf. ind. méd. de συντίθημι.

συνετός, ή, όν inteligente, sábio, com bom senso Mt 11.25; Lc 10.21; At 13.7; 1 Co 1.19.*

συνευδοκέω concordar com, aprovar, consentir, estar disposto a Lc 11.48; At 8.1; 22.20; Rm 1.32; 1 Co 7.12s.*

συνευωχέομαι comer (num banquete) junto com, festejar com 2 Pe 2.13; Jd 12.*

συνέφαγον 2 aor. ind. at. de συνεσθίω.

συνεφίστημι juntar-se em um ataque At 16.22.*

συνεφωνήθην 1 aor. ind. pass. de συμφωνέω.

συνέχεον, συνεχύθη, συνέχυννεν imperf. at., 3 pes. sing. 1 aor. ind. pass., e 3 pes. sing. imperf. at. de συγχέω.

συνέχω—1. tapar, cessar At 7.57.—2. apertar, pressionar Lc 8.45; 19.43.—3. manter em custódia Lc 22.63.—4. pass. ser atormentado por, sofrer por Mt 4.24; Lc 4.38; 8.37; At 28.8. Ser afligido, ser pressionado Lc 12.50; Fp 1.23.—5. pass. estar ocupado com, estar absorto em At 18.5.—6. Para 2 Co 5.14 constranger, impelir, controlar. Cf. At 18.5. v.l.*

συνζ- ver συζ-

συνήγαγον, συνηγμένος 2 aor. ind. at., e part. perf. pass. de συνάγω.

συνηγέρθην 1 aor. ind. pass. de συνεγείρω.

συνήδομαι concordar (alegremente) com Rm 7.22.*

συνήθεια, ας, ἡ costume, hábito Jo 18.39; 1 Co 11.16; estar acostumado 8.7.*

συνῆκα 1 aor. ind. at. de συνίημι.

συνήλασα 1 aor. ind. at. de συνελαύνω.

συνῆλθον 2 aor. ind. at. de συνέρχομαι.

συνηλικιώτης, ου, ο pessoa da mesma idade, contemporâneo Gl 1.14.*

συνηρπάκει, συνήρπασα 3 pes. sing. mais-que-perf. at., e 1 aor. ind. at. de συναρπάζω.

συνῆσαν 3 pes. pl. imperf. at. de σύνειμι.

συνῆτε 2 pes. pl. 2 aor. subj. at. de συνίημι.

συνήχθην 1 aor. ind. pass. de συνάγω.

συνθάπτω enterrar com Rm 6.4; Cl 2.12.*

συνθλάω ser destroçado (juntos), ser feito em pedaços Mt 21.44; Lc 20.18.*

συνθλίβω apertar junto, oprimir Mc 5.24, 31.*

συνθρύπτω quebrar, destroçar fig. At 21.13.*

συνιᾶσιν 3 pes. pl. pres. ind. at. de συνίημι.

συνιδών part. 2 aor. at. de συνοράω.

συνιείς, συνιέναι part. pres. at., e inf. de συνίημι.

συνίημι ou **συνίω** compreender, entender, pegar a idéia Mt 13.13-15, 51; 15.10; 16.12; Mc 4.9 v.l.; 6.52; 8.17, 21; Lc 2.50; 18.34; At 7.25; Rm 3.11; 2 Co 10.12; Ef 5.17.

συνίστημι, συνιστάνω, συνιστάω—I. trans. at. e pass.—1. apresentar, recomendar Rm 16.1; 2 Co 3.1; 4.2; 5.12; 6.4; 10.12, 18; 12.11.—2. demonstrar, mostrar, realizar Rm 3.5; 5.8; 2 Co 7.11; Gl 2.18.— II. intrans., pres. méd. e perf. at.—1. estar junto com Lc 9.32.—2. continuar, permanecer, existir, consistir, ser composto de, segurar Cl 1.17; 2 Pe 3.5.* [sistema]

συνίων, συνιώσιν part. pres. at., e 3 pes. pl. pres. subj. at. de συνίω (ver συνίημι).

συνκ- ver συγκ-.

συνλ- ver συλλ-.

συνμ- ver συμμ.

συνοδεύω viajar com At 9.7.*

συνοδία, ας, ἡ caravana, grupo de viajantes Lc 2.44.* [Cf. sínodo]

σύνοιδα compartilhar conhecimento com, estar implicado At 5.2. σύνοιδα ἐμαυτῷ estou cônscio 1 Co 4.4.*

συνοικέω viver com 1 Pe 3.7.*

συνοικοδομέω edificar junto com, pass., fig. ser edificado Ef 2.22.*

συνομιλέω falar, conversar com At 10.27. Viver com 1 Pe 3.7 v.l.*

συνομορέω estar próximo a At 18.7.*

συνοράω perceber, entender, estar consciente de At 12.12; 14.6.*

συνορία, ας, ἡ país vizinho Mt 4.24 v.l.*

συνοχή, ῆς, ἡ angústia, aflição Lc 21.25; 2 Co 2.4.*

συνπ- ver συμπ-.

συνρ- ver συρρ-.

συνσ- ver συσσ-.

συνσπ- ver συσπ-.

συνστ- ver συστ-.

συνταράσσω lançar em confusão, causar distúrbio Lc 9.42 v.l.*

συστάσσω ordenar, dirigir, prescrever Mt 21.6; 26.19; 27.10.* [Cf. sintaxe]

συνταφείς part. 2 aor. pass. de συνθάπτω.

συντέλεια, ας, ἡ fim, término, completação Mt 13.39s, 49; 24.3; 28.20; Hb 9.26.*

συντελέω—1. levar ao fim, completar, terminar, fechar Mt 7.28 v.l.; Lc 4.13.— De tempo chegar ao fim, passar Lc 2.21 v.l.; 4.2; At 21.27; talvez Mc 13.4 (ver 2 abaixo). —2. realizar, fazer, cumprir Rm 9.28; Hb 8.8; talvez Mc 13.4 (ver 1 acima). —3. pass. acabar Jo 2.3 v.l.*

συντέμνω cortar, limitar, encurtar Rm 9.28.*

συντετμημένος part. perf. pass. de συντέμνω.

συντετριμμένος, συντετρῖφθαι part. e inf. perf. pass. de συντρίβω.

συντεχνίτης, ου, ὁ alguém que segue a mesma profissão At 19.25 v.l.*

συντηρέω—1. proteger, defender Mc 5.20. Pass. ser salvo, preservado Mt 9.17; Lc 5.38 v.l.—2. manter ou entesourar (na memória) Lc 2.19.*

συντίθημι méd. concordar Lc 22.5; decidir Jo 9.22; At 23.20. Consentir At 24.9 v.l.

συντόμως adv. brevemente At 24.4, final curto de Mc.*

συντρέχω correr junto Mc 6.33; At 3.11. Correr com, ir com 1 Pe 4.4.*

συντρίβω quebrar, esmagar—1. lit. Mt 12.20; Mc 5.4; 14.3; Jo 19.36; Rm 16.20; Ap 2.27. Machucar, quebrantar Lc 9.39.—2. fig. Lc 4.18.*

σύντριμμα, ατος, τό destruição, ruína Rm 3.16.*

σύντροφος, ου, ὁ amigo íntimo At 13.1.*

συντυγχάνω vir junto com, encontrar, juntar-se Lc 8.19; At 11.26 v.l.*

συντυχείν inf. 2 aor. at. de συντυγχάνω.

Συντύχη, ης, ἡ Síntique, uma cristã Fp 4.2.*

συντυχία, ας, ἡ incidente, acaso Lc 10.31 v.l.*

συνυποκρίνομαι juntar-se em bancar o hipócrita com dat. Gl 2.13.*

συνυπουργέω juntar-se em auxílio a 2 Co 1.11.*

συνφ- ver συμφ-.

συνχ- ver συγχ.-

συνψ- ver συμψ-.

συνωδίνω *sofrer agonia junto* Rm 8.22.*

συνωμοσία, ας, ἡ *conspiração, trama* At 23.13.*

συνών part. pres. de σύνειμι.

συνῶσιν 3 pes. pl. 2 aor. subj. at. de συνίημι.

Σύρα, ας, ἡ *a mulher síria* Mc 7.26 v.l.*

Συράκουσαι, ῶν, αἱ *Siracusa*, uma cidade na costa leste da Sicília At 28.12.*

Συρία, ας, ἡ *Síria* Mt 4.24; Lc 2.2; At 15.23, 41; 18.18; 20.3; 21.3; Gl 1.21.*

Σύρος, ου, ὁ *sírio* Lc 4.27.*

Συροφοινίκισσα, ης, ἡ *a mulher siro-fenícia* Mc 7.26.*

συρρήγνυμι *bater (junto)* Lc 6.49 v.l.*

Σύρτις, εως, ἡ *Sirte*, dois golfos ao longo da costa do Líbano no norte da África At 27.17.*

σύρω *puxar (para fora)* Jo 21.8; At 8.3; 14.19; 17.6; *levar atrás* Ap 12.4.*

συσπαράσσω *convulsionar* Mc 9.20; Lc 9.42.*

σύσσημον, ου, τό *sinal* Mc 14.44.*

σύσσωμος, ον *pertencendo ao mesmo corpo* Ef 3.6.*

συστασιαστής, οῦ, ὁ *companheiro de insurreição* Mc 15.7 v.l.*

συστατικός, ή, όν *de recomendação, apresentação* συστατικὴ ἐπιστολή *carta de recomendação* 2 Co 3.1.*

συσταυρόω *crucificar (juntamente com)* pass., lit. Mt 27.44; Mc 15.32; Jo 19.32. fig. Rm 6.6; Gl 2.19.*

συστέλλω—1. *limitar, encurtar* 1 Co 7.29.—2. o sentido de σ. em At 5.6, 10 v.l. é, provavelmente, *cobrir, enrolar*, mas outras possibilidades são *sacar, tirar fora.*

συστενάζω *lamentar* ou *chorar (juntamente) com* Rm 8.22.*

συστοιχέω *corresponder a* Gl 4.25.*

συστρατιώτης, ου, ὁ *co-soldado* Fp 2.25; Fm 2.*

συστρέφω—1. *ajuntar, reunir* At 28.3; 17.5 v.l.—2. *ser reunido, reunir, estar junto* Mt 17.22; v.l. em At 10.41; 11.28; e 16.39.*

συστροφή, ῆς, ἡ *reunião desordeira* ou *sediciosa, comoção, tumulto* At 19.40. Para 23.12 *complô, conspiração* são possíveis.*

συσχηματίζω *formar* ou *modelar* pass. *ser conformado a, ser guiado por* Rm 12.2; 1 Pe 1.14.*

Συχάρ, ἡ indecl. *Sicar*, uma cidade na Samaria Jo 4.5.*

Συχέμ indecl. *Siquém*—1. fem., uma cidade na Samaria At 7.16.—2. masc. filho de Emor At 7.16 v.l.*

σφαγή, ῆς, ἡ *matadouro, matança* At 8.32; Rm 8.36; Tg 5.5*

σφάγιον, ου, τό *vítima a ser sacrificada, oferenda* At 7.42.*

σφάζω *matar, assassinar* Ap 5.6, 12; 13.8. *Assassinar* 1 Jo 3.12; Ap 5.9; 6.4, 9; 13.3; 18.24.*

σφάλλω pass. *tropeçar, cair* Mt 15.14 v.l.*

σφάξω fut. de σφάζω.

σφόδρα adv. *muito, extremamente, grandemente* Mt 2.10; 17.6, 23; 19.25; Mc 16.4; Lc 18.23; At 6.7.

σφοδρῶς adv. *muito, violentamente* At 27.18.*

σφραγίζω *selar*—1. lit. Mt 27.66; Ap 20.3.—2. fig.—a. *selar* para manter em segredo Ap 10.4; 22.10.—b. *selar, marcar* para identificar Ef 1.13; 4.30; Ap 7.3, 4s, 8. Em Jo 6.72; 2 Co 1.22, há a conotação adicional de 'revestir com poder do céu'.—c. *atestar, certificar, reconhecer* Jo 3.33.—d. σφραγισάμενος αὐτοῖς τὸν καρπὸν τοῦτον Rm 15.28 poder ser traduzido *quando eu colocar a quantia coletada em suas mãos com segurança (selada).*

σφραγίς, ῖδος, ἡ *selo, sinete*—1. lit.—a. *selo* Ap 5.1s, 5, 9; 6.1, 3, 5, 7, 9, 12; 8.1.—b. *o instrumento com o qual se sela, o sinete* Ap 7.2.—c. *a marca* ou *impressão de um selo* 2 Tm 2.19; Ap 9.4.—2. fig. *aquilo que confirma, atesta* ou *autentica, certificado* Rm 4.11; 1 Co 9.2.*

σφυδρόν, οῦ, τό *artelho* At 3.7.*

σφυρίς, ίδος, ἡ forma alternativa de σπυρίς.

σφυρόν, οῦ, τό *artelho* ou *tornozelo* At 3.7 v.l.*

σχεδόν adv. *quase, perto* At 13.44; 19.26; Hb 9.22.*

σχῆμα, ατος, τό *forma, aparência exterior* 1 Co 7.31; Fp 2.7.* [*esquema*]

σχίζω *dividir, cortar, rasgar*—**1.** lit. Mt 27.51; Mc 1.10; 15.38; Lc 5.36; 23.45; Jo 19.24; 21.11.—**2.** fig. pass. *tornar-se dividido* ou *desunido* At 14.4; 23.7.* [*esquizofrenia*]

σχίσμα, ατος, τό *divisão, dissensão*—**1.** lit. *rasgo* Mt 9.16; Mc 2.21.—**2.** fig. *divisão, dissensão, cisma* Jo 7.43; 9.16; 10.19; 1 Co 1.10; 11.18; 12.25.*

σχοινίον, ου, τό *corda* Jo 2.15; At 27.32.*

σχολάζω *ter tempo* ou *distração*—**1.** *devotar-se a, dar seu tempo a* 1 Co 7.5.—**2.** *estar desocupado* Mt 12.44; Lc 11.25 v.l.*

σχολή, ῆς, ἡ *escola* At 19.9.*

σχῶ 2 aor. subj. at. de ἔχω.

σῴζω *salvar, libertar, preservar, curar, livrar de dano*—**1.** *preservar* ou *salvar* de perigos e aflições naturais—**a.** da morte Mt 14.30; 27.40, 42, 49; Mc 13.20; Lc 6.9; 9.24; Jo 11.12; At 27.20, 31.—**2.** *conduzir seguramente* Jo 12.27; Hb 5.7; Jd 5.—**c.** *livrar de doença* ou *de possessão demoníaca* Mt 9.22; Mc 5.23, 28, 34; 10.52; Lc 8.48, 50; 17.19; 18.42; At 4.9; 14.9; Tg 5.15.—**2.** *salvar* ou *preservar da morte eterna, do julgamento, pecado; trazer salvação, levar à salvação*—**a.** at. Mt 18.11; Lc 7.50; Jo 12.47; Rm 11.14; 1 Co 1.21; 7.16; Tt 3.5; Hb 7.25; Tg 4.12; 5.20; 1 Pe 3.21.—**b.** pass. *ser salvo* ou *resgatado, obter a salvação* Mt 24.13; Mc 10.26; Lc 13.23; 18.26; Jo 3.17; 5.34; At 11.14; 15.1, 11; Rm 8.24; 11.26; 1 Co 3.15; 5.5; Ef 2.5, 8; 1 Tm 2.4.—**3.** Certas passagens pertencem a 1 e 2 ao mesmo tempo Mc 8.35; Lc 9.24; 9.56 v.l.; Rm 9.27.

σῶμα, ατος, τό *corpo*—**1.** *corpo* de um ser humano ou um animal—**a.** *corpo morto, cadáver* Mt 27.52, 58s; Lc 17.37; Jo 19.31, 38, 40; At 9.40.—**b.** o *corpo* com vida Mt 5.29s; 6.25; Mc 14.22; Lc 11.34; Rm 4.19; 7.24; 8.10, 13; 12.1; 1 Co 5.3; 6.20; 11.24, 27, 29; 15.44; 2 Co 5.6, 8, 10; Gl 6.17; Cl 2.11; Hb 13.3; Tg 3.3.—**2.** pl. σώματα *escravos* Ap 18.13.—**3.** Paulo fala de diversos tipos de corpos em 1 Co 15.35, 37s, 40.—**4.** o *corpo* como *a coisa em si, a realidade* Cl 2.17.—**5.** A igreja é descrita como um *corpo*, ou o *Corpo de Cristo* Rm 12.5; 1 Co 12.13, 27; Ef 4.4, 12, 16; Cl 1.18, 24.

σωματικός, ή, όν *corpóreo, corporal* Lc 3.22; 1 Tm 4.8.* [*somático*]

σωματικῶς *corporalmente* Cl 2.9.*

Σώπατρος, ου, ὁ *Sópater*, um cristão bereano At 20.4. Ver Σωσίπατρος.*

σωρεύω *amontoar, empilhar* Rm 12.20. Pass. *ser cheio com* 2 Tm 3.6.*

Σωσθένης, ους, ὁ *Sóstenes*—**1.** líder de uma sinagoga em Corinto At 18.17.—**2.** um 'irmão' de Paulo 1 Co 1.1.— É possível que 1 e 2 se refiram à mesma pessoa.*

Σωσίπατρος, ου, ὁ *Sosípatro*, um amigo de Paulo Rm 16.21. Ele pode ser a mesma pessoa que Σώπατρος (At 20.4.).*

σωτήρ, ῆρος, ὁ *Salvador, Libertador, Preservador*—**1.** Deus Lc 1.47; 1 Tm 1.1; 2.3; 4.10; Tt 1.3; 2.10; 3.4; Jd 25.—**2.** Cristo Lc 2.11; Jo 4.42; At 5.31; 13.23; Ef 5.23; Fp 3.20; 2 Tm 1.10; Tt 1.4; 2.13; 3.6; 1 Jo 4.14; 2 Pe 1.1, 11; 2.20; 3.2, 18.*

σωτηρία, ας, ἡ *salvação, libertação, preservação*—**1.** genericamente, *preservação, libertação* Lc 1.71; At 7.25; 27.34; Hb 11.7.—**2.** *salvação, libertação* realizada por Cristo Lc 1.69, 77; 19.9; final curto de Mc; Jo 4.22; At 13.26, 47; Rm 1.16; 10.1, 10; 2 Co 1.6; 6.2; Ef 1.13; Fp 1.28; 2.12; 1 Ts 5.8s; 2 Ts 2.13; 2 Tm 2.10; Hb 1.14; 2.3, 10; 9.28; 1 Pe 1.5, 9s; 2 Pe 3.15; Jd 3; Ap 7.10.

σωτήριος, ον *salvando, libertando, trazendo a salvação* Tt 2.11. Neut. como subst. τὸ σωτήριον *salvação* Lc 2.30; 3.6; At 28.28; Ef 6.17.* [*soteriologia*]

σωφρονέω—**1.** *ter mente sóbria, estar bem da cabeça* Mc 5.15; Lc 8.35; 2 Co 5.13.—**2.** *ser razoável, sensível, sério* Rm 12.3; Tt 2.6; 1 Pe 4.7.*

σωφρονίζω *encorajar, advertir, exortar* Tt 2.4.*

σωφρονισμός, οῦ, ὁ *moderação, prudência, auto-disciplina* 2 Tm 1.7.*

σωφρόνως adv. *sobriamente, moderadamente, com auto-controle* Tt 2.12.*

σωφροσύνη, ης, ἡ—1. *sensatez, juízo* At 26.25.—**2.** *auto-controle, bom juízo* especificamente *decência, castidade* 1 Tm 2.9, 15.*

σώφρων, ον, gen., **ονος** *prudente, autocontrolado, sóbrio* 1 Tm 3.2; Tt 1.8; 2.2. *Casto, modesto* 2.5.*

T

ταβέρναι, ῶν, αἱ (palavra latina: tabernae) *taverna, bar, loja* Τρεῖς ταβέρναι *Três Tavernas*, um lugar na Via Ápia, 33 milhas romanas distante de Roma At 28.15.*

Ταβιθά, ἡ indecl. *Tabita,* uma mulher cristã At 9.36, 40.*

τάγμα, ατος, τό *classe, grupo* 1 Co 15.23.*

τακήσομαι 2 fut. ind. pass. de τήκω.

τακτός, ή, όν *determinado, assinalado* At 12.21.*

ταλαιπωρέω *lamentar, murmurar* Tg 4.9.*

ταλαιπωρία, ας, ἡ *aflição, dificuldade, miséria* Rm 3.16; Tg 5.1.*

ταλαίπωρος, ον *miserável, desgraçado* Rm 7.24; Ap 3.17.*

ταλαντιαῖος, α, ον *pesando um talento* (o peso varia de 26 a 36 gramas) Ap 16.21.*

τάλαντον, ου, τό *talento;* primeiro uma medida de peso (26 a 36 gramas), depois de uma unidade monetária cujo valor diferia consideravelmente em vários lugares e épocas. A figura citada em Mt 18.24 é retórica = 'bilhões de cruzeiros.' Mt 25.15-28.*

ταλιθά (aramaico) *garota, garotinha* Mc 5.41.*

ταμεῖον, ου, τό—1. *armazém* Lc 12.24.—**2.** *quarto interior, oculto* ou *secreto* Mt 6.6; 24.26; Lc 12.3.*

ταμιεῖον, ου, τό *quarto oculto, secreto* Mt 24.26 v.l.*

τανῦν ver νῦν.

τάξις, εως, ἡ—1. *sucessão fixa* ou *ordem* Lc 1.8.—**2.** *(boa) ordem* 1 Co 14.40; Cl 2.5.—**3.** *natureza, qualidade* κατὰ τὴν τάξιν *de acordo com a natureza de* = *assim como* Melquisedeque Hb 5.6, 10; 6.20; 7.11, 17, 21 v.l.* [*tática, taxonomia* (τάξις + νόμος)]

ταπεινός, ή, όη *baixo*—**1.** fig. *de baixa posição, pobre, humilde, oprimido, sem valor* Lc 1.52; Rm 12.16; 2 Co 7.6; Tg 1.9.—**2.** de estados emocionais, etc. *subservientes, abjetos* 2 Co 10.1. Em um bom sentido *humilde* Mt 11.29. Subst. Tg 4.6; 1 Pe 5.5.*

ταπεινοφροσύνη, ης, ἡ *humildade, modéstia* At 20.19; Ef 4.2; Fp 2.3; Cl 2.18, 23; 3.12; 1 Pe 5.5.*

ταπεινόφρων, ον, gen. **ονος** *humilde* 1 Pe 3.8.*

ταπεινόω *rebaixar, tornar baixo*—**1.** lit. *aplanar* Lc 3.5.—**2.** fig.—**a.** *humilhar* Mt 23.12; Lc 14.11; 18.14; 2 Co 11.7; 12.21; Fp 2.8.—**b.** *humilhar, tornar humilde* em bom sentido Mt 18.4; Tg 4.10; 1 Pe 5.6.—**c.** pass. *disciplinar-se* Fp 4.12.*

ταπείνωσις, εως, ἡ—1. *humilhação* At 8.33; Tg 1.10.—**2.** *humildade, ser humilde* Lc 1.48; Fp 3.21; Hb 11.20 v.l.*

ταράσσω—1. lit. *agitar* Jo 5.4 v.l., 7.—**2.** fig. *agitar, promover distúrbios, tumultuar, criar confusão* Mt 2.3; Mc 6.50; Lc 24.38; Jo 11.33; 12.27; 13.21; 14.1; At 15.24; 17.8; Gl 1.7; 1 Pe 3.14.

ταραχή, ῆς, ἡ *distúrbio*—1. lit. *a agitação da água* Jo 5.4 v.l.—2. fig. *distúrbio, tumulto, confusão, rebelião* Mc 13.8 v.l.*

ταραχθῶ 1 aor. subj. pass. de ταράσσω.

τάραχος, ου, ὁ *distúrbio, agitação, comoção* At 19.23. *Agitação mental, consternação* 12.18.*

Ταρσεύς, έως, ὁ *(um homem) de Tarso* At 9.11; 21.39.*

Ταρσός, οῦ, ὁ *Tarso*, capital da Cilícia, no sudoeste da Ásia Menor At 9.30; 11.25; 21.39 v.l.; 22.3.*

ταρταρόω *manter cativo no Tártaro*, o nome de um local de punição divina inferior ao Hades 2 Pe 2.4.*

τάσσω—1. *localizar* ou *alocar*—a. *apontar para* ou *indicar* para uma posição ofício Rm 13.1.—b. usado com uma preposição *colocar* alguém *na responsabilidade de* Mt 8.9 v.l.; Lc 7.8. *Designar*, pass. *pertencer a* At 13.48. *Devotar* 1 Co 16.15.—2. *ordenar, fixar, determinar, apontar*—a. at. e pass. At 15.2; 18.2 v.l.; 22.10.—b. méd. = at. Mt 28.16; At 28.23.*

ταῦρος, ου, ὁ *boi, touro* Mt 22.4; At 14.13; Hb 9.13; 10.4.*

ταὐτά = τὰ αὐτά *as mesmas coisas*, somente como v.l. em Lc 6.23, 26; 17.30; 1 Ts 2.14.*

ταφή, ῆς, ἡ *cemitério, lugar de sepultura* Mt 27.7.*

τάφος ου, o *túmulo, tumba*—3. lit. Mt 23.27, 29; 27.61, 64, 66; 28.1.—2 fig. Rm 3.13.*

τάχα adv. *talvez, possivelmente, provavelmente* Rm 5.7; Fm 15.*

τάχειον uma forma variante de τάχιον (ταχέως 2).

ταχέως adv.—1. grau positivo ταχέως *rapidamente, sem demora, logo* Lc 14.21; 16.6; Jo 11.31; 1 Co 4.19; Fp 2.19, 24; 2 Tm 4.9. *Muito rápido, muito fácil* Gl 1.6; 2 Ts 2.2; 1 Tm 5.22.—2. comparativo τάχιον—a. *mais rapidamente, mais depressa* Hb 13.19. Com genitivo de comparação Jo 20.4.—b. sem significado comparativo *rapidamente, logo, sem demora* Jo 13.27; 1 Tm 3.14 v.l.; Hb 13.23.—3. superlativo τάχιστα ὡς τάχιστα *tão logo quanto possível* At 17.15.*

ταχινός, ή, όν *iminente* 2 Pe 1.14; 2.1.*

τάχιον, τάχιστα ver ταχέως 2 e 3.

τάχος, ους, τό *rapidez, prontidão, velocidade* Lc 18.8; At 12.7; 22.18; 25.4; Rm 16.20; 1 Tm 3.14; Ap 1.1; 22.6.* [*tacômetro*, τάχος + μέτρον]

ταχύς, εῖα, ύ—1. adj. *rápido, veloz* Tg 1.19.—2. o neut. sing. ταχύ, como adv. *rapidamente, logo, sem demora* Mt 28.7s; Mc 9.39; Lc 15.22; Jo 11.29; Ap 2.16; 22.7, 12, 20. [*taquigrafia*]

τέ partícula enclítica—1. usada sozinha *e* Jo 4.42; At 2.37, 40; 4.33; 6.7, 12s; 10.22; 23.10; 1 Co 4.21; Hb 6.4s; 12.2.—2. τὲ... τέ, τὲ... καί *tanto ... como, não somente ... mas também* ἐάν τε οὖν ζῶμεν ἐάν τε ἀποθνήσκωμεν *assim, não somente se vivemos, mas também se morremos* Rm 14.8b. Ἰουδαίοις τε καὶ Ἕλλησιν *não somente aos judeus mas também* aos gregos 1 Co 1.24. Cf. At 2.46; 17.4; 26.10, 16. τὲ καὶ freqüentemente significa simplesmente *e* Lc 23.12; Jo 2.15; At 1.1; 4.27; 5.24; 21.30; Rm 1.12; Hb 5.1, 7; 10.33; Tg 3.7.

τέθεικα, τεθεικώς,, τέθειται, τεθῆναι perf. ind. at., part. perf. at., perf. ind. pass. 3 pes. sing., e inf. 1 aor. pass. de τίθημι.

τεθλιμμένος part. perf. pass. de θλίβω.

τεθνάναι, τέθνηκα inf. perf. at. e perf. ind. at. de θνήσκω.

τεθραμμένος part. perf. pass. de τρέφω.

τεθῶ 1 aor. subj. pass. de τίθημι.

τεῖχος, ους, τό *muro, muro da cidade, muralha* At 9.25; 2 Co 11.33; Hb 11.30; Ap 21.12, 14s, 17-19.*

τεκεῖν inf. 2 aor. at. de τίκτω.

τεκμήριον, ου, τό *prova convincente* At 1.3.*

τεκνίον, ου, τό *criancinha, filhinho* fig. Jo 13.33; Gl 4.19 v.l.; 1 Jo 2.1, 12, 28; 3.7, 18; 4.4; 5.21.*

τεκνογονέω *gerar* ou *ter filhos* 1 Tm 5.14.*

τεκνογονία, ας, ἡ *o ato de ter filhos* 1 Tm 2.15.*

τέκνον, ου, τό *criança, filho*—1. lit. Mt 7.11; Mc 13.12; Lc 1.7; 15.31; At 7.5; 1 Co 7.14; 2 Co 12.14; Cl 3.20; Ap 12.4s.

Mais genericamente, *descendentes, posteridade* Mt 2.18; 27.25; At 2.39; 13.33; Rm 9.8a.—**2.** fig. Mt 3.9; 23.37; Mc 2.5; Jo 1.12; Rm 8.16s, 21; 9.7; 1 Co 4.14, 17; Gl 4.19, 25; Ef 5.8; Fm 10; Tt 1.4; 1 Jo 3.1s; 2 Jo 1.

τεκνοτροφέω *criar, ou educar filhos* 1 Tm 5.10.*

τεκνόω *gerar (um filho)* Hb 11.11 v.l.*

τέκτων, ονος, ὁ *carpinteiro, construtor* Mt 13.55; Mc 6.3.*

τέλειος, α, ον, *tendo chegado ao fim ou propósito, completo, perfeito*—**1.** coisas Tg 1.4a, 17, 25; Hb 9.11; 1 Jo 4.18. τὸ τέλειον *o que é perfeito* Rm 12.2; 1 Co 13.10.—**2.** pessoas—**a.** maduro, perfeito, adulto adj. 1 Co 14.20; Ef 4.13; subst. Hb 5.14. Para 1 Co 2.6 o sentido pode ser *adulto,* ou pode pertencer a **b** abaixo.—**b.** *o iniciado* em rituais místicos, talvez 1 Co 2.6 (ver a acima) provavelmente Fp 3.15; Cl 1.28, mas também pode estar sob c abaixo—**c.** *maduro, perfeito, plenamente desenvolvido* em seu sentido moral e espiritual Mt 5.48a; 19.21; Fp 3.15; Cl 1.28 (ver b. acima).—**d.** Deus como absolutamente *perfeito* Mt 5.48b. [*teleo-,* prefixo de várias palavras, e.g. *teleologia*]

τελειότης, ητος, ἡ *perfeição* Cl 3.14; *maturidade* Hb 6.1.*

τελειόω—**1.** *completar, terminar, cumprir, realizar o objetivo, aperfeiçoar* Jo 4.34; 5.36; At 20.24; Hb 2.10; 5.9; 7.28.— *Tornar perfeito* Jo 17.23; Hb 9.9; 10.1; 11.40; 12.23; Tg 2.22; 1 Jo 2.5; 4.12. 17.— *Terminar* Lc 2.43. *Preencher* Jo 19.28.— Pass. *atingir o alvo* Lc 13.32.—**2.** *consagrar, iniciar* Fp 3.12; passagens tais como Hb 2.10; 5.9; 7.28 podem, talvez, ser classificadas aqui (ver acima).

τελείως adv. *plenamente, perfeitamente, completamente* 1 Pe 1.13.*

τελείωσις, εως, ἡ *perfeição* Hb 7.11. *Cumprimento* Lc 1.45.*

τελειωτής, οῦ, ὁ *aperfeiçoador, consumador* Hb 12.2.*

τελεσφορέω *produzir fruto maduro* Lc 8.14, 15 v.l.*

τελευτάω *morrer* Mt 2.19; 22.25; Mc 7.10; Lc 7.2; At 7.15; Hb 11.22.

τελευτή, ῆς, ἡ *fim; um eufemismo para morte* Mt 2.15.*

τελέω—**1.** *levar ao fim, terminar, completar* Mt 7.28; 11.1; 13.53; Lc 2.39; 2 Tm 4.7; Ap 11.7. *Chegar ao fim* Ap 20.3, 5, 7. *Achar sua consumação* 2 Co 12.9.—**2.** *cumprir, realizar, guardar* Lc 18.31; At 13.29; Rm 2.27; Gl 5.16; Tg 2.8.—**3.** *pagamento* Mt 17.24; Rm 13.6.

τέλος, ους, τό—**1.** *fim*—**a.** no sentido de *término, cessação, conclusão* Mc 3.26; 13.7; Lc 1.33; 22.37; Rm 10.4; Hb 7.3; 1 Pe 4.7; provavelmente 1 Co 10.11 (ver 2 abaixo.—**b.** *fim, alvo, resultado* Mt 26.58; Rm 6.21s; 1 Tm 1.5; Hb 6.8; Tg 5.11; 1 Pe 1.9.—**c.** expressões adverbiais. τὸ τέλος como ac. adverbial 1 Co 15.24; 1 Pe 3.8.— ἄχρι τέλους, ἕως τέλους *até o fim, completamente* 1 Co 1.8; 2 Co 1.13; Hb 3.6 v.l. 14; Ap 2.26.— εἰς τέλος *no fim, finalmente* Lc 18.5. *Até o fim* Mt 10.22; Mc 13.13. Para 1 Ts 2.16 *para sempre* ou *decisivamente, plenamente.* Em Jo 13.1 os sentidos *até o fim,* e *supremamente* estão combinados.—**2.** *taxa (indireta), deveres alfandegários* Mt 17.25; Rm 13.7; talvez 1 Co 10.11 (ver 1a acima). [Cf. *teleologia*]

τελωνεῖον uma forma variante de τελώνιον.

τελώνης, ου, ὁ *coletor de impostos* Mt 5.46; 10.3; 21.31s; Mc 2.15s; Lc 3.12; 5.27; 7.29, 34; 18.10s, 13.

τελώνιον, ου, τό *despachante de impostos, oficial alfandegário* Mt 9.9; Mc 2.14; Lc 5.27.*

τέξομαι fut. ind. méd. de τίκτω.

τέρας, ατος, τό *portento, maravilha, prodígio* Mc 13.22; Jo 4.48; At 5.12; 14.3; Rm 15.19; 2 Co 12.12.

Τέρτιος, ου, ὁ *Tércio, um cristão, auxiliar de Paulo* Rm 16.22.*

Τέρτυλλος, ου, ὁ *Tértulo* o eparca romano sob quem Onésimo foi martirizado, subscr. Fm.*

Τέρτυλλος, ου, ὁ *Tértulo,* um advogado At 24.1s.*

τεσσαράκοντα ou τεσσεράκοντα indecl.

quarenta Mt 4.2; Jo 2.20; At 1.3; 23.13, 21; Hb 3.9; Ap 11.2; 21.17.

τεσσαρακονταετής, ές *quarenta anos (de idade)* τ. χρόνος *um período de quarenta anos* At 7.23; 13.18.*

τέσσαρες, neut. τέσσαρα, gen. τεσσάρων *quatro* Mt 24.31; Mc 2.3; Lc 2.37; Jo 11.17; Ap 4.4.

τεσσαρεσκαιδέκατος, η, ον *décimo quatro* At 27.27, 33.*

τεσσερ- ver τεσσαρ-.

τεταγμέναι, τέτακται fem. pl. part. perf. pass. (Rm 13.1), e 3 pes. sing. perf. ind. pass. (At 22.10) de τάσσω.

τεταραγμένοι, τετάρακται masc. pl. part. perf. pass. (Lc 24.38), e 3 pes. sing. perf. ind. pass. (Jo 12.27) de ταράσσω.

τεταρταῖος, α, ον *acontecido no quarto dia* τεταρταῖός ἐστιν *ele estava morto há quatro dias* Jo 11.39.*

τέταρτος, η, ον *quarto* Mt 14.25; Mc 6.48; At 10.30; Ap 4.7. τὸ τέταρτον *a quarta parte, um quarto* 6.8.

τετραα- ver τετρα-.

τετράγωνος, ον *quadrangular ou moldado conforme um cubo* Ap 21.16.*

τετράδιον, ου, τό *esquadrão de quatro soldados* At 12.4.*

τετρακισχίλιοι, αι, α *quatro mil* Mt 15.38; 16.10; Mc 8.9, 20; At 21.38.*

τετρακόσιοι, αι, α *quatrocentos* At 5.36; 7.6; 13.20; 21.38 v.l.; Gl 3.17.*

τετράμηνος, ον *durando por quatro meses* Jo 4.35.*

τετραπλοῦς, ῆ, οῦν *quatro vezes, quádruplo* Lc 19.8.*

τετράπους, ουν, gen. ποδος *quadrúpede,* subst. τὰ τετράποδα *animais de quatro patas, quadrúpedes* At 10.12; 11.6; Rm 1.23.* [Cf. *tetrápodo*, um verso ou grupo de quatro pés]

τετραρχέω *ser tetrarca* Lc 3.1.*

τετράρχης, ου, ὁ *tetrarca*, título de um prícipe dependente, cuja posição e autoridade eram menores do que as de um rei Mt 14.1; Lc 3.19; 9.7; At 13.1.*

τέτυχε 3 pes. sing. perf. ind. at. de τυγχάνω.

τεφρόω *reduzir a cinzas* 2 Pe 2.6.*

τεχθείς part. 1 aor. pass. de τίκτω.

τέχνη, ης, ἡ *habilidade, ofício* At 17.29; 18.3; Ap 18.22. [*técnica, tecno-*, prefixo de várias palavras, e.g. *tecnologia*]

τεχνίτης, ου, ὁ *artesão, arquiteto, trabalhador* At 19.24, 25 v.l., 38; Hb 11.10; Ap 18.22.*

τήκομαι *derreter, dissolver* 2 Pe 3.12.*

τηλαυγῶς adv. *(muito, bem) claramente* Mc 8.25.*

τηλικοῦτος, αύτη, οῦτο *tão grande, tão grandioso, tão importante* 2 Co 1.10; Hb 2.3; Tg 3.4; Ap 16.18.*

τηνικαῦτα adv. *então, daquela vez* Fm subscr.*

τηρέω—1. *guardar, manter vigilância sobre* Mt 27.36, 54; 28.4; At 12.5; 24.23.—2. *guardar, reservar, preservar, manter* Jo 2.10; 17.11s, 15; At 25.21; 1 Co 7.37; 1 Tm 6.14; 2 Tm 4.7; 1 Pe 1.4; Jd 1, 13; Ap 3.10; 16.15—3. *guardar, observar, prestar atenção a, cumprir* Mt 23.3; 28.20; Mc 7.9 v.l.; Jo 9.16; 14.15, 21; 1 Jo 3.22, 24; Ap 3.8, 10; 12.17; 22.7.

τήρησις, εως, ἡ—1. *custódia, prisão ou aprisionamento* At 4.3; 5.18.—2. *guarda, observância* 1 Co 7.19.*

Τιβεριάς, άδος, ἡ *Tiberíades,* uma cidade na costa do Lago de Genesaré; o lago é algumas vezes nomeado conforme a cidade Jo 6.1, 23; 21.1.*

Τιβέριος, ου, ὁ *Tibério,* imperador romano 14-37 d.C., Lc 3.1.*

τιθέασιν, τιθείς 3 pes. pl. pres. ind. at., e part. pres. at. de τίθημι.

τίθημι e τιθέω—I ativo e passivo—1. *pôr, colocar, constituir*—a. genericamente *pôr, colocar* Mt 12.18; 27.60; Mc 16.6; Lc 11.33; 14.29; Jo 11.34; At 3.2; 13.29; Rm 9.33; 14.13; 2 Co 3.13; 2 Pe 2.6.— b. expressões especiais— τιθέναι τὰ γόνατα *dobrar os joelhos, ajoelhar-se* Mc 15.19; At 7.60; 21.5.— *Colocar perante alguém, servir* Jo 2.10.— *Guardar, depositar* Lc 19.21s; 1 Co 16.2.— *Tirar, remover* Jo 13.4. *Dar, entregar* 10.11, 15, 17s; 1 Jo 3.16— θέτε ἐν ταῖς καρδίαις *pensais em vossos corações* Lc 21.14.— *Representar*Mc 4.30.—2. *fazer* Lc 20.43;

At 13.47; Rm 4.17; 1 Tm 2.7; Hb 1.2. *Apontar, designar* Jo 15.16.—**II.** médio —**1.** *pôr, colocar*—**a.** *arranjar, fixar, estabelecer, determinar* At 1.7; 1 Co 12.18; 2 Co 5.19. *Pôr, trancar* At 5.18, 25.—**b.** ἔθεντο ἐν τῇ καρδίᾳ *eles têm na mente* Lc 1.66, mas a mesma expressão na 2 pes. do sing. *formaste em tua mente* At 5.4. Similarmente *resolver, decidir* 19.21.—**2.** *fazer* At 20.28; 1 Co 12.28. *Atingir* At 27.12. *Destinar* ou *apontar* 1 Ts 5.9; 1 Tm 1.12.

τίκτω *gerar, fazer nascer, dar à luz*—**1.** lit. Mt 1.21, 23; Lc 2.6s, 11; Jo 16.21; Gl 4.27; 12.2, 4s.—**2.** simbolicamente *produzir* Hb 6.7; Tg 1.15.

τίλλω *arrancar* Mt 12.1; Mc 2.23; Lc 6.1.*

Τιμαῖος, ου, ὁ *Timeu* Mc 10.46.*

τιμάω—**1.** *dar um preço, estimar, avaliar* méd. *para si mesmo* Mt 27.9b. Pass. 27.9a.—**2.** *honrar, reverenciar* Mt 15.4, 8; Mc 7.6; 10.19; Jo 5.23; Ef 6.2; 1 Tm 5.3; 1 Pe 2.17. *(Mostrar) honra (a), recompensar* Jo 12.26.

τιμή, ῆς, ἡ—**1.** *preço, valor* Mt 27.6, 9; At 5.2s; 7.16; 19.19. τιμῆς *por um preço* 1 Co 6.20; 7.23.—**2.** *honra, reverência, respeito* Jo 4.44; At 28.10; Rm 2.7, 10; 12.10; 13.7; 1 Tm 6.1; 2 Tm 2.20s; 1 Pe 3.7; Ap 4.9; 5.13; 21.26. *Privilégio* 1 Pe 2.7. *Respeitabilidade* 1 Ts 4.4. *Lugar de honra, encargo* Hb 5.4. *Honorário, compensação, salário* pode ser o significado em 1 Tm 5.17, embora *honra* e *respeito* também sejam possíveis.— A expressão οὐκ ἐν τιμῇ τινι Cl 2.23 provavelmente signifique *elas não têm valor em*. [Cf. *timocracia*]

τίμιος, α, ον *valioso, precioso, custoso, caro, de grande valor* ou *preço* 1 Co 3.12; Tg 5.7; 1 Pe 1.19; Ap 17.4; 18.12, 16. *Honrado, estimado, respeitado* At 5.34; Hb 13.4.

τιμότης, ητος, ἡ *opulência, abundância de coisas caras* Ap 18.19.*

Τιμόθεος, ου, ὁ *Timóteo*, filho de Eunice, um amigo e companheiro de viagem, e cooperador de Paulo At 16.1; 17.14s; 18.5; 19.22; 20.4; Rm 16.21; 1 Co 4.17; 2 Co 1.1; Fp 1.1; Cl 1.1; 1 Ts 1.1; 2 Ts 1.1; 1 Tm 1.2; 2 Tm 1.2; Fm 1; Hb 13.23.

Τίμων, ωνος, ὁ *Timão* At 6.5.*

τιμωρέω *punir* At 22.5; 26.11.*

τιμωρία, ας, ἡ *punição* Hb 10.29.*

τίνω *sofrer* 2 Ts 1.9.*

τίς, τί gen. τίνος (o acento agudo desta palavra nunca se transforma em grave) pronome interrogativo *quem? quê? qual?*—**1.** relativo a pessoas—**a.** τίς; *quem? qual?* Mt 3.7; 22.42; 26.68; Mc 2.7; 11.28; Jo 18.4, 7; Rm 7.24; 1 Co 9.7; Hb 1.5; 3.16-18.— *Quem?* no sentido de *que tipo de pessoa?* Lc 5.21a; Jo 1.19; 21.12; At 11.17; Rm 14.4.— *Quem, o qual* como substituto do pronome relativo At 13.25 v.l., talvez Tg 3.13.—**b.** τί; *qual? quê?* Mt 17.25a. 21.28, 40; Mc 10.3, 17; Lc 10.25s; Jo 18.38; Rm 10.8.— διὰ τί; εἰς τί; πρός τί; χάριν τίνος; todos significam *por quê?*— *Que tipo de coisa?* Mc 1.27; Cl 1.27; Ef 1.19; 3.18.— *Qual dos dois?* Mt 9.5; Mc 2.9; Lc 5.23; 1 Co 4.21; Fp 1.22.— Expressões elípticas Jo 1.21; 11.47; Rm 3.3; 1 Co 5.12. Sobre τί ἐμοὶ καὶ σοί; ver ἐγώ.— *Que*, como substituto do pronome relativo Mc 14.36; Lc 17.8; At 13.25; 1 Tm 1.7.—**2.** relativo a coisas *quê?* Mt 5.46; Lc 14.31; Jo 2.18; At 10.29; 2 Co 6.14-16; 1 Pe 1.11.—**3.**—**a.** *por quê?* Mt 6.28; 7.3; Mc 4.40; Lc 19.33; Jo 18.23; At 14.15; 1 Co 10.30; 15.29b, 30.—**b.** τί em uma exclamação *como!* Mt 7.14 v.l.; Lc 12.49.

τὶς, τὶ, gen. τινός enclítico, pronome indefinido *qualquer um, qualquer coisa; alguém, alguma coisa; fulano, ciclano; muitos, muitas coisas*—**1.**—**a.** τὶς, τινές *alguém, qualquer um* Mt 12.29, 47; Lc 7.36; Jo 2.25; 6.46; At 5.25; 2 Co 11.20. Pl. *alguns* Lc 13.1; At 15.1; 1 Co 6.11; 2 Ts 3.11.— τὶς *um certo homem*, etc. Lc 9.49; Jo 11.1; At 18.7; Rm 3.8; 1 Co 4.18; 2 Co 2.5; 11.21. *Uma pessoa de importância, alguém* At 5.36.—**b.** τὶ, τινά *alguma coisa, qualquer coisa* Mt 5.23; Mc 13.15; Lc 7.40; Jo 13.29; At 4.32; Rm 15.18; 1 Co 10.31. εἶναί τι *ser alguma coisa* 1 Co 3.7; Gl 2.6; 6.3.—**2.**—**a.** *alguns, algum, qualquer, um certo,* freqüentemente omitido nas traduções Mt 18.12; Lc 1.5; 17.12; 23.26; At 3.2; 8.34; 10.5s; Rm 9.11; 1 Co 1.16; Hb 4.7.—**b.** servindo para moderar ou ressaltar ἀπαρχήν τινα *um tipo de primeiros frutos* Tg 1.18. δύο τινάς *talvez dois* Lc 7.18. Cf. Hb 10.27. βραχύ τι *(somente) um pouco* 2.7, 9.—c. *algum, considerável* At 18.23; Rm 1.11, 13; 1 Co 11.18; 16.7.—d. τινές *vários* Lc 8.2; At 9.19; 10.48; 15.2; 17.5s.

Τίτιος, ου, ὁ *Tito* At 18.7.*

τίτλος, ου, ὁ *inscrição, notícia,* dando a razão da condenação Jo 19.19s.* [palavra latina: titulus, *título*]

Τίτος, ου, ὁ *Tito*—1. amigo e auxiliar de Paulo 2 Co 2.13; 7.6; 8.6; 12.18; Gl 2.1, 3; 2 Tm 4.10; Tt 1.4.—2. de sobrenome Justo At 18.7 v.l.

τοιγαροῦν partícula inferencial *por isso, portanto, ora, logo* 1 Ts 4.8; Hb 12.1.*

τοίνυν partícula inferencial *daí, então, conseqüentemente* Lc 20.25; 1 Co 9.26; Hb 13.13; Tg 2.24 v.l.*

τοιόσδε, άδε, όνδε *deste tipo, tal como isto* τοιᾶσδε gen. sing. fem. 2 Pe 1.17.*

τοιοῦτος, αύτη, οῦτον ε οῦτο *de tal tipo, tal como, assim como (este)* Mt 9.8; Mc 6.2; 9.37; At 26.29; 1 Co 5.1; 15.48; 2 Co 12.3; Gl 6.1; Ef 5.27; Tt 3.11; Fm 9; Hb 7.26; 11.14; Tg 4.16.

τοῖχος, ου, ὁ *muro* At 23.3.*

τόκος, ου, ὁ *juros sobre dinheiro emprestado* Mt 25.27; Lc 19.23.*

τολμάω—1. seguido pelo inf.—a. *ousar, ter a coragem de, atrever-se* Mt 22.46; Mc 12.34; Lc 20.40; Jo 21.12; At 5.13; 7.32; Rm 5.7; Fp 1.14.—b. *presumir* Rm 15.18; 1 Co 6.1; 2 Co 10.12; Jd 9.—2. absl. *ousar, ser corajoso* Mc 15.43; 2 Co 10.2; 11.21.*

τολμηροτέρως Rm 15.15 v.l. e **τολμηρότερον** 15.15 ambos significam *com toda a franqueza, com certo atrevimento.*

τολμητής, οῦ, ὁ *corajoso, audacioso* 2 Pe 2.10.*

τομός, ή, όν *cortante, afiado* comparativo **τομώτερος** *mais afiado* fig. Hb 4.12.*

τόξον, ου, τό *arco* (como arma) Ap 6.2.*

τοπάζιον, ου, τό *topázio,* uma pedra preciosa de brilho amarelado Ap 21.20.*

τόπος, ου, ὁ *lugar, posição, local, região*—1. lit. Mt 14.35; 26.52; Mc 1.35; 15.22; Lc 16.28; Jo 5.13; 11.48; 20.25 v.l.; At 6.13; 12.17; 16.3; 27.2; 1 Co 1.2; Ap 2.5. *Quarto* Lc 2.7; 14.9; 22. Pl. *regiões, distritos* Mt 12.43; Mc 13.8; At 27.2.—2. sentidos especiais—a. *lugar, passagem* em um livro Lc 4.17.—b. *posição, ofício* At 1.25a.—c. *possibilidade, oportunidade, chance* At 25.16; Rm 12.19; 15.23; Ef 4.27; Hb 12.17.—d. ἐν τῷ τόπῳ οὗ ἐρρέθη αὐτοῖς *ao invés de lhes ser dito* Rm 9.26. [*tópico*]

τοσοῦτος, αύτη, οῦτον ε οῦτο *tão grande, tão grandioso, tanto, tão forte,* etc.—1. usado com um subst. Mt 8.10; Jo 14.9; Hb 12.1; Ap 18.7; 17. Pl. *tantos* Mt 15.33; Lc 15.29; Jo 12.37; 1 Co 14.10.—2. sem um subst.—a. pl. τοσοῦτοι *tantas pessoas* Jo 6.9. Cf. Gl 3.4.—b. sing. τοσούτου *por tanto* At 5.8. Correlativo τοσούτῳ ... ὅσῳ *tanto mais ... do que* Hb 1.4; 10.25. Cf. 7.20-22.

τότε adv.—1. *então, naquele tempo* Mt 2.17; 13.43; 27.9, 16; 1 Co 13.12; 2 Co 12.10; Gl 4.8, 29; 2 Pe 3.6.—2. *então, portanto, a partir de então* Mt 2.7; 4.1; 12.22; 13.26; 21.1; 26.65; Mc 13.14; Lc 24.45; Jo 11.6, 14; At 1.12; 17.14.

τοὐναντίον = τὸ ἐναντίον.

τοὔνομα = τὸ ὄνομα.

τοὐπίσω = τὸ ὀπίσω. Ver ὀπίσω 1.

τουτέστιν = τοῦτό ἐστιν.

τράγος, ου, ὁ *bode* Hb 9.12s, 19; 10.4.*

τράπεζα, ης, ἡ *mesa*—1. lit. Mc 7.28; Lc 22.21, 30; 1 Co 10.21; Hb 9.2. Especificamente para cambistas Mt 21.12; Jo 2.15; *banco* Lc 19.23.—2. fig. uma *refeição, alimento* At 6.2; 16.34. [*trapézio*]

τραπεζίτης, ου, ὁ *cambista, banqueiro* Mt 25.27.*

τραῦμα, ατος, τό *ferida* Lc 10.34.* [*trauma, traumatismo, traumático, traumatologia*]

τραυματίζω *ferir* Lc 20.12; At 19.16.*

τραχηλίζω pass. *estar descoberto, estar nu* Hb 4.13.*

τράχηλος, ου, ὁ *pescoço, garganta* Mt 18.6; Mc 9.42; Lc 15.20; 17.2; At 15.10; 20.37; Rm 16.4.*

τραχύς, εΐα, ύ *áspero, rochoso* Lc 3.5; At 27.29.*

Τραχωνΐτις, ιδός, ή, ή Τραχωνίτις χώρα *a região de Traconite*, um distrito ao sul de Damasco Lc 3.1.*

τρεΐς, τρία *três* Mt 12.40; Lc 1.56; Jo 2.19; 1 Co 13.13; 1 Jo 5.7. [*tri-*, prefixo de várias palavras]

Τρεΐς ταβέρναι ver ταβέρναι.

τρέμω *temer, ter medo* Mc 5.33; Lc 8.47; At 9.6 v.l; 2 Pe 2.10.*

τρέφω—1. *alimentar, nutrir, sustentar* Mt 6.26; 25.37; Lc 12.24; 23.29; At 12.20; Tg 5.5; Ap 12.6, 14.—**2.** *educar, treinar, cuidar*, pass. *crescer* Lc 4.16.*

τρέχω *correr—***1.** lit. Mt 27.48; Mc 5.6; Lc 15.20; Jo 20.2, 4; 1 Co 9.24 a, b.—**2.** fig. *lutar para avançar, fazer progressos* Rm 9.16; 1 Co 9.24c, 26; Gl 2.2; 5.7; Fp 2.16; Hb 12.1. *Espalhar rapidamente* 2 Ts 3.1.

τρῆμα, ατος, τό *buraco, olho* de uma agulha Mt 19.24 v.l.; Lc 18.25.*

τριάκοντα indecl. *trinta* Mt 13.8; Mc 4.8; Lc 3.23.

τριακόσιοι, αι, α *trezentos* Mc 14.5; Jo 12.5.*

τρίβολος, ου, ό *cardo, abrolho* Mt 7.16; Hb 6.8.*

τρίβος, ου, ό *senda, caminho* Mt 3.3; Mc 1.3; Lc 3.4.*

τριετία, ας, ή *(um período de) três anos* At 20.18 v.l.; 31.*

τρίζω *ranger* (os dentes) Mc 9.18.*

τρίμηνος, ον *de três meses* subst. τὸ τρίμηνον *(um período de) três meses* Hb 11.23.*

τρίς adv. *três vezes* Mt 26.34, 75; Mc 14.30, 72; Lc 23.34, 61; Jo 13.38; 2 Co 11.25; 12.8. ἐπὶ τρίς *três vezes* ou *(ainda) uma terceira vez* At 10.16; 11.10.*

τρισίν dat. pl. de τρεῖς Mt 27.40; Lc 12.52; Hb 10.28.

τρίστεγον, ου, τό *o terceiro andar* At 20.9.*

τρισχίλιοι, αι, α *três mil* At 2.41.*

τρίτος, η, ον *terceiro*—**1.** como adj. Mt 16.21; 27.64; Mc 12.21; Lc 18.33; At 27.19; 2 Co 12.2; Ap 4.7.—**2.** como subst. τὸ τρίτον *a terceira parte, um terço* Ap 8.7-12; 9.15, 18; 12.4.—**3.** adv. (τό) τρίτον *pela terceira vez* Mc 14.41; Lc 23.22; Jo 21.17; *em terceiro lugar* 1 Co 12.28. τρίτον τοῦτο *esta é a terceira vez* Jo 21.14. ἐκ. τρίτου *pela terceira vez* Mt 26.44.

τρίχες, τριχός nom. pl. e gen. sing. de θρίξ.

τρίχινος, η, ον *feito de crina* ou *de pelo* Ap 6.12.* [*triquinose*]

τριῶν gen. pl. de τρεῖς Mt 18.16; Lc 10.36; Ap 8.13.

τρόμος, ου, ό *tremor, tremendo* Mc 16.8; 1 Co 2.3; 2 Co 7.15; Ef 6.5; Fp 2.12.*

τροπή, ῆς, ή *variação, mudança* τροπῆς αποσκίασμα Tg 1.17 pode ser *sombra de variação* ou *escurecimento, que tem alteração em seu fundamento.** [*Cf. tropa*]

τρόπος, ου, ό—1. *maneira, modo, espécie* At 15.11; 27.25; Rm 3.2; Fp 1.18; 2 Ts 2.3; 3.16; Jd 7. ὃν τρόπον *na maneira em que* = *como* Mt 23.37; Lc 13.34; At 1.11; 7.28; 2 Tm 3.8.—**2.** *modo de vida, conduta, caráter* Hb 13.5.* [*tropologia,* modo figurativo de fala ou escrita]

τροποφορέω *suportar* At 13.18.*

τροφή, ῆς, ή *alimento, comida*—**1.** lit. Mt 3.4; Lc 12.23; Jo 4.8; At 9.19; Tg 2.15.—**2.** fig. de nutrição espiritual Hb 5.12, 14.

Τρόφιμος, ου, ό *Trófimo* de Éfeso, amigo de Paulo At 20.4; 21.29; 2 Tm 4.20.*

τροφός, οῦ, ή *ama, babá*, possivelmente *mãe* 1 Ts 2.7.*

τροφοφορέω *cuidar (como uma babá)* At 13.18 v.l.*

τροχιά, ᾶς. ή *caminho, via* fig. Hb 12.13.*

τροχός, οῦ, ό *roda, círculo* Tg 3.6.*

τρύβλιον, ου, τό *prato* Mt 26.23; Mc 14.20.*

τρυγάω *colher, recolher (frutos)* Lc 6.44; Ap 14.18; *colher o fruto de* 14.19.*

τρυγών, όνος, ή *rola, pombo* Lc 2.24.*

τρυμαλιά, ᾶς, ή *buraco, olho* de uma agulha Mc 10.25; Mt 19.24 v.l.; Lc 18.25 v.l.*

τρύπημα, ατος, τό *olho de uma agulha* Mt 19.24.*

Τρύφαινα, ης, ή *Trifena* Rm 16.12.*

τρυφάω *levar uma vida indulgente, luxuriosa* Tg 5.5.*

τρυφή, ῆς, ἡ *indulgência, luxo, deleite* 2 Pe 2.13. *Luxo, esplendor* Lc 7.25.*

Τρυφῶσα, ης, ἡ *Trifosa* Rm 16.12.*

Τρῳάς, άδος, ἡ *Trôas*, uma cidade e região no canto noroeste da Ásia Menor At 16.8, 11; 20.5s; 2 Co 2.12; 2 Tm 4.13.*

Τρωγύλλιον, ου, τό *Troguílio*, uma cidade ao sul de Éfeso At 20.15 v.l.*

τρώγω *comer* Mt 24.38; Jo 6.54, 56-58; 13.18.*

τυγχάνω—1. *encontrar, obter, achar, ganhar, experimentar, conseguir* Lc 20.35; At 24.2; 26.22; 27.3; 2 Tm 2.10; Hb 8.6; 11.35.—2. instrans. *acontecer, resultar*—a. *acontecer, achar-se* Lc 10.30 v.l.—b. εἰ. τύχοι *se é que vai ser assim, talvez, provavelmente* 1 Co 14.10; 15.37.—c. τυχόν (ac. absoluto, part. aor.) *se acontecer assim, talvez, provavelmente, se possível* 1 Co 16.6; Lc 20.13 v.l.; At 12.15 v.l.—d. οὐχ ὁ τυχών *não comum* ou *ordinário*, i.e. *extraordinário* At 19.11; 28.2.*

τυμπανίζω *atormentar, torturar* pass. Hb 11.35.*

τυπικῶς adv. *tipologicamente, como um exemplo* ou *advertência* 1 Co 10.11.*

τύπος, ου, ὁ—1. *marca* Jo 20.25.—2. *imagem, estátua* At 7.43.—3. *forma, figura, padrão, molde* Rm 6.17; talvez *conteúdo* At 23.25.—4. *(arqué)tipo, padrão, modelo, desenho*—a. tecnicamente At 7.44; Hb 8.5.—b. na vida moral, *exemplo, padrão, modelo* Fp 3.17; 1 Ts 1.7; 2 Ts 3.9; 1 Tm 4.12; Tt 2.7; 1 Pe 5.3.—5. os *tipos* dados por Deus como uma indicação do futuro Rm 5.14; 1 Co 10.6, 11 v.l.* [*tipo-*, prefixo e.g. *tipologia; tipo*, sufixo e.g. *antítipo, arquétipo, protótipo*]

τύπτω *golpear, bater*—1. lit. Mt 24.49; Mc 15.19; Lc 6.29; 18.13; At 21.32; 23.2.—2. fig. At 23.3a; 1 Co 8.12. [Cf. *tímpano*]

τύραννος, ου, ὁ *tirano, governante despótico* At 5.39 v.l.*

Τύραννος, ου, ὁ *Tirano*, um éfeso At 19.9.*

τυρβάζω méd. ou pass. *preocupar-se, ser molestado, afligido* Lc 10.41 v.l.*

Τύριος, ου, ὁ *tírio* At 12.20, 22 v.l.*

Τύρος, ου, ὁ *Tiro*, um importante porto marítimo na Fenícia Mt 11.21s; 15.21; Mc 7.24, 31; At 21.3, 7.

τυφλός, ή, όν *cego*, adj. e subst.—1. lit. Mt 20.30; Mc 8.22; Lc 6.39; Jo 9.1, 18, 24; 10.21.—2. fig. Mt 23.16s, 19, 24, 26; Jo 9.40s; Rm 2.19; Ap 3.17.

τυφλόω *cegar, privar da visão* Jo 12.40; 2 Co 4.4; 1 Jo 2.11.*

τυφόομαι *encher-se de orgulho, exaltar-se* 1 Tm 3.6; 6.4; 2 Tm 3.4. Mas τ. em 1 Tm 6.4 também pode significar *ser cegado, ser tolo* ou *estúpido.**

τύφω pass. *fumear, arder lentamente* Mt 12.20.*

τυφωνικός, ή, όν *como um furacão* ἄνεμος τυφωνικός *um tufão, furacão* At 27.14.*

τυχεῖν, τύχοι, τυχόν inf. 2 aor. at., 3 pes. sing. 2 aor. opt., e part. 2 aor. at. de τυγχάνω.

Τυχικός, οῦ, ὁ *Tíquico*, amigo de companheiro de Paulo At 20.4; Ef 6.21; Cl 4.7; 2 Tm 4.12; Tt 3.12; Ef subscr.; Cl subscr.*

τυχόν ac. neut. sing. part. 2 aor. at. de τυγχάνω.

Y

ὑακίνθινος, ίνη, ινον *da cor do jacinto*, i.e. *azul escuro* (ou *roxo*?) Ap 9.17.*

ὑάκινθος, ου, ὁ *jacinto*, *uma pedra preciosa, talvez de cor azul* Ap 21.20.*

ὑάλινος, η, ον *de vidro, transparente como vidro* Ap 4.6; 15.2.*

ὕαλος, ου, ἡ ou **ὁ** *vidro, cristal* Ap 21.18, 21.*

ἡβρίζω *tratar arrogantemente, ou com desrespeito, maltratar, insultar* Mt 22.6; Lc 11.45; 18.32; At 14.5; 1 Ts 2.2.*

ὕβρις, εως, ἡ—1. *vergonha, insulto, destratar* 2 Co 12.10.—**2.** *desastre, prejuízo* At 27.10, 21.* [*híbris*]

ὑβριστής, οῦ, ὁ *violento, insolente* Rm 1.30; 1 Tm 1.13.*

ὑγιαίνω *ter boa saúde, ser saudável* ou *são*—**1.** lit. Mt 8.13 v.l.; Lc 5.31; 7.10; 15.27; 3 Jo 2.— fig. *ser são* ou *correto* 1 Tm 1.10; 6.3; 2 Tm 1.13; 4.3; Tt 1.9, 13; 2.1s.* [*higiene, higienizar*]

ὑγιής, ές, ac. **ὑγιῆ** *saudável, são*—**1.** lit. Mt 12.13; 15.31; Mc 5.34; Jo 5.4, 6, 9, 11, 14s; 7.23; At 4.10.—**2.** fig. Tt 2.8.

ὑγρός, ά, όν *verde* Lc 23.31.*[*higrômetro*]

ὑδρία, ας, ἡ *jarra de água* Jo 2.6s; 4.28.*

ὑδροποτέω *beber* (apenas) *água* 1 Tm 5.23.*

ὑδρωπικός, ή, όν *sofrendo de hidropisia* Lc 14.2.* [*hidrópico*]

ὕδωρ, ατος, τό *água*—**1.** lit. Mt 3.11; Mc 9.41; 14.13; Jo 5.3s v.l., 7; Hb 10.22; 2 Pe 3.5; Ap 1.15.—**2.** fig. Jo 4.10s, 14; 7.38; Ap 7.17; 21.6; 22.1, 17. [*hidro-*, prefixo de várias palavras, e.g. *hidrofobia*]

ὑετός, οῦ, ὁ *chuva* At 14.17; 28.2; Hb 6.7; Tg 5.7 v.l., 18; Ap 11.6.*

υἱοθεσία, ας, ἡ *adoção*, somente em sentido transferido Rm 8.15; Gl 4.5; Ef 1.5. Em Rm 8.23; 9.4 a ênfase recai no pleno gozo dos privilégios dos herdeiros legais.*

υἱός, οῦ, ὁ *filho*—**1.** no sentido usual—**a.** lit. Mt 1.21; Mc 6.3; Lc 15.11; At 13.21; Gl 4.30. *Descendência* Mt 21.5.—**b.** mais genericamente *descendente* Mt 1.20; At 5.21; 10.36; 2 Co 3.7, 13; Hb 11.22. De alguém que é aceito ou adotado como um filho Jo 19.26; At 7.21.—**c.** fig.**α.** de um pupilo, seguidor, etc. Lc 11.19. Hb 12.5; 1 Pe 5.13.—**β.** dos membros de um grande grupo Mc 3.28; At 13.26; Ef 3.5.—**γ.** daqueles que estão estreitamente ligados a alguém Mt 5.45; 23.31; Rm 8.14, 19; Gl 3.7, 26; Hb 2.10.—**δ.** υἱός com gen. da coisa, para denotar alguém que participa dessa coisa Mt 8.12; 9.15; Mc 3.17; Lc 16.8; Jo 17.12; At 4.36; Ef 2.2; 2 Ts 2.3.—**2.** em várias combinações como uma designação do Messias e uma auto-designação de Jesus—**a.** *Filho de Davi* Mt 9.27; 21.9, 15; Mc 10.47s; 12.35, 37; Lc 18.38s.—**b.** (**o**) *Filho de Deus* Mt 2.15; 3.17; 27.43, 54; 28.19; Mc 3.11; 9.7; Lc 1.35; 10.22; Jo 1.49; 3.16-18, 35s; At 13.33; Rm 1.3, 4, 9; Hb 5.5.—**c.** ὁ υἱός τοῦ ἀνθρώπου *o Filho do Homem*, sempre como uma auto-designação de Jesus para expressar sua identificação com a sorte da humanidade ou seu triunfo final Mt 8.20; 9.6; Mc 8.31, 38; 14.21; Lc 9.22, 26, 44, 58; Jo 1.51; 6.27, 53, 62; At 7.56; Ap 1.13; 14.14.

ὕλη, ης, ἡ *madeira* Tg 3.5.*

ὑμεῖς nom. pl. de σύ.

Ὑμέναιος, ου, ὁ *Himeneu* 1 Tm 1.20; 2 Tm 2.17.*

ὑμέτερος, α, ον *vosso*—**1.** *pertencente a* ou *cabe a vós* Lc 6.20; Jo 7.6; 8.17; 15.20; At 27.34; 2 Co 8.8; Gl 6.13; subst. Lc 16.12.—**2.** para o gen. objetivo τῷ ὑμετέρῳ ἐλέει *pela misericórdia que vos* *foi concedida* Rm 11.31. νὴ τὴν ὑμετέραν καύχησιν ἥν ἔχω *pelo orgulho que eu tenho por vós* 1 Co 15.31. τὸ ὑ ὑστέρημα *aquilo que vos está faltando* 16.17.*

ὑμνέω—1. trans. cantar o louvor de At 16.25; Hb 2.12.—**2.** intrans. *cantar um hino* Mt 26.30; Mc 14.26.*

ὕμνος, ου, ὁ *hino* ou *cântico de louvor* Ef 5.19; Cl 3.16.*

ὑπάγω—1. *ir embora* Mt 4.10; Mc 5.34; 8.33; Jo 6.67; 18.8; Tg 2.16. *Voltar para casa* Mt 8.13; 20.14; Mc 10.52.—**2.** *ir, ir-se* Mt 9.6; 18.15; 26.18; Mc 1.44; 14.13; Lc 10.3; Jo 7.3; 9.11; 21.3; Ap 13.10; 14.4.— Especialmente da ida de Cristo ao Pai Jo 7.33; 8.14; 14.28; 16.5a, 10, 17.

ὑπακοή, ῆς, ἡ *obediência* Rm 1.5; 6.16; 16.19; 26; 2 Co 10.5; Hb 5.8; 1 Pe 1.2, 22.

ὑπακούω *prestar atenção a*—**1.** *obedecer, seguir, ser sujeito, submisso a* com dat. Mc 1.27; 4.41; Rm 10.16; Ef 6.1, 5; Fp 2.12; 2 Ts 3.14; 1 Pe 3.6.—**2.** *abrir* ou *atender* (à porta) At 12.13.

ὕπανδρος, ον *sob o poder de um homem* ἡ ὕπανδρος γυνή *a mulher casada* Rm 7.2.*

ὑπαντάω *(ir* ou *vir para) encontrar* com dat. Mt 8.28; 28.9; Mc 5.2; Lc 8.27; Jo 4.51; 11.20, 30; 12.18; At 16.16.— *Opor-se* Lc 14.31.

ὑπάντησις, εως, ἡ *vindo ao encontro* εἰς ὑπάντησιν *para encontrar* com dat. ou gen. Mt 8.34; 25.1; Jo 12.13.*

ὕπαρξις, εως, ἡ *aquilo que uma pessoa tem, posse, propriedade, possessão* At 2.45; Hb 10.34.*

ὑπάρχω—1. *(realmente) existir, estar presente, estar à disposição* At 3.6; 4.34; 19.40; 28.7, 18; 1 Co 11.18. τὰ ὑπάρχοντα *propriedades, possessões* Mt 19.21; Lc 8.3; 11.21; 19.8; 1 Co 13.3.—**2.** *ser* como um substituto de εἶναι Lc 8.41; 9.48; 16.14; At 7.55; 21.20; 22.3; Rm 4.19; 1 Co 7.26; Gl 1.14; Fp 2.6; Tg 2.15.

ὑπέβαλον 2 aor. ind. at. de ὑπολαμβάνω.

ὑπέδειξα 1 aor. ind. at. de ὑποδείκνυμι.

ὑπέθηκα 1 aor. ind. at. de ὑποτίθημι.

ὑπείκω *reconhecer a autoridade de, submeter-se, consagrar-se* Hb 13.17.*

ὑπέλαβον 2 aor. ind. at. de ὑπολαμβάνω.

ὑπελείφθην 1 aor. ind. pass. de ὑπολείπω.

ὑπέμεινα 1 aor. ind. at. de ὑπομέω.

ὑπεμνήσθην 1 aor. ind. pass. de ὑπομιμνήσκω.

ὑπεναντίος, α, ον *oposto,* em Cl 2.14 *contra,* οἱ ὑπεναντίοι *os adversários* Hb 10.27.*

ὑπενεγκεῖν inf. 2 aor. at. de ὑποφέρω.

ὑπέπλευσα 1 aor. ind. at. de ὑποπλέω.

ὑπέρ prep. com genitivo e acusativo—**1.** com gen.—**a.** *por, em lugar de, por amor a* Mt 5.44; Mc 9.40; Jo 11.50-52; At 21.26; Rm 5.6-8; 8.31; 16.4; Cl 1.7, 9; Fp 1.7; Hb 2.9.—**b.** com gen. objetivo *em favor de,* mas traduzido de várias maneiras: com ἁμαρτιῶν *a fim de remover os pecados* Gl 1.4; Hb 7.27; 10.12; com ζωῆς *para trazer vida* Jo 6.51; com δόξης *para revelar a glória* 11.4; com ὀνόματος *para divulgar o nome* Rm 1.5.—**c.** *no lugar de, ao invés de, em nome de* 2 Co 5.14s, 21; Fm 13.—**d.** *por causa de, por, devido a* At 5.41; 21.13; Rm 15.9; 2 Co 12.10; Ef 5.20; Fp 1.29.—**e.** *acima e além* pode ser o significado em Fp 2.13; *em* também é possível.—**f.** *acerca de, concernente a* Jo 1.30; Rm 9.27; 2 Co 1.7s; 12.5.—**2.** com ac *além, mais do que, além de, acima de* 1 Co 4.6; 2 Co 1.8; Ef 1.22; Fm 16, 21 *Superior a* Mt 10.24; Lc 6.40; Fp 2.9. *Que* 2 Co 12.12s; Hb 4.12. *Mais do que* Mt 10.37; Gl 1.14.—**3.** ὑπέρ como adv. *muito mais, ainda mais* 2 Co 11.23. [hiper-, prefixo de várias palavras, e.g. *hipérbole*]

ὑπεραίρομαι *exaltar-se, enaltecer-se* 2 Co 12.7; 2 Ts 2.4.*

ὑπέρακμος, ον *que passou da flor da idade* se se refere à mulher; *com fortes paixões* se referir-se ao homem 1 Co 7.36.*

ὑπεράνω adv. *(bem) acima,* funciona como uma prep. com gen. Ef 1.21; 4.10; Hb 9.5.*

ὑπερασπίζω *proteger, escudar* Tg 1.27 v.l.*

ὑπεραυξάνω *crescer maravilhosamente, aumentar abundantemente* 2 Ts 1.3.*

ὑπερβαίνω *transgredir, pecar* 1 Ts 4.6.*

ὑπερβαλλόντως *muitíssimo mais, sobrexcedentemente* 2 Co 11.23.*

ὑπερβάλλω *ir além, ultrapassar, exceder;* ο *particípio* ὑπερβάλλων, ουσα, ον *sobrexcelente, superior* 2 Co 3.10; 9.14; Ef 1.19; 2.7; 3.19.*

ὑπερβολή, ῆς, ἡ *excesso, qualidade ou caráter extraordinário* 2 Co 4.7; 12.7. καθ' ὑπερβολήν *a um grau extraordinário, além da medida, descomunal* Rm 7.13; 2 Co 1.8; Gl 1.13. καθ' ὑπ. ὁδόν *um caminho muito melhor* 1 Co 12.31. καθ' ὑπ. εἰς ὑπ. *além de toda medida e proporção;* 2 Co 4.17.* *[hipérbole]*

ὑπερεγώ para ὑπὲρ ἐγώ 2 Co 11.23 ver ὑπέρ 3.

ὑπερέκεινα adv. *além* com gen. 2 Co 10.16.*

ὑπερεκπερισσοῦ adv. *muito além da medida, tão sinceramente quanto possível* 1 Ts 3.10; 5.13. Com gen. *infinitamente mais do que* Ef 3.20.*

ὑπερεκπερισσῶς adv. *além de toda medida, o mais superior* 1 Ts 5.13; Mc 7.37 v.l.*

ὑπερεκτείνω *ir mais além, exceder-se* 2 Co 10.14.*

ὑπερρρρεκχύν(ν)ω *transbordar* Lc 6.38.*

ὑπερεντυγχάνω *rogar, interceder* Rm 8.26.*

ὑπερέχω—1. *ter poder sobre, estar em autoridade, estar altamente colocado* de autoridade no Estado Rm 13.1; 1 Pe 2.13.—**2.** *ser melhor do que, sobrepassar a, exceder* com gen. Fp 2.3; com ac. 4.7.—**3.** τὸ ὑπερέχον *a sobrexcelente grandeza* Fp 3.8.*

ὑπερηφανία, ας, ἡ *arrogância, orgulho, altivez* Mc 7.22.*

ὑπερήφανος, ον *arrogante, altivo, orgulhoso* Lc 1.51; Rm 1.30; 2 Tm 3.2; Tg 4.6; 1 Pe 5.5.*

ὑπεριδών part. 2 aor. at. de ὑπεροράω.

ὑπερλίαν adv. *excedentemente, além das medidas* como adj. οἱ. ὑπερλίαν ἀπόστολοι *os super-apóstolos* 2 Co 11.5; 12.11.*

ὑπερνικάω *ter uma gloriosa vitória* Rm 8.37.*

ὑπέρογκος, ον *arrogante, altissonante, bambástico* 2 Pe 18; Jd. 16.*

ὑπεροράω *passar por alto, desconsiderar, fazer caso omisso* At 17.30.*

ὑπεροχή, ῆς, ἡ—1. *superioridade* καθ' ὑπεροχήν *como uma pessoa superior* 1 Co 2.1.—**2.** *uma posição de autoridade* 1 Tm 2.2.*

ὑπερπερισσεύω—1. intras. *estar presente em (maior) abundância* Rm 5.20.—**2.** trans. *fazer transbordar,* pass. *transbordar* 2 Co 7.4.*

ὑπερπερισσῶς adv. *além de toda medida, sobremaneira* Mc 7.37.*

ὑπερπλεονάζω *estar presente em grande abundância* 1 Tm 1.14.*

ὑπερυψόω *exaltar até a máxima altura* Fp 2.9.*

ὑπερφρονέω *pensar alto demais acerca de si mesmo, ser altivo* Rm 12.3.*

ὑπερῷον, ου, τό *quarto* (no andar) *superior* At 1.13; 9.37, 39; 20.8.*

ὑπεστειλάμην 1 aor. ind. méd. de ὑποστέλλω.

ὑπετάγην 2 aor. ind. pass. de ὑποτάσσω.

ὑπέταξα 1 aor. ind. at. de ὑποτάσσω.

ὑπέχω *sofrer, padecer* Jd 7.*

ὑπήκοος, ον *obediente* At 7.39; 2 Co 2.9; Fp 2.8.*

ὑπήνεγκα aor. ind. at. de ὑποφέρω.

ὑπηρετέω *servir, prestar serviços, ser útil* com dat. At 13.36; 20.34; 24.23.*

ὑπηρέτης, ου, ὁ *servo, auxiliar, assistente* Mt 5.25; Mc 14.54, 65; Lc 4.20; Jo 7.32, 45s; 18.18, 36; At 13.5; 26.16; 1 Co 4.1.

ὕπνος, ου, ὁ *sono* lit. Mt 1.24; Lc 9.32; Jo 11.13; At 20.9; fig. Rm 13.11.* *[hipnose]*

ὑπό prep. com gen. e acus.—**1.** com gen. *por,* denotando o agente ou a causa Mt 1.22; 8.24; Jo 14.21; Gl 1.11; 1 Co 10.29; Ap 6.13; *às mãos de* Mc 5.26; 2 Co 2.6.—**2.** com ac. *sob, debaixo de* Mt 8.8s; At 4.12; Rm 6.14s; 16.20; 1 Co 9.20; 15.25, 27; Cl 1.23; *abaixo de* Tg 2.3; ὑπὸ τὸν ὄρθρος *ao amanhecer* At 5.21. *[hipo-, prefixo de várias palavras, e.g. hipótese, hipóstase,* etc.]

ὑποβάλλω *instigar (secretamente), subornar* At 6.11.*

ὑπογραμμός, οῦ, ὁ *modelo, exemplo* 1 Pe 2.21.*

ὑπόδειγμα, ατος, τό—1. *exemplo, modelo,*

padrão Jo 13.15; Hb 4.11; Tg 5.10; 2 Pe 2.6.—2. *cópia, imitação* Hb 8.5; 9.23.*

ὑποδείκνυμι ou ὑποδεικνύω *mostrar, provar, demonstrar* Lc 6.47; 12.5; At 9.16; 20.35. *Advertir* Mt 3.7; Lc 3.7.*

ὑποδείξω fut. ind. at. de ὑποδείκνυμι.

ὑποδέχομαι *receber, recepcionar, receber como convidado* Lc 10.38; 19.6; At 17.7; Tg 2.25.*

ὑποδέω méd. *atar ou ligar em baixo, calçar (sapatos)* Mc 6.9; At 12.8; Ef 6.15.*

ὑπόδημα, ατος, τό *sandália, calçado* Mt 10.10; Mc 1.7; Lc 15.22; 35; At 7.33.

ὑπόδησαι imperativo 1 aor. méd. de ὑποδέω.

ὑπόδικος, ον *responsável (perante), sujeito a juízo* Rm 3.19.*

ὑποδραμών part. 2 aor. at. de ὑποτρέχω.

ὑποζύγιον, ου, τό *jumento, burro* Mt 21.5; 2 Pe 2.16.*

ὑποζώννυμι *reforçar (um barco com cordas ao redor da quilha)* At 27.17.*

ὑποκάτω adv., funciona como prep. com gen. *sob, abaixo de, debaixo de* Mt 22.44; Mc 6.11; Jo 1.50; Ap 5.3, 13.

ὑπόκειμαι *ser achado*, lit. 'estar abaixo' Lc 6.42 v.l.*

ὑποκρίνομαι *pretender, fazer-se passar por* Lc 20.20.*

ὑπόκρισις, εως, ἡ *hipocrisia, pretensão, fingimento* Mt 23.28; Mc 12.15; Lc 12.1; Gl 2.13; Tg 5.12 v.l.; 1 Tm 4.2; 1 Pe 2.1.*

ὑποκριτής, οῦ, ὁ *hipócrita, dissimulador, fingido*, lit. 'ator' Mt 6.2, 5, 16; 7.5; 23.13-15; Mc 7.6; Lc 6.42; 12.56. 13.15.

ὑπολαβών part. 2 aor. at. de ὑπολαμβάνω.

ὑπολαμβάνω—1. *tomar* At 1.9.—2. *receber como convidado* 3 Jo 8—3. *replicar* Lc 10.30.—4. *assumir, pensar, crer* Lc 7.43; At 2.15.*

ὑπολαμπάς, άδος, ἡ provavelmente *janela* At 20.8 v.l.*

ὑπόλειμμα, ατος, τό *remanescente* Rm 9.27.*

ὑπολείπω *deixar (como remanescente)* pass. *ser deixado (como remanescente)* Rm 11.3.*

ὑπολήνιον, ου, τό *depósito debaixo do lagar* Mc. 12.1*

ὑπόλιμμα uma forma variante de ὑπόλειμμα.

ὑπολιμπάνω *deixar (atrás)* 1 Pe 2.21.*

ὑπομείνας part. 1 aor. at. de ὑπομένω.

ὑπομεμενηκώς part. perf. at. de ὑπομένω.

ὑπομένω *permanecer, ficar (atrás)* Lc 2.43; At 17.14.— *Permanecer, suportar, perseverar* Mc 13.13; Rm 12.12; 1 Co 13.7; Hb 12.2, 7; Tg 5.11; 1 Pe 2.20.

ὑπομιμνῄσκω—1. at. *recordar, lembrar* Jo 14.26; Tt 3.1; 2 Pe 1.12; Jd 5. *Trazer à mente* 2 Tm 2.14; 3 Jo 10.—2. pass. *lembrar, pensar com* gen. Lc 22.61.*

ὑπομνῆσαι, ὑπομνήσω inf. 1 aor. at., e fut. ind. at. de ὑπομιμνῄσκω.

ὑπόμνησις, εως, ἡ *lembrança, memória (como ato)* ἐν ὑπ. *por uma lembrança*, i.e. eu os lembro 2 Pe 1.13; 3.1. *recordação* ὑπόμνησιν λαμβάνειν *receber uma recordação* = *relembrar* 2 Tm 1.5.*

ὑπομονή, ῆς, ἡ—1. *paciência, perseverança, firmeza, fortaleza* Lc 21.19; Rm 2.7; 5.3s; 8.25; 2 Co 12.12; 2 Ts 3.5; Tg 1.3s; 5.11; Ap 2.2s; 13.10.—2. *expectativa (paciente)* Ap 1.9.

ὑπονοέω *suspeitar, supor* At 13.25; 25.18; 27.27.*

ὑπόνοια, ας, ἡ *suspeita, conjectura* 1 Tm 6.4.*

ὑποπιάζω uma forma variante de ὑπωπιάζω.

ὑποπλέω *navegar ao abrigo de* (uma ilha, para proteger-se do vento) At 27.4, 7.*

ὑποπνεύσας part. 1 aor. at de ὑποπνέω.

ὑποπνέω *soprar suavemente* At 27.13.*

ὑποπόδιον, ου, τό *escabelo* Mt 22.44; v.l.; Lc 20.43; At 2.35; Hb 1.13.

ὑπόστασις, εως, ἡ—1. *natureza substancial, essência, ser real, realidade* Hb 1.3; 11.1.—2. *projeto, empreitada* 2 Co 9.4; 11.17; Hb 3.14.* [*hipóstase*]

ὑποστέλλω—1. at. *retirar, recolher* Gl 2.12.—2. méd. *retirar-se de medo* Hb 10.38. *fugir de, evitar* At 20.27. *Manter silêncio acerca de* 20.20.*

ὑποστολή, ῆς, ἡ *covardia, retraimento* Hb 10.39.*

ὑποστρέφω retornar, voltar Lc 1.56; 4.14; At 8.25, 28; 12.25; Gl 1.17; Hb 7.1; abandonar 2 Pe 2.21.

ὑποστρωννύω estender no caminho Lc 19.36.*

ὑποταγή, ῆς, ἡ sujeição, subordinação, submissão, obediência 2 Co 9.13; Gl 2.5; 1 Tm 2.11; 3.4.*

ὑποταγήσομαι 2 fut. ind. pass. de ὑποτάσσω.

ὑποτάσσω sujeitar, subordinar—1. at. 1 Co 15.27a, c, 28c; Ef 1.22; Hb 2.5, 8a.—2. pass. tornar-se sujeito a Rm 8.20a; 1 Co 15.27b. 28a; Hb 2.8c. Sujeitar-se, estar sujeito ou subordinado, obedecer Lc 2.51; 10.17, 20; 1 Co 14.34; 15.28b; 16.16.

ὑποτέτακται 3 pes. sing. perf. ind. pass. (1 Co 15.27) de ὑποτάσσω.

ὑποτίθημι at. arriscar Rm 16.4; méd. sugerir ou ordenar, ou ensinar 1 Tm 4.6.* [hipótese]

ὑποτρέχω correr ou navegar ao abrigo de At 27.16.*

ὑποτύπωσις, εως, ἡ modelo, exemplo, protótipo 1 Tm 1.16; padrão, esboço 2 Tm 1.13.*

ὑποφέρω sofrer, suportar, submeter-se a 1 Co 10.13; 2 Tm 3.11; 1 Pe 2.19.*

ὑποχωρέω retirar-se, separar-se, fugir Lc 5.16; 9.10; 20.20 v.l.*

ὑπωπιάζω bater abaixo do olho—1. lit., em um sentido enfraquecido incomodar, atormentar Lc 18.5.—2. fig. maltratar, tratar asperamente 1 Co 9.27.*

ὗς, ὑός, ἡ porca, cerda 2 Pe 2.22.*

ὑσσός, οῦ, ὁ Jo 19.29 v.l.* dardo, lança

ὕσσωπος, ου, ἡ e ὁ também ὕσσωπον, τό hissopo (palavra hebraica), uma pequena planta com folhas altamente aromáticas, usada na purificação Jo 19.29; Hb 9.19.* Ver ὑσσός.

ὑστερέω—1. at.—a. chegar tarde demais, ser excluído Hb 4.1; 12.15—b. estar em necessidade de Lc 22.35.—c. ser inferior a, ser menor do que com gen. de comparação 2 Co 11.5; 12.11. Ser inferior, faltar Mt 19.20; 1 Co 12.24.—d. falhar, faltar Jo 2.3. ἓν σε ὑστερεῖ falta-te uma coisa Mc 10.21.—2. pass. ir sem, faltar, estar faltando Lc 15.14; Rm 3.23; 1 Co 1.7; 8.8; Lc 12.24; 2 Co 11.9; Fp 4.12; Hb 11.37.*

ὑστέρημα, ατος, τό—1. necessidade, falta, deficiência Lc 21.4; 2 Co 8.14; 9.12; 11.9; 1 Co 1.24. Ausência 1 Co 16.17; Fp 2.30.—2. deficiência, o que falta 1 Ts 3.10*

ὑστέρησις, εως, ἡ falta, necessidade, pobreza Mc 12.44; Fp 4.11.*

ὕστερος, α, ον usado como comparativo e superlativo—1. como adj., comp. segundo, posterior Mt 21.31. Superl. último 1 Ts 4.1, embora finalmente também seja possível.—2. neut. ὕστερον como adv., comp. em segundo lugar, então, logo depois Mt 21.29, 32; Mc 16.14; Jo 13.36; Hb 12.11. Superl. finalmente Mt 21.37; 26.60; Lc 20.32; por último Mt 22.27.

ὑφαίνω tecer Lc 12.27 v.l.*

ὑφαντός, ή, όν tecido Jo 19.23.*

ὑψηλός, ή, όν alto—1. lit. Mt 4.8; Ap 21.10, 12; (braço) levantado At 13.17. Comparativo ὑψηλότερος Hb 7.26.—2. fig. exaltado, altivo, orgulhoso Lc 16.15; Rm 11.20; 12.16.

ὑψηλοφρονέω ser orgulhoso, arrogante, altivo 1 Tm 6.17; Rm 11.20 v.l.*

ὕψιστος, η, ον altíssimo, o mais exaltado—1. em um sentido especial Mt 21.9; Mc 11.10; Lc 2.14; 19.38.—2. O Altíssimo, i.e. Deus Mc 5.7; Lc 1.32, 35, 76; 6.35; 8.28; At 7.48; 16.17; Hb 7.1.*

ὕψος, ους, τό altura—1. lit. Ef. 3.18; Ap 21.16. Lugar alto, céu Lc 1.78; 24.49; Ef 4.8.—2. de posição alta posição Tg 1.9.*

ὑψόω levantar, alçar—1. lit. Lc 10.15; Jo 3.14; At 2.33.—2. fig. exaltar Mt 23.12; Lc 1.52; At 5.31; 2 Co 11.7; Tg 4.10; tornar grande, engrandecer At 13.17.

ὕψωμα, ατος, τό altura, exaltação Rm 8.39. Aquilo que exalta, altaneiro, orgulho 2 Co 10.5.*

Φ

φαγεῖν, φάγομαι inf. 2 aor. at. e fut. ind. méd. de ἐσθίω.

φάγος, ου, ὁ *glutão, comilão* Mt 11.19; Lc 7.34.*

φαιλόνης, ου, ὁ *capa, manto* 2 Tm 4.13.*

φαίνω—1. at. intrans. *brilhar, dar luz, ser brilhante* Jo 1.5; 5.35; 2 Pe 1.19; Ap 1.16; 8.12; 18.23; 21.23.—**2.** φαίνομαι—**a.** *brilhar, iluminar* Mt 24.27; Fp 2.15.—**b** *aparecer, ser* ou *tornar-se visível, ser revelado* Mt 9.33; 24.30; Hb 11.3; Tg 4.14; 1 Pe 4.18.—**c.** *aparecer, fazer uma aparição, mostrar-se* Mt 1.20; 6.5, 16, 18; Mc 16.9; Lc 9.8.—**d.** *parecer como algo, parecer-ser com algo* Mt 23.27s; Lc 24.11; 2 Co 13.7. *Ser reconhecido* Rm 7.13.— **e.** *ter a aparência, parecer* Mc 14.64. [*fenômeno*]

Φάλεκ, ὁ indecl. *Faleque* Lc 3.35.*

φανεῖται 3 pes. sing. fut. ind. méd. de φαίνω.

φανερός, ά, όν—1. adj. *visível, claro, fácil de ser visto, conhecido* Mt 12.16; Mc 6.14; At 4.16; Rm 1.19; 1 Co 3.13; Gl 5.19; Fp 1.13; 1 Jo 3.10.—**2.** τὸ φανερόν subst. *manifesto, público e notório* Mc 4.22; Mt 6.4 v.l., 6 v.l. ἐν τῷ φ. *exteriormente* Rm 2.28.

φανερόω *revelar, mostrar, fazer conhecido* Mc 4.22; Jo 7.4; 17.6; 21.14; Rm 1.19; 3.21; 2 Co 2.14; 5.10s; Ef 5.13; 1 Tm 3.16; Tt 1.3; Hb 9.8; 26; 1 Jo 1.2; 2.28.

φανερῶς adv. *abertamente, publicamente* Mc 1.45; Jo 7.10; At 10.3.*

φανέρωσις, εως, ἡ *revelação, anúncio* 1 Co 12.7; 2 Co 4.2.*

φάνῃ, φανήσομαι 3 pes. sing. 1 aor. subj. at. (Ap 8.12; 18.23) e 2 fut. ind. pass. de φαίνω.

φανός, οῦ, ὁ *lanterna* Jo 18.3.*

Φανουήλ, ὁ indecl. *Fanuel* Lc 2.36.*

φαντάζω *tornar visível,* pass. *tornar-se visível, aparecer* τὸ φανταζόμενον *espetáculo* Hb 12.21.*

φαντασία, ας, ἡ *pompa, ostentação* At 25.23.*[fantasia]

φάντασμα, ατος, τό *aparição, fantasma* Mt 14.26; Mc 6.49; Lc 24.37 v.l.*

φανῶ 2 aor. subj. pass. de φαίνω.

φάραγξ, αγγος, ἡ *ravina, vale* Lc 3.5.*

Φαραώ, ὁ indecl. *Faraó,* título dos reis egípcios, daí um nome próprio At 7.10; 13, 21; Rm 9.17; Hb 11.24.*

Φαρές, ὁ indecl. *Farés* Mt 1.3; Lc 3.33.*

Φαρισαῖος, ου, ὁ *fariseu,* lit. 'separatista', membro de um partido judaico que tinha a Torá em grande estima, juntamente com as tradições da sua interpretação. A abordagem mais libertadora de Jesus e de Paulo evocaram a resistência de alguns dos membros do partido Mt 3.7; 5.20; 9.11, 34; 23.26; Mc 2.16; 3.6; Lc 7.36s, 39; At 23.6-9; 26.5; Fp 3.5.

φαρμακεία, ας, ἡ *feitiçaria, magia* Gl 5.20; Ap 9.21 v.l.; 18.23.* [*farmácia*]

φαρμακεύς, έως, ὁ *misturador de poções, mágico, feiticeiro* Ap 21.8 v.l.* [*farmacêutico*]

φάρμακον, ου, τό *poção mágica, encanto* Ap 9.21.*

φάρμακος, ου, ὁ *mágico, feiticeiro* Ap 21.8; 22.15.*

φασίν 3 pes. pl. pres. ind. at. de φημί.

φάσις, εως, ἡ *reportagem, notícia* At 21.31.* [*Cf.* φημί]

φάσκω *dizer, asseverar, clamar* At 24.9; 25.19; Rm 1.22; Ap 2.2 v.l.*

φάτνη, ης, ἡ *estábulo, manjedoura* Lc 2.7, 12, 16; 13.15.*

φαῦλος, η, ον *sem valor, mau, ruim, baixo* Jo 3.20; 5.29; Rm 9.11; 2 Co 5.10; Tt 2.8; Tg 3.16.*

φέγγος, ους, τό *luz, radiância* Mt 24.29; Mc 13.24; Lc 11.33 v.l.*

φείδομαι—1. *poupar, evitar* com gen. At 20.29; Rm 8.32; 11.21; 1 Co 7.28; 2 Co 1.23; 13.2; 2 Pe 2.4s.—2. *abster-se de* 2 Co 12.6.*

φειδομένως adv. *escassamente* 2 Co 9.6.

φελόνης uma forma alternativa de φαιλόνης.

φέρω—1. *levar, carregar*—a. lit. e fig. Lc 23.26; Hb 1.3.—2. *suportar pacientemente, agüentar* Rm 9.22; Hb 12.20; 13.13.—c. *trazer, levar consigo* Lc 24.1; Jo 19.39.—2. *gerar, produzir* Mt 7.18 v.l.; Jo 12.24; 15.2, 4s.—3. *mover, mudar, movimentar* lit. At 27.15, 17; *irromper* 2.2. Fig. *ser movido* 2 Pe 1.21b; *deixando* Hb 6.1.—4. *causar, produzir*—a. *trazer* Mt 14.11, 18; Mc 6.27s; 11.2, 7; Jo 4.33; At 4.34, 37; 14.13; Ap 21.24, 26—b. *fazer, realizar, acusar* Jo 18.29; 2 Pe 1.17s; 2.11; 2 Jo 10; *ser estabelecido* Hb 9.16. *Alcançar* Jo 20.27.—c. *trazer* ou *levar* Mc 1.32; 7.32; 15.22; Lc 5.18; Jo 21.18; At 5.16.—d. de uma porta, *levar, dar para* At 12.10.

φεύγω—1. lit. *fugir, buscar segurança na fuga* Mt 8.33; Mc 14.50; 16.8; Lc 21.21; Jo 10.5, 12; At 27.30; Tg 4.7; Ap 9.6.—2. *escapar* Mt 23.33; Lc 3.7; Hb 11.34; 12.25 v.l.—3. *fugir de, evitar* 1 Co 6.18; 10.14; 1 Tm 6.11; 2 Tm 2.22—4. *desaparecer, esvanecer* Ap 16.20; 20.11. [*fugitivo*, via Latim]

Φῆλιξ, ικος, ὁ Antonius *Félix*, um liberto proeminente no reinado do imperador Cláudio; foi o marido de Drusila e procurador da Palestina, por volta de 52-60 d.C. At 23.24, 26; 24.3, 22, 24s, 27; 25.14.*

φήμη, ης, ἡ *notícia, rumor* Mt 9.26; Lc 4.14.* [*fama*, via Latim]

φημί—1. *dizer, afirmar* Mt 8.8; 13.29; Mc 9.12; Lc 7.44; Jo 9.38; At 8.36; 25.5, 22; 1 Co 6.16; 2 Co 10.10; Hb 8.5.—2. *querer dizer, dar a entender, significar* Rm 3.8; 1 Co 7.29; 10.15, 19; 15.50.

φημίζω *espalhar* (uma notícia) *pela palavra* Mt 28.15 v.l.; At 13.43 v.l.*

φησίν 3 pes. sing. pres. ind. at. de φημί.

Φῆστος, ου, ὁ Porcius *Festo*, sucessor de Félix (ver Φῆλιξ.) como procurador da Palestina, a data de sua morte foi, provavelmente, no início da década de 60 At 24.27; cap. 25 passim; 26.24s, 32.*

φθάνω—1. *chegar antes, preceder* 1 Ts 4.15.—2. *chegar, vir* Mt 12.28; Lc 11.20; Rm 9.31; 2 Co 10.14; Fp 3.16; 1 Ts 2.16.*

φθαρῇ 3 pes. sing. 2 aor. subj. pass. de φθείρω.

φθαρήσομαι 2 fut. ind. pass. de φθείρω.

φθαρτός, ή, όν *perecível* 1 Co 9.25; 15.53s; 1 Pe 1.18, 23; *mortal* Rm 1.23.*

φθέγγομαι *falar, declarar, proclamar* At 4.18; 2 Pe 2.16, 18.*

φθείρω *arruinar, corromper, espoliar* 1 Co 3.17a; 15.33; 2 Co 7.2; Ef 4.22; 2 Pe 2.12; Jd 10; Ap 19.2; pass. *ser desviado* 2 Co 11.3.—3. *Destruir* 1 Co 3.17b.*

φθερεῖ 3 pes. sing. fut. ind. at. de φθείρω.

φθινοπωρινός, ή, όν *outonal* (i.e. no tempo da colheita) Jd 12.*

φθόγγος, ου, ὁ *som, tom, voz* Rm 10.18; 1 Co 14.7.*

φθονέω *invejar, ser invejoso* com dat. Gl 5.26; cf. Tg 4.2 v.l.*

φθόνος, ου, ὁ *inveja, zelo* Mt 27.18; Rm 1.29; Gl 5.21. 1 Tm 6.4; Tt 3.3; Tg 4.5.

φθορά, ᾶς, ἡ *ruína, destruição, desolação, corrupção* Rm 8.21; 1 Co 15.42, 50; Gl 6.8; Cl 2.22; 2 Pe 2.12; *depravação* 2 Pe 1.4; 2.19.*

φιάλη, ης, ἡ *copo, taça* usada para oferendas Ap 5.8; 16.1-4, 8, 10, 12, 17.

φιλάγαθος, ον *amante do que é bom* Tt 1.8.*

Φιλαδέλφεια, ας, ἡ *Filadélfia*, uma cidade no centro-oeste da Ásia Menor Ap 1.11; 3.7.*

φιλαδελφία, ας, ἡ *amor fraternal* em um sentido estendido Rm 12.10; 1 Ts 4.9; Hb 13.1; 1 Pe 1.22; 2 Pe 1.7.*

φιλάδελφος, ον *que ama a seus irmãos* 1 Pe 3.8.*

φίλανδρος, ον *que ama seu marido* Tt 2.4.*

φιλανθρωπία, ας, ἡ *amor pela humanidade, bondade, generosidade* Tt 3.4; *hospitalidade* At 28.2.* [*filantropia, filantropo*] φιλανθρώπως adv. *benevolamente, generosamente* At 27.3.*

φιλαργυρία, ας, ἡ *amor pelo dinheiro, avareza* 1 Tm 6.10.*

φιλάργυρος, ον *amante do dinheiro, avarento* Lc 16.14; 2 Tm 3.2.*

φίλαυτος, ον *egoísta, egocêntrico, que ama a si mesmo* 2 Tm 3.2.*

φιλέω—1. *amar; ter afeição por, gostar* Mt 6.5; 10.37; 23.6; Lc 20.46; Jo 5.20; 11.3, 36; 12.25; 15.19; 16.27; 20.2; 21.15-17 (ver ἀγαπάω 1); 1 Co 16.22; Tt 3.15; Ap 3.19; 22.15.—2. *beijar* Mt 26.48; Mc 14.44; Lc 22.47.* [ver φίλος]

φίλη, ης, ἡ ver φίλος 2.

φιλήδονος, ον *amante dos prazeres* 2 Tm 3.4.*

φίλημα, ατος, τό *beijo* Lc 7.45; 22.48; Rm 16.16; 1 Co 16.20; 2 Co 13.12; 1 Ts 5.26; 1 Pe 5.14.*

Φιλήμων, ονος, ὁ *Filemon*, um cristão que, provavelmente, vivia em Colossos, dono de Onésimo, o escravo Fm 1; subscr. e título.*

Φίλητος, ου, ὁ *Fileto* 2 Tm 2.17.*

φιλία, ας, ἡ *amizade, amor* Tg 4.4.*

Φιλιππήσιος, ου, ὁ *filipense* Fp 4.15; título.*

Φίλιπποι, ων, οἱ *Filipos*, uma cidade na Macedônia, local da primeira igreja cristã fundada na Europa At 16.12; 20.6; Fp 1.1; 1 Ts 2.2; 1 e 2 Co subscr.*

Φίλιππος, ου, ὁ *Filipe*—1. filho de Herodes I e Cleópatra, de Jerusalém foi tetrarca de vários distritos ao nordeste da Palestina; morreu por volta de 33 / 34 d.C. Mt 16.13; Mc 8.27.—2. o primeiro marido de Herodias Mt 14.3; Mc 6.17.—3. um dos doze apóstolos Mt 10.3; Mc 3.18; Lc 6.14; Jo 1.43-46, 48; 6.5, 7; 12.21s; 14.8; At 1.13.—4. um dos sete 'ajudadores' de Jerusalém At 6.5; 8.5-13, 26-40, também evangelista 21.8s.

φιλόθεος, ον *amante de Deus* 2 Tm 3.4.*

Φιλόλογος, ου, ὁ *Filólogo* Rm 16.15.*

φιλον(ε)ικία, ας, ἡ *disputa, contenda* Lc 22.24.*

φιλόν(ε)ικος, ον *contencioso, briguento* 1 Co 11.16.*

φιλοξενία, ας, ἡ *hospitalidade* Rm 12.13; Hb 13.2.*

φιλόξενος, ον *hospitaleiro* 1 Tm 3.2; Tt 1.8; 1 Pe 4.9.*

φιλοπρωπεύω *querer ser o primeiro, gostar de ser líder* 3 Jo 9.*

φίλος, η, ον—1. adj. *devotado* At 19.31.—2. subst. —a. ὁ φίλος *o amigo* Mt 11.19; Lc 7.6; 11.6, 8; 16.9; 21.16; 23.12; Jo 15.13-15; At 10.24; 27.3; Tg 2.23 4.4; 3 Jo 15.—b. ἡ φίλη *a amiga* Lc 15.9. [*fil-*, prefixo de várias palavras, e.g. *filósofo, filarmônica*]

φιλοσοφία, ας, ἡ *filosofia* (com sentido pejorativo) Cl 2.8.*

φιλόσοφος, ου, ὁ *filósofo* At 17.18.*

φιλόστοργος, ον *devotado, carinhoso, afetuoso* Rm 12.10.*

φιλότεκνος, ον *que ama a seus filhos* Tt 2.4.*

φιλοτιμέομαι *ter como sua ambição, aspirar a, considerar uma honra* Rm 15.20; 2 Co 5.9; 1 Ts 4.11.*

φιλοφρόνως adv. *amigavelmente, hospitaleiramente* At 28.7.*

φιλόφρων, ον, gen. ονος *bem disposto, amigável, generoso* 1 Pe 3.8 v.l.*

φιμόω *amordaçar, afocinhar* —1. lit. 1 Tm 5.18; 1 Co 9.9 v.l.—2. fig. *silenciar* Mt 22.34; 1 Pe 2.15. Pass. *ser silenciado, estar em silêncio* Mt 22.12; Mc 1.25; 4.39; Lc 4.35.*

φιμώθητι imperativo 1 aor. pass. de φιμόω.

φλαγελλόω = φραγελλόω Mc 15.15 v.l.*

Φλέγων *Flegonte* Rm 16.14.*

φλογίζω *queimar, colocar fogo* Tg 3.6.*

φλόξ, φλογός *chama* Lc 16.24; 2 Ts 1.8; Ap 1.14.*

φλυαρέω *denegrir, criticar (sem razão)* 3 Jo 10.*

φλύαρος, ον *charlatão, estulto* 1 Tm 5.13.*

φοβερός, ά, όν *temível, terrível, assustador* Hb 10.27, 31; 12.21.*

φοβέω somente pass. φοβέομαι—1. *estar com medo*, aor. freqüentemente *ficar assustado*—a. intrans. Mt 1.20; 9.8; 17.6s; Mc 5.36; 16.8; Lc 2.9s; 12.4, 7; At 16.38; 23.10; Gl 4.11.—b. trans. *temer alguma coisa ou alguém* Mt 10.26; Mc

6.20; 11.32; Lc 12.5; 22.2; Jo 9.22; At 5.26; Rm 13.3; Gl 2.12; Hb 11.23, 27.—2. *temer* no sentido de *reverenciar, respeitar* Lc 1.50; 18.2, 4; At 10.2, 22, 35; 13.16, 26; Cl 3.22; 1 Pe 2.17; Ap 11.18; 14.7; 19.5.

φόβητρον e **φόβηθρον, ου, τό** *algo espantoso, terrível* Lc 21.11.*

φόβος, ου, ὁ—1. *o que causa medo, terror* Rm 13.3; 1 Pe 3.14; talvez 2 Co 5.11 (ver abaixo).—2. em um sentido passivo—a. *temor, medo, alarme* Mt 28.4, 8; Lc 1.12, 65; Jo 7.13; At 5.5, 11; 15; 1 Tm 5.20; Hb 2.15; 1 Pe 1.17.— *medo* Rm 8.15; 1 Jo 4.18.—b. *reverência, respeito* At 9.31; Rm 3.18; 13.7; 2 Co 7.1; talvez 5.11; Ef 5.21; 6.5; Fp 2.12; 1 Pe 2.18; 3.2, 16. [*fobia; -fobia,* sufixo de vários vocábulos, e.g. *claustrofobia, hidrofobia*]

Φοίβη, ης, ἡ *Febe* Rm 16.1.*

Φοινίκη, ης, ἡ *Fenícia,* a costa marítima da Síria central; Tiro e Sidom foram suas cidades mais importantes. At 11.19; 15.3; 21.2.*

Φοινίκισσα ver Συροφοινίκισσα.

I. φοῖνιξ ou **φοίνιξ, ικος, ὁ** *a palmeira*—1. a árvore como tal Jo 12.13.—2. *ramo de palmeira* Ap 7.9.*

II. Φοῖνιξ, ικος, ὁ *Fênix,* um porto marítimo na costa sul de Creta At 27.12.*

φονεύς, έως, ὁ *assassino, matador* Mt 22.7; At 3.14; 7.52; 28.4; 1 Pe 4.15; Ap 21.8; 22.15.*

φονεύω *assassinar, matar* Mt 5.21; Mc 10.19; Lc 18.20; Rm 13.9; Tg 4.2; 5.6.

φόνος, ου, ὁ *assassinato, morte* Mc 7.21; 15.7; Lc 23.19; At 9.1; Rm 1.29.

φορέω *levar (regularmente), vestir*—1. lit. Mt 11.8; Jo 19.5; Rm 13.4; Tg 2.3.—2. fig. 1 Co 15.49.*

φόρον, ου, τό ver Ἀππίου φόρον.

φόρος, ου, ὁ *tributo, taxa* Lc 20.22; 23.2; Rm 13.6s.*

φορτίζω *impor (uma carga), pesar* com ac. duplo *fazer alguém carregar alguma coisa* Lc 11.46. Part. perf. pass. πεφορτισμένοι *aqueles que estão sobrecarregados* Mt 11.28.*

φορτίον, ου, τό *peso, carga*—1. lit. At 27.10—2. fig. Mt 11.30; 23.4; Lc 11.46; Gl 6.5.*

φόρτος, ου, ὁ *carga* At 27.10 v.l.*

Φορτουνᾶτος, ου, ὁ (nome latino) *Fortunato,* um cristão de Corinto 1 Co 16.15 v.l., 17; subscr.*

φραγέλλιον, ου, τό (palavra latina: flagellum) *látego, chicote* Jo 2.15.*

φραγελλόω (via latim flagellum) *açoitar, flagelar* Mt 27.26; Mc 15.15.*

φραγῇ, φραγήσομαι 3 pes. sing. 2 aor. subj. pass., e 2 fut. ind. pass. de φράσσω.

φραγμός, οῦ, ὁ *cerca, muro*—1. lit. Mt 21.33; Mc 12.1; Lc 14.23.—2. fig. *barreira* Ef 2.14.*

φράζω *explicar, interpretar* Mt 13.6 v.l.; 15.15.* [*frase*]

φράσον imperativo 1 aor. at. de φράζω.

φράσσω *calar, fechar, cessar*—1. lit. Hb 11.33.—2. fig. *silenciar* Rm 3.19; 2 Co 11.10.*

φρέαρ, ατος, τό *poço, cisterna* Lc 14.5; Jo 4.11s. *Abismo, cova* Ap 9.1s.*

φρεναπατάω *enganar* Gl 6.3.*

φρεναπάτης, ου, ὁ *enganador* Tt 1.10.*

φρήν, φρενός, ἡ pl. *pensamento, compreensão* 1 Co 14.20.*

φρίσσω *tremer* de medo Tg 2.19.*

φρονέω—1. *pensar, sustentar* ou *formar uma opinião, emitir um juízo* At 28.22; Rm 11.20; 12.3a, 16a; 15.5; 1 Co 13.11; 2 Co 13.11; Gl 5.10; Fp 1.7; 2.2; 3.15; 4.2, 10.—2. *ter a mente em, defender uma causa, defender alguém* (φρ. τά τινος) Mt 16.23; Mc 8.33; Rm 8.5; 12.3b, 16b; Fp 3.19; Cl 3.2; *observar* Rm 14.6.—3. *ter pensamentos* ou *atitudes, estar inclinado a* ou *disposto a* Fp 2.5.

φρόνημα, ατος, τό *alvo, aspiração* Rm 8.6s, 27.*

φρόνησις, εως, ἡ—1. *modo de pensar, mente* Lc 1.17.—2. *compreensão, inteligência* Ef 1.8.*

φρόνιμος, ον *sensível, prudente, sábio* Mt 7.24; 10.16; 24.45; 25.2, 4,8s; Lc 12.42; Rm 11.25; 12.16; 1 Co 4.10; 10.15; 2 Co 11.19. Comp. φρονιμώτερος *sagaz* Lc 16.8.*

φρονίμως—φωνέω

φρονίμως adv. *sabiamente, sagazmente* Lc 16.8.*

φροντίζω *preocupar-se por, interessar-se* Tt 3.8.*

φρουρέω—1. *guardar* 2 Co 11.32.—2. *manter em custódia, confinar* Gl 3.23.—3. *guardar, proteger* Fp 4.7; 1 Pe 1.5.*

φρυάσσω *ser arrogante, insolente* At 4.25.*

φρύγανον, ου, τό *lenha seca* At 28.3.*

Φρυγία, ας, ή *Frígia*, um grande distrito no centro da Ásia Menor At 2.10; 16.6; 18.23; 1 Tm subscr.*

φυγαδεύω—1. trans. *fazer tornar-se um fugitivo, banir do país* At 7.29 v.l. (ms. E).—2. intrans. *ser um fugitivo, viver no exílio* At 7.29 v.l. (ms. D).*

φυγεῖν inf. 2 aor. at. de φεύγω.

Φύγελος ou **Φύγελλος, ου, ὁ** *Fígelo* 2 Tm 1.15.*

φυγή, ῆς, ἡ *fuga* Mt 24.20; Mc 13.18 v.l.* [*fugitivo*]

φυείς part. 2 aor. pass. de φύω.

φυλακή, ῆς, ἡ *guarda, vigília*—1. *guarda, vigília* (como uma ação) Lc 2.8.—2. *guarda, sentinela* como uma pessoa At 12.10.—3. *prisão* Mt 5.25; 25.36, 39, 43s; Mc 6.17; Lc 12.58; 22.33; Jo 3.24; At 5.19, 22; 12.4, 6, 17; 22.4; Hb 11.36; 1 Pe 3.19. *Guarida* Ap 18.2.—4. *uma vigília* (da noite), o tempo entre 18 horas e seis da manhã era dividido em quatro vigílias de três horas cada Mt 14.25; 24.43; Mc 6.48; Lc 12.38 (as vigílias são nomeadas em Mc 13.35.).

φυλακίζω *aprisionar* At 22.19.*

φυλακτήριον, ου, τό *filactério*, uma pequena caixa contendo versos da Escritura, atadas à fronte e ao braço por judeus durante a oração (ver Dt 6.8) Mt 23.5.*

φύλαξ, ακος, ὁ *guarda, sentinela* Mt 27.65; v.l.; At 5.23; 12.6, 19.*

φυλάσσω—1. ativo *vigiar, guardar, defender*—a. φυλάσσειν φυλακάς *manter a guarda* Lc 2.8.—b. *guardar alguém para impedir que escape* Lc 8.29; At 12.4; 23.35; 28.16.—c. *guardar, proteger* Lc 11.21; Jo 12.25; At 22.20; 2 Tm 1.12, 14; 2 Pe 2.5; Jd 24.—d. *observar, guardar, seguir* uma lei, etc. Mt 19.20; Lc 18.21; Jo 12.47; At 7.53; Rm 2.26; Gl 6.13; 1 Tm 5.21.—2. méd.—a. *(estar de) guarda contra alguém, prevenir-se, evitar* Lc 12.15; At 21.25; 2 Tm 4.15; 2 Pe 3.17.— b. *guardar, observar, seguir* como o at. em 1d acima Mt 19.20 v.l.; Mc 10.20; Lc 18.21 v.l. [*profilaxia*]

φυλή, ῆς, ἡ—1. *tribo* Lc 2.36; 22.30; Fp 3.5; Hb 7.13; Tg 1.1; Ap 7.4-8.—2. *nação, povo* Mt 24.30; Ap 5.9; 11.9; 14.6.

φύλλον, ου, τό *folha* (de plantas) Mt 24.32; Mc 11.13; Ap 22.2. [*-fila*, sufixo, e.g. *clorofila*]

φύραμα, ατος, τό *aquilo que é misturado* ou *batido, massa* Rm 11.16; 1 Co 5.6s; Gl 5.9. *Vaso de barro* Rm 9.21.*

φυσικός, ή, όν *natural, pertencente à natureza*—1. *natural, de acordo com a natureza* Rm 1.26s.—2. φυσικά *criaturas de instinto* 2 Pe 2.12.* [*físico*]

φυσικῶς adv. *naturalmente, instintivamente* Jd 10.*

φυσιόω *orgulhar-se, encher-se de orgulho* 1 Co 8.1. Pass. 1 Co 4.6, 18s; 5.2; 13.4; Cl 2.18.*

φύσις, εως, ἡ *natureza*—1. *capacidade* ou *condição natural* Rm 2.27; 11.21, 24; Gl 2.15; Ef 2.3.—2. *características* ou *disposição natural* Gl 4.8; 2 Pe 1.4; talvez Tg 3.7b (ver 4 abaixo).—3. *natureza* como a ordem natural regular Rm 1.26; 2.14; 1 Co 11.14.—4. *ser, criatura, espécies, gênero (natural)* Tg 3.7a, provavelmente 3.7b (ver 2 acima).*

φυσίωσις, εως, ἡ *arrogância, orgulho, insolência* 2 Co 12.20.*

φυτεία, ας, ἡ *planta* Mt 15.13.*

φυτεύω *plantar* Mt 15.13; 21.33; Mc 12.1; Lc 13.6; 17.6, 28; 20.9; 1 Co 3.6-8; 9.7.*

φύω *crescer* Lc 8.6; Hb 12.15.*

φωλεός, οῦ, ὁ *cova, buraco* Mt 8.20; Lc 9.58.*

φωνέω—1. *produzir um som*—a. *cantar* (do galo) Mt 26.34, 74s; Mc 14.30, 68, 72; Lc 22.34, 60s; Jo 13.38; 18.27.—b. *clamar, gritar, falar alto, dizer enfaticamente* Mc 1.26; Lc 8.8, 54; 23.46; Ap 14.18.—2. *chamar alguém*—a. *chamar (tratar como)* Jo 13.13.—b. *chamar, convocar* Mt 20.32; Mc 9.35; 10.49; Lc 19.15; Jo 1.48;

2.9; 9.18, 24; 10.3; At 9.41.— *Convidar* Lc 14.12.

φωνή, ῆς, ἡ—1. *som, tom, barulho* Mt 2.18; Lc 1.44; Jo 3.8; 1 Co 14.7s; Ap 4.5; 6.1; 8.13b; 9.9; 10.7; 19.6b.—**2.** *voz*—**a.** genericamente Mt 27.46, 50; Lc 17.13, 15; 19.37; Jo 5.25, 28; At 7.57; 12.14; Hb 3.7, 15; Ap 5.2. *Tom* Gl 4.20.—**b.** *Clamar, bradar, declarar solenemente* Mc 15.37; Lc 23.23; At 12.22; 13.27; 19.34; 2 Pe 1.17s.—**c.** uma *voz* que fala do céu Mt 3.17; Mc 1.11; Jo 12.28; At 7.31; 22.7, 9; Ap 14.13; 19.5.—**d.** casos especiais: ἐπέστρεψα βλέπειν τὴν φωνὴν ἥτις ἐλάλει μετ' ἐμοῦ *Eu me virei para ver* (a quem pertencia) *a voz que falava comigo* Ap 1.12. φωνὴ βοῶντος ἐν τῇ ἐρήμῳ *(Atenção!) alguém está chamando no deserto* Mt 3.3; Mc 1.3; Lc 3.4. João Batista aplica essas palavras a si mesmo, *a voz do que clama no deserto* Jo 1.23.—**3.** *linguagem, idioma* 1 Co 14.10s; 2 Pe 2.16. [*fonética, fonema, fone,* prefixo e sufixo de vários vocábulos; *telefone, megafone*]

φῶς, φωτός, τό *luz*—**1.** lit.—**a.** genericamente Mt 17.2; Lc 8.16; Jo 11.10; At 12.7; 2 Co 4.6; Ap 18.23.—**b.** aquilo que da luz, *iluminador* Mt 6.23; Lc 11.35; Jo 11.9; At 16.29; Tg 1.17. *Fogo* Mc 14.54;Lc 22.56.—**2.** *luz* como o elemento e esfera do Divino Jo 1.4, 7-9; 9.5; 12.35s, 46; 1 Tm 6.16; 1 Jo 1.5, 7b—**3.** fig. Mt 4.16; 5.14; Lc 16.8; Jo 8.12; At 13.47; 26.18; Rm 2.19; 13.12; Ef 5.13; Cl 1.12; 1 Jo 2.8-10. [*fos-, fosfo-, foto-.* prefixo em várias palavras, e.g. *fosforescente, fotografia*]

φωστήρ, ῆρος, ὁ *estrela* Fp 2.15. *Esplendor, radiância* Ap 21.11.*

φωσφόρος, ον *portador* ou *que traz luz* subst. ὁ φ. *a estrela da manhã* Vênus, fig. 2 Pe 1.19.*[*fósforo*]

φωτεινός, ή, όν *luminoso, brilhante, radiante* Mt 17.5. *Cheio de luz, iluminado* 6.22; Lc 11.34, 36.*

φωτίζω—1. intrans. *brilhar* Ap 22.5.—**2.** trans.—**a.** lit. *dar luz a, iluminar* Lc 11.36; Ap 18.1; 21.23; 22.5 v.l.—**b.** fig. *iluminar, esclarecer, lançar luz sobre* Jo 1.9; Ef 1.18; 3.9; Hb 6.4; 10.32.—**c.** *trazer à luz, revelar* 1 Co 4.5; Ef 3.9 v.l., 2 Tm 1.10.*

φωτισμός, οῦ, ὁ *iluminação, esclarecimento, luz* 2 Co 4.4; *manisfestação, revelação* 4.6.*

X

χαίρω—1. *regozijar-se, alegrar-se, estar contente* Mt 2.10; 5.12; Mc 14.11; Lc 15.32; 22.5; Jo 3.29; 16.20, 22; At 5.41; Rm 16.19; 2 Co 7.9, 16; Fp 1.18; 3.1; Cl 1.24.—**2.** como uma fórmula de saudação—**a.** χαῖρε, χαίρετε *bom dia, saudações, como vai?,* etc. Mt 26.49; 27.29; Mc 15.18; Lc 1.28; Jo 19.3; 2 Jo 10.s; *bom dia* Mt 28.9 e possivelmente outros—**b.** elipticamente no início de uma carta χαίρειν *saudações* At 15.23; 23.26; Tg 1.1.

χάλαζα, ης, ἡ *granizo* Ap 8.7; 11.19; 16.21.*

χαλάω *baixar* Mc 2.4; Lc 5.4s; At 9.25; 27.17, 30; 2 Co 11.33.*

Χαλδαῖος, ου, ὁ *caldeu,* um habitante de Caldéia na Mesopotâmia At 7.4.*

χαλεπός, ή, όν *difícil, duro* 2 Tm 3.1; *duro de se tratar, violento, perigoso* Mt 8.28.*

χαλιναγωγέω *refrear, controlar* Tg 1.26; 3.2.*

χαλινός, οῦ, ὁ *freio* (de cavalo) Tg 3.3; Ap 14.20.*

χαλινόω *refrear* Tg 1.26 v.l.*

χαλκεύς, έως, ἡ *ferreiro, metalúrgico* 2 Tm 4.14.*

χαλκηδών, όνος, ὁ *calcedônia, uma pedra preciosa, cuja natureza exata é desconhecida* Ap 21.19.*

χαλκίον, ου, τό *vasilha (de cobre)* Mc 7.4.*

χαλκολίβανον, ου, τό ou χαλκολίβανος, ου, ὁ talvez *bronze polido;* sua natureza exata é desconhecida Ap 1.15; 2.18.*

χαλκός, οῦ, ὁ *cobre, bronze, latão:* o próprio metal Ap 18.12, ou alguma coisa feita com ele: um *gongo* 1 Co 13.1; *moeda* ou simplesmente *dinheiro* Mt 10.9; Mc 6.8; 12.41.*

χαλκοῦς, ῆ, οῦν *feito de cobre, latão* ou *bronze* τὰ χαλκᾶ ac. neut. pl. Ap 9.20.*

χαμαί adv. *para* ou *no solo* Jo 9.6; 18.6.*

Χανάαν, ἡ indecl. *Canaã*, a terra a oeste do Jordão no tempo dos patriarcas At 7.11; 13.19.*

Χαναναῖος, α, ον *cananita, cananeu* (ver Χανάαν) Mt 15.22.*

χαρά, ᾶς, ἡ *alegria, gozo, regozijo*—1. lit. Mt 28.8; Lc 24.41; Jo 16.20-22; At 8.8; Rm 14.17; 2 Co 7.4; 8.2; Gl 5.22; Fp 1.4, 25; Fm 7; Hb 12.11; Tg 1.2; 1 Pe 1.8.—2. fig, —a. *a pessoa* ou *coisa que causa alegria, (o objeto da) alegria* Lc 2.10; Fp 4.1; 1 Ts 2.19s.—b. *um estado de alegria* Mt 25.21, 23; Hb 12.2.

χάραγμα, ατος, τό—1. *marca* ou *estampa* Ap 13.16s; 14.9, 11; 15.2 v.l.; 16.2; 19.20; 20.4.—2. *uma coisa formada, uma imagem* At 17.29.*

χαρακτήρ, ῆρος, ὁ *reprodução, representação (exata)* Hb 1.3.*[caráter]

χάραξ, ακος, ὁ *paliçada, barricada* Lc 19.43.*

χαρῆναι, χαρήσομαι inf. 2 aor. pass., e 2 fut. ind. pass. de χαίρω.

χαρίζομαι—1. *dar* ou *ceder livremente como um favor* Lc 7.21; At 3.14; 25.11, 16; 27.24; Rm 8.32; 1 Co 2.12; Fp 1.29; 2.9; Fm 22; talvez Gl 3.18 (ver 3 abaixo). *Dispensar, cancelar* Lc 7.42s.—2. *remir, perdoar* 2 Co 2.7, 10; 12.13; Ef 4.32; Cl 2.13; 3.13.—3. *mostrar-se ser gracioso* Gl 3.18 (ver 1 acima).*

χάριν ac. de χάρις, usado como uma prep. com gen., usualmente vindo depois da palavra que rege: *por amor a; a favor de, por causa de, graças a*—1. indicando o alvo Gl 3.19; 1 Tm 5.14; Tt 1.5, 11; Jd 16.—2. indicando a razão χάριν τίνος; *por qual razão? por quê?* 1 Jo 3.12. Cf. Lc 7.47. Ef 3.1, 14 podem ser classificados sob 1 ou 2.*

χάρις, ιτος, ἡ—1. *graciosidade, atratividade* Lc 4.22; Cl 4.6.—2. *favor, graça, ajuda graciosa, boa vontade* Lc 1.30; 2.40, 52; At 2.47; 7.10; 14.26; Rm 3.24; 4.4; 5.20s; 11.5s; Gl 1.15; Ef 2.5, 7s. *Crédito* Lc 6.32-34. *Aquilo que traz o favor* (de Deus) 1 Pe 2.19s.— *graça* ou *favor* (divinos) em fórmulas fixas no início e fim de cartas cristãs, e.g. Rm 1.7; 16.20; 2 Co 1.2; 13.13; 1 Ts 1.1; 5.28; Hb 13.25; 1 Pe 1.2; Ap 1.4.—3. *aplicação prática da boa-vontade, um sinal de favor, ato gracioso* ou *dom, benefício* Jo 1.14, 16s; At 13.43; 24.27; 25.3, 9; Rm 5.2; 6.14s; 1 Co 16.3; 2 Co 1.15; Ef 4.29; Hb 10.29; Tg 4.6; 1 Pe 5.10.—4. *de efeitos excepcionais produzidos pela graça divina* Rm 1.5; 12.6; 1 Co 15.10a, b; 2 Co 8.1; 9.8, 14; 1 Pe 4.10. Dificilmente pode ser diferenciada de *poder, conhecimento, glória* At 6.8; 1 Co 15.10c; 2 Co 1.12; 2 Pe 3.18.—5. *gratidão* χάριν ἔχειν *ser grato* 1 Tm 1.12; 2 Tm 1.3; Hb 12.28. Em outras expressões Rm 6.17; 7.25; 1 Co 10.30; 15.57; 2 Co 9.15; Cl 3.16.

χάρισμα, ατος, τό *um dom (dado livre e graciosamente), favor*—1. genericamente Rm 1.11; 5.15s; 6.23; 11.29; 1 Co 1.7; 2 Co 1.11.—2. *de dons especiais dados a indivíduos cristãos* 1 Co 7.7; 1 Tm 4.14; 2 Tm 1.6; 1 Pe 4.10. De *dons espirituais* em um sentido especial Rm 12.6; 1 Co 12.4, 9, 28, 30s.*

χαριτόω *outorgar um favor, favorecer, abençoar* Ef 1.6. κεχαριτωμένη *favorecido, agraciado* (por Deus) Lc 1.28.*

Χαρράν, ἡ indecl. *Harã,* um lugar na Mesopotâmia At 7.2, 4.*

χάρτης, ου, ὁ *uma folha de papel, papiro* 2 Jo 12.* [carta]

χάσμα, ατος, τό *abismo* Lc 16.26.*

χεῖλος, ους, τό *lábio*—1. *os lábios* Mt 15.8; Mc 7.6; Rm 3.13; 1 Co 14.21; Hb 13.15; 1 Pe 3.10.—2. *praia* (do mar) Hb 11.12.*

χειμάζω *expor ao mau tempo, ser sacudido por uma tempestade* At 27.18.*

χείμαρρος ou χειμάρρους, ου, ὁ *arroio que só corre no inverno, uadi* Jo 18.1.*

χειμών, ῶνος, ὁ—1. *mau tempo, tempestuoso* Mt 16.3; At 27.20.—2. *inverno* Mt 24.20; Mc 13.18; Jo 10.22; 2 Tm 4.21.*

χείρ, χειρός, ἡ *mão*—1. lit. Mt 22.13; Mc 3.1; Lc 24.39; Jo 20.25; At 19.26; 21.11; 1 Co 4.12; Ap 9.20; 20.1. *Escrito a mão* 1 Co 16.21; Gl 6.11; Cl 4.18; 2 Ts 3.17; Fm 19. Equivalente a *atividade* Mc 6.2; At 2.23; 19.11; Gl 3.19. *Dedo* Lc 15.22. Talvez *braço* Mt 4.6; Lc 4.11.—2. fig.—a. a *mão* de Deus, Cristo ou de um anjo Lc 1.66; Jo 3.35; 10.28s; 13.3; At 7.35, 50; 13.11; Hb 1.10; 10.31.—b. *poder hostil* Mt 17.22; 26.45; Lc 24.7; Jo 10.39; At 12.11; 21.11b; 2 Co 11.33. [*quiromancia*]

χειραγωγέω *tomar ou levar pela mão* At 9.8; 22.11.*

χειραγωγός, οῦ, ὁ *alguém que leva outro pela mão, líder* At 13.11.*

χειρόγραφον, ου, τό *certificado de dívida, promissória* Cl 2.14.*

χειροποίητος, ον *feito por mãos humanas* Mc 14.58; At 7.48; Ef 2.11; Hb 9.11, 24.*

χειροτονέω *escolher ou eleger* (levantando as mãos) 2 Co 8.19. *Designar, indicar* At 14.23.*

χείρων, ον, gen. ονος comparativo de κακός *pior, mais severo* Mt 27.64; Mc 2.21; 5.26; Lc 11.26; Jo 5.14; 1 Tm 5.8; 2 Tm 3.13; Hb 10.29; 2 Pe 2.20.

Χερούβ, τό indecl., mas pl. Χερουβίν *querubim,* uma das duas figuras aladas acima da arca da aliança Hb 9.5.*

χήρα, ας, ἡ fem. de χῆρος = *viúva*—1. genericamente γυνὴ χήρα *uma viúva* Lc 4.26. Subst. (ἡ) χήρα *(a) viúva* Mc 12.40, 42s; Lc 2.37; 4.25s; 20.47; At 6.1; 1 Co 7.8; 1 Tm 5.3b, 4, 5, 11, 16; Tg 1.27.—2. de uma classe especial nas comunidades cristãs 1 Tm 5.3, 9.

χθές adv., v.l. de ἐχθές *ontem* em Jo 4.52; At 7.28; Hb 13.8.*

χιϛ' ver χξϛ'.

χιλίαρχος, ου, ὁ *tribuno militar,* comandante de uma coorte, cerca de 600 homens, mais ou menos equivalente a um major ou a um coronel Mc 6.21; Jo 18.12; At 21.31-33, 37; 23.17-19; 25.23; Ap 6.15; 19.18.

χιλιάς, άδος, ἡ (um grupo de) *mil* Lc 14.31; At 4.4; Ap 5.11; 7.4-8; 11.13; 14.1, 3.

χίλιοι, αι, α *mil* 2 Pe 3.8; Ap 11.3; 12.6; 14.20; o milênio Ap 20.2-7.*

Χίος, ου, ἡ *Quios,* uma ilha (com uma cidade de igual nome) na costa oeste da Ásia Menor At 20.15.*

χιτών, ῶνος, ὁ *túnica, camisa* uma roupa usada logo acima da pele, por pessoas de ambos os sexos Mt 5.40; 10.10; Mc 6.9; Lc 3.11; 6.29; 9.3; Jo 19.23; At 9.39; Jd 23. Pl. roupas Mc 14.63.* [*chita, chitão*]

χιών, όνος, ὁ *neve* Mt 28.3; Mc 9.3 v.l.; Ap 1.14.*

χλαμύς, ύδος, ἡ *manto, capa* usada por viajantes e soldados Mt 27.28, 31.*

χλευάζω *burlar-se de, zombar, escarnecer* At 2.13 v.l.; 17.32.*

χλιαρός, ά, όν *morno* Ap 3.16.*

Χλόη, ης, ἡ *Cloé,* uma mulher desconhecida de outras fontes. οἱ Χλόης *membros da casa de Cloé* (escravos ou libertos) 1 Co 1.11.*

χλωρός, ά, όν *verde pálido, verde* Mc 6.39; Ap 8.7; 9.4.—2. *pálido,* como uma pessoa doente Ap 6.8.*

χξϛ *seiscentos e sessenta e seis* (χ' = 600, ξ' = 60, ϛ = 6) a leitura do Textus Receptus. A v.l. χιϛ ' = 616. Ap 13.18.*

χοϊκός, ή, όν *feito de pó* ou *terra, terreno* 1 Co 15.47-49.*

χοῖνιξ, ικος, ἡ *quarto,* uma medida, quase = 1 litro Ap 6.6.*

χοῖρος, ου, ὁ *porco, suíno* Mt 7.6; Mc 5.11-13, 16; Lc 15.15s.

χολάω *estar irado* Jo 7.23.*

χολή, ῆς, ἡ *fel, bílis*—1. lit. de uma substância amarga Mt 27.34.—2. fig. χολὴ πικρίας *fel de amargura* At 8.23.*

Χοραζίν, ἡ indecl. *Corazim,* um lugar na Galiléia Mt 11.21; Lc 10.13.*

χορηγέω *prover, suprir (em abundância)* 2 Co 9.10; 1 Pe 4.11.*

χορός, οΰ, ὁ dança Lc 15.25.* [coral]

χορτάζω alimentar, saciar, satisfazer; pass. fartar-se, estar satisfeito lit. Mt 14.20; 15.33; Mc 8.4, 8; Lc 6.21; Jo 6.26; Fp 4.12; Tg 2.16; Ap 19.21. Fig. estar satisfeito Mt 5.6.

χόρτασμα, ατος, τό alimento At 7.11.*

χόρτος, ου, ὁ erva, grama, vegetação Mt 6.30; 14.19; Mc 6.39; Jo 6.10; Tg 1.10s; 1 Pe 1.24; Ap 9.4. Talo, ramo Mc 4.28. Feno 1 Co 3.12.

Χουζᾶς, ᾶ, ὁ Cuza Lc 8.3.*

χοῦς, χοός, ac. χοῦν, ὁ pó Mc 6.11; Ap 18.19.*

χράομαι usar—1. fazer uso de, usar, empregar—a. com dat. At 27.17; 1 Co 9.12, 15; 1 Tm 5.23; tirar vantagem, aproveitar ao máximo (suprir ou τῇ δουλείᾳ) ou (τῇ ἐλευθερίᾳ) 1 Co 7.21.—b. com ac. 1 Co 7.31.—2. agir, proceder 2 Co 1.17; 13.10.—3. com dat. da pessoa e um adv. tratar uma pessoa de certa maneira At 27.3.

χράω outra forma de κίχρημι.

χρεία, ας, ἡ—1. necessidade, falta, precisão Lc 10.42; Hb 7.11. χρείαν ἔχειν ter necessidade Mt 3.14; 6.8; Mc 11.3; Lc 19.31, 34; 1 Co 12.21, 24; Hb 5.12; 10.36;—2. necessidade, falta, dificuldade χρείαν ἔχειν estar em falta, faltar alguma coisa Mc 2.25; At 2.45; 4.35; Ef 4.28; Ap 3.17.— Em outras expressões At 20.34; Rm 12.13; Fp 4.16, 19.—3. aquilo que é necessário Ef 4.29.—4. ofício, dever, serviço At 6.3.

χρεοφειλέτης e χρεωφειλέτης, ου, ὁ devedor Lc 7.41; 16.5.*

χρή é necessário, deve-se Tg 3.10.*

χρῄζω (ter) necessidade (de) Mt 6.32; Lc 11.8; 12.30; Rm 16.2; 2 Co 3.1.*

χρῆμα, ατος, τό—1. pl. propriedade, riqueza, bens Mc 10.23, 24 v.l.; Lc 18.24.—2. dinheiro, especialmente pl. At 8.18, 20; 24.6; raramente no sing. 4.37.*

χρηματίζω—1. de Deus conceder uma revelação ou injunção ou aviso Mt 2.12, 22; Lc 2.26; e 26 v.l.; At 10.22; Hb 8.5; 11.7; 12.25.—2. ter um nome, ser chamado ou nomeado At 11.26; Rm 7.3.*

χρηματισμός, οῦ, ὁ uma declaração ou resposta divina Rm 11.4.*

χρῆσαι imperativo 1 aor. méd. de χράομαι.

χρήσιμος, η, ον útil, benéfico, vantajoso 2 Tm 2.14; Mt 20.28 v.l.*

χρῆσις, εως, ἡ relação (sexual) Rm 1.26s.*

χρῆσον imperativo 1 aor. at. de κίκρημι.

χρηστεύομαι ser bondoso, misericordioso 1 Co 13.4.*

χρηστολογία, ας, ἡ palavras suaves, agradáveis Rm 16.18.*

χρηστός, ή, όν útil, digno, bom—1. adj.— a. de coisas bom, agradável, fácil Lc 5.39; Mt 11.30; (moralmente) bom, respeitável 1 Co 15.33.—b. de pessoas bondosa, benevolente, generosa Lc 6.35; Ef 4.32; 1 Pe 2.3.—2. subst. τὸ χρηστόν bondade Rm 2.4.*

χρηστότης, ητος, ἡ—1. bondade, retidão ποιεῖν χρηστότητα fazer o que é certo Rm 3.12.—2. bondade, generosidade Rm 2.4; 9.23 v.l., 11.22; 2 Co 6.6; Gl 5.22; Ef 2.7; Cl 3.12; Tt 3.4.*

χρῖσμα, ατος, τό unção 1 Jo 2.20, 27.* [crisma]

Χριστιανός, οῦ, ὁ cristão At 11.26; 26.28; 1 Pe 4.16.*

Χριστός, οῦ, ὁ—1. como um título o Ungido, o Messias, o Cristo Mt 2.4; 16.16; Mc 8.29; Lc 2.26; 4.41; Jo 1.41; 4.25; At 3.18; 5.42; Rm 9.5; Ap 11.15.—2. como um nome próprio Cristo Mc 1.1; 9.41; At 24.24; Rm 1.4, 6, 8; Hb 3.6; 1 Pe 1.1-3.

χρίω ungir fig. Lc 4.18; At 4.27; 10.38; 2 Co 1.21; Hb 1.9.*

χρονίζω—1. tardar, demorar, atrasar-se Mt 24.48; 25.5; Hb 10.37.—2. com inf. o seguindo, atraso, demora em fazer algo Mt 24.48 v.l.; Lc 12.45.—3. ficar (em algum lugar) por um longo tempo Lc 1.21.*

χρόνος, ου, ὁ tempo Mt 25.19; Lc 8.27; Jo 7.33; At 1.7; 14.3, 28; 17.30; Rm 16.25; 1 Co 16.7; Gl 4.4; Hb 5.12; Ap 6.11.— Demora, prazo, tempo Ap 2.21; 10.6. [crono-, prefixo de vários vocábulos, e.g. cronologia, cronômetro]

χρονοτριβέω gastar tempo, perder ou desperdiçar tempo At 20.16.*

χρύσεος forma não contracta de χρυσοῦς.

χρυσίον, ου, τό *ouro* 1 Co 3.12 v.l.; Hb 9.4; 1 Pe 1.7; Ap 3.18; 21.18, 21.— *Enfeites de ouro, jóias* 1 Tm 2.9; 1 Pe 3.3; Ap 17.4; 18.16.— *Ouro cunhado* At 3.6; 20.33; 1 Pe 1.18.*

χρυσοδακτύλιος, ον *com um (ou mais) anel de ouro no(s) dedo(s)* Tg 2.2.*

χρυσόλιθος, ου, ὁ *crisólito*, o topázio amarelo Ap 21.20.*

χρυσόπρασος, ου, ὁ *crisópraso*, um quartzo verde Ap 21.21.*

χρυσός, οῦ, ὁ *ouro* Mt 2.11; 10.9; 23.16s; At 17.29; 1 Co 3.12; Ap 9.7; 18.12.

χρυσοῦς, ῆ, οῦν *dourado; feito ou adornado de ouro* 2 Tm 2.20; Hb 9.4; Ap 1.12s, 20; 9.13, 20; 21.15.

χρυσόω *cobrir* ou *enfeitar com ouro* Ap 17.4; 18.16.*

χρῶ 2 pes. sing. imperativo pres. méd. (1 Tm 5.23) de χράομαι.

χρώς, χρωτός, ὁ *pele* At 19.12.*

χωλός, ή, όν *paralítico, aleijado* Mt 11.5; 15.30s; Mc 9.45; Lc 14.13, 21; Jo 5.3; At 3.2; 14.8. τὸ χωλόν *o paralítico* Hb 12.13.

χώρα, ας, ἡ *país, terra*—1. *distrito, região, lugar* Mt 8.28; Mc 6.55; Lc 15.13-15; At 10.39; 13.49; 16.6; 26.20.—2. *o campo* em contraste com a cidade Jo 11.55; At 8.1.—3. *terra* em contraste com o mar At 27.27.—4. *campo, terra cultivada* pl. Lc 21.21; Jo 4.35; Tg 5.4. Sing. *terra, fazenda* Lc 12.16.—5. ἐν χώρᾳ καὶ σκιᾷ θανάτου *na terra da sombra da morte* Mt 4.16.

Χωραζίν ver Χοραζίν.

χωρέω *dar lugar, abrir caminho*—1. *ir, sair ou ir embora* lit. Mt 15.17; 20.28 v.l. Fig. *vir* 2 Pe 3.9.—2. *progredir, adiantar-se* Jo 8.37, embora *achar lugar* também seja provável.—3. *ter lugar para, suster, conter*—a. lit. Jo 2.6; 21.25. μηκέτι χωρεῖν *já não havia mais nenhum lugar* Mc 2.2.— b. fig. χωρήσατε ἡμᾶς *preparai lugar para nós* = *recebei-nos* 2 Co 7.2. *Pegar, compreender, entender, aceitar* Mt 19.11.s.*

χωρίζω—1. at. *dividir, separar* Mt 19.6; Mc 10.9; Rm 8.35, 39.—2. pass. *Separar-se, ser separado* (divórcio) 1 Co 7.10s, 15.— *Ser tomado, ser levado, partir* At 1.4; 18.1s; Fm 15.— Em Hb 7.26 κεχωρισμένος significa que Cristo foi *separado* dos homens pecaminosos e, também, que é *diferente* deles.*

χωρίον, ου, τό *lugar, campo, pedaço de terra* Mt 26.36; Mc 14.32; Jo 4.5; At 1.18s; 4.34, 37 v.l.; 5.3, 8; 28.7.*

χωρίς adv—1. usado como adv. *separadamente, à parte, por si mesmo* Jo 20.7.—2. funciona como prep. com gen. *sem, aparte de*—a. com gen. de pessoa *à parte de alguém, sem alguém, longe de alguém* Jo 1.3; 15.5; Rm 10.14; 1 Co 4.8; 11.11; Ef 2.12.— *Além disso, em adição a* Mt 14.21; 15.38.—b. com gen. de coisa *fora (de) alguma coisa* 2 Co 12.3.— *Sem, à parte de* Mt 13.34; Lc 6.49; Rm 3.28; 7.8; Fp 2.14; Fm 14; Hb 4.15; 9.28; 10.28; Tg 2.20.— *Além disso, em adição a* 2 Co 11.28.

χωρισμός, οῦ, ὁ *divisão* At 4.32 v.l.*

χῶρος, ου, ὁ *o noroeste* At 27.12.*

Ψ

ψάλλω cantar, cantar louvores Rm 15.9; 1 Co 14.15; Ef 5.19; Tg 5.13.*

ψαλμός, οῦ, ὁ cântico de louvor, salmo Lc 20.42; 24.44; At 1.20; 13.33; 1 Co 14.26; Ef 5.19; Cl 3.16.*

ψευδάδελφος, ου, ὁ falso irmão, alguém que aparenta ser cristão 2 Co 11.26; Gl 2.4.*

ψευδαπόστολος, ου, ὁ falso ou pseudoapóstolo 2 Co 11.13.*

ψευδής, ές falso, mentiroso At 6.13; Ap 2.2. Subst. O mentiroso 21.8.*

ψεςυδοδιδάσκαλος, ου, ὁ falso mestre 2 Pe 2.1.*

ψευδολόγος, ον falando falsamente, mentindo subst. mentiroso 1 Tm 4.2.*

ψεύδομαι—1. mentir, contar uma falsidade Mt 5.11; At 5.4; 14.19 v.l.; Rm 9.1; 2 Co 11.31; Gl 1.20; Cl 3.9; 1 Tm 2.7; Hb 6.18; Tg 3.14; 1 Jo 1.6; Ap 3.9.—2. (tentar) enganar mentindo, contar mentiras a, impor sobre At 5.3.*

ψευδομαρτυρέω dar falso testemunho, testemunhar falsamente Mt 19.18; Mc 10.19; 14.56s; Lc 18.20; Rm 13.9 v.l.*

ψευδομαρτυρία, ας, ἡ falso testemunho Mt 15.19; 26.59.*

ψευδόμαρτυς, υρος, ὁ (também acentuado ψευδομάρτυς) alguém que dá falso testemunho, uma testemunha falsa Mt 26.60; 1 Co 15.15.*

ψευδοπροφήτης, ου, ὁ pseudo-profeta, falso profeta Mt 7.15; Mc 13.22; At 13.6; 1 Jo 4.1; Ap 16.13.

ψεῦδος, ους, τό mentira, falsidade, mentiroso Jo 8.44; Rm 1.25; Ef 4.25; 2 Ts 2.9, 11; 1 Jo 2.21, 27; Ap 14.5; 21.27; Ap 14.5; 21.27; 22.15.*

ψευδόχριστος, ου, ὁ falso Cristo, alguém que alega, falsamente, ser o Messias Mt 24.24; Mc 13.22.*

ψευδώνυμος, ου falsamente chamado 1 Tm 6.20.* [pseudônimo]

ψεῦσμα, ατος, τό mentira, falsidade, inconfiabilidade Rm 3.7.*

ψεύστης, ου, ὁ mentiroso Jo 8.44, 55; Rm 3.4; 1 Tm 1.10; Tt 1.9 v.l., 12; 1 Jo 1.10; 2.4, 22; 4.20; 5.10.*

ψηλαφάω tocar, apalpar Lc 24.39; At 17.27 (ψηλαφήσειαν) 3 pes. pl. 1 aor opt. at.); Hb 12.18; 1 Jo 1.1.*

ψηφίζω contar, calcular Lc 14.28; Ap 13.18*

ψῆφος, ου, ἡ voto, seixo At 26.10; usado como um amuleto Ap 2.17.*

ψιθυρισμός, οῦ, ὁ murmuração, queixume 2 Co 12.20.*

ψιθυριστής, οῦ, ὁ murmurador, falador, queixoso Rm 1.29.*

ψίξ, χός, ἡ migalha Mt 15.27 v.l.; Lc 16.21 v.l.*

ψιχίον, ου, τό migalhinha, sobra, resto Mt 15.27; Mc 7.28; Lc 16.21 v.l.*

ψυγήσεται 3 pes. sing. 2 fut. ind. pass. de ψύχω

ψυχή, ῆς, ἡ alma, vida; freqüente é impossível traçar limites claros e definidos entre os significados desta multifacetada palavra.—1. lit.—a. da vida em seus aspectos físicos—α. (fôlego da) vida, princípio vital, alma Lc 12.20; At 2.27; Ap 6.9.—β. a vida terrena em si Mt 2.20; 20.28; Mc 10.45; Lc 12.22; Jo 10.11; At 15.26; Fp 2.30; 1 Jo 3.16; Ap 12.11.—b. a alma como sede e centro da vida interior de uma pessoa, em seus muitos e variados aspectos: desejos, sentimentos, emoções Mc 14.34; Lc 1.46; 12.19; Jo 12.27; 1 Ts 2.8; Hb 12.3; Ap 18.14; coração Ef 6.6; Cl 3.23; mente Fp 1.27.—c. a alma como a sede e centro da vida que transcende a terrena Mt 10.28; 39; 11.29; 16.26; Mc 8.35-37; 2 Co 12.15; Hb

6.19; Tg 1.21; 1 Pe 1.9; 2.11.—**d**. ψυχή algumas vezes expressa um relacionamente reflexivo e pode ser traduzida por *ego, eu mesmo, eu, mim* Mt 26.38; Mc 10.45; Jo 10.24; 2 Co 1.23; Ap 18.14.—**2**. por metonímia *aquilo que possui vida* ou *uma alma, criatura, pessoa* At 2.41; 43; 3.23; 27.37; Rm 2.9; 1 Co 15.45; 1 Pe 3.20; Ap 16.3. [*psiquê, psico-* prefixo de várias palavras e.g. *psicologia, psicoterapia*]

ψυχικός, ή, όν *pertencente à vida,* neste caso a vida do mundo físico e não espiritual, *natural, anímico*—**1**. adj. *não-espiritual;* 1 Co 2.14; Tg 3.15; *físico* 1 Co 15.44.—**2**. subst. τὸ ψυχικόν *o físico* 1 Co 15.46. ψυχικοί *pessoas mundanas* Jd 19.* [*psíquico*]

ψῦχος, ους, τό *frio* Jo 18.18; At 28.2; 2 Co 11.27.*

ψυχρός, ά, όν *frio*—**1**. lit. Mt 10.42 v.l. τὸ ψυχρόν *água fria* 10.42.—**2**. fig. *frio* Ap 3.15s.*

ψύχω pass. *esfriar, ser extinta* Mt 24.12.*

ψωμίζω *alimentar* Rm 12.20. Em 1 Co 13.3 o significado pode ser ou *distribuir (em quinhões)* ou *esbanjar, dissipar.* *

ψωμίον, ου, τό *(pequeno) pedaço de pão* Jo 13.26s, 30.*

ψώχω *debulhar* Lc 6.1.*

Ω

Ω, ὤ *omega,* última letra do alfabeto grego Ap 1.8, 11 v.l.; 21.6; 22.13.*

ὤ interjeição *Oh!* Mt 15.28; Mc 9.19; At 1.1; Rm 2.1, 3; 11.33.

Ὠβήδ v.l. de Ἰωβήδ.

ὧδε adv.—**1**. *aqui* no sentido de *para este lugar, para cá* Mt 8.29; 22.12; Mc 11.33; Lc 19.27; Jo 6.25; Ap 11.12.—**2**. *aqui* no sentido de *neste lugar, cá* Mt 12.6, 41s; Mc 14.32; Lc 4.23; 15.17; At 9.14; Cl 4.9; Hb 13.14.— Com o sentido local enfraquecido *neste caso, nesta ocasião, sob estas circunstâncias* 1 Co 4.2; Ap 13.10, 18; 14.12; 17.9. ὧδε ... ἐκεῖ *em um caso ... no outro* Hb 7.8.

ᾠδή, ῆς, ἡ *cântico, ode* Ef 5.19; Cl 3.16; Ap 5.9; 14.3; 15.3.*

ὠδίν, ῖνος, ἡ *dores de parto*—**1**. lit. 1 Ts 5.3.—**2**. simbolicamente Mt 24.8; Mc 13.8; At 2.24.*

ὠδίνω *sofrer dores de parto* Gl 4.19 (fig.), 27; Ap 12.2.*

ὦμος, ου, ὁ *ombro* Mt 23.4; Lc 15.5.*

ὤμοσα 1 aor. ind. at. de ὀμνύω.

ὠνέομαι *comprar* At 7.16.*

ᾠόν, οῦ, τό *ovo* Lc 11.12.*

ὥρα, ας, ἡ—**1**. *período do dia, hora* Mt 14.15; 24.36, 50; Mc 6.35; 11.11; Lc 12.39s, 46; Ap 3.3.—**2**. *hora*—**a**. como um (pequeno) espaço de tempo Mt 20.12; 26.40; Lc 22.59; Jo 5.35; 11.9; At 5.7; 2 Co 7.8; Gl 2.5; Fm 15; Ap 9.15; 18.10,17, 19.—**b**. como um *momento* ou *período* de tempo nomeado conforme a hora que acabará de passar. O período da luz do dia era dividido em doze 'horas' (mais do que 60 minutos cada no verão; menos do que 60 no inverno); a 'primeira hora' era aproximadamente seis da manhã, a segunda era 7 horas, e assim por diante. Mt 20.5, 9; Mc 15.25; Lc 23.44; Jo 1.39; 4.6; At 3.1; 10.30; 22.13; 1 Co 4.11.—**3**. *o tempo, a hora* de uma ocorrência Mt 8.13; 18.1; Mc 13.11; Lc 1.10; 10.21; Jo 2.4; 7.30; 12.23; 16.21; 19.27; At 16.33; Ap 11.13; 14.7, 15.

ὡραῖος, α, ον—1. *acontecendo* ou *chegando no tempo certo* Rm 10.15.—2. *bonito, formoso, agradável* Mt 23.27; At 3.2, 10.*

ὤρυξα 1 aor. ind. at. de ὀρύσσω.

ὠρύομαι *rugir* 1 Pe 5.8.*

ὡς adv.—I. *como uma partícula comparativa como, assim como* Mt 26.39; 27.65; Mc 10.15; 1 Co 3.15; 7.17; 13.11; Ef 5.28, 33; Cl 3.18; 1 Ts 5.2; Hb 11.29. *Como* Lc 24.35; Rm 11.2; 2 Co 7.15.—II. *como uma conjunção denotando comparação, como* Mt 6.10; 13.43; 22.30; Mc 4.36; Lc 3.23; 12.27; 15.19; Jo 7.46 v.l.; At 23.11; 25.10; 1 Pe 3.6. ὡς θάλασσα *alguma coisa como o mar* Ap 4.6. ἤκουσα ὡς φωνήν *Eu ouvi o que soava como uma voz* Ap 19.1, 6. ἀρνίον ὡς ἐσφαγμένον *um cordeiro que parecia ter sido degolado* 5.6.—III. ὡς introduz a qualidade característica de uma pessoa, coisa, ação, etc., *como* Lc 16.1; 23.14; Jo 1.14; Rm 1.21; 3.7; 9.32; 1 Co 3.10; 4.7; Cl 3.23; 2 Ts 2.2.— *Como alguém que, porque* At 28.19; 2 Pe 1.3.—IV. Outros usos de ὡς—1. *como uma conjunção temporal*—a. *quando, depois* Lc 1.23, 41, 44; Jo 2.9; 4.1; At 5.24; 10.7, 25.—b. *enquanto; quando, durante* Lc 12.58; 24.32; Jo 12.35s; 20.11; At 1.10; 8.36; 21.27.— *Desde* Mc 9.21.—c. ὡς ἄν *quando, tão logo* Rm 15.24; 1 Co 11.34; Fp 2.23.—2. *como uma conj. denotando resultado de modo que* Hb 3.11; 4.3.—3. *como uma partícula denotando propósito a fim de que, para que* At 20.24; Hb 7.9.—4. *que* após verbos de conhecer, dizer, etc. Lc 6.4; 24.6; At 10.28; Rm 1.9; Fp 1.8; 1 Ts 2.11a.—5. *com numerais cerca de, aproximadamente, quase* Mc 5.13; Lc 1.56; Jo 6.10, 19; At 13.18, 20; Ap 8.1.—6. em exclamações *como! mas como!* Rm 10.15; 11.33.—7. com o superlativo ὡς τάχιστα *tão rapidamente quanto possível* At 17.15.

ὡσάν *como se, por assim dizer* 2 Co 10.9.*

ὡσαννά indecl. *hosana* (heb. ou aramaico 'ajuda' ou 'salva, eu rogo') Mt 21.9, 15; Mc 11.9s; Jo 12.13.*

ὡσαύτως adv. *(em) o mesmo (modo, caminho), semelhantemente, similarmente* Mt 20.5; Mc 12.21; Rm 8.26; 1 Co 11.25; 1 Tm 2.9; 3.8, 11.

ὡσεί—1. partícula denotando comparação *como, semelhantemente, algo como* Mt 3.16; 9.36; Mc 9.26; Lc 22.44; At 2.3; 6.15; Rm 6.13.—2. com números e medidas *cerca de* Mt 14.21; Lc 3.23; 9.14; 23.44; At 1.15; 19.7.

Ὡσηέ ou Ὡσῆε, ὁ indecl. *Oséias*, metonimicamente para seu livro Rm 9.25.*

ὡσί dat. pl. de οὖς.

ὥσπερ *(assim) como* Mt 6.2, 7; 18.17; 24.27, 37; Jo 5.21, 26; At 2.2; Rm 5.19; 2 Co 8.7; Hb 9.25; Tg 2.26.

ὡσπερεί *como, como se, como se fosse* 1 Co 4.13 v.l; 15.8.*

ὥστε—1. introduzindo uma cláusula independente *por esta razão, portanto, assim* Mt 12.12; Mc 2.28; Rm 7.4, 12; 1 Co 3.7; 5.8; 15.58; 2 Co 5.16s; Gl 3.9, 24; Fp 2.12; 1 Ts 4.18.—2. introduzindo uma cláusula dependente—a. indicando o resultado real *de modo que* Mt 8.24; 27.14; Mc 1.45; 2.12; Jo 3.16; At 1.19; 2 Co 1.8; Gl 2.13.—b. indicando o resultado pretendido *com vistas a, a fim de que, com o propósito de* Mt 10.1; 27.1; Lc 4.29; 9.52 v.l.; 20.20.

ὦτα nom. e ac. pl. de οὖς.

ὠτάριον, ου, τό *orelha* Mc 14.47; Jo 18.10.*

ὠτίον, ου, τό *orelha* Mt 26.51; Mc 14.47 v.l.; Lc 22.51; Jo 18.10 v.l., 26.*

ὠφέλεια, ας, ἡ *uso, lucro, vantagem* Rm 3.1; Jd 16.*

ὠφελέω *ajudar, auxiliar, beneficiar, ser de utilidade (para)* Mt 16.26; Mc 7.11; 8.36; 1 Co 13.3; 14.6; Gl 5.2; Hb 4.2. *Conseguir, realizar* Mt 27.24; Jo 12.19. *Ser de valor* Jo 6.63; Rm 2.25.

ὠφέλιμος, ον *útil, benéfico, vantajoso* 1 Tm 4.8; 2 Tm 3.16; Tt 3.8.*

ὤφθην 1 aor. ind. pass. de ὁράω.

Gráfica
IMPRENSA da FÉ